AF504326

VÅRT SPRÅK

NYSVENSK GRAMMATIK

I UTFÖRLIG FRAMSTÄLLNING

AF

ADOLF NOREEN

FÖRSTA BANDET

LUND
C. W. K. GLEERUPS FÖRLAG

LUND, BERLINGSKA BOKTRYCKERIET, 1908.

»Af de latinska Grammatikorna, som så mycket berömmas och följas, har väl ett system, men allenast ett förvillande system kunnat hemtas. Ålderdomen förlåte mig denna bekännelse: den måste en gång fram: jag menar ej att dermed förringa de urgamla Grammatisternas förtjenst: den var visserligen omätligt stor för deras tidehvarf.»

A. G. SILFVERSTOLPE,
Försök till en ny uppfattning af Hufvudgrunderna för allmänna språkläran, Stockholm 1814, s. 47.

FÖRSTA DELEN.

Allmän inledning.

FÖRSTA KAPITLET.

Nysvenska grammatikens begrepp.

Med nysvensk grammatik förstås en vetenskaplig framställning af det nysvenska (riks)språkets nuvarande beskaffenhet och historiska utveckling.

§ 1. Begreppet språk.

Språk kan liksom de flesta uttryck tagas i olika bemärkelser. I allra vidsträcktaste mening användes ordet om alla sinnesintryck (sinnliga »företeelser»), som aktualisera (väcka till lif) ett själsinnehåll, om allt »yttre», som väcker till lif något »inre». Så är fallet, då man talar om »naturens stumma språk» eller »ruiner, som tala sitt mäktiga språk». Jämför vidare sådana vanliga uttryck som »en tilltalande anblick», »denna tilldragelse talar högt om en straffande nemesis», »läsa i naturens bok» eller Geijers bekanta »Skogen talar, böljan talar, bäcken talar allra bäst». Dylikt kännes dock som en poetisk, öfverförd och oegentlig användning af uttrycket. Af språk i egentlig mening fordrar man:

1. Att sinnesintrycket skall äga en jämförelsevis konstant och allmängiltig förmåga att aktualisera själsinnehållet. Detta gäller icke om t. e. »naturens bok», som ju är tillsluten för de flesta af oss, om vi ej äro särskildt poetiskt stämda; och t. e. människolifvets nemesis »talar» hvarken högt eller tydligt till den moraliskt slöe. Den sinnliga företeelse däremot, som äger en dylik konstant och allmängiltig förmåga, säges vara ett tecken för det själsinnehåll, som genom densamma aktualiseras.

2. Att detta innehåll självt skall tillhöra förnimmelse-(kunskaps-)lifvet och där höja sig öfver den enkla sensationens ståndpunkt, alltså utgöras af varseblifningar, föreställningar, begrepp och dessas förbindelser, kort sagdt idéer [1]. Härigenom uteslutes t. e. »tonernas språk», dvs. vokal- och instrumentalmusiken, som — hvad än vissa konstteorier må säga — icke torde, såsom sådan, kunna väcka annat än vissa känslostämningar, t. e. vemod, glädje eller — såsom framförallt vaggvisorna — lugn. En annan sak är, att dessa känslor sedan möjligen i sin tur kunna uppkalla fantasier eller andra inre syner, hvilka ge talet om »tonmålningar» ett visst berättigande.

3. Att tecknet produceras af en och idéen aktualiseras hos en annan individ, att således ett verkligt meddelande äger rum. Härigenom uteslutes t. e. ekots »tal», härmning och allt »talande för sig själf». Sistnämnda företeelse utgör intet språk i sträng och egentlig mening äfven därför, att »talet» här ej alls framkallar någon idé och för öfrigt sker alldeles »mekaniskt», oafsiktligt och omedvetet. Däremot ha vi att såsom hithörande betrakta det fall, då de båda vid meddelandet ifrågakommande parterna utgöras af samma person, men vid olika tidpunkter, t. e. då jag genom att slå en knut på näsduken låter mitt tidigare jag meddela sig med ett mitt senare jag; likaså vid alla märken eller anteckningar »för bättre minnes skull» i almanackor, promemorior, annotationsböcker o. d.

4. Att meddelandet sker medvetet och frivilligt. Härigenom uteslutas sådana — ofta ganska »upplysande» — företeelser som svimning, bleknande, rodnande och vissa grimaser, som oftast torde vara både omedvetna och ofrivilliga; vidare gråt, skratt och den sjukes jämmer, som åtminstone i normala fall uppträda ofrivilligt, om ock fullt medvetet.

---

[1] Se härom utförligare i Betydelseläran, § 3.

5. Att meddelandet är från båda parternas sida afsikt-
ligt, dvs. att det göres i syfte att meddela, och att det
uppfattas såsom i detta syfte gjordt. Härigenom uteslutes å
ena sidan t. e. en örfil, utdelad icke tilläfventyrs för att
tillkännagifva fientlig sinnesstämning, utan för att utkräfva
hämnd eller lugna ens upprörda känslor; å andra sidan t. e.
låtsade sjukdomssymptomer, framkallade för att få en oväl-
kommen gäst att aflägsna sig eller för att väcka medlidande.

6. Att meddelandets innehåll, dvs. den idé, som teck-
net representerar, dess s. k. betydelse, är af den pro-
ducerande parten känd (eller åtminstone af honom antas vara
känd), och att tecknet just på grund af denna sin betydelse
produceras för att af den andra parten i samma betydelse
uppfattas. Härigenom uteslutes t. e. papegojans »tal» eller
en människas tanklösa eftersägande af obegripna yttranden.
Däremot tarfvas icke, att just precis det åsyftade resultatet
uppnås. Sker detta, säges yttrandet vara »förstådt»; bibringas
man en annan uppfattning än den åsyftade, är det »missför-
stådt»; ger det en blott ungefärlig uppfattning af det åsyftade,
eller lämnar det en i valet mellan en sådan eller ock alls ingen
uppfattning, så är det »oklart»; ger det rum för tvänne eller
flere ungefär lika rimliga tolkningar, så är det »tvetydigt».
Men allt detta är dock språk, om ock ofullkomligt sådant. Först
då ingen uppfattning alls bibringas, befinner man sig utom det
egentliga språkets råmärken; det är då hvad gemene man kallar
»abrakadabra» eller »hebreiska», ett »meningslöst prat», »ome-
ning», »ord utan tanke», eller ock ett »obegripligt språk», t. e. då
en främling tilltalar en på ett språk, som man ej förstår,
hvilket innebär, att hans försök att åstadkomma ett verkligt
effektivt språk för tillfället misslyckats på grund af den till-
talades okunnighet.

7. Att tecknet är väsentligen olikt det därmed beteck-
nade, alltså -- åtminstone skenbart --- godtyckligt och kon-
ventionellt, dvs. att det har sin betydelse antingen på grund

af en oväsentlig likhet eller, då alls ingen dylik förefinnes, på grund af öfverenskommelse, slutligen och vanligen på grund af ren häfd. Kort sagdt: tecknet skall vara en blott **symbol**, icke en upprepning eller ens en efterhärmning af själfva saken. Genom denna fordran uteslutes från språkets värld all s. k. åskådningsmateriel, vare sig denna utgöres af exemplar af saken själf eller afbildningar eller andra imitationer af densamma, såsom modeller, kartor, planritningar, illustrationer, porträtter, bildstoder, skådespelarens lefvande bilder o. d.

Ofta plägar man ock, men med mycken tvifvelaktig rätt, af språk i egentlig mening kräfva, att de båda parterna vid meddelandet äro **mänskliga individer**; detta i syfte att frånkänna djuren språk både i aktiv mening, dvs. från djur till djur eller från djur till människor, och i passiv mening, dvs. från människor till djur. Dock torde vara oförnekligt, att alla väsentliga anspråk tillfredsställas genom sådana företeelser af förra slaget som fåglarnas locktoner och nötboskapens råmande efter mat eller efter att bli mjölkad — allt otvetydiga uppmaningssatser; hundens skällande och morrande — utsagosatser; hans glädjesprång — utropssatser. Ännu afgjordare måste vi godkänna det passiva djurspråket, t. e. dressörens rop (»apporte», »couche» o. d.) eller åtbörder (såsom då han håller en käpp framför hunden för att få honom att hoppa); körsvennens smackning, hvissling, pisksmäll eller klapp och rapp åt hästen; jägarens hvisslande (här med helt annan betydelse än i hästspråket) eller åtbördsappell åt hunden m. m. d. Till detta passiva djurspråk kommer i det följande att i någon mån tagas hänsyn, bland annat därför att det i fonetiskt afseende utgör ett högst intressant supplement till det rent mänskliga språket, exempelvis genom sina labiala och lingvala sugljud (»smackning» med läppar eller tunga), sin labiala tremulant (»ptro»), sin tonbildning mellan läpparna (»hvissling») i stället för i struphufvudet m. m.

Med **språk i egentlig, men dock ännu vidsträckt**

bemärkelse förstås sålunda: alla genom något af sinnena uppfattade företeelser, som konventionellt äga en jämförelsevis konstant och allmängiltig förmåga att hos en individ väcka till lif ett idéinnehåll, och som af en annan individ (eller samma individ i ett annat tidsmoment) afsiktligt producerats för detta, äfven för den förra parten medvetna ändamål.

Allt detta är språk i objektiv mening. Emellertid må för fullständighetens skull nämnas, att uttrycket äfven brukas i subjektiv mening, då liktydigt med språkförmåga, såsom då man talar om »språkets gåfva», att »människan äger språk» o. d.

§ 2. Olika arter af språk.

Alltefter de olika slag af tecken, som vid språkbildandet användas som material, erhåller man olika arter af språk. Då hvarje tecken uppfattas med något af våra sinnen, så kunde man vänta sig att finna lika många hufvudarter af språk, som det finnes sinnen. Emellertid ha inga smak- eller luktspråk utbildats, åtminstone bland människor. Också blefve dylika språk nödvändigtvis mycket ofullkomliga på grund af de ifrågavarande sinnenas stora subjektivitet och ringa perceptionshorisont. Spår till luktspråk träffas dock i passivt djurspråk, t. e. när man låter en hund vädra på någons tillhörighet för att sättas i stånd att med anledning däraf uppsöka föremålets ägare. Däremot finnas i riklig mängd språk som vädja till något af de öfriga sinnena. Minst anlitad är känseln, hvilket är helt naturligt på grund af detta sinnes ovanligt inskränkta perceptionshorisont. Ytterst talrika äro däremot de språk, som taga synen i anspråk. Detta förhållande är också helt naturligt, eftersom dylika språk såtillvida äro de förträffligaste, att de kunna göras oberoende af både rum och tid, en fördel som först telefonens och fonografens upptäckt börjat bereda äfven åt hörselspråken. Dessa sistnämnda äro jämförelsevis få, och af nämnvärd betydelse är bland dem knappast mer än ett, men detta ett lejon, talspråket, det fullkomligaste af alla språk på grund af sin förmåga af de finaste nyanseringar och detta i det oändliga.

Vi få sålunda tre hufvudarter af språk i vidsträckt mening:

1. Känselspråk eller kännbara språk, som vädja till hudens trycksinne. Hit hör klappandet, smekandet, omfamningen och kyssen, då dessa icke äro blotta känsloutbrott, utan då de (åtminstone därjämte) afse att meddela upplysningen »jag tycker om dig» — i olika hög grad alltefter uttryckets art och styrka, så att t. e. en med värma och öfvertygelse utdelad kyss snarast torde vid öfversättning till talspråk böra återgifvas med »jag älskar dig af hela mitt hjärta». Andra hithörande fenomen äro handtryckningen med betydelsen »god dag», »adjö» m. m. (som icke så lätt låter bestämma sig, särskildt då tryckningen sker förstulet eller i smyg) samt vissa exotiska folkslags hälsning medelst nästryckning; vidare kroppsaga medelst nyp, lugg, stut o. d. Från det passiva djurspråket må anföras bl. a. användningen af pisksnärten, ridspöet och sporren.

2. Synspråk eller synbara språk, som vädja till synsinnet genom dess organ ögat. Vi kunna här urskilja flera olika slag, alltefter det olika material, som tages i anspråk:

A. Mimik medelst (mänskliga) kroppsställningar och kroppsrörelser. Här erhålla vi flera underarter, alltefter den del af kroppen som användes:

a) Åthäfvor (»attityder») eller (rörlig [1]) plastik medelst hela kroppen eller åtminstone bålen. Hit höra t. e. kastningar och vridningar på kroppen för att ange otålighet, vaggning på öfverkroppen för att antyda oro, att vända någon ryggen för att visa förakt, räta på sig af stolthet eller själfkänsla, axelryckningen, knuffen för att tillrättavisa eller

---

[1] Till skillnad från bildhuggarkonst eller plastik i egentlig, icke mimisk mening.

— 13 —

förolämpa, knäfallet för att beveka, den orientaliska seden att kasta sig framstupa för att beteckna slafvisk underdånighet samt — det vanligaste fallet — hälsning medelst bockande eller nigande. Dessa sistnämnda båda åthäfvor utgöra ett intressant och sällsynt exempel på »ord» som antaga olika form, allteftersom de brukas af man eller kvinna, eller, om man så vill, exempel på motsatsen maskulinum : femininum äfven i fråga om satser, ty med sådana hafva vi i detta fall att göra. Betyder bockningen »Mjuka tjänare!», så betyder å andra sidan nigningen »Mjuka tjänarinna!»

b) Åtbörder (»gester») eller gestikulation medelst extremiteterna (företrädesvis armarna och i all synnerhet händerna) samt hufvudet. Hit höra t. e. knyckandet på nacken, nicken för att jaka, skakandet på hufvudet för att neka, att runka på hufvudet vid ogillande eller beklagande, att breda ut famnen (när man vill ange, att man är benägen mottaga någon eller något »med öppna armar»), att sträcka händerna afvärjande ifrån sig, att lägga armarna i kors med beslutsam själfkänsla, använda dem i järnvägssignaleringens tjänst, vinkandet (»kom!»), handviftandet (»farväl!»), (det ljudlösa) klappandet i händerna, att knäppa hop dem för att röra och beveka, vrida dem, »två» dem, använda dem för att räcka »lång näsa», kasta slängkyssar, lägga handen på pannan för att ange ett strängt tankearbete eller fingret på näsan för att antyda fundersamhet eller villrådighet, fingret på munnen (»tyst!»), militärisk hälsning (»göra honnör»), att hota med fingret eller, om det inte hjälper, med knytnäfven, att rifva sig bakom örat, draga sig i håret vid »hårslitande» tilldragelser, stoppa fingrarna i öronen (dvs. »jag vill inte höra't»), slå näfven i bordet osv. nästan i oändlighet. Framför allt må erinras om pekandet (med finger) och visandet (med hand). Endast ringa användning äger sparkgesten för uttryckande af brutalt förakt, liksom öfverhufvud allt talande med benen är föga i svang.

— 14 —

c) **Minspel** (»miner») eller **mimik i inskränkt bemärkelse** [1] medelst ansiktsmusklerna. Hit höra t. e. att rynka på näsan, rynka pannan, höja ögonbrynen eller spärra upp ögonen af förvåning, spetsa munnen förföriskt, le förbindligt, räcka ut tungan försmädligt och i allmänhet allt som kallas att »göra gubbar»; vidare blinkande (af »hemligt förstånd») och allt annat, som kan sammanfattas under termen »ögonspråk».

Mimiken är ett ganska rikt utveckladt språk, som till och med bearbetats till en egen skön konst, den mimiska, en af skådespelarkonsten viktigaste delar [2]. Men äfven i det dagliga lifvet är mimiken ett nästan oundgängligt supplement till talspråket, ja i vissa fall till och med ett absolut nödvändigt. Så t. e. måste orden *den, där, den där, dit* för att få en rent demonstrativ och otvetydig betydelse beledsagas af pekande eller visande, något som äfven ofta är behöfligt i fråga om *denne, detta, den här, här, hit* m. m. I följd af denna sin användbarhet är mimiken också allmänt spridd och ymnigt brukad, detta dock ganska ojämnt, i ty att den vida mer tages i anspåk af vissa individer och nationer än af andra; jämför t. e. fransmän, italienare och sydslaver å ena sidan med engelsmän, indianer, turkar och araber å den andra.

B. **Skyltning och annan optisk signalering** medelst solida föremåls (andra än människokroppen) läge, form, färg och rörelser. Hit höra t. e. vissa slag af optisk telegraf, krigstelegraf och semaforer, viftande med näsduk (hatt, paraply osv.), flaggor (vare sig »i topp» eller på »half stång», nationalflagg, diverse vimplar och demonstrationsfanor såsom »den röda fanan»), raketsignaler, vårdkasar, kulörta lyktor som signaler, allehanda uniformer (inklusive prästkrage, mässhake och kaftan), frack och hvit halsduk eller annan signi-

---

[1] Mimik i vidsträckt betydelse kan man, om man så vill, kalla **pantomimik**.

[2] Ett skådespel med blott mimiskt språk kallas **pantomim**.

fikativ högtidsdräkt, »blå bandet» och andra föreningsmärken, sorgflor och annan sorgdräkt, ordnar och medaljer, hälsning medelst hattaftagning, skålande genom att »höja sitt glas» eller stöta det mot en annans (hvarvid »klingandet» är oväsentligt), att räcka någon »bröd och salt» för att hälsa honom välkommen, skyltar (utan inskrift, t. e. en bok, en stöfvel, en gyllene kringla för att utmärka bokbinderi, respektive skomakeri och bageri), grafvårdar (frånsedt inskriften eller alldeles utan sådan), monumenter (utan inskrift, eller med frånseende af denna), vägvisare (utan inskrift, t. e. en pekande hand, bläckning i träd), förlofnings-, vigsel- och doktorsringar m. fl. insignier af olika slag (såsom spira, riksäpple, kungakrona, brudkrona, doktorshatt) och allt »blomsterspråk», vare sig mera populärt sådant (såsom användningen af förgätmigej, eternell, myrten och lager) eller mera speciellt och detaljeradt utarbetadt. Fullkomligast bland hithörande språk är väl de forntida mexikanarnas, peruanernas och andra stammars »knutspråk» (oegentligt kalladt »knutskrift») [1].

C. Skrift [2] i vidsträckt mening medelst ytfigurer. Vi urskilja här tre hufvudarter:

a) Tonskrift, som medelst nottecken (»noter») väcker föreställningar om musikaliska toner (eller pauser); kallas efter de begagnade tecknen äfven notskrift.

b) Begreppsskrift eller ideografi, som medelst s. k. ideografiska tecken väcker andra (än rent musikaliska) föreställningar eller ock begrepp samt dessas förbindelser, alltså idéer (se § 1, mom. 2) öfverhufvud. Dylik skrift finnes af många slag och mer eller mindre högt utvecklad. Den i alla afseenden förnämsta är väl det internationella matematiska språket med dess mångahanda tecken: de »arabiska» siffrorna, $+$, $-$, $\times$, $:$, $=$, $>$, $<$, $\sqrt{}$, ∞, osv. Vår vanliga skrift in-

---

[1] Se härom närmare i Nordisk familjebok, *Knutskrift*.
[2] Jämför härom NOREEN, *Spridda studier*, s. 82 ff.

nehåller en mängd hithörande företeelser: först och främst de mycket oegentligt s. k. skiljetecknen (?, !, —, : osv.; dock blott såvida de icke äro rena paustecken) och de större eller mindre tomrummen mellan ord, stycken, kapitel o. d.; vidare användningen af »stora» bokstäfver (*Karl* till skillnad från *karl*, *Gud*, *I* gentemot *gud*, *i* osv.), olika slags understrykning i handskrift och den däremot svarande stilblandningen (**fet**, spärrad, *kursiv* m. m.) i tryck, alla vid korrekturläsning använda tecken samt diverse andra såsom † för dödsfall, ∴ för upprepning af versrad, & (»et», »och»), asterisken * eller *) och andra hänvisningstecken m. m. d. Hit höra äfvenledes de astronomiska tecknen (☉, ☾, ◐ osv., se almanackan), de merkantila såsom %, de botaniska såsom ♂ och ♀ (för han- och honkön), hällristningar (om och i den mån dessa verkligen äro språk och icke taflor), den indianska bildskriften (t. e. Mexikos, där pil och båge betecknar »krig», en sol »ljus», ett öga »syn», en eld »läger»), i någon mån de egyptiska hieroglyferna och den kinesiska skriften (jfr § 4, mom. 1, A), liksom ock hit höra alla de slag af »universalspråk», som blott afse att vara s. k. pasigrafi, dvs. en för alla människor — oberoende af deras olika talspråk — gemensam och lika skrift [1]. Ändtligen må bland ofullkomligare former af begreppsskrift här nämnas sinnebilder och »emblemer», sådana som adliga släkters »vapen» och sköldemärken, bomärken och tecknande af ett kors, ett ankare och ett hjärta för att utmärka tro, hopp och kärlek. Snarast hit torde man ock få lof att föra den romerska tonsuren, den andliges af slätrakad hjässa bestående emblem.

c) Talskrift eller skrift i inskränkt mening, som medelst skriftecken i inskränkt mening väcker föreställningar om mänskligt tal (talspråk, se nedan mom. 3, B, b) och endast medelbarligen framkallar idéer. Se vidare härom § 4, mom. 1.

[1] Se härom vidare LUNDELL i Nordisk familjebok, *Pasigrafi*, och TEGNÉR *Universalskrift* i Svensk tidskrift 1876.

3. **Hörselspråk** eller **hörbara språk**, som vädja till hörselsinnet och dess organ örat. Alltefter det använda teckenmaterialet kunna vi indela dessa språk i två hufvudarter:

A. **Akustisk signalering** medelst andra instrumenter (i vidsträckt mening) än talorganerna. Hit höra knackningen på dörren (innan man stiger in), i bålen (innan man håller tal), i bordet (vid öppnande af förhandlingar), stampningar och skrapningar med fötterna för att ange missnöje eller otålighet, applåder. klubbslag för att bekräfta beslut eller auktionsinrop, kanonsalut, signaler med kanon, med ånghvissla (på järnväg, på ångbåt, i fabrik), med hvisselpipa (t. e. polisens och jägarens), med klocka (spårvagnens, tamburens, matbordets m. m.), med trumma, horn och lur i militär-, sjö-, och herdelifvet, väckaruret och andra ur med verk, som säga ifrån »hvad klockan är slagen». Vidare lek- och dansmusik, militärmarscher och (frånsedt orden) »folksången» och andra agitationssånger såsom marseljäsen (»arbetets söner» m. m.), försåvidt och i den mån alla dessa musikaliska prestationer afse (icke estetisk njutning utan) att framkalla ett praktiskt resultat i form af lek, dans, krigiskt mod, nationell hänförelse, mål- och klassmedvetande, uppror osv. Från det passiva djurspråket må blott anföras pisksmällen för hästen och hvisselpipans ljud för hunden.

B. **Organspråk**, hvilka använda de ljud, som frambringas af lefvande varelsers, förnämligast människans, talorganer. Dessa ljud äro af tvenne endast i afseende på graden af fullkomning skilda slag:

a) **Läten** eller **oartikulerade ljud**: tämligen obestämda och skiftande (icke fullt preciserade), instinktivt uppkommande (»spontana», ofta ofrivilliga, omedvetna och medfödda) samt möjliga att utan särskild öfning frambringa, t. e. tjut. hosta, harkling, skratt, gnäll, fnysning, brummande, smackning, stånkning o. d. Dessa äfven hos djuren ymnigt förekommande ljud äro i sin ursprungliga och rena användning blott mer eller mindre ofria uttryck för vital- eller organsensationer och känslor, alltså icke språk i egentlig mening, så som jag i det föregående (§ 1, särskildt mom. 2, 4 och 5) bestämt detta begrepp. Men de kunna naturligtvis, hycklade och härmande de egentliga och naturliga lätena, undantagsvis tjänstgöra såsom verkligt språk, t. e. då barnet gnäller eller tjuter för att få sin vilja fram, då man hostar eller harklar för att tillkännage tvifvel eller misstro, fnyser eller brummar för att antyda missnöje, skrattar af förakt eller lust att håna, smackar af välbehag, stånkar för att ange ansträngning eller smärta osv. Ehuruväl lätet sålunda har en jämförelsevis ringa språklig användning, är det dock ytterst viktigt i språkligt afseende; detta i så måtto och från den synpunkten, att denna så att säga naturprodukt utgör den grundfond, hvarur konstprodukten talspråket utvecklats [1]. I följd af den mänskliga naturens likhet hos olika individer äro de mänskliga lätena allmängiltiga och i följd däraf allmänfattliga, några äfven i besittning af en omedelbar förmåga att hos iakttagaren framkalla samma stämningar, hvaraf de själfva föranledts [2]; att skratt, gråt m. m. äro smittosamma är ju allbekant. De äro därför ägnade till meddelelsemedel och började också i människosläktets barndom · liksom ännu i dag, se ofvan — att afsiktligt användas såsom sådana [3]. Mänskligheten i sin helhet har burit sig åt så, som det späda barnet i alla tider gjort och gör, i det att det först skriker ofrivilligt, oafsiktligt och delvis omedvetet, men sedan fullt afsiktligt (medvetet och frivilligt) för att ådraga sig uppmärksamhet — hvartill det af erfarenheten funnit skriket vara synnerligen lämpligt — och inge tron, att det lider, samt i följd af möjligen uppväckt medlidande få sitt verkliga eller låtsade lidande afhjälpt, dvs. det talar, tillsvidare visserligen blott mycket ofullkom-

---

[1] Jfr STEINTHAL, *Gesammelte kleine Schriften* (1880) I, 271 f.; JERUSALEM, *Die Urtheilsfunction* (1895), s. 93 ff.

[2] Jfr STEINTHAL a. st. I, 85.

[3] Jfr STEINTHAL a. st. I, 83 f.

ligt, genom läten. Af de till människosläktets disposition stående lätena upptogos så genom »naturligt urval» de uttrycksfullaste, effektivaste eller på annat sätt användbaraste till omsorgsfull utbildning genom närmare precisering, nyansering och differentiering såväl i fråga om ljud som ock, jämsides därmed, betydelse. Tillvägagångssättet har varit detsamma som det, vi ännu dagligdags begagna oss af. Ett oartikuleradt »hojtande» kan ju betyda allt möjligt alltefter omständigheterna; icke så de till ord specialiserade *hej, huj, aj, oj,* m. m. Af det läte, vi frambringa vid föraktfullt utspottande af något illasmakande (i verkligheten eller för tanken), ha vi genom differentiering fått orden *tvi* och *fy.* Orden *vyssa* och *vyssja* äro olika nyanseringar af det läte en mängd mödrar dagligen och nattligen tillgripa för att antingen med lock (»vyss, vyss») eller med pock (»vyssj, vyssj») förmå en liten parfvel att sofva. Det sålunda tillkomna språkmaterialet, som delvis utgjordes af härmningsljud af typen *vov-vov, kukeliku* o. d. [1], förbands med och supplerades medelst andra språkformer af ofvan behandlade slag, särskildt med mimiska beståndsdelar, såsom ju än i dag sker, och som är så mycket naturligare, som sambandet mellan mimik och tal i många fall är ursprungligt; så t. e. är ju spenabarnets smackande läte (ungefär »ma ma») både mimik (läpprörelse, som vill bli sedd) och tal med den mångskiftande innebörden »spene!», »mamma!», »mat!» m. m. d., betydelsenyanser som än det ena, än det andra språket ju också upptagit såsom sin speciella betydelse hos »roten» *ma.* Vidare kombinerades dessa urord med hvarandra eller med sig själfva (»reduplikation»), hvilket gaf anledning till allehanda »ljudlagar» och däraf härflytande nya modifikationer och nyanseringar af de ursprungliga språkljuden. Genom all denna bearbetning af läte-materialet uppstod sålunda ur detsamma hvad vi kalla:

---

[1] Jfr rörande detta material i sin helhet Betydelselärans framställning af de interjektionella satserna.

b) **Tal (talspråk)** eller **artikulerade språkljud**: jämförelsevis fritt producerade ljud, frambragta genom en fullt bestämd och regelbunden, inlärd och genom öfning till mekanisk färdighet upparbetad användning af talorganerna. Vid högt uppdrifven färdighet tenderar producerandet att öfvergå till en rent instinktiv verksamhet — alldeles som pianospelet hos virtuosen — så att man ej längre »söker efter orden», utan »med tanken ordet föds på mannens läppar», ett ofta missbrukadt uttryck, som emellertid i den mening, hvarom här är fråga, är fullt användbart.

Denna af meddelelsebehof och konstdrift i förening åstadkomna konstprodukt saknas i regeln hos djuren. Papegojan och staren kunna visserligen lära sig att använda artikulerade ljud, till och med sådana som äro nästan identiska med människans, men de använda dem icke såsom språk, såsom uttryck för sina. »idéer». Sångfåglarna frambringa visserligen af naturen artikulerade ljud, men de torde i regeln icke använda dem till språk, utan till sång, en konstprodukt som i likhet med talet kräfver artikulerade ljud, men icke språkljud, dvs. ljud med »betydelse». Sången frambringas visserligen medelst samma organer som talet, alltså medelst talorganerna, men den gör en ensidigare och inskränktare användning af desamma, eller — som man ock kan uttrycka saken — sången tillgodogör sig endast talspråkets prosodiska [1] tillgångar och egenskaper. Om man nämligen från de artikulerade språkljud, som utgöras af toner [1], eliminerar det kvalitativa elementet (om man frånser eller rent af undertrycker dessa ljuds olikhet i fråga om »kvalitet» [1], t. e. *a, e, i, o* osv.) och uteslutande från de öfriga sidorna, de rytmiska (tidsutdräkt och tonstyrka) och melodiska (tonhöjdsförhållanden), bearbetar detta ljudmaterial till skön konst, så erhåller man den konstprodukt, som kallas **vokalmusik**. Denna kan i afseende på frambringningssättet vara dels **hviss-**

---

[1] Se om detta begrepp Ljudläran.

ling (hufvudsakligen med läpparnas tillhjälp), dels gnolande (hufvudsakligen i struphufvudet och med sluten mun, således en sorts sång genom näsan), dels ändtligen sång (utan ord) i egentlig mening (i struphufvudet, men med öppen mun). Vokalmusiken är icke — om vi frånse hvisslingens användning i det passiva djurspråket — omedelbart duglig till språk, men kan sekundärt erhålla språklig betydelse och användning. Detta sker dels genom det kvalitativa språkljudselementets återinsättande (»sång med ord»), dels genom vissa sångers ofvan (se mom. 3, A) antydda förmåga att på idé-associationens väg förmedla idéer, t. e. då man hvisslar, gnolar eller »trallar» dansmusik, marseljäsen o. d. med samma praktiska effekt, som dessa toner mäkta åstadkomma, då de tillkommit genom s. k. instrumentalmusik.

Talets användning som skön konst kallas **vältalighet** (»elokvens») i vidsträckt mening och indelas i **poetisk konst**, då syftet är estetiskt, och **talarkonst** eller vältalighet i inskränkt mening, då syftet därjämte (och oftast väl hufvudsakligen) är praktiskt.

Talspråket är hvad man vanligtvis menar med språk. Det är alltså **språk i inskränkt mening**, hvilket såsom vi nu sett innebär, att det är artikulerade ljud som afsiktligt produceras och äfven uppfattas såsom tecken för idéer.

§ 3. Olika arter af talspråk.

Strängt taget gifves det lika många talspråk, som det finnes talande individer. Ty hvarje individ har sitt särskilda, i någon mån säregna språk, detta både i aktiv mening (det språk, han »kan», dvs. kan producera, vare sig tala eller skrifva) och i passiv mening (det språk, han »förstår»). Detta individualspråk är egenartadt i alla afseenden: i fråga om ordens betydelsesfärer och konstruktionssätt, i fråga om ordförrådet, i fråga om ljudens bildningssätt, hvilket sistnämnda bevisas redan däraf, att vi ju i regeln kunna igenkänna en person på blotta »rösten», utan att vi behöfva hafva uppfattat ett enda ord af hvad han sagt. Ja, man kan gå än längre och påstå, att ett och samma individualspråk är ganska olikt sig själf under olika förhållanden och olika perioder af individens lif. Men som många individer äga språk, som endast jämförelsevis obetydligt skilja sig från hvarandra, så sammanfattar man dessa individuella språk i grupper, hvilka sedan betraktas såsom i språkligt afseende enhetliga. Dylika grupper kunna uppgöras från många olika synpunkter. De viktigaste indelningssynpunkterna vid språkklassificeringen äro:

1. Språkets byggnad eller **struktur** i det hela, särskildt den s. k. inre språkformen [1], dvs. det egendomliga sätt, på hvilket själslifvets innehåll grupperas (i s. k. psykologiska kategorier) och denna gruppering får språkligt uttryck i s. k. grammatiska kategorier [1]. Som detta sätt vanligtvis — men långtifrån alltid — är gemensamt för en hel nation, på samma gång som det vanligtvis — men långtifrån alltid — afviker från andra nationers, så benämnas de hithörande olika slagen af språk efter de nationer, som företrädesvis tala dem. Alltså är svenska (finska, ryska osv.) det på ett visst egendomligt sätt byggda språk, som af de flesta svenskar (finnar, ryssar osv.) företrädesvis eller alltid användes. Man måste säga »de flesta», eftersom det ju finnes vissa svenskar (t. e. i Norrland), som tala finska, andra (t. e. i Lappland), som tala lapska; liksom omvändt det ju ock finnes amerikanare (t. e. i Förenta Staterna) och ryssar (i Gammalsvenskby), som tala svenska; jämför, hurusom fransmän i Savoyen tala italienska, engelsmän i Wales tala keltiska och omvändt många schweizare och belgare tala franska, amerikanare engelska eller andra språk. Man måste också säga »företrädesvis», eftersom ju många individer äro två- eller flerspråkiga (jfr mom. 2 nedan). Alltså är, såsom vi se, språket icke bundet vid nationaliteten, ej heller omvändt. Är man blott med-

[1] Se härom närmare i Betydelseläran, inledningen.

veten om detta förhållande, kan man utan olägenhet låta, såsom hittills, de nu ifrågavarande språken benämnas nationalspråk, en term som då innebär, att språket i fråga företrädesvis tillkommer en viss nation.

I förhållande till ett visst bestämdt nationalspråk kallas alla de öfriga för »utländska» språk. Att omsätta ett nationalspråks idéinnehåll i ett utländskt språks form kallas att öfversätta eller tolka. En öfversättning som utföres af läraren kallas interpretation, af lärjungen explikation, af en yrkesmässig öfversättare (»translator») translation.

Enstaka ord och andra uttryck, som i ett nationalspråk upptagits ur ett annat dylikt (eller efter dettas mönster slafviskt fabricerats), kallas alltefter det sednares beskaffenhet »germanism» (från tyskan), »anglicism» (från engelskan), »gallicism» (från franskan), »latinism» (från latinet), »grecism» (från grekiskan), »danism» (från danskan), »norvagism» (från norskan), »sveticism» (från svenskan) osv., med ett gemensamt namn främmande ord (eller uttryck), vare sig de mera tillfälligtvis begagnas såsom en sorts »citat», t. e. »suum cuique», »sturm und drang», »noblesse oblige», »ham selv», eller tillhöra en viss stilart (se mom. 6 nedan), ett visst yrkesspråk eller »jargong» (se mom. 7 nedan), t. e. *κατ' ἐξοχήν, par préférence, contumaciter* (i juridik), *asymptot* (i matematik), *oxygen* (i kemi), *zodiak* (i astronomi), *petit maitre, chic, courtoisie, fin de siècle.* Denna term kan dock naturligtvis endast så länge med fog användas, som uttrycken ännu verkligen tydligt kännas såsom utländska. Är detta icke längre fallet, så kallas dylika naturaliserade utlänningar för lånord eller f. d. främmande ord, t. e. *kyrka, möbel, gevär, te, gratis;* naturligtvis är emellertid gränsen ofta svår eller omöjlig att uppdraga. Är procenten af lånord i ett språk synnerligen stor, så kallas detta ofta för ett blandspråk; så t. e. engelskan och judetyskan. Gäller detsamma om främmande ord, så användes dels termen »blandspråk», dels och väl oftare »rotvälska» — en term som dock äfven förekommer i annan betydelse (s. § 4, mom. 2) — t. e. rommani (det svenska zigenarspråket) [1], monsing (det västgötska knallarespråket) [2], Axel Oxenstiernas och åtskilliga andra samtida svenska diplomaters officiella språkbruk [3], Gustaf III:s och vissa »gustavianers» språk [4] m. m.

2. Den ordning, i hvilken en två- eller flerspråkig individ lär sig olika nationalspråk. Det först inlärda kallas då modersmålet, alla de följande främmande språk.

3. Nationalspråkens historiska ursprung i förhållande till hvarandra. Från denna synpunkt skiljer man emellan:

A. Obesläktade språk: sådana för hvilka gemensamt ursprung icke, åtminstone ännu, är uppvisadt, t. e. svenska, finska, baskiska, kinesiska, hottentottska.

B. Besläktade språk eller »frändspråk»: sådana som bevisligen härstamma från ett och samma »urspråk» (eller »moderspråk»), af hvilket de alla äro »dotterspråk», liksom de i förhållande till hvarandra äfven kallas »systerspråk». Alla sådana sammanfattade till en enhet kallas språkstam, och denna indelas i språkfamiljer, dessa åter i språkgrenar osv. i allt mindre genealogiska grupper. Se vidare kap. 2.

4. Den tidpunkt i förhållande till nutiden, då ett (national)språk varit i bruk som modersmål. Man skiljer härvidlag emellan:

A. Döda språk, som fordom varit i bruk, men nu icke utan särskildt studium förstås eller användas, dvs. som icke nu längre utgöra någons modersmål, t. e. avestaspråket, oskiska, gotiska, etruskiska. En särställning intaga sådana språk med ett blott artificiellt lif som t. e. latin, sanskrit, kyrkslaviska och hebreiska, som visserligen ännu undantagsvis (t. e. vid gudstjänst) talas, men som äro ingens modersmål.

[1] Se EILERT SUNDT, *Beretning om Fante- eller Landstrygerfolket.* 2 oplag, s. 364 ff.; LUNDIN och STRINDBERG, *Gamla Stockholm,* s. 532.

[2] SUNDT, a. st. s. 393 f.; LUNDIN och STRINDBERG, a. st. s. 533.

[3] Se NOREEN hos SCHÜCK och LUNDAHL, *Läsebok för folkskolans högre klasser* I, 13.

[4] NOREEN a. st. s. 14.

_25_

B. Lefvande språk, som nu äro någon nations modersmål, och som äfven i sina något äldre skeden äro för den nutida generationen i det väsentliga utan särskildt studium begripliga.

Har ett dödt språk sin mer eller mindre direkta fortsättning i ett lefvande språk, så kallas dessa i förhållande till hvarandra: det sednare ny-, det förra fornspråk, t. e. »nysvenska» och »fornsvenska». Dock användas aldrig dessa termer, om ej olikheten är mycket märkbar, således tidsskillnaden relativt stor. Emellertid är gränsen naturligtvis mycket sväfvande och godtycklig. Uttryck, som ur ett äldre språkskede lånats (eller stereotypt bibehållits) in i ett senare, kallas arkaismer, och ett med sådana i högre grad bemängdt språkbruk kallas »arkaiserande». — Med »svenska» (»tyska» osv.) utan vidare förstås i regeln »nysvenska». Vill man särskildt beteckna svenskans nutida skede, våra dagars svenska, den nu uppväxande generationens modersmål, så kan man kalla den »nusvenskan».

5. Den större eller mindre graden af allmän användbarhet och geografisk utbredning. Härvid urskiljas:

A. Universal- eller världsspråk, afsedt för hela jordens befolkning. Emellertid existerar ett internationellt talspråk i absolut universell mening, en verklig pasilali, ännu icke och torde väl vara att betrakta som en utopi (jämför däremot om »pasigrafi» ofvan § 2, s. 16), såvida icke möjligen telefonen däri gör en ändring, tack vare den storartade utvidgning af talets perceptionshorisont, som den åstadkommer (se härom s. 11). Åtminstone äro alla hittills gjorda försök i denna riktning, såsom Volapyk, Esperanto, Langue bleue m. fl., misslyckade. Däremot både finnas och ha funnits relativa universaltalspråk, nämligen vissa internationella yrkesspråk (jfr mom. 7 nedan), t. e. latinet såsom vetenskapligt språk under medeltiden (»kökslatinet») och humanismens tidehvarf (»ciceronianismen») eller franskan såsom diplomatiskt språk i nyare tid (jfr dess användning som internationellt skriftspråk i telegrafi och i Code Reynold, se s. 43).

B. Lokal- eller territorialspråk, knutet vid ett genom särskildt nationalspråk representeradt geografiskt område. Dylika språk finnes af två slag:

a) Riksspråk (äfven, men mer eller mindre olämpligt, kalladt högspråk, statsspråk, officiellt språk, litteraturspråk eller mycket oegentligt och tvetydigt — skriftspråk): språk, som icke är knutet vid någon viss landsända, utan såsom gemensamt meddelelsemedel gäller — dvs. är användbart och såsom sådant godkännes och eftersträfvas - inom ett nationalspråks hela område [1]. Riksspråken kunna inom samma land vara två (t. e. i Belgien franska och nederländska, i Schweiz tyska och franska, i Finland finska och svenska) eller flere (t. e. i Österrike-Ungern tyska, ungerska, tjeckiska, polska, kroatiska och ruteniska).

b) Dialekt eller landsmål (äfven kalladt munart, bygdemål, mindre lämpligt folkmål, allmogemål): språk, som gäller endast inom ett visst bestämdt, jämförelsevis mindre område (landsdel, landskap, härad, socken, by), men som utom detta antingen icke förstås eller åtminstone icke såsom allmänt meddelelsemedel godkännes. Uttryck, som ur landsmål upptagits i riksspråket, kallas, så länge detta deras ursprung tydligt kännes, provinsialismer, och ett med sådana i högre grad bemängdt riksspråk - och sådant torde allt

---

[1] Jfr de mer eller mindre afvikande definitioner på riksspråk som framställas af SVABS, *Det muntliga föredragets konst* I, 148 ff.; LUNDELL, *rättstafningsfrågan* s. 55 ff. och (närmare min uppfattning) i Nordisk familjebok, *Riksspråk:* LYTTKENS och WULFF, *Svenska språkets ljudlära* s. 12 f. och *Svensk uttalsordbok* s. 5*; WULFF, Svenska rim och svenskt uttal s. 10; närmast min ståndpunkt JESPERSEN. *Fonetik* s. 79 ff., speciellt s. 93 ff. och s. 102 f. De brister, jag anser mig finna i dessa definitioner, bero väsentligen på förbiseende eller sammanblandning af de olika synpunkter för språkklassifikation, för hvilka jag i denna paragraf redogör, särskildt språkriktighetens (se mom. 9 nedan), stämningsvärdets (se mom. 6 nedan) och den allmänna användbarhetens (samt geografiska utbredningens, se mom. 5 ofvan).

riksspråk i mer eller mindre mån vara — kallas provinsiellt eller »dialektiskt färgadt».

Naturligtvis är äfven riksspråket till sitt ursprung väsentligen en viss dialekt, men sedan en sådan blifvit upphöjd till riksspråk, får den snart en i många afseende själfständig och egendomlig utveckling, i synnerhet i följd af att riksspråket ojämförligt mera än dialekterna påverkas af utländska språk och äfven i högre grad än dessa står i beroende af den skrifna litteraturen; så att det till och med kan komma att med tiden i ett och annat afseende blifva mera likt en annan dialekt än den, från hvilken det ursprungligen utgick (jfr t. e. hurusom svenskt riksspråk nu i somligt påminner mera om den ursprungligen så aflägsna småländskan än om den en gång så i allo närstående sörmländskan). Impulsen till en viss dialekts öfvervägande inflytande på eller rent af slutliga upphöjelse till riksspråk utgår, eftersom språket är en form för umgänge människor emellan, liksom alla andra moder från de tongifvande kretsarna, hvilkas dialekt mer eller mindre väl och fullständigt efterapas af andra; alltså väl vanligen från hofvet, aristokratien, teatern, prästerskapet (särskildt å predikstolen eller i annan tjänsteutöfning) och andra ämbetsmän. Därför är också riksspråket rikast utveckladt å de områden och i afseende på de yrken och stilar, som ligga dessa mera tongifvande klasser närmast; omvändt dialekterna å de områden, som ligga allmogen och öfverhufvud den mindre bildade närmast. Men därför får dock icke riksspråket, såsom ofta skett [1], förblandas vare sig med de »bildade» kretsarnas språk eller med den högre stilens ideal.

6. Språkets stämningsvärde, dvs. dess förmåga att åstadkomma olika slags estetiskt intryck (skönhetsverkan i detta ords vidsträcktaste betydelse) [2]. Härpå bero de olika

---

[1] Se den i föregående not citerade litteraturen, särskildt Lundell och Svahn.

[2] Jfr Steinthal, *Gesammelte kleine Schriften* I, 92 f.

s. k. stilarterna inom språket. Bland den oändliga mängd af skiftningar, som härvidlag kunna förekomma [1], torde, särskildt med afseende å ett riksspråk, följande arter lämpligast kunna och böra särskiljas [2]:

A. **Högre stil:** det offentliga umgängets språk, läs- och föredragsspråk, mer eller mindre »litterärt», dvs. afhängigt af det skrifna språket, och därför också mera ålderdomligt än de andra stilarterna. Vi urskilja här tvenne grader:

a) **Oratorisk stil** vid högtidligt föredrag af t. e. kyrkligt, tragediskt o. d. innehåll.

b) **Normalstil** vid vanligt, mindre anspråksfullt föredrag, t. e. vid de flesta offentliga diskussioner, föreläsningar och skådespel. Hit hör i det stora hela »tidningsstilen», »kanslistilen» och det vetenskapliga språkbruket.

B. **Mellanstil:** det bildade privata umgängets språk, bildadt samtalsspråk. Denna stil skiljes, såsom redan R. v. Kræmer [3] träffande påpekat, i den nutida svenskan synnerligen skarpt från den högre stilen genom bl. a. två viktiga egendomligheter inom formläran. Den ena består däri, att verbets pluralformer ersättas af singulara, t. e. *ni, ni, de (di) äter* eller *åt* i stället för *vi äta* eller *åto, I äten* eller *åten (ni äta* eller *åto), de äta* eller *åto.* Den andra består däri, att neutrernas plurala slutartikel *-en* utbytes mot *-ena,* t. e. *husena* i stället för *husen.* Äfven mellanstilen uppdelas lämpligen i två grader:

a) **Vårdad mellanstil:** »finare» samtalsspråk, t. e. i

<hr>

[1] Märk dock, att s. k. poetisk stil icke är någon särskild »stil» i här ifrågavarande betydelse af ordet.

[2] Jfr de afvikande indelningarna hos MURRAY, *Transactions of the Philol. Society* [?]'s 1881 och *Preface* till *A New English dictionary;* ELLIS, *Annual address of the Philol. Society* 1881, s. 284 f.; närmare min uppfattning LYTTKENS och WULFF, *Svensk uttalsordbok* s. 5* ff. (med rika exempelsamlingar) och framför allt CEDERSCHIÖLD, *Om svenskan som skriftspråk,* 2 uppl., s. 38 ff. och s. 291 ff.

[3] *Om språkfrågan* (Stockholm 1858). En utförligare exempelsamling rörande samma motsats meddelar LUNDELL i *Verdandi* 1901, s. 384 f.

den s. k. »societetens konversation». Hit hör väsentligen »brefstilen», åtminstone den mera intima.

b) **Familjär mellanstil:** enkelt och otvunget samtalsspråk, t. e. vid okonstladt umgänge inom familjekretsen.

C. **Lägre stil:** det mindre bildade privata umgängets språk, fordringslöst eller rent af obildadt samtalsspråk. Detta har äfvenledes minst två grader att uppvisa:

a) **Hvardaglig stil:** medvetet, men oafsiktligt, mindre bildadt språk, dvs. det språkbruk, som i hvardagslifvet är allmänt gängse, äfven hos högt »bildade», t. e. då de tala till sitt tjänstefolk eller andra mindre bildade, men som dock äfven af den, som själf begagnar sig af detsamma, erkännes, då han därpå blir eller göres uppmärksam, vara mindre fint. Sin förnämsta användning har naturligtvis denna stil inom — och borde hafva det äfven i tal till – de i fråga om bildningsgrad lägre (dock icke lägst) stående lagren af riksspråkstalande individer.

b) **Vulgär eller simpel stil:** omedvetet eller medvetet, men i det sednare fallet afsiktligt, obildadt språk. Här gifvas många nyanser: det »burschikosa» språket, »rått» språk, pöbelspråk, gatspråk, »busspråk» m. m. Hit höra ock ett flertal af s. k. jargonger (jfr mom. 7 nedan), t. e. studentslangen och sjåarespråket.

Till belysning af de ofvan anförda hufvudsakliga stilarternas inbördes olikhet i den nutida svenskan, hvilken olikhet naturligtvis röjer sig på så godt som hvarje punkt af grammatiken, och i fråga om hvilken jag därför kan väsentligen nöja mig med att hänvisa till den följande framställningen i sin helhet, må här blott meddelas en liten samling af särskildt iögonenfallande exempel på deras afvikelser från hvarandra i fråga om ordval, ordformer och uttal: [1]

---

[1] Bokstäfverna (A, B, C, a, b) hänföra sig till de ofvan därmed betecknade stilarterna.

Aa[1]	Ab	Ba	Bb	Ca	Cb
hafver han tagit det	*har han tagit det*	*ha(r)han tagi(t) de(t)*	*ha (h)an tage de*	*ha an tatt et*	*ha n tatt (1. taji 1. teje o. d.) e(t)*
de äro ej 1. icke	=	*de ä(r) inte*	*di ä inte*	=	*di 1. dom ä (i)nte*
I stoden	*Ni stodo*	*ni stod*	*ni sto(d)*	*ni stog*	=
jag sadé henne	*jag sa(de) henne*	*ja(g) sa henne*	*ja sa henne*	*ja sa na*	=
gifva och taga	*ge och ta(ga)*	*ge å ta*	=	=	*ge (1. gi) å ta*
äfven 1. också mig, mig ock	*äfven 1. också mig*	*mej också*	*mej också 1. me(d)*	*mej me(d)*	*mej me*
ödmjuka tjänare	*mjaka tjänare*	=	=	*(mjuka) tjänare*	*tjänis 1. mjukis*
ladugården	=	*laggården*	=	*laggårn*	=
redo 1. till reds	*till reds*	*till retts*	*till ress 1. te retts*	*teress*	=
blott 1. endast	*blott 1. endast (1. bara)*	*endast 1. bara*	*bara (1. endast)*	*bara*	*bara(ste)*
åter(igen)1.ånyo	*återigen (åter, ånyo)*	*återigen, omigen*	*(om)igen*	=	*igen*
åter 1. tillbaka	*tillbaka 1. igen*	=	*tebaka 1. igen*	*tebak(a)s 1. igen*	*tebak(ar)s 1. igen*

[1] Naturligtvis kan man i fråga om en och annan detalj i nedanstående tablå vara af olika mening med författaren såtillvida, att man skulle kunna vilja placera ett eller annat exempel i en kolumn mera åt höger eller vänster, än den jag valt. Också har jag på intet vis velat med min exempelsamling ge annat än ett ungefärligt totalintryck af min uppfattning i denna vanskliga fråga, som ju om någon är en »smakfråga» i ordets allra egentligaste betydelse. — För öfrigt är att märka, det i de lägre stilarterna språkbruket mycket varierar alltefter olika landsändar, dvs. att rikssprå-

Orsaken till dessa och dylika uttrycks olika stämningsvärde, olika »estetiska» färgton, till att det ena gäller för »vackert» eller »fint», under det att det andra hetes vara »fult» eller »groft», är, såsom af de anförda exemplen torde hafva framgått, icke att söka i deras egen beskaffenhet i afseende på ljud, form eller betydelse (idéhalt), utan dels i deras associationshalt, dvs. de biföreställningar, som de vanemässigt och ofrivilligt hos oss framkalla, dels i deras känslohalt, dvs. de känslor och tycken, som de hos oss uppväcka[1]. Associations- och känslohalten bero i sin tur väsentligen på häfd, bruk, vana, dvs. ett »fint» (eller »groft») uttryck har af olika anledning kommit från början att så ofta användas i sammanhang med »fina» (eller »grofva») saker och företeelser, vid »fina» (eller »grofva») tillfällen, af »fina» (eller »grofva») personer, att idéassociationen blifvit fast och uttrycket i sin tur, när det vid annat tillfälle produceras, väcker samma »fina» (eller »grofva») stämning, som af annan grund förefanns vid de tillfällen, då det först och just af dem erhöll sin »fina» (eller »grofva») bismak. Alltså t. e. användes ordet *träck* icke därför på predikstolen, att det i sig är ett högtidligt ord, utan det har blifvit och är ett högtidligt ord, emedan det användts och användes på predikstolen, i hög poesi osv. Och denna dess användning är ett arkaiserande språkbruk, beroende på predikans bundenhet vid den på grund af sakens natur högst konservativa bibeltexten. Då denna först upptog ordet, var detta säkerligen ett mycket groft ord, som först sedermera i och genom sin användning, sitt upptagande i godt sällskap adlats. Omvändt är t. e. *bussigt* ett lågt ord, emedan det tillföres oss genom den grofve sjåarens mun och där haft sitt ursprung; men med tiden torde detta ord, om omständigheterna äro det gynnsamma, kunna äfven det adlas, likaväl som den

---

[1] Jfr K. O. Erdmann, *Die Bedeutung des Wortes*, s. 82.

svenske busens uttryck för *träck* rönt en dylik befordran i danskan och norskan [1].

Uttryck, som på nu angifvet sätt skilja sig åt icke i fråga om sin betydelse, utan endast (eller åtminstone så godt som uteslutande) i fråga om sitt stämningsvärde, utgöra hufvud-massan af s. k. synonymer [2], dvs. uttryck med olika form, men samma eller ungefärligen samma betydelse. Men vi få därför icke tro, att alla synonymer äro stilistiskt skilda. Ty om det ock är ovedersägligt, att så är förhållandet med de ojämförligt flesta af dem, t. e. *sto : märr, häst : kamp, fåle : fölunge, hand : näfve, fader : pappa, min maka (gemål) : min hustru (fru, äkta hälft), mage : buk* osv., så finnas dock, om ock mera sällan, synonymer, som väsentligen tillhöra samma stilart (i ofvan angifna betydelse), t. e. *triangel : tresidig rätlinig figur, Aristoteles : Alexander den stores lärare, Jesus : Kristus, Kandia : Kreta* eller med mera märkbart differentierad betydelse t. e. *dikt : poem : skaldestycke, fädernesland : fosterland* m. m.

7. De områden af mänsklig verksamhet eller de samhällskretsar, inom hvilka språket kommer till användning. Från denna indelningssynpunkt erhåller man en mängd olika yrkesspråk, skrå- eller kotterispråk, s. k. jargonger, t. e. tekniskt språkbruk af många olika slag, vetenskapligt språkbruk af likaledes olika slag, fiskar- och jägarspråk, poetiskt språkbruk och den s. k. bundna »stilen», hof-, student- m. fl. jargonger. Denna synpunkt berör nästan uteslutande ordförrådet och ordvalet, t. e. då det i tekniskt och vetenskapligt språk heter *forte, allegro, piedestal, stins* (lägre stil), *centrum, kub, kon, klornatrium, etik* i stället för *starkt, fort, fotställning, stationsinspektor, medelpunkt, tärning, kägla, koksalt, sedelära.* Dock kunna de ifrågavarande språken äfven mera undantags-

---

[1] Jfr NORÉEN, *Spridda studier,* andra samlingen (1903), s. 131 f.

[2] Se om detta begrepp utförligare i inledningarna till Formläran och Betydelseläran.

vis skilja sig från hvarandra äfven i andra afseenden. Så t. e. tycks skorrande *r* ha varit kännetecknande för vår hofjargong på Karl Johans tid, detta förmodligen emedan konungen själf skorrade; uttalet *vän'str'r, hö'gr'r* eller (åsyftande annan effekt) *vänstr, högr* tillhör uteslutande det militära kommandospråket; ändelsen *-is* i t. e. *tjänis, bondis, Gästis* är utmärkande för studentjargongen osv.

8. Den grad af färdighet (»virtuositet»), hvarmed språkljuden frambringas, delvis beroende på graden af exakthet i uppfattningen af dem. En brist härutinnan kan bero på:

A. Otillräcklig öfning. Man har i afseende på graden af öfning att skilja mellan:

a) Utveckladt eller ortofont språk, då man »talar rent» och »flytande».

b) Outveckladt eller kakofont språk, då man »rådbråkar» antingen som spädt barn sitt modersmål eller senare något främmande språk, som man söker tillägna sig.

B. Medfödd eller genom ovanor uppkommen oförmåga att åstadkomma det afsedda resultatet. I fråga om graden af dylik förmåga skiljes mellan:

a) Normalt språk, då hela ljudmaterialet på ett nöjaktigt sätt produceras.

b) Abnormt språk, då en större eller mindre del af ljudmaterialet onöjaktigt produceras i följd af fysiska eller psykiska brister hos den talande, särskildt missbildning, vare sig tillfällig eller konstant, af talorganerna eller vanskötsel af deras verksamhet. Talets på så sätt uppkomna »anomalier» eller rubbningar[1] äro till sitt resultat af tvåfaldig art: lokala och temporala. De förra utgöras af de fall, då ett språkljud frambringas på orätt ställe (och sålunda ett visst talorgan oriktigt användes). Hit höra i svenskan t. e. läspning, dvs. att *s* frambringas mot öfre framtänderna i stället för mot tandköttet; skorrning, dvs. att *r* produceras

---

[1] Jfr O. SVAHN, *Det muntliga föredragets konst* I, 315 ff.

medelst tungans rygg eller rot i stället för spets; snöfling (eller »talande i näsan»), som kan vara antingen »öppen» (eller »nasalering»), dvs. att man låter en del af ljudet gå ut genom näsan äfven vid frambringandet af sådana språkljud (t. e. vokalerna), som normalt produceras under det att näsan är genom gomseglet afstängd — en hos auktionsutropare och andra hårdt ansträngda talare vanlig anomali — eller »sluten», dvs. att näsan är afstängd äfven vid sådana ljud (t. e. »nasalerna» *m, n* och *ng*), som normalt frambringas genom näsan, en anomali som vi alla lämna exempel på, då vi ha snufva och därför t. e. i stället för *många namn* säga någonting, som låter ungefär som *bågga dabd.*

De lokala anomalierna äro såtillvida blott relativa språkfel, som de dels stundom äro afsiktliga (t. e. då man »talar i näsan» — nasalerar — af förnämitet eller lojhet eller båda delarna i förening), dels i andra nationalspråk (och i vissa dialekter, stilarter, jargonger osv.) kunna vara just det normala språkbruket. Så t. e. är läspning (betecknad med *th*) i vissa fall normal i engelskan, skorrning af olika slag normal i parisisk franska och i danskan (sydsvenska dialekter m. m.), nasalering af vokaler ytterst vanlig i normal franska osv.

Af temporal art åter äro de anomalier, som bestå däri, att språkljud icke inställa sig i rättan tid eller rätt ordning (och sålunda talorganerna visserligen frambringa riktiga språkljud, men detta icke då eller där, det af hvart och ett af dem fordras). Hit höra den mera tillfälliga stockningen, då ljudet — ofta i anledning af någon sinnesrörelse — »stockar sig i halsen», den mera konstanta stamningen, då vissa ljudmassor abnormt försenas för att sedan stötvis produceras och då ofta omotiveradt upprepas, samt den mera isoleradt och väl rent undantagsvis uppträdande omkastningen eller »metatesen», då vissa ljud byta plats, så att man t. e. säger *vetegation* för *vegetation, cilivisera* för *civilisera, gymnasistera* för *gymnastisera, entusaism* för *entusiasm*, vulgärt *masjas* för *massage, pasjas(a)* för *passage* o. d. I jämförelse med de föregående äro dessa anomalier att betrakta såsom absoluta språkfel, i ty att de aldrig äro afsiktliga eller normala.

C. Otillräcklig sorgfällighet. Man skiljer i afseende på graden af sorgfällighet mellan:

a) Tydligt eller distinkt språk, som produceras så, att det för åhöraren icke erbjuder nämnvärd svårighet att uppfatta hvad som säges. Ett öfverdrifvet eller onödigt tydligt språk kallas »pretiöst».

b) Otydligt (»suddigt», »sluddrigt» o. d.) språk, på hvars producerande ej tillräcklig omsorg nedlägges i syfte att för åhöraren underlätta den exakta uppfattningen af hvad som säges. Till otydligt språk hör i allmänhet all sång, något som i viss mån är på grund af sångens egen natur oundvikligt, men som för de allra flesta sångares och sångerskors vidkommande äger rum i vida högre grad än nödvändigt eller ens ursäktligt är.

9. Språkets större eller mindre ändamålsenlighet, dvs. dess förmåga att lösa sin allmänna uppgift att vara ett meddelelsemedel individer emellan och sin speciella uppgift att vara ett sådant i fråga om en viss publik eller ett visst syfte, sålunda hvad man kallar språkriktigheten. Från denna synpunkt skiljer man mellan (relativt) godt eller »riktigt» och dåligt eller »oriktigt» språkbruk. Rörande de olika normer, beroende på olika uppfattning af språkets väsen, hvilka från olika ståndpunkter uppställts och anlitats för att afgöra graden af språkriktighet hos ett visst speciellt språkbruk eller hos ett språk i sin helhet, får jag hänvisa till min utförliga framställning häraf i uppsatsen Om språkriktighet (i Spridda studier, s. 143 ff.), där ock en närmare karakteristik, belyst med talrika exempel, af godt (eller dåligt) språkbruk lämnats [1].

____

[1] Jfr ock i viss mån Vising, *Om språkskönhet*, s. 29 ff.

§ 4. Språk i andra hand.

Talspråket, liksom alla andra i § 2 omnämnda språk, är ett omedelbart (direkt) tecken för tanken (idéerna), alltså ett språk i första hand. Men det gifves äfven språk i andra hand, dvs. sådana som omedelbart (direkt) äro tecken för ett förstahandsspråk — tecken för ett tecken — och sålunda först medelbart (indirekt) tecken för tanken. Detta gäller dock i det stora hela blott vid själfva inlärandet, ty vid högt uppdrifven färdighet plägar ett dylikt språk öfvergå till ett förstahandsspråk: mellanhanden bortfaller och tecknet nr 2 blir direkt tecken för tanken. Sådana andrahandsspråk afse nästan alltid talspråket, för hvilket de sålunda till att börja med utgöra en om- eller förklädnad, tills de med tiden för den, som fullt behärskar dem, komma att ställa sig vid dess sida såsom ett annat direkt medel för tankemeddelelse. Fördelade efter det använda materialet, alltså med samma indelningsgrund, som i § 2 begagnats, äro dessa af följande slag:

1. Synspråk, vädjande till synsinnet medelst användning af ytfigurer, s. k. skriftecken i inskränkt mening. Detta är skrift i inskränkt mening eller talskrift (se § 2, mom. 2, C, c), hvilken kan vara af flera olika slag [1]:

A. Ordskrift, i hvilken hvarje figur är tecken för ett helt ord, dvs. så pass många ljud som tillsammanstagna äga någon själfständig betydelse. Denna behöfver dock icke nödvändigtvis vara alltid densamma, ty i ordskrift återges s. k. homonymer, dvs. likljudande, men oliktydiga uttryck (t. e. *bål* på kroppen och *bål* att dricka ur), med samma tecken, hvilket visar, att ordskriften icke, såsom ofta orätt uppges, är begreppsskrift (se § 2, mom. 2, C, b), emedan i så fall tecknet skulle vara bundet vid en viss bestämd idé, såsom väl ock ursprungligen varit fallet. Hit höra väsentligen den ki-

---

[1] Jfr Noreen, *Spridda studier*, s. 84 ff.

nesiska skriften, som dock delvis är begreppsskrift, och den fornegyptiska hieroglyfskriften, som emellertid delvis är begreppsskrift, delvis åter tillhör något af följande slag (se B och C nedan). Ur de moderna kulturspråken är — frånsedt en del s. k. rebusar — af hithörande företeelser intet annat att anföra än sådana enstaka och sällsynta fall, som då tecknet § får ersätta hela ordet *paragraf*, figuren ℔ betyder *skålpund* och & utsäges *et, och, und* osv.

B. **Stafvelseskrift** — ett ganska oegentligt namn — i hvilken hvarje figur, en s. k. sigel, är tecken för en ljudförbindelse (icke nödvändigtvis en hel stafvelse) utan afseende på om denna, tagen ensamt för sig, har någon betydelse eller icke. Af denna art är t. e. den japanska »kana»-skriften och till god del åtskilliga stenografiska systemer (jfr § 5, mom. 2, B, c). Äfven i vår vanliga skrift förekomma åtskilliga hithörande företeelser, såsom t. e. den, att *x* och *z* användas som tecken för ljudförbindelserna *ks* (t. e. i *lax*) och *ts* (t. e. i *trapez*), eller sådana skrifningar som *abc*-bok, *b*-typen, »sätta *p* för något», »få *bc* i betyg», *g*-strängen, *h*-moll, *N. N.*, »det obekanta *x*» i stället för *abese*-bok, *be*-typen, *pe, bese, ge*-strängen, *hå*-moll, *Änn Änn, äks* o. d.

C. **Ljudskrift** (ofta, men mycket oegentligt kallad »bokstafsskrift») eller **fonetisk** (dvs. ljudenlig) **skrift**, i hvilken hvarje figur är tecken för ett enda språkljud. Hvarje enskild skriftfigur kallas **bokstaf** — en term som dock vanligtvis äfven utsträckes till de ofvan under B omnämnda »siglerna» *x, z* osv. — eller **typ** (i runskrift »mynd»). Hela samlingen af de i ett visst språk använda bokstäfverna kallas dess **alfabet** eller **abc** (i fråga om runorna *futhark*) efter namnen på de bokstäfver, som vid alfabetets uppräkning först nämnas: *a* (grekiskans *alfa*), *b* (gr. *beta*), *c* (i runor däremot *f u th a r k*). I sin renhet finnes ljudskriftens princip genomförd endast i vissa för rent vetenskapligt syfte uppgjorda skriftsystem — fonografi eller fonetisk skrift i inskränkt och sträng bemärkelse — såsom det af Lundell skapade svenska landsmålsalfabetet [1], skotten A. M. Bells »visible speech» [2] och några till [3]. Annan, för »praktiska» ändamål afsedd skrift är, om ock väsentligen hithörande, dock i många afseenden mer eller mindre afvikande från hvad som af principen kräfves; detta dels genom att innehålla ett eller annat element ur stafvelseskriften (t. e. i svenskan *x*, *z* m. m., se ofvan B), dels genom att, inkonsekvent nog, stundom använda såväl två eller tre bokstäfver för att utmärka ett enda ljud (t. e. i svenskan *sj, sk, ch, ge, sc, si, ti, sh, skj, stj, sch, ssi* m. m. såsom tecken för »sje»-ljudet) som ock en och samma bokstaf för olika ljud (t. e. i svenskan *g* för *g-, j-, k-*, »äng»- och »sje»-ljuden) eller olika bokstäfver för samma ljud (t. e. i svenskan *s, c* och *z* för *s*-ljudet); hvartill kommer dess ofullständighet i så måtto, att den blott undantagsvis och då vanligen mycket inkonsekvent anger annat än ljudens »kvalitet», alltså deras »prosodiska» egenskaper såsom tidsutdräkt, styrka och tonhöjd, hvilket i så fall sker medelst särskilda bitecken (»accent-» och »kvantitetstecken» såsom ´ ` ^ ‐ ‿).

Trots dessa nu anförda brister i principens genomförande höra dock väsentligen hit de flesta både nu och fordom gängse skriftarter, särskildt alla de moderna kulturspråkens, huru olika dessa alfabet än sinsemellan kunna vara. Vi träffa sålunda här först och främst det grekiska alfabetet med det därur direkt utvecklade fornslaviska, som föreligger i två hufvudformer (cyrillisk och glagolitisk skrift), och som i sin tur gifvit upphof åt dotterskrift, t. e. den ryska. Vidare det likaledes ur det grekiska, dock på ett tidigare stadium, utvecklade latinska, som blifvit det vanli-

---

[1] Se tidskriften *De svenska landsmålen*, I, h. 2 (1879).

[2] Se SWEET, *Sound notation* i Transactions of the Philological Society (1881).

[3] Jfr redogörelsen hos JESPERSEN, *Fonetik*, s. 136 ff.

gaste och kulturellt viktigaste af alla alfabet. Bland mindre viktiga hithörande arter må nämnas runorna, som sannolikt bero på en ombildning af antingen det latinska eller något nu förloradt mindre-asiatiskt alfabet; Ulfilas af det grekiska, latinska och runalfabetet bildade gotiska; det till sitt ursprung obekanta fornkeltiska »ogom» (stundom olämpligt kalladt forn-iriska eller gäliska »runor», ofta oriktigt »ogam») [1]. Åtskilliga af dessa alfabet, isynnerhet det latinska, kunna sedermera alltefter olika syften, smakriktningar och användt skrifmaterial uppvisa en mängd typvariationer, reglerade af någon allmän och genom-gående princip. Så t. e. skiljer man mellan *skrifstil* (vare sig den allmänt europeiska »latinska» eller den i Tyskland ännu vanligaste och fordom äfven i Sverge brukliga »tyska»), som användes vid handskrift (hvarom se nedan), och tryckstil, som användes i tryck (och stundom vid »präntning»); mi-nuskler (eller »gemena», »små» bokstäfver) och majuskler (eller uncialer, »stora» bokstäfver), hvilka sednare kunna vara de större VERSALERNA eller de mindre KAPITÄLERNA; antikva (»latinsk stil»), fraktur (förr ofta, men orätt, kallad »svensk», rättare »tysk») och *kursiv;* korpus, petit m. fl. stor-lekar; **fet,** mager och spärrad; sirad och enkel osv.

Alltefter det olika verktyg, hvarmed skrift frambringas, talar man om huggning medelst mejsel, ristning medelst stift eller grafstickel, handskrift (eller »skrifvet», »skrift» i allra inskränktaste bemärkelse) medelst penna och tryck medelst stämpel.

Alltefter det olika material, hvarpå skrift anbringas, skiljer man vidare mellan inskrift på ett relativt »varaktigt» material (såsom sten, metall eller lera) och bokskrift på ett relativt »ovaraktigt» material (såsom vax, pergament, papy-rus eller papper). Är bokskrift anbragt blott på ett eller några få lösa blad, så talar man om ett bref; äro däremot bladen många och på något sätt med hvarandra samman-

---

[1] Se Nordisk familjebok, *Ogam.*

häftade, så kallas det hela en bok, hvarmed dock vanligen menas en tryckt sådan, under det att en handskrifven bok oftast får heta ett manuskript eller en »handskrift» (i konkret mening; jfr ofvan). — Inskrifter pläga åstadkommas medelst huggning eller ristning, bokskrift däremot medelst handskrift eller tryck.

Konsten att i handskrift rätt forma bokstäfverna heter välskrifning. Dennas utbildning till skön konst kallas skönskrifning eller kalligrafi.

2. Hörselspråk, vädjande till hörselsinnet medelst användning af våra vanliga språkljud, men nu begagnade såsom en förklädnad för det vanliga talet; alltså ett talspråk i andra hand, men ett »konstigt tal» (jfr lönnskrift § 5, mom. 2, B), afsedt blott för en trängre krets af invigda. Hit höra den s. k. »rotvälska» (jfr denna terms användning i något olika betydelse, se s. 23), som brukas af zigenare i Spanien och af vissa tattare; olika slag af tjufspråk; det ännu för icke längesedan i Dalarna brukliga s. k. Malungs skinnarmål, hvars viktigaste bildningsprincip var den, att tvåstafviga ords stafvelser bytte plats, t. e. *Ramo* för *Mora*, *kimi* för *miki* 'mycket'[1]; diverse skolpojksspråk såsom *pladevatlydevyskadevan* (dvs. plattyskan), *fikon*-språket (t. e. *fibben gukon*, dvs. gubben), *al*-språket (t. e. *arhal udal aritval ortabal*, dvs. har du varit borta), *lber*-språket (t. e. *dilber skalber falber talber*, dvs. dig ska fan ta, hos C. F. Dahlgren)[2] och åtskilliga andra, hvaribland särskildt de, som på ena eller andra sättet begagna sig af metates (t. e. *lundtbrakare* 'landtbrukare', *baka talvändt* 'tala bakvändt'), för närvarande tyckas åtnjuta stor popularitet. Dylika språk kunna naturligtvis vara af minst lika många slag som de förstahands-talspråk, hvilka af dem representeras.

---

[1] Se Noreen. *Spridda studier*, andra samlingen, s. 104 f.
[2] Se Lundin och Strindberg, *Gamla Stockholm*, s. 530 f.

§ 5. Språk i tredje hand.

Ändtligen gifves det äfven språk i tredje hand, dvs. sådana som omedelbart (direkt) äro tecken för ett andrahandsspråk (särskildt för skrift i inskränkt mening) och sålunda blott medelbart (indirekt) äro tecken för ett förstahandsspråk (särskildt för talet) samt först genom dubbel förmedling tecken för tanken. Emellertid kunna äfven dessa språk vid högt uppdrifven färdighet öfvergå till förstahandsspråk (jfr s. 36). Med användande af samma indelningsgrund som i § 2 och § 4 erhålla vi följande slag af dylika språk:

1. **Känselspråk**, vädjande till hudens trycksinne, t. e. blindskriften, som för blindas räkning afbildar vanlig ljudskrift i upphöjning (»relief»).

2. **Synspråk**, vädjande till synsinnet, i det att vanlig ljudskrift symboliskt betecknas genom:

A. **Åtbörder** (se § 2, mom. 2, A, b), t. e. fingerspråket (mycket oegentligt kalladt »teckenspråk» eller »döfstumspråk»), bestående af fingerställningar och -rörelser, använda till och af döfstumma; att begagna sig af detta språk kallas oftast att »teckna».

B. **Annan skrift**, skrift i andra hand, hvarvid man omsätter vår vanliga ljudskrift i en ovanligare, bestående antingen af andra figurer än de vanliga eller ock af dessa med förändrad betydelse. Alltefter de olika motiver, som härvid varit bestämmande, erhåller man flere olika grupper:

a) **Lönnskrift** (»chifferskrift») eller **kryptografi**, som för hemlighetens skull ersätter det vanliga alfabetet med något slags »chiffer», vare sig bestående af bokstäfver (naturligtvis med annan betydelse än den gängse), siffror, noter eller andra fritt uppfunna tecken, hvilkas betydelse framgår af den för hvarje särskildt chifferspråk gällande »nyckeln», dvs. den hemliga principen för tecknens användning. Om t. e. nyckeln är den, att hvarje bokstaf föreställer den nästföljande i alfabetet, så kommer ordet *ben* att medelst detta slags chiffer tecknas *adm.* Ett fall af lönnskrift i det dagliga lifvet är det särskildt inom tidningspressen och den skönlitterära (förstlings)produktionen vanliga bruket af pseudonymer (falska namn), dvs. vanliga skrifna ord eller åtminstone stafvelser, använda såsom förklädnad för de verkliga författarenamnen, t. e. *Orvar Odd* för Oskar Patrik Sturzenbecker, *Ave* för Eva Wigström osv.

b) **Kortskrift** (dvs. förkortad skrift) eller **brakygrafi**, som för utrymmets eller bekvämlighetens skull (i fråga om författarenamn väl äfven delvis af blygsamhetsskäl) i vanlig skrift utesluter eller undantagsvis medelst vissa skiljetecken (företrädesvis punkt, tankstreck och kolon) ersätter de flesta bokstäfverna — dock nästan aldrig ett ords begynnelsekonsonant — och sålunda låter de återstående, som företrädesvis utgöras af sådana, hvilka börja en stafvelse eller afsluta ett ord, representera det hela, såsom *t. ex. bl. a. Hr fil. dr A. B. C—son, f. d. 2 jan. kl. 8 f. m., o. s. v.* Ett författarnamn i kortskrift kallas **signatur** eller »(författar-)märke», t. e. *K. W—g* för Karl Warburg, *C. D. W.* för Carl David af Wirsén, *Brn* för Vilhelm von Braun. I fråga om förnamn är kortskrift så godt som regel, i det att sådana oftast återges endast medelst sina begynnelsebokstäfver, de s. k. **initialerna**, t. e. *J. O.* Wallin för Johan Olof Wallin. — Stundom kan brakygrafien ge upphof åt **brakylali**, dvs. förkortadt tal, som sålunda åtminstone till sin upprinnelse är ett hörselspråk i fjärde hand, eftersom det närmast är ett återgifvande af kortskriften. Så t. e. ha skrifningarna *rek., sid., fob* (dvs. *fritt om bord*), *st.ins* (*stationsinspektor*), *K. F. U. M.* (*kristliga föreningen af unge män*), *chab* (*chefen för administrativa byrån inom telegrafverket*), *gd* (*generaldirektören i järnvägs- eller telegrafstyrelsen*), *tc* (*trafikchef*), *td* (*trafikdirektör*) framkallat uttalsformerna *rek, sid, fåbb, stins, Kåfum* (jfr i fråga om uttalet af *K* § 4, mom. 1, B) eller

Kåäffuäm, sjabb, jede, lese, tede vid sidan af *rekommenderadt bref, sidan* osv.

c) Snabbskrift (stundom »snällskrift» eller, oriktigt, »kortskrift») eller stenografi (stundom »takygrafi» eller »shorthand» och, oriktigt, »brakygrafi»; jfr b ofvan), som för brådskans eller tidsvinstens skull utbyter det vanliga alfabetet mot mera lättskrifna tecken. Sådan skrift förekommer af flera slag, uppgjorda efter olika principer, hvarvid är att märka, det åtskilliga stenografiska systemer mer eller mindre stå på stafvelseskriftens ståndpunkt (jfr § 4, mom. 1, B).

d) Öfriga fall, beroende på diverse anledningar och på mycket olika sätt fullföljande helt skilda syften. Här må blott erinras om Morses telegrafskrift, som använder olika sammanställningar af prickar och streck [1], och om Code Reynold, fransk skrift omsatt i siffror och använd som internationellt sjöfartsspråk.

3. Hörselspråk, vädjande till hörselsinnet, i det att man använder det vanliga talspråket för att återge skrift, så att alltså talet med skriftens förmedling återger själfva talet. Detta tillvägagångssätt kallas uppläsning (att »läsa högt») och såsom skön konst deklamation. Sker läsningen med skriften för ögonen, så heter den innanläsning eller med något större anspråk välläsning (stundom »diktion»), annars utanläsning (»recitation»), hvarvid själfva inlärandet kallas »memorering» (att »lära sig utantill»). Som förmedlingen genom skriften existerar endast för den talande, icke för åhöraren, så är detta tredjehandsspråk för den sednare ett förstahandsspråk: det vanliga talspråket.

§ 6. Språkvetenskapens begrepp och hjälpvetenskaper.

Vetenskapen om språk i vidsträckt mening kallas (allmän) språkvetenskap i vidsträckt (och jämförelsevis sällsynt) mening; termen »språkforskning» bör däremot använ-

---

[1] Se Nordisk familjebok, *Elektriska telegrafen.*

das om själfva verksamheten, idkandet af språkvetenskap. I inskränkt (och vanlig) mening förstås med språkvetenskap naturligtvis vetenskapen om språk i inskränkt mening, alltså om talspråket. I denna betydelse användes emellertid allt oftare den otvetydigare termen lingvistik (sällan »glottologi» — som kanske lämpligen kunde användas som term för språkvetenskap i vidsträckt mening — och än mera sällan »glottik»; däremot icke »filologi», som visserligen af den ovetenskapliga allmänheten oftast förblandas med lingvistiken, men om hvars terminologiska innebörd se mom. 3 nedan).

Lingvistikens förnämsta hjälpvetenskaper äro:

1. Språkfilosofi: vetenskapen om språkets begrepp och väsen samt dess andliga (psykologiska, etnologiska och sociologiska) förutsättningar.

2. Fonetik (ofta olämpligt kallad »ljudfysiologi»): vetenskapen om språkets kroppsliga (anatomiska, fysiologiska och akustiska) förutsättningar.

3. Litteraturvetenskap eller filologi: vetenskapen om »litteraturen», dvs. de vare sig skrifna eller blott talade (»oskrifven litteratur», t. e. ett extemporeradt vältalighetsprof, en ännu oupptecknad folkvisa o. d.) språkliga alstren, betraktade från synpunkten af deras värde för den andliga kulturen. Litteraturvetenskapen får å ena sidan icke förblandas med en densamma närstående vetenskapsgren, nämligen den ganska oegentligt s. k. »litteraturhistorien», som icke har litteraturen till föremål, utan till källa, och som är vetenskapen om den andliga kulturens historia, såvidt denna af litteraturen, särskildt den skönlitterära (hvarom »litteraturhistorien i inskränkt bemärkelse» handlar) ådagalägges; litteraturvetenskapen eller filologien är alltså vetenskapen om litteraturhistoriens »källor», dvs. dess omedelbart för erfarenheten gifna grundläggande fakta. Men ännu mindre får å andra sidan filologien, såsom stundom sker, sammanblandas med lingvistiken, hvars föremål ju icke är språkalstren

— 45 —

såsom kulturbärare, utan själfva språket såsom sådant, dvs. såsom meddelelsemedel. Lingvistiken kan sägas förhålla sig till filologien ungefär på samma sätt som den egentliga botaniken (läran om växterna såsom sådana) till hortikulturen (läran om trädgårdsväxterna), agrikulturen (om säd och andra foderväxter), farmakognosien (om de till läkemedel användbara växterna) och andra slag af »ekonomisk» eller »använd» botanik. Därför kan t. e. en skomakarräkning vara i lingvistiskt, men afgjordt icke i filologiskt afseende lika viktig som eller viktigare än ett kvickt epigram och likaså en jordebok i förhållande till ett än så vällyckadt drama. Omvändt äro döda källor vanligen för filologien, men icke för lingvistiken värdefullare än lefvande, och en dålig öfversättning kan ha stor filologisk betydelse, men har mycket ringa lingvistisk sådan. Emellertid är på grund af de båda vetenskapernas nära samband (i fråga om forskningsobjekt, om också icke i fråga om forskningsmetod och ändamål) filologien en af lingvistikens allra viktigaste hjälpvetenskaper, i detta afseende nästan jämnställd med de båda redan nämnda, språkfilosofien och fonetiken, hvilka onekligen utgöra lingvistikens mest direkta och oundgängligast nödvändiga hjälpvetenskaper.

4. Verslära eller metrik: vetenskapen om poesiens rytmiska form, sålunda en del af »poetiken» (läran om skaldekonsten eller den poetiska konsten; jfr s. 21).

5. Retorik: vetenskapen om talarkonsten (jfr s. 21).

6. Språkpatologi: vetenskapen om abnormt språk (se § 3, mom. 8, B, b) samt andra språklifvets rubbningar hos individen, t. e. afoni (oförmåga att tala på grund af svår heshet o. d.), anartri (oförmåga att frambringa språkljuden på grund af förlamning o. d.), total eller partiell afasi (oförmåga att tala på grund af att man förlorat minnet af ordens ljud, »sensorisk afasi» eller »orddöfhet», eller af talverktygens användning, »motorisk afasi» eller afasi i egentligaste mening),

alexi (oförmåga att läsa, »ordblindhet»), agrafi (oförmåga att skrifva) [1].

7. **Grafik**: vetenskapen om skriftens (företrädesvis tal-skriftens) form. Man skiljer härvid emellan **epigrafik**, som handlar om inskrifter (se s. 39), och **bibliologi** [2], som handlar om bokskrift. Såväl det ena som det andra kan vara **paleografi**: vetenskapen om äldre tiders skrift, i all synnerhet handskrifter (se s. 39 f.). — För den rena lingvistiken har grafiken ej stor betydelse, men så mycket större sådan äga i detta afseende de båda blandvetenskaper, som behandla förhållandet mellan lingvistik och grafik, mellan tal och skrift. Dessa äro:

8. **Rättskrifningslära** eller **ortografik**, som med talet till utgångspunkt redogör för dettas omsättande i skrift, vare sig denna framställning är »dogmatisk», dvs. blott konstaterar gängse skrifsed, eller »kritisk», dvs. utreder, huru skriften (den må då vara antingen strängt fonetisk eller »praktisk», se s. 37 f.) bör vara beskaffad för att bäst motsvara sitt ändamål. Rättskrifningsläran sönderfaller i **rättstafningslära** [3] (»bokstafveringslära»), som redogör för bokstäfvernas (och siglernas, se s. 37) användning, och **interpunktionslära**, som redogör för skiljetecknens och andra — till största delen ideografiska (se s. 15 f.) — skrif-teckens (inberäknadt tomrummens) bruk.

9. **Uttalslära** eller **ortoepi(k)**, som med skriften till utgångspunkt redogör för dennas omsättande i tal [4]. Uttals-läran är mindre viktig i fråga om modersmålet, som man ju

---

[1] Se utförligare härom i inledningen till Betydelseläran.

[2] Icke att förblanda med »bibliografi», som betyder dels vetenskapen om litteraturens förtecknande och beskrifvande, dels en vetenskapligt uppgjord bokförteckning.

[3] Ett utkast till kritisk svensk rättstafningslära har jag lämnat i mina *Spridda studier*, s. 89 ff.

[4] En kortfattad svensk uttalslära har jag lämnat i *Svensk språklära* af E. Schwartz och A. Noreen, Stockholm 1881, s. V—XVIII.

väsentligen tillägnar sig i talets form, än i fråga om främmande språk, hvilkas kännedom ju väsentligen förmedlas oss — åtminstone i regeln — genom skrift (läsning).

§ 7. Grammatikens begrepp och arter.

En vetenskaplig framställning af ett visst bestämdt (national)språk — vare sig riksspråk eller dialekt — kallas språklära eller grammatik. En sådan kan naturligtvis till hufvudsaklig utgångspunkt taga hvilken som helst af de många olika synpunkter, som talspråket själft erbjuder för betraktelsen (se § 3), ehuruväl icke alla dessa, åtminstone hittills, kommit att läggas till grund för behandlingen. Emellertid kan man redan nu, alltefter det olika syftet och den olika metoden, tala om åtminstone följande olika slag af grammatisk framställning:

1. Stillära eller stilistik, som redogör för de olika »stilarna» (se § 3, mom. 6), hvarvid den del som behandlar »synonymerna» (se s. 32), den s. k. synonymiken, är af särskild vikt. Stilistiken har hittills oftast bearbetats i ett öfvervägande praktiskt syfte, för att tjäna som »ledtråd vid kriaskrifning» o. d. Lägger den särskildt an på att vara en hjälpreda vid öfversättning från ett främmande språk till modersmålet eller tvärtom, så måste den bli i viss mån »jämförande» (se mom. 3 nedan) och lägger då särskildt vikt på behandlingen af s. k. »idiomatiska» uttryck, dvs. sådana som äro för ett visst nationalspråk egendomliga såtillvida, att de icke äga någon direkt eller från samma åskådningssätt (»inre språkform», se § 3, mom. 1) som originalets utgående öfversättning, hvadan de icke kunna »ordagrant» öfversättas, utan måste »omskrifvas». Brott häremot leda till stilistiska »germanismer», »anglicismer» osv. (se § 3, mom. 1).

2. Språkhistoria eller historisk grammatik, som redogör för ett språks historiska utveckling från äldre till allt yngre former, särskildt från ett »fornspråk» till ett nu

»lefvande» (se § 3, mom. 4), t. e. från fornsvenska till nysvenska, speciellt nusvenska. Härvid är att beakta, att hvad som äger en »historia» i egentlig mening icke är själfva den språkliga produkten (språkformerna), ty denna lefver icke från och med det ögonblick, då den producerats; utan det är de psykiska processer, som föranleda densamma eller af densamma föranledas.

3. Jämförande eller komparativ grammatik, som redogör för ett (national)språks förhållande till sina »frändspråk» (besläktade språk, se § 3, mom. 3). En dylik redogörelse måste nästan alltid vara äfven i större eller mindre grad historisk (jfr mom. 2 ofvan).

En i öfvervägande grad historisk, men därjämte äfven i någon mån jämförande framställning kallas etymologisk, om den såsom sin hufvuduppgift ställt att förklara de språkliga företeelserna genom att uppsöka deras historiska ursprung och sammanhang (»etymon»). För detta ändamåls vinnande har den nämligen att gå så långt tillbaka i tiden, att man vinner insikt icke blott om de språkliga fenomenens succession inom samma språk, utan äfven om arten af deras sammanhang med motsvarande företeelser inom de besläktade språken. Detta den etymologiska grammatikens syfte att vara »förklarande» ställer den i direkt motsats till

4. Beskrifvande eller deskriptiv grammatik, som redogör för språkets faktiska beskaffenhet utan hänsyn till dennas uppkomst. Såväl den etymologiska som den deskriptiva grammatiken kan vara antingen speciell (»specialgrammatik»), behandlande ett enda nationalspråk (vare sig ett riksspråk eller en dialekt, i så fall »dialektgrammatik»), eller mera generell, redogörande för en hel språkstam (och dennas »urspråk»), språkfamilj, språkgren osv. (se § 3, mom. 3). I sednare fallet blir den gärna mer eller mindre etymologisk med jämförelsevis starkt framhäfvande af den jämförande synpunkten.

Man talar ändtligen stundom äfven om

5. **Normativ grammatik**, som stadgar, hur ett språk »bör» vara, hvarvid särskild vikt ligger på hvad som är »riksspråk» i motsats mot »dialekt» (se § 3, mom. 5) liksom på »språkriktighets»-spörsmålet (se § 3, mom. 9). Inom detta område faller — eller borde åtminstone falla — väsentligen den elementära s. k. skolgrammatiken, dvs. den företrädesvis praktiska syften fullföljande första undervisningen i modersmålets grammatik. För denna ligger det emellertid, eller rättare sagdt borde det ligga, föga mindre vikt uppå att taga hänsyn till frågor af stilistisk natur.

En osystematisk och såtillvida ovetenskaplig uppställning af grammatikens innehåll, företagen i det »praktiska» syftet att åstadkomma en lättskött uppslagsbok och därför till utgångspunkt tagande ordförrådet, ordnadt efter någon yttre synpunkt, vanligen den alfabetiska ordningsföljden hos de skrifna ordens begynnelsebokstäfver, kallas **ordbok** eller **lexikon**. Alltefter det mera speciella syftet erhåller man i motsats till »allmänna» ordböcker flera olika slags special-ordböcker [1]: etymologisk ordbok, uttalsordbok, rimlexikon, synonymlexikon, konstruktionslexikon, namnordbok (»onomastikon»), dialektordbok (»idiotikon») m. m. Alltefter antalet af de i ordboken till hvarandras ömsesidiga belysning sammanförda språken talar man om enspråkig, tvåspråkig och flerspråkig (»polyglott») ordbok. En förteckning öfver ordförrådet utan några nämnvärda öfriga upplysningar kallas **ordlista**. Äfven en sådan kan fullfölja ett speciellt syfte; så t. e. en rättstafningsordlista, som afser att normera bokstäfvernas användning. En ordbok (eller ordlista), som blott afser ett enda litteraturalster, kallas **glossar**. Har ett dylikt ett rent elementärt pedagogiskt syfte, nämnes det **vokabular** eller »glosbok». — Läran om ordböckers utarbetande heter

---

[1] Jfr Lundell, Nordisk familjebok, *Ordbok*.

lexikologi, själfva författareverksamheten däremot kallas lexikografi.

§ 8. Grammatikens hufvudindelning.

Då språket väsentligen är — liksom kläder, boning och verktyg — en konstprodukt [1], så måste det för betraktelsen kunna erbjuda lika många och samma hufvudsynpunkter som hvarje annan sådan, nämligen materialets (det ämne, hvaraf konstprodukten förfärdigats), innehållets (det ämne, som konstprodukten »föreställer» eller »behandlar»; den uppgift, som den har att »lösa»; ändamålet) och formens (det sätt, hvarpå uppgiften medelst det begagnade materialet lösts; strukturen, byggnadsstilen). Dessa trenne synpunkter, hvilka språkets byggnad äger gemensamma med alla andra byggnader, bestämma grammatikens hufvudindelning. Denna leder till följande trenne hufvuddelar:

1. **Ljudläran** eller **fonologien**, som redogör för det fysiska materialet, hvilket i fråga om det primära och viktigaste språket, talspråket, utgöres af de »artikulerade språkljud» (se § 2, mom. 3, B, b), genom hvilka idéinnehållet meddelas. Fonologien får icke, såsom stundom skett, förväxlas med sin närmaste hjälpvetenskap »fonetiken» (se § 6, mom. 2) och är naturligtvis ännu skarpare skild från dennas hjälpvetenskap »akustiken», den del af fysiken som handlar om ljudet, alltså om alla ljud och om ljudet såsom sådant och icke blott såsom medel för språkliga ändamål [2].

2. **Betydelseläran** eller **semologien** [3], som redogör för språkets psykiska innehåll: de idéer som genom språkljuden meddelas och på så sätt utgöra dessas »betydelse». Semologien är noga att skilja icke blott från sin närmaste

---

[1] Se härom utförligare Noreen, *Spridda studier*, s. 211 f.

[2] Se härom närmare Noreen, Nordisk' tidsskrift for filologi, 3. række, VI, 175 ff.

[3] Om denna term se Noreen, anf. st. s. 176 noten samt utförligare i Betydelseläran, inledningen § 1.

hjälpvetenskap »språkfilosofien» (se § 6, mom. 1) [1], utan äfven från den del af psykologien, som handlar om föreställningarna och de ännu högre förnimmelserna, samt — och detta kan icke nog kraftigt inskärpas — från »logiken», läran om begreppen såsom sådana (och icke blott så vidt de fått språkligt uttryck) och om dessas (men icke de språkliga uttryckens) förbindelser. Ty mot hvarje med betydelse försedt språkligt uttryck svarar ingalunda ett särskildt begrepp, liksom ännu mindre tvärtom. Och dock har en dylik missuppfattning och däraf följande sammanblandning af de båda vetenskaperna förekommit — och förekommer ännu mångenstädes — samt visat sig ödesdiger både för grammatiken och än mer för logiken; ungefär på samma sätt som ljudläran länge lidit men — om ock i mindre grad och framför allt under kortare tid — af förblandningen af ljud och bokstaf och den därpå beroende totala eller partiella sammanblandningen af fonologi och ortografik.

3. Formläran [2] eller morfologien [3], som redogör för det särskilda sätt, hvarpå ljudmaterialet i betydelseinnehållets tjänst formas till »språkformer». Formläran utgör grammatikens centrala och viktigaste del, hvadan den ock är skarpt skild från andra vetenskaper.

Enligt hvad ofvan utvecklats är sålunda idealet för en nysvensk grammatik det att utgöra en vetenskaplig framställning af det nysvenska tal- och skriftspråket (företrädesvis det förra); detta i fråga om både riksspråket och dialekterna

---

[1] Jfr anf. st. s. 176.

[2] Denna term har hittills ofta, ja vanligen, men mycket olämpligt tagits i de inskränktare betydelserna af »böjningslära» eller ock »ordbildningslära», alltså användts som beteckning för blott en del af hvad som här kallas formlära (jfr nästa not).

[3] Denna term har hittills stundom tagits i den inskränktare betydelsen af »ordbildningslära», alltså användts som beteckning för blott en del af hvad som här kallas formlära och sålunda med uteslutande af dennas båda öfriga delar: ordfogningsläran (syntaxen) och böjningsläran (flexionsläran).

(företrädesvis det förra), både dess nuvarande beskaffenhet och historiska utveckling sedan 1500-talets början (samt i viss mån dess förhållande till frändspråken) samt i afseende på såväl ljud som form och betydelse; allt under hänsynstagande äfven till ortografik, ortoepik och stilistik samt med upptagande af nödiga momenter ur hjälpvetenskaperna, särskildt språkfilosofien och fonetiken.

ANDRA KAPITLET.

Nysvenskans frändskapsförhållanden.

§ 9. Den indoeuropeiska språkstammen [1].

Den språkstam (se § 3, mom. 3), hvartill svenskan hör,
kallas vanligen, t. e. i Sverge, Frankrike och Amerika, den
indoeuropeiska, i Tyskland däremot nästan alltid den
»indogermanska», i Danmark oftast den »jafetiska», i Eng-
land och någon gång äfven i Sverge den »ariska»; här och
där träffas äfven någon gång benämningen den »ario-euro-
peiska». Alla försök att uppvisa något genealogiskt samman-
hang mellan denna och andra språkstammar, t. e. den »semi-
tiska» (dit bl. a. syriskan, arabiskan, etiopiskan och de döda
språken assyriska, feniciska och hebreiska höra) [2] eller den
»finsk-ugriska» (dit bl. a. finska, lapska och ungerska höra) [3],
ha trots allt därpå användt skarpsinne hittills fullständigt
misslyckats, om ock den sednare af dessa båda sammanställ-
ningar måste erkännas hafva ett och annat, som talar för
densamma [4].

Språkstammen förutsätter ett indoeuropeiskt urfolk, om
hvars kulturståndpunkt man torde kunna med visshet säga

---

[1] Jfr BRUGMANN. *Kurze vergleichende Grammatik* (1902), Einleitung;
MUCH, *Deutsche Stammeskunde* (1900; Sammlung Göschen nr 126).

[2] Se vidare ALMKVIST, Nordisk familjebok, *Semitiska språk*.

[3] Se vidare SETÄLÄ, *Om de finsk-ugriska språken* (Språkvetenskap-
liga sällskapets i Uppsala förhandlingar 1885—88, s. 81 ff.).

[4] Jfr SCHRADER. *Reallexikon der indogermanischen Altertumskunde*
(1901), s. 893 f.

åtminstone så mycket som att det var ett (förmodligen »neolitiskt») stenåldersfolk, hvilket åtminstone i öfvervägande grad lifnärde sig af boskapsskötsel, och som icke saknade vissa religiösa föreställningar [1]. Hvar detta folk näst före sin splittring hade sin hemvist, är i högsta grad ovisst trots det oändligt myckna, som därom skrifvits, och de synnerligen talrika förslag, som framställts. Så t. e. har man antagit »urhemmet» hafva varit Pamirs högslätt på Belurtagh i Centralasien (så Pictet, Hahn och de flesta, i synnerhet något äldre författare), i närheten af Babylon (J. Schmidt), Armenien (Brunnhofer), Sibirien (Piètrement), Volgaområdet (Tomaschek m. fl.), sydryska steppen ända till Svarta hafvet (Benfey, G. Meyer, F. Seiler, Bremer, Schrader), Donaudalen och trakterna närmast norr därom (Much), Volhynien och Litauen (Pösche), det sydöst om Östersjön belägna skogsområdet i Preussen, Litauen och Östersjöprovinserna (Hirt), Skandinavien och speciellt Sverge (Penka, Sweet m. fl.), Nordtyskland (Bezzenberger), Tyskland (L. Geiger), hela sträckningen från mellersta Europa till de rysk-sibiriska steppländerna (Meringer). Blott så mycket står fast, att man icke har att söka detta hem vare sig i Indien eller Medelhafsländerna, utan någonstädes norr därom och då snarast i det inre af Europa [2].

Lika ovisst är det, när splittringen ägde rum. I alla händelser skedde den. dock allra minst 5,000 år före Kristi födelse [3]. Ej heller kan man närmare ange, hur den försiggick, men troligen är den att tillskrifva dels verkliga skilsmässor såsom utvandring eller undanträngande genom andra folkslags inbrytande, troligen på mycket olika tider; dels upp-

[1] Se vidare Meringer, *Indogermanische Sprachwissenschaft*, 2. aufl. (1899; Sammlung Göschen nr 59), s. 122 ff.; Schrader, a. st. s. 894 ff.

[2] Se närmare härom hos Meringer, a. st. s. 134 ff., Much, a. st. s. 11 ff., Brugmann, a. st. s. 22 ff. och utförligast Schrader, a. st. s. 878 ff. En god öfversikt af diskussionen före 1886 erbjuder V. Rydberg, *Undersökningar i germanisk mythologi* I, 3 ff.

[3] Se Meringer, a. st. s. 136.

komsten ännu under sammanboendets tid af dialektala differenser, större i den mån folket i följd af växande numerär utbredde sig öfver ett allt större område. Allt nog: en språksplittring uppstod, ledande med tiden till flera vidt skilda språk, de åtta s. k. indoeuropeiska språkfamiljerna (se § 10), hvilka alla liksom själfva det indoeuropeiska urspråket äro blotta hypotetiska. »urspråk» (i speciellare betydelse), representerade af de faktiska dotterspråk, i hvilka de i sin tur genom en dylik splittring specialiserats. Af dessa familjer stå några i vissa afseenden närmare vissa andra familjer, i andra afseenden åter närmare vissa andra dylika. Detta förhållande kan bero dels därpå, att de hvarandra i språkligt afseende särskildt närstående familjerna en gång varit granndialekter inom urspråket; dels därpå, att några familjer ursprungligen bildat en jämförelsevis enhetlig dialektgrupp, som tidigare. än de andra afsöndrats från modersproket genom geografisk skilsmässa och först senare inom sig splittrats; dels ändtligen därpå, att vissa familjer efter den första skilsmässan åter sammanstött och för en längre tid varit grannar med däraf underlättad ömsesidig påverkan. I sistnämnda afseende kan man jämföra förhållandet mellan tyskan och svenskan eller mellan franskan och engelskan, hvilkas många likheter delvis äro af mycket ungt datum och ej bero på urfrändskapen [1].

Bland språkliga differenser, som äro af så gammalt datum, att de med all sannolikhet böra tillskrifvas en redan inom det indoeuropeiska urspråket inträdd dialektal språksplittring, förtjänar särskildt att framhållas den olika behandlingen af urspråkets palatala *k*- och *g*-ljud. I de mera västligt belägna språkfamiljerna uppträda nämligen dessa ljud redan i de äldsta språkliga minnesmärkena förändrade till

---

[1] Jfr utförligt härom Brugmann, *Zur Frage nach den Verwandtschaftsverhältnissen der indogermanischen Sprachen* i Internationale Zeitschrift für allgemeine Sprachwissenschaft I (1883). .

s- eller *»sje»*-ljud, under det att de mera östligt belägna familjerna enligt sina äldsta källors vittnesbörd icke deltagit i denna utveckling. På grund af denna olikhet sönderfaller den indoeuropeiska språkstammen närmast i två stora afdelningar, som alltefter det olika uttalet af ordet för 100 i hvar sin representant för de båda afdelningarna (latinets *centum,* som uttalades *kentum,* och avestaspråkets *satem)* pläga kallas »centumspråken» och »satemspråken». Med hänsyn till deras inbördes geografiska läge kallas de förra äfven för västindoeuropeiska, de sednare för östindoeuropeiska [1].

§ 10. De indoeuropeiska språkfamiljerna [2].

Den indoeuropeiska språkstammen indelas vid försök att gruppera de dithörande språken efter graden af inbördes frändskap på följande sätt:

★ Den östindoeuropeiska afdelningen, omfattande fyra familjer:

I. Den ariska (eller »indo-iranska») språkfamiljen, omfattande två språkgrenar, som äro hvarandra så pass olika och inom sig så pass enhetliga — troligen förutsättande hvardera sitt särskilda »urspråk» — att de ofta uppförts såsom två olika familjer, nämligen:

A. Den indiska språkgrenen, hvars alla språk talas eller talats i Ostindien. Den sönderfaller i två grupper, af hvilka den förra uteslutande omfattar numera utdöda litteraturspråk, den sednare däremot en hop moderna språk, som dock icke direkt härstamma från något af de till den förra gruppen hörande döda språken, utan från några vid dessas sida stående, i litteraturen jämförelsevis sent representerade språk. Dessa båda grupper äro:

a. Den fornindiska gruppen (eller »sanskrit» i vidsträckt och mycket oegentlig, men populär mening, hvarvid

---

[1] Jfr SCHRADER, a. st. s. 879 ff.
[2] Jfr BRUGMANN, *Kurze vergl. Gram.,* Einleitung; MERINGER, a. st. s. 51 ff.

dock vanligen prakrit, se nedan 3, undantages). Hit höra följande språk [1]:

1. **Vedaspråket** (eller rättare vedadialekterna), hvars äldsta källor, vissa Rigveda-hymner, äro författade åtminstone omkring tvåtusen år f. Kr. (om ock betydligt senare nedskrifna) och utgöra de äldsta indoeuropeiska språkminnesmärken, som öfverhufvud finnas.

2. **Sanskrit** (i inskränkt och egentlig mening), ett på grundval af vedadialekterna bildadt, för högre stil afsedt riksspråk (af de inhemska grammatici kalladt »bhasja»), så småningom stelnadt till ett uteslutande skrift- och deklamationsspråk (det s. k. klassiska sanskrit). Härå förefinnes en mycket rik litteratur alltsedan grammatikern Panini (omkring 400 f. Kr.). Omkring 1000 e. Kr. utdog detsamma utom såsom lärdt skriftspråk.

3. **Prakrit**, det hvardagliga talspråket i en mängd olika, efter ort och stil växlande former med källor sedan omkr. 250 f. Kr. (konung Açokas inskrifter). Af dessa många språkformer är den viktigaste det s. k. pali, den sydliga buddismens heliga språk, ursprungligen troligtvis det bildade talspråket från Buddas tid och hemvist, numera utdödt utom såsom teologiskt skriftspråk. Hit hör ock çauraseni, ett på prakritdialekter baseradt hvardagligt riks-talspråk, samt maharasjtri eller »normalprakrit», ett på çauraseni baseradt riks-skriftspråk.

b. Den **nyindiska** gruppen, omfattande:

1. Ett par hundra nyindiska dialekter, talade af omkr. 209 millioner. Man indelar dem i tre afdelningar: en östlig, dit t. e. bengali i Bengalen, en nordvästlig, dit t. e. sindhi vid nedre Indus, och en central, dit t. e. hindi vid öfre och mellersta Ganges hör. Särskildt sistnämnda språk äger en rik litteratur och detta redan från 1100-talet. En

---

[1] Jfr S. Sørensen, *Om Sanskrits Stilling* (Danske Vidensk. Selsk. Skr., 6. Række, hist. og fil. Afd. III, 3).

med arabiska och persiska starkt uppblandad hindi-dialekt är hindustani eller hindostanskan, som blifvit ett slags internationellt riksspråk i hela Indien.

2. Zigenarspråket, som talas af de senast omkr. 1000 e. Kr. från nordvästra Indien. utvandrade zigenarna, numera kringirrande i Asien, norra Afrika och Europa, där de utgöra omkr. ³/₄ million, hvaraf nära hälften på Balkanhalfön, men högst ett par hundra i Sverge (i Finland omkr. 1600). Språket sönderfaller i en stor mängd inbördes ganska olika och med allehanda främmande beståndsdelar starkt uppblandade dialekter, af hvilka den »turkiskt-grekiska» är den ojämförligt viktigaste.

B. Den iranska språkgrenen med följande underafdelningar:

a. Den östiranska gruppen med följande språk:

1. Avestaspråket (äfven kalladt »fornbaktriska» eller »zend» i vidsträckt och vanlig bemärkelse), »Zarathustras» och parsernas för längesedan utdöda heliga språk, uppträdande i två systerdialekter: den äldre (»gatha-», dvs. hymn-dialekten) och den yngre (»zend» i inskränkt bemärkelse). De först omkr. 250—650 e. Kr. upptecknade källornas affattningstid och hemvist äro ytterst omstridda. Möjligen ha vi en direkt ättling af detta språk i

2. Afganskan (eller »pasjtu») i Afganistan med blott moderna källor.

b. Den västiranska gruppen med följande språk:

1. Fornpersiskan, det akemenidiska perserhofvets kanslispråk, föreliggande i kilskrift från tiden 521—338 f. Kr. Dess fortsättning medelpersiskan (eller »pehlevi», dvs. partiska) var parternas och det sassanidiska perserrikets språk och äger källor från tiden 250—650 e. Kr. Denna litteratur är vanligen skrifven med semitiskt alfabet (delvis på ett i viss mån ideografiskt sätt och kallas då »huzvaresj»), mindre ofta med avestiskt alfabet och kallas då »pazend». Medelpersiskan fortsättes i sin tur af den på 900-talet framträdande,

med arabiskt alfabet skrifna och med en mängd arabiska
låneord uppblandade nypersiskan, som nu talas i Persien
och på Kaspiska hafvets västkust upp till Baku samt dessut-
om användes såsom allmänt mohammedanskt litteratur- och
(högre) umgängesspråk i Turkistan, Afganistan och Indien.

2. Belutsjiskan, som talas af belutsjerna i västra Be-
lutsjistan.

3. De talrika Pamir-dialekterna på Pamirs högplatå.

4. Kurdiskan i Kurdistan med blott moderna källor.

5. Ossetiskan i mellersta Kaukasus med litteratur
först från 1798; härstammar möjligtvis från den under folk-
vandringstiden uppträdande, men sedan försvunna·alanskan.

Anm. 1. Till de iranska språken hörde äfven de nästan blott genom
en del personnamn kända språk, som talades af de i forntiden (omkr. 1000—
500 f. Kr.) ända från trakten öster om Aralsjön till Donaus mynning sig
utbredande sakerna, skoloterna (»skyter» i inskränkt mening; en un-
derafdelning tyckas sarmaterna eller sauromaterna ha utgjort) och kim-
merierna [1].

II. Den armeniska språkfamiljen omfattar knappast
(jfr anm. 2) mer än ett språk. Fornarmeniskan (den
»klassiska» armeniskan) äger rika källor alltsedan 400-talet
e. Kr. och användes, ehuru för längesedan utdöd såsom um-
gängesspråk, ännu såsom kyrkligt språk. Nyarmeniskan
(»vulgärarmeniskan») är, bl. a. genom stark uppblandning
med persiska, mycket olika fornspråket och härstammar kan-
ske ej direkt från just den gamla dialekt, som representeras
af den fornarmeniska litteraturen. Den talas nu utom i Ar-
menien äfven här och där i Mindre Asien, norra Syrien,
Mesopotamien, Georgien, europeiska Turkiet, Siebenbürgen
och Polen.

Anm. 2. Kanske hörde till samma familj de forntida, föga kända
språken frygiskan och trakiskan. I annat fall tillhörde dessa språk
en särskild, numera utdöd indoeuropeisk språkfamilj, som dock stått den
armeniska ganska nära.

[1] Jfr Schrader, a. st. s. 880; Fick. *Die ehemalige Spracheinheit der
Indogermanen Europas*, s. 405 ff.

III. Den albanesiska (eller »sydillyriska») språkfamiljen omfattar blott:

1. De nutida albanesiska (på folkets eget språk kalladt »sjkipetariska», på turkiska »arnautiska») dialekterna med källor först från 1600-talet. De talas af omkr. 2 millioner i Albanien och många trakter af Grekland samt dessutom här och där på Balkanhalfön, i Mindre Asien, i södra Italien och på Sicilien. Ordförrådet utgöres till ojämförligt största delen af lån från romanska och slaviska språk, turkiskan och grekiskan [1].

2. Messapiskan, ett ytterst ofullständigt kändt språk, som i forntiden talades i Italiens sydöstra spets (Brindisi-trakten).

Anm. 3. Väl med orätt har man plägat hit föra de båda från forntiden bekanta »nordillyriska» språken: den så godt som okända fornillyriskan och den genom talrika inskrifter representerade venetiskan, hvilka språk i forntiden talades det förra öster, det sednare norr (och nordväst) om Adriatiska hafvet. Dessa äro nämligen s. k. centumspråk (se s. 56) och böra alltså ha hört till den västindoeuropeiska afdelningen, inom hvilken de torde vara att uppföra såsom en särskild familj.

IV. Den slavo-baltiska (eller »baltisk-slaviska», »lituslaviska», »letto-slaviska», »slavo-lettiska») språkfamiljen, omfattande två språkgrenar, som man af samma skäl som i fråga om de ariska (se I ofvan) ofta uppfört såsom två särskilda familjer, nämligen:

A. Den slaviska grenen, sönderfallande i två grupper:

a. Den (syd-)öst-slaviska gruppen med språk af ett i allmänhet något ålderdomligare skaplynne. Man kan här särskilja tre underafdelningar:

α) De ryska (eller »östslaviska» i inskränkt mening, hvarvid de båda följande afdelningarna — β och γ — sammanfattas såsom »sydslaviska») språken, som äro [2]:

1. Storryskan (eller »ryska» i inskränkt mening) med källor, som knappast äro äldre än Peter den stores tid, enär

---

[1] Jfr Nordisk familjebok (Supplement), *Albaneser.*

[2] Jfr LUNDELL i Nordisk familjebok, *Ryska språket* och *Lillryska språket.*

man förut i skrift (alltsedan 1000-talet) egentligen använde en förryskad form af fornslaviskan (se β, 1 nedan). Språket talas nu i större delen af ryska riket och i en mängd hvarandra föga olika dialekter, af hvilka den viktigaste är Moskva-dialekten, som ligger till grund för det ryska riksspråket. Därnäst i betydelse står den **hvitryska** (eller väststorryska), som äger en ej obetydlig litteratur, och som (jämte lillryskan) var Litauens riksspråk ända till detta lands slutliga förening med Polen (1501).

2. **Lillryskan** (eller »ruteniskan») med rena källor först från omkr. 1800, enär man förut i skrift använde förryskad fornslaviska. Detta i många dialekter splittrade språk talas nu i större delen af södra och västra (europeiska) Ryssland samt i östra Galizien.

β) De **pannonisk-mœsiska** språken, som äro:

1. **Fornslaviskan** (eller »kyrkslaviskan», »fornkyrkslaviskan», den »pannoniska slovenskan», »fornslovenskan», ofta men olämpligt »fornbulgariskan») med källor alltsedan 800-talet och till sin prägel det ålderdomligaste af alla slaviska språk, detta till den grad att det nästan kan betraktas som »urslaviska». Såsom verkligt lefvande talspråk anses det ha haft sin hemvist i (nordvästra) Macedonien (enligt andra i Ungern vid Plattensjön), men sedan den äldsta slaviska bibelöfversättningen kommit att affattas på detta språk, blef det och har till denna dag förblifvit alla grekiskt-katolska slavers kyrkliga språk (hvaraf namnet »kyrkslaviska»), liksom latinet är de romerska katolikernas. I följd häraf föreligger det i tre former med olika färgning, alltefter de olika folk som begagna det, nämligen en rysk, en bulgarisk och en serbisk (ofta, men mycket oegentligt kallade »fornryska», »fornbulgariska» och »fornserbiska»).

2. **Bulgariskan** med »medelbulgariska» källor från 1100-, 1200- och 1300-talen, hvartill efter ett långt afbrott träda »nybulgariska» från och med 1700-talet, är ursprungligen de

mœsiska slovenernas språk, som uppblandats med urbefolknin-
gen albanesernas och med det språk af oviss härkomst, som
talades af de egentliga bulgarerna, hvilka på 600-talet under-
kufvade slovenerna, men sedan själfva slaviserades. I följd
häraf är detta blandspråk det till sitt skaplynne oursprung-
ligaste af alla slaviska språk. Det talas nu i Bulgarien (med
Östrumilien) och delvis i Bessarabien, Rumänien, Serbien
och Ungern. Den i Macedonien talade »bulgariskan» är så
afvikande, att den torde vara att anse som ett särskildt språk.

γ) De serbo-slovenska (eller »illyriska») språken,
som äro:

1. Serbo-kroatiskan med källor på kroatisk dialekt
från tiden 1400—1700, på både serbisk och kroatisk sedan
omkr. 1800. Språket uppträder nämligen deladt i tre huf-
vuddialekter: den nordserbiska i nordöstra Serbien, Militär-
gränsen och Banatet; den sydserbiska i sydvästra och turki-
ska Serbien, Herzegovina, östra Bosnien, sydspetsen af Dal-
matien samt delvis Montenegro och Istrien; den kroatiska
(»korvatiska») i Kroatien, Slavonien, större delen af Dalma-
tien och västra Bosnien samt några kolonier i Österrike och
Mären.

2. Slovenskan (i inskränkt mening, »nyslovenskan»;
jfr ofvan β, 1 och 2) med källor från 1500-talet samt, efter
ett långt afbrott, från omkr. 1800. Språket talas nu i Steier-
mark, Kärnten, Krain och en liten del af Istrien.

b. Den västslaviska gruppen med följande språk:

α) Tsjeckiskan med källor från 900-talet. Den sön-
derfaller i tre hufvuddialekter: bömiskan. eller tsjeckiskan
i inskränkt mening), märiskan och den i en del af nord-
västra Ungern och nordöstra Mären förekommande slova-
kiskan.

β) Sorbiskan (»lausitzskan», »vendiskan») med käl-
lor först från reformationstiden utgör den ringa återstoden
af de gamla vendernas förr så utbredda språk. Den före-

— 63 —

kommer nu blott såsom två små dialekter: högsorbiskan i det saxiska och lågsorbiskan i det brandenburgska Lausitz, hvartill kommer en koloni i Texas.

γ) Leckiskan, som uppträder i tre ganska olika hufvudformer [1], af hvilka de två (2 och 3 nedan) sluta sig närmare tillsammans såsom »västleckiska» gentemot den tredje (1 nedan), »östleckiska»:

1. Polskan med källor sedan 1100-talet utgör språket i stora delar af (det gamla Polen, numera) Ryssland, Preussen och Österrike samt talas dessutom af en mängd emigranter på skilda håll.

2. Kassubiskan med (obetydliga) källor sedan 1600-talet förekommer utefter Östersjön och Weichsel, väster och söder om Danzig.

3. Polabiskan (»Elbe-slaviskan») med källor från 1600- och 1700-talen utdog omkr. 1800. Den utgjorde en kvarlefva af de gamla obotriternas språk och talades på Lüneburgerheden.

B. Den baltiska (»litauiska», »lettiska») grenen [2] omfattar följande tre språk, af hvilka nr 2 och 3 hänga närmare tillsammans gentemot nr 1:

1. Preussiskan (»fornpreussiskan») med torftiga och illa upptecknade källor från 1400- och 1500-talen utdog redan före 1700. Den talades på Östersjöns kust mellan Njemen och Weichsel.

2. Litauiskan med källor sedan 1500-talet är splittrad i en mängd mycket skiljaktiga dialekter, som talas i det ryska guvernementet Kovno och en del af guvernementet Vilna samt i Ostpreussen öster om Kurisches Haff.

3. Lettiskan med källor sedan slutet af 1500-talet är äfvenledes splittrad i många inbördes mycket olika dialekter, som talas i Kurland och södra Livland.

---

[1] Jfr Lundell, Nordisk familjebok, *Kassuber, Polabiska* och *Polska språket*.

[2] Jfr Leskien, *Lithuanian, Lettish and Prussian* i Sixth annual address of ... the Philological Society (1877).

** Den västindoeuropeiska afdelningen omfattar äfvenledes fyra familjer:

V. Den germanska språkfamiljen, hvarom se § 11.

VI. Den keltiska språkfamiljen sönderfaller i två mycket skarpt skilda grenar:

A. Den ö-keltiska språkgrenen, fördelad i två grupper:

a. Den britanniska (»brittiska», »bretonska» eller »kymriska» i vidsträckt mening) språkgruppen, som en gång uppfyllde hela England, representeras af följande tre språk:

1. Kymriskan (i inskränkt och egentlig mening; äfven kallad walesiska) med källor från omkr. 800 talas nu blott i Wales.

2. Korniskan med källor från omkr. 1000 (?) talades i Cornwallis tills omkr. 1800,

3. Bretonskan (i inskränkt och egentlig mening; äfven kallad armoriska eller armorikanska) med betydande källor sedan 800-talet utgör de sedan omkr. 400 till norra Frankrike utvandrande britternas språk, nu inskränkt till västra hälften af Bretagne.

b. Den gäliska (»gaeliska» eller »gaedheliska» i vidsträckt betydelse, äfven »hiberniska») språkgruppen [1] omfattar äfvenledes tre språk, af hvilka de två första ända tills omkr. 900 stodo hvarandra så ytterst nära, att de kanske ej ens voro nämnvärdt skilda språk:

1. Iriskan (»iriska gäliskan») är det viktigaste af alla keltiska språk och äger källor ända från omkr. 500 (ogominskrifter, se s. 39; sedan 700-talet äfven bokskrift). Till inemot 1100 får språket heta »forniriska», sedan »medeliriska» (med rik litteratur), som omkr. 1600 aflöses af »nyiriska». Språkområdet utgöres numera egentligen blott af västra och södra Irland.

2. Högskotskan (»höglandsskotskan», »skotskan»,

---

[1] Jfr Erdmann, Nordisk familjebok, *Gaeliska språket.*

»skotska gäliskan», »gäliskan» eller »gaeliskan» efter »gaed-heliskan» i inskränkt betydelse, »ersiskan») har källor sedan 1400-talet och talas i nordvästra hälften af Skottland samt på Hebriderna.

3. Manx med källor sedan 1600-talet är ön Mans keltiska dialekt.

B. Den kontinental-keltiska (»galliska» i vidsträckt mening) språkgrenen omfattar två (om ej flere) hufvudspråk, nu sedan länge utdöda:

1. Galliskan (i inskränkt mening) med torftiga, väsentligen af ett 30-tal inskrifter från Frankrike och norra Italien bestående källor från tiden före Kristi födelse. Den talades under de närmaste århundradena f. Kr. i Frankrike (utom det nordligaste, hvarom se A, a, 3 ofvan och 2 nedan, och det sydligaste, där akvitanskan, ett iberiskt språk, härskade), norra Italien (»Gallia cisalpina»), Schweiz (»Helvetien» efter den keltiska stammen »helvetier»), västra och södra Tyskland, Bömen (uppkalladt efter de keltiska »bojerna»), Mären, norra Ungern, Österrike, Steiermark, Kärnten, Krain, Illyrien, Slavonien, Bosnien och Galatien. Det säger sig själft, att inom detta ofantliga område stor dialektsplittring rådde, men de närmare detaljerna härvid äro på grund af bristande källor ej kända [1].

2. Belgiskan, som talades i norra Frankrike och Belgien, är på grund af bristande källor så godt som alldeles okänd.

VII. Den italiska språkfamiljen [2] sönderfaller i två grenar:

A. Den västliga (»latinska») språkgrenen med följande, hvarandra ganska närstående språk:

a. Latinet med sparsamma källor (inskrifter) redan

---

[1] Se vidare WINDISCH i Gröbers Grundriss der romanischen Philologie I, 284 ff. (1888).

[2] Jfr DEECKE i Gröbers Grundriss I, 335 ff.

Noreen, Vårt språk, Bd I.   5

sedan 500-talet f. Kr., ymnigare först sedan omkr. 300 och egentlig litteratur (från och med Livius Andronicus) sedan 240 f. Kr. Redan omkr. 200 f. Kr. visar sig inom »fornlatinet» en motsättning, som föga mer än ett århundrade senare ledt till en stor klyfta mellan följande båda former af detsamma:

a) Riksspråket, det egentliga litteraturspråket, hvilket från Livius Andronicus till Cicero kallas »arkaiskt», sedan »klassiskt» eller »guldålderns» latin, hvarpå följer »silfverålderns», så förfallets och slutligen renässansens »nylatinska» litteraturspråk. Såsom egentligt umgängesspråk är nämligen latinet då för längesedan utdödt och fortlefver i tal blott såsom lärdt föredragsspråk och — detta ännu i våra dagar — gudstjänstspråk.

β) Det snart nog på mångfaldigt olika sätt dialektalt färgade folkspråket (»lingva vulgaris»): vulgärlatinet, hvarur i följd af de vidt skilda områdenas så olika sociala, politiska och historiska förhållanden och utveckling småningom uppstå de romanska språken (»lingva romana»), hvilkas tillvaro kan dateras från omkr. 500[1]. De romanska språkens dialekter gingo och gå ännu i dag tämligen kontinuerligt öfver i hvarandra, men därest man öfvervägande fäster sig vid litteraturspråken, så erhålles följande indelning:

1. Italienskan, som bland de romanska språken mest liknar latinet, äger litteratur sedan omkr. 1000. Den talas i Italien, kantonen Tessin och en bit af Graubünden, i södra Tyrolen och en bit af Istrien, i dalmatiska kuststäder, på Korsika och Malta samt delvis de Joniska öarna och i italienska kolonier såsom Tunis m. m. Den är splittrad i en mängd hvarandra mycket olika dialekter, af hvilka den vik-

---

[1] Jfr rörande vulgärlatinet och dess utveckling till romanska språk J. Storm i Encyclopædia Britannica XX, 661 ff. och W. Meyer i Gröbers Grundriss I, 351 ff.; rörande de romanska språkens gruppering och utbredning se Gröber i Gröbers Grundriss I, 415 ff.

tigaste är den toskanska, speciellt florentinskan, som med tiden blifvit riksspråk, samt därnäst sardiskan på Sardinien, hvilken är synnerligen afvikande från de öfriga och intar en mellanställning mellan italienskan och spanskan, hvarför den stundom rent af uppställts som ett särskildt språk [1].

2. Spanskan (i inskränkt mening; jfr 4 nedan) med litteratur sedan omkr. 1100 talas i större delen af Spanien (jfr 3, II nedan), i Mexiko, Centralamerika och större delen af Sydamerika samt på Filippinerna. Spaniens riksspråk är baseradt på den kastilianska dialekten [2].

3. Lusitanskan (»galicisk-portugisiskan» eller »portugisiskan» i vidsträckt mening) uppträder under tre olika hufvudformer [3]:

I. Portugisiskan (i inskränkt mening) med litteratur sedan omkr. 1200 har att uppvisa tre olika hufvudtyper: den kontinentala i Portugal, den insulära på Azorerna och Madeira och den ultramarina i Brasilien, hvartill komma åtskilliga kreolska blandspråk i Afrika, Ostindien och Surinam.

II. Galiciskan (»gallego») i Galicien och angränsande delar af Asturien och Leon.

III. Mirandesiskan m. fl. dialekter i nordöstra Portugal.

Anm. 4. Spanskan och lusitanskan sammanfattas ofta till en »hispano-romansk» grupp.

4. Katalanskan med källor sedan något före 1200 talas nu i Roussillon (i södra Frankrike), Katalonien, Valencia och, i en från den öfriga katalanskan tämligen afvikande dialekt, på Baleariska öarna.

5. Provensalskan (»langue d'oc») med litteratur se-

---

[1] Jfr vidare Ascoli i Encyclopædia Britannica XIII, 491 ff.
[2] Jfr Munthe. Nordisk familjebok, *Spanska språket.*
[3] Jfr Munthe. Nordisk familjebok, *Portugisiska språket.*

dan 1000-talet talas i större delen af södra Frankrike. En från den öfriga provensalskan mycket afvikande dialekt är gascogniskan, som nästan kan betraktas såsom ett särskildt språk.

6. Franskan (i inskränkt mening; jfr 7 nedan) med källor sedan 842 (Strassburg-eden) talas i större delen (jfr VI, A, a, 3 ofvan) af norra, som riksspråk äfven i södra, Frankrike och dess kolonier (i Afrika och Amerika), i Canada och, såsom »vallonsk» dialekt, i södra Belgien samt ändtligen i västra delen af tyska Elsass och Lothringen. Riksspråket är baseradt på den »burgundiska» dialekten i Isle de France.

7. Den franko-galliska (»medel-rhôneska») dialektgruppen i västra Schweiz, södra Franche-Comté, norra Dauphiné, Savojen och en mycket liten bit af nordvästra Italien äger några mycket sparsamma litterära källor från 1100- och 1200-talen. Sedan har franskan antagits som litteratur- och bildadt talspråk, om ock något dialektalt färgad och därför kallad schweizerfranska.

Anm. 5. Katalanskan, provensalskan, franskan och franko-galliskan sammanfattas ofta till en »gallo-romansk» grupp. Dock föres katalanskan af många, men på sämre grunder, till den »hispano-romanska» gruppen (se anm. 4).

8. Rätoromanskan (»rätiskan», »ladinskan», »ramonskan», »rumonskan», »kurvälskan») med nästan uteslutande munartliga källor från nutiden sönderfaller i tre hufvuddialekter: den västra (»västladinska») i större delen af Graubünden med en liten litteratur sedan omkr. 1550, den mellersta (»centralladinska») i mellersta Tyrolen och den östra i Friaul [1].

9. Rumänskan (»rumonskan»), till ytterlighet uppblandad med slaviska lånord, äger källor sedan omkr. 1550

---

[1] Jfr Ascoli a. st. s. 492 ff.

och uppträder i fyra hufvudformer [1]: daco-rumänskan i
Rumänien och delar af Bessarabien, Siebenbürgen, Banatet
och Bukovina (tillsammans omkr. 8 millioner människor);
den af nygrekiskan starkt påverkade macedo-rumänskan,
som talas af de s. k. kutsovalackerna eller tsintsarerna (omkr.
1 mill.) i Tessalien och angränsande länder såsom Macedo-
nien och Albanien; meglo-rumänskan, som talas (af omkr.
14,000 individer) i elfva byar nordväst om Saloniki; istro-
rumänskan å några orter i Istrien (omkr. 2,000 individer).

b, c, d. De faliskiska, prænestinska och lanuvin-
ska dialekterna i områdena kring Falerii, Præneste och Lanu-
vium ha obetydliga källor sedan 500-talet f. Kr., men ut-
trängdes med tiden af latinet.

B. Den östliga (»umbrisk-samnitiska», »umbrisk-sa-
belliska», »umbrisk-sabinska») språkgrenen omfattar blott
numera utdöda språk, hvilka samtliga utträngts af latinet,
tidigast sabinskan (kanske redan ett par hundra år f. Kr.),
senast oskiskan (kanske först ett par hundra år e. Kr.). Hit
hörde:

1. Umbriskan [2] med inskrifter från de sista århund-
radena f. Kr. talades i Umbrien.

2. Volskiskan, representerad af en enda inskrift, tycks
ha stått umbriskan nära.

3. De sabelliska dialekterna, som talades af pæligner,
marruciner, vestiner, marser och sabiner, alla i mellersta Ita-
lien, ha att uppvisa en och annan inskrift och tyckes (i syn-
nerhet pæligniskan, den rikast representerade) ha stått oski-
skan ganska nära.

4. Oskiskan (»opiskan») [3] med inskrifter från tiden
omkr. 350—50 f. Kr. var den stora samnitiska folkstammens

---

[1] Se utförligare SANDFELD-JENSEN i Kort Udsigt over det philologisk-
historiske Samfunds Virksomhed 1891—1894, s. 268 ff.

[2] Jfr DANIELSSON, Nordisk familjebok, *Umbriska språket*.

[3] Jfr DANIELSSON a. st., *Oskiska språket*.

språk och talades i södra Italien (utom sydöstra spetsen, se III, 2) och nordöstra Sicilien.

Anm. 6. Till den italiska familjen hörde kanske ock den föga kända sikuliskan på Sicilien.

VIII. Den grekiska språkfamiljen omfattar knappast med säkerhet (jfr anm. 7) mer än ett, dock i en massa mycket olikartade dialekter splittradt [1] språk: grekiskan. »Forngrekiskan» äger litterära källor (»Homeros») åtminstone sedan 800 f. Kr., om ock först i mycket yngre handskrifter bevarade, och för öfrigt en mängd inskrifter sedan omkr. 500 f. Kr. Bland dess dialekter är den viktigaste den från Attika stammande attiskan, på grundval af hvilken sedan 400-talet f. Kr. utbildade sig ett gemensamt grekiskt litteraturspråk, hvars skriftformer väsentligen bibehållit sig ända in i den nutida grekiska litteraturen, om ock med ett ytterst förändradt uttal. Sedan 200-talet f. Kr. ersattes äfven såsom umgängesspråk de gamla dialekterna, af hvilka nu för tiden endast zakoniskan i nordöstra Lakonien lefver kvar, genom ett på grundval af flera dialekter och äfven icke-grekiska beståndsdelar bildadt gemensamt talspråk (»koine»), som redan före 300 e. Kr. vunnit fullständig seger, och hvarur sedan omkr. 500 de »nygrekiska» dialekterna, delade i en nordgrekisk (norr om en ungefärlig linje Arta—Volo) och en sydgrekisk grupp så småningom uppstått. Grekiskan talas nu i Grekland, delar af Epirus, Tessalien och Macedonien, på Cypern, Kreta (väsentligen norra), Rodos och Arkipelagens öfriga öar samt dessutom å en mängd orter på Mindre Asiens kust och i det europeiska Turkiet.

Anm. 7. Möjligen (eller troligen) hörde till den grekiska familjen äfven den forntida, föga kända macedoniskan.

Anm. 8. Ovisst är, huruvida lydiskan och lykiskan, två forntida språk i Mindre Asien, öfverhufvud tillhörde den indoeuropeiska språkstammen. Så godt som säkert är, att detta icke var fallet med forntidens etruskiska i norra Italien.

[1] Se K. F. Johansson, *Några ord om dialekter, speciell de grekiska* i Språkvetenskapliga sällskapets i Upsala förhandlingar 1885—1888, s. 1 ff.

Dessa åtta språkfamiljer skulle kunna bildligt grupperas efter deras geografiska läge och därmed sammanhängande frändskap på följande sätt, hvarvid linjen A—B skiljer den öst- och västindoeuropeiska gruppen (»satem»- och »centum»-språken):

§ 11. Den germanska språkfamiljen [1].

Den indoeuropeiska språkfamilj, hvartill svenskan hör, är den germanska, i Tyskland stundom (isynnerhet förr) kallad den »tyska», i Danmark ännu ofta den »gotiska», i England nästan alltid den »teutonska». Den är redan i äldsta tider skarpt skild från de andra familjerna genom många och viktiga egendomligheter, t. e. »afljudets genomförda användning som verbalt flexionsmedel, »ljudskridningen» [2] samt utbildningen af den »svaga» adjektivböjningen och det »svaga» preteritum. Det »urgermanska» språket, af hvilket vi icke äga några minnesmärken, talades af den uråldriga folkstam, som plägar kallas germaner, och som vid sitt inträde i historien — genom Pytheas' resa omkr. 320 f. Kr. [3] — bodde, visserligen redan då splittrad i många smärre stammar med mycket olikartade språk, i södra hälften af Skandinavien, Danmark, Schleswig-Holstein, Mecklenburg samt västra Pommern och

[1] Jfr Meih. *Deutsche Stammeskunde,* s. 24 ff.; Ljunstedt, *Grunddragen af modersmålets historia,* s. 46 ff.

[2] Se Noreen. Nordisk familjebok, *Ljudskridning.*

[3] Se Ahlenius. *Pytheas' Thuleresa* i Språkvetenskapliga sällskapets i Upsala förhandlingar 1891—1894, s. 100 ff.

Brandenburg intill Oder, möjligen också redan då på Finlands, Estlands och Livlands kuster [1]. Större delen af detta område hade germanerna då redan mycket länge innehaft, kanske ända från den tid, då dessa trakters stenålder tog sin början [2]. I alla händelser böra sålunda dessa nejder ha varit germanernas urhem, om ock med mindre geografisk utsträckning, redan på den tid, då de ännu voro ett i språkligt afseende jämförelsevis osplittradt folk [3]. När denna, säkerligen icke på en gång eller med ett slag skeende splittring försiggick, är naturligtvis mycket ovisst, men i alla händelser ägde den rum en god tid före Kristi födelse, enär de äldsta språkliga källorna (från första århundradena e. Kr.) förete en betydande olikhet mellan de germanska hufvudstammarna. Denna har väl uppstått på ungefär samma sätt som motsvarande företeelse inom det indoeuropeiska urspråket (se § 9), och resultatet har blifvit uppkomsten af tre språkgrenar, förutsättande hvar sitt jämförelsevis enhetliga urspråk:

A. Den nordgermanska eller nordiska (»skandinaviska») grenen, hvarom se § 12.

B. Den östgermanska (»vandiliska», »gotiska» i vidsträckt bemärkelse) grenen, så kallad emedan hithörande folk vid sitt första uppträdande på den historiska skådeplatsen (i första århundradet e. Kr.) befinna sig längst i öster bland de kontinentala germanerna, nämligen vid Oders och Weichsels nedre lopp (jfr anm. 2). Hit höra följande språk, numera samtliga utdöda:

[1] Jfr Wiklund, När kommo svenskarne till Finland, Upsala 1901.

[2] Jfr Much a. st.; Montelius, Om våra förfäders invandring till Norden i Nordisk tidskrift 1884, s. 21 ff.; G. Retzius och C. M. Fürst. Anthropologia suecica (1902), s. 19 ff.

[3] Angående medeltidens lärda saga om skandinavernas invandring från Asgård se V. Rydbergs förträffliga utredning i Undersökningar i germanisk mythologi I, 24 ff.; rörande kontinentens hedniska, väl ej i allo ogrundade, sägner om utvandringar från Skandinavien se därsammastädes I, 75 ff.

1. Gotiskan talades af de under folkvandringarna uppträdande goterna, om hvilka inhemska sägner förtälja, att de utvandrat från Skandinavien. Språket, liksom folket själft, sönderföll i flera mindre, af hvilka de enda något så när kända äro:

a. Västgotiskan [1] (»gotiskan» i inskränkt mening, »mœsogotiskan», »mesogötiskan», »den wulfilanska gotiskan»), som talades af stammen wisigoter (dvs. »ädelgoter», orätt återgifvet med »västgoter») eller tervinger, äger källor från tiden 300—400, bestående af dels ett par runinskrifter (hvaribland »Bukarest-ringens»), dels en mängd personnamn, dels ändtligen åtskillig bokskrift, förnämligast fragmenter af biskop Wulfilas († 383) bibelöfversättning, visserligen endast föreliggande i östgotiska afskrifter från omkr. 500, men dock i allt väsentligt återgifvande 300-talets västgotiska. Språket flyttade med folket före 200 från urhemmet vid Weichsel-mynningen till Svarta hafvets kust (mellan Donau och Dnjestr), vidare på 300-talet öfver Donau till Bulgarien, den tidens Mœsien, hvaraf namnet »mœsogotiska», och slutligen efter allehanda vandringar till södra Frankrike och Spanien (415), där språket dog ut, i Frankrike redan på 800-talet, i Spanien först på 1000-talet. En svag möjlighet är, att den gotiska, som på 500-talet omnämnes såsom förekommande i Mœsien, och som ännu på 800-talet fortlefde strax söder om Donau-mynningen, var en rest af den i dessa trakter en gång talade västgotiskan [2].

b. Östgotiskan [3], som talades af stammen austrogoter (dvs. »glansgoter», orätt återgifvet med »östgoter») eller greutunger, äger torftiga källor, nästan uteslutande bestående af

---

[1] Jfr STREITBERG, *Gotische Literatur* i Pauls Grundriss, 2. aufl., II, 1 ff., och *Gotisches Elementarbuch*, Einleitung; BRAUSE, *Gotische grammatik*, 5. aufl., Anhang.

[2] Jfr NOREEN (efter R. LŒWE) i Historisk tidskrift 1898, Öfversikter och granskningar, s. 35.

[3] Jfr F. WREDE, *Über die Sprache der Ostgoten* (1891).

personnamn i latinsk och grekisk litteratur, från tiden 300
—800. Språket flyttades under folkvandringarna från sin
äldsta styrkta hemvist vid Weichsel-mynningen till Svarta
hafvets kust (öster om Dnjestr) samt slutligen efter åtskilliga irrfärder till Italien (489), där det redan omkr. 600 utdog. Möjligen hafva vi kvarblifna rester af östgotiskan att
finna i den gotiska, som talades på Krim (»krimgotiskan»)
ända tills inemot år 1800, öster om sundet vid Kertsch (den
»tetraxitiska» gotiskan) tills omkr. 1750 och i ett distrikt
sydöst därom (den »eudusianska» gotiskan) åtminstone tills
omkr. 600 [1]. Af krimgotiskan äga vi åtskilliga språkprof
från år 1562 i den fransk-österrikiske diplomaten Busbecqs
reseberättelse (tryckt 1589).

c. Gepidiskan, som talades af de först på 200-talet
från Weichsel-deltat uttågande gepiderna, är oss endast bekant genom ett fåtal personnamn. Ehuru det rike, som af
detta folk på 400-talet grundats i Siebenbürgen och Ungern,
redan på 500-talet störtades af langobarderna, skall språket
ännu på 800-talet ha fortlefvat i några ungerska byar.

2. Vandaliskan [2], som talades af de omkr. år 200 från
Brandenburg och Schlesien utvandrande vandalerna, äger
obetydliga källor, nästan uteslutande bestående af ett icke
synnerligen stort antal personnamn från tiden 300—600, t. e.
de bekanta *Stilika* (»Stilico») och *Geisarik* (»Genserik»). Sedan det i början af 400-talet grundade vandaliska riket i
norra Afrika omkr. hundra år senare störtats, utdog språket
hastigt, troligen redan före 600.

3. Burgundiskan [3], som talades af de efter 200 från
Posen (troligen ursprungligen från Bornholm, det forna Bor-

<hr>

[1] Jfr Noreen a. st. s. 33 f.

[2] Jfr Wrede. *Über die Sprache der Wandalen* (1886). '

[3] Se W. Wackernagel, *Kleinere Schriften* III, 334 ff.; Kögel i Zeitschrift für deutsches Altertum XXXVII, 223 ff. Några äro benägna att föra
Burgundiskan snarare till den västgermanska språkgrenen.

gundarholm) utvandrade burgunderna, äger äfvenledes skäligen obetydliga källor: en runinskrift (det berömda Charnayspännets), en hop personnamn samt några andra ord, allt från tiden 300—500. Sedan det på 400-talet i södra Frankrike (»Burgund» — nu Bourgogne — samt söder och öster därom) grundade riket efter hundra års tillvaro störtats, utdog språket, väl före 600.

4, 5. Rugiskan och skiriskan, hvilka språk tillhörde de från Västpreussen, resp. Östpommern härstammande, i folkvandringarna deltagande stammarna rugier och skirer, känner man ytterst litet till, enär deras källor endast utgöras af några få personnamn, t. e. det skiriska *Odwakar* (»Odoacer»). Intetdera språket torde ha öfverlefvat 500-talet, då själfva folkstammarna som sådana gingo under.

Anm. 1. Om de språk, som talades af öfriga under folkvandringarna uppträdande östgermanska stammar, känner man intet eller så godt som intet, på sin höjd något enstaka folk- eller personnamn.

Anm. 2. Mången, i synnerhet äldre, författare sammanfattar båda de ofvan nämnda germanska språkgrenarna (den nord- och den östgermanska) under benämningen »östgermanska» språk, därmed antydande antingen en ursprunglig närmare samhörighet dem emellan — en uppfattning som möjligen kan vara riktig, men ännu icke nöjaktigt styrkts — eller rent af, att nordgermanerna i jämförelsevis sen tid invandrat i Skandinavien efter att förut ha varit kontinentala östgermaner, en åsikt som tvifvelsutan är oriktig. Snarare kan förhållandet ha varit det alldeles omvända, något hvarpå bl. a. den ofvan (s. 73) omnämnda gotiska vandringssagan häntyder.

C. Den västgermanska (»sveviska», »tyska» i mycket vidsträckt mening, jfr II och II, 3 nedan) språkgrenen, så kallad, emedan hithörande folk i första århundradet e. Kr. bo väster om östgermanerna, nämligen kring Elbes nedre lopp och västerut intill Ren. En tidigt inträdd språklig splittring har klufvit denna gren i två språkgrupper:

I. Den nordliga eller anglofrisiska [1], troligen förutsättande ett ganska enhetligt urspråk. Hit höra följande tvenne språk:

---

[1] Jfr SIEBS i Pauls Grundriss, 2 aufl., I, 1154 ff.

1. **Engelskan** (»angliskan» i vidsträckt mening), i sin äldsta form kallad **angelsaxiska** eller **fornengelska**, med rika källor af alla slag sedan något före 700 [1], öfverfördes till England från kontinenten af de på 400-talet invandrande stammarna jutar, saxare och angler. På grund af denna ursprungliga stamskillnad sönderfaller angelsaxiskan i tre hufvuddialekter: den **kentiska**, den **saxiska** (mest typiskt utbildad såsom »västsaxiska» i Wessex) och den **angliska** (i inskränkt mening), hvilken sistnämnda uppdelas i en **mercisk** och en **northumbrisk** [2]. På 800- och 900-, men i all synnerhet på 1000-talet uppblandas språket i följd af vikingatågen och den danska eröfringen i hög grad med nordiska lånord [3] och sedan den normandiska eröfringen (1066) i ännu högre grad med franska [4]. Detta blandspråk kallas från omkr. 1100 **medelengelska** [5], från omkr. 1500 **nyengelska**. Till omkr. 1350 användes såsom riksspråk en normandiskt färgad franska (»anglonormandiska»), sedermera engelskan i en väsentligen af Chaucer († 1400) grundlagd form, baserad på merciskan, närmast Londons dialekt (som med tiden öfvergått från att vara saxisk till mercisk) [6]. Engelska talas nu i England (utom Wales, se s. 64), sydöstra hälften af Skottland (jfr s. 65) med Orkney- och Shetlandsöarna, större delen af Irland (jfr s. 64), New-Foundland, Förenta staterna, Kaplandet, Australien och en mängd andra engelska kolonier i alla världsdelar.

2. **Frisiskan** [7], i sin äldsta form kallad **fornfrisiska**, från 1500-talet **nyfrisiska**, äger intet riksspråk och kan i

---

[1] Jfr SIEVERS, *Angelsächsische grammatik*, 3 aufl., Einleitung.

[2] Jfr språkkartan i Pauls Grundriss, 2 aufl., I, 1008.

[3] Jfr BJÖRKMAN, *Scandinavian loanwords* II, 263 ff. (1902) och *Blandspråk och lånord* i Sjätte nordiska filologmötets förhandlingar (1903); JESPERSEN, *Engelsk og Nordisk* (i Nordisk tidskrift 1902).

[4] Jfr BEHRENS i Pauls Grundriss, 2 aufl., I, 950 ff.

[5] Jfr MORSBACH, *Mittelenglische grammatik*, Einleitung.

[6] Jfr KLUGE i Pauls Grundriss, 2 aufl., I, 947.

[7] Jfr SIEBS a. st. s. 1167 ff.

det hela betraktas som ett utdöende språk. Den sönderfaller i tre geografiskt åtskilda hufvuddialekter, af hvilka de två första hänga närmare ihop och väl först under den äldre medeltiden börjat afvika från hvarandra i följd af geografisk skilsmässa:

a. **Nordfrisiskan**, som saknar gamla källor, talas nu på öarna Helgoland, Sylt, Föhr, Amrum, Halligerna och motliggande delar af Schleswigs kust.

b. **Östfrisiskan** med källor åtminstone från sednare hälften af 1200-talet intog fordom hela området mellan Groningen och Weser, men är nu inskränkt till tre orter i Oldenburg: Saterland, Neuwangerooge och ön Wangeroog med tillsammans blott omkr. 2500 språket talande individer.

c. **Västfrisiskan** (»plattfrisiskan») med källor sedan sednare hälften af 1300-talet är ännu det öfvervägande brukliga folkspråket i den nederländska provinsen Västfrisland.

Anm. 3. Kanske hörde till frisiskan äfven den forntida Merseburgdialekten, som har att uppvisa åtskilliga källor från tiden strax efter år 1000 [1].

II. Den sydliga eller tyska (i vidsträckt mening) gruppen med följande fyra språk, af hvilka två och två höra närmare samman (jfr anm. 4):

1. **Nederländskan** kallas i sin äldsta form fornlågfrankiska (sällan »fornnederländska»), med mycket torftiga källor [2], af hvilka de äldsta (de s. k. malbergiska glossorna i Lex salica) dock förskrifva sig redan från 500-talet och alltså äro de äldsta västgermanska språkminnesmärken, som öfverhufvud finnas. Sedan på 1200-talet ett väsentligen på provinsen Hollands dialekt baseradt litterärt riksspråk, mest typiskt representeradt af J. van Maerland († 1300), uppstått, kallas detta språk **medelnederländska**.

---

[1] Jfr Siebs i Pauls Grundriss, 2 aufl., I, 1157 f; Bremer därsammastädes III, 863.

[2] Se K. v. Amira i Pauls Grundriss, 2 aufl., III, 65 f., 71 f.; Kögel och Bruckner därsammastädes II, 157 f.

Från 1500-talet heter det, nu starkt påverkadt af Brabants dialekt, nynederländska (äfven kallad »holländska» i Nederländerna, »flamländska», »flämska» eller »flamska» i Belgien) och är riksspråk icke blott i Nederländerna utan sedan 1873 också (jämte franskan) i Belgien samt i en ålderdomligare form i Oranjestaten och Transval (åtminstone hittills). I sin helhet utgöres det nederländska riksspråkets och dess åtskilliga dialekters språkområde nu af Nederländerna med kolonier, norra Belgien (norr om en ungefärlig linje Maastricht—Courtray), östligaste delen af franska Flandern, nordligaste delen af Renprovinsen (norr om en linje Aachen—Düsseldorf—Solingen—Siegen), delar af Kaplandet samt åtskilliga orter i Förenta staterna[1].

2. Lågtyskan (i inskränkt mening, jfr anm. 4), i sin äldsta form kallad fornlågtyska eller fornsaxiska, äger (frånsedt ett par förmodligen äldre runinskrifter) källor sedan 800-talet (äldst den stora religiösa dikten Heliand)[2]. Från omkr. 1200 kallas språket medellågtyska, med rikliga, ehuru ofta litterärt mindre värdefulla språkalster, i synnerhet från 1300- och än mer 1400-talet. Omkring 1650 upphör denna emellertid alldeles i följd af högtyskans allmänna antagande såsom riksspråk, detta delvis redan omkr. 1550. Först på 1800-talet har en nämnvärd lågtysk litteratur (främst Klaus Groths och Fritz Reuters skrifter) på olika dialekter åter börjat framträda, men väsentligen är och förblir väl detta språk, sedan 1500-talet kalladt nylågtyska eller (i synnerhet förr) plattyska, blott ett dialektalt splittradt folkspråk[3]. Såsom sådant talas det nu i nästan hela Nordtyskland, norr om en ungefärlig linje Thorn

---

[1] Jfr J. Te Winkel i Pauls Grundriss, 2 aufl., I, 785 ff. samt språkkartorna s. 780 och 924; Leffler, Nordisk familjebok, *Flamländska* och *Holländska språket*.

[2] Jfr Holthausen, *Altsächsisches Elementarbuch*, Einleitung.

[3] Jfr Tamm, Nordisk familjebok, *Plattyska*.

—Frankfurt an der Oder—Wittenberg--Kassel--Siegen---Elberfeld—Emmerich, samt i Nederländerna öster om linjen Emmerich—Zuidersees östkust--Groningen. Inom detta stora område särskiljer man två hufvudsakliga dialektgrupper, mellan hvilka Elbe utgör gräns [1]).

Anm. 4. Nederländskan och lågtyskan sammanfattas ofta och på goda grunder till en »lågtysk» (i vidsträckt mening) grupp. Men termen är på grund af sin tvetydighet illa vald, så mycket mer som de båda nämnda språken äfven understundom pläga sammanföras med engelskan och frisiskan till en »lågtysk» (i mycket vidsträckt mening) enhet, detta på grund af vissa likheter hos alla dessa språk gentemot det följande, högtyskan.

3. Högtyskan eller »tyskan» (i inskränktaste mening [2]) kallas i sin äldsta form fornhögtyska, med torftiga källor redan från 600-talet (frånsedt ett par möjligen ännu äldre runinskrifter), rikare sådana sedan 800-talet, och skiljer sig redan i allra äldsta tid skarpt från de föregående språken genom den s. k. andra eller högtyska ljudskridningen [3]). Språket från omkr. 1100 kallas medelhögtyska, med en synnerligen rik litteratur, inom hvilken spåras ansatser till ett på några sydtyska (nord-alemanniska och öst-frankiska) dialekter baseradt riksspråk. Men ett verkligt effektivt sådant uppstod först i och med nyhögtyskan från omkr. 1500. Förtjänsten af dess genomförande tillkommer väsentligen Luther, som anslöt sig till det för de kursaxiska och kejserliga kanslierna i hufvudsak gemensamma språkbruket, dock under hänsynstagande till flera andra dialekter. Resultatet blef därför ett riksspråk, som till sin grundval är medeltyskt (södra Saxens och norra Bömens dialekter), men som därjämte är starkt påverkadt af särskildt bajersk-öster-

---

[1] Jfr Behaghel i Pauls Grundriss, 2 aufl., 1, 662 ff. och språkkartan s. 780. Annorlunda Bremer därsammastädes III, 871.

[2] I vanlig inskränkt mening betecknar »tyska» en sammanfattning af högtyskan och lågtyskan, en enhet som språkligt sedt dock knappast har någon annan grund att stödja sig på än det gemensamma riksspråket.

[3] Se Noreen, Nordisk familjebok, *Ljudskridning.*

rikiskt språkbruk. Det är nu icke blott Tysklands och dess koloniers riksspråk, utan äfven (jämte franska) Schweiz', där större delen af befolkningen är tysktalande, och (jämte flera andra språk, se s. 26) Österrike- -Ungerns, där hela provinsen Österrike, större delen af Tyrolen, Kärnten och Steiermark, stora delar af Bömen och Mären samt många rätt betydliga områden i Ungern och Siebenbürgen äro tysktalande. Dessutom talas högtyska i några trakter af norra Italien och Krain, på många spridda orter i södra och östra Ryssland samt af den bildade befolkningen i Östersjöprovinserna. De högtyska dialekterna åter förete på grund af språkområdets storlek betydande inbördes olikheter och sönderfalla närmast i två stora grupper:

a. Den medeltyska (»mitteldeutsch» eller »binnendeutsch») mellan en nordlig linje Aachen Düsseldorf- Solingen- -Siegen—Kassel -Wittenberg Frankfurt an der Oder —Posens västspets och en sydlig linje Saarburg (i Lothringens sydspets) Heidelberg—Schmalkalden -Saalfeld— Karlsbad--Leitmeritz -Reichenberg--Olmütz —Troppau. Utom detta sammanhängande område höra hit några språköar: en i Ostpreussen sydöst om Elbing samt åtskilliga i norra Ungern och i Siebenbürgen. Af floden Werra delas detta dialektområde i tvenne afdelningar: en mindre, västlig (frankisk) och en större, östlig (schlesisk -sydsaxisk—thüringisk); dock hör den siebenbürgiska tyskan till den förra af dessa.

b. Den sydtyska (»oberdeutsch») söder om en linje Saarburg- -Heidelberg--Schmalkalden - Saalfeld -Karlsbad- -Pilsen -Budweis—Brünn Pressburg—Raab. Härtill komma språköar i södra Ungern och Italien. Detta dialektområde delas i tvenne ungefär lika stora afdelningar: en västlig (frankisk- -alemannisk) och en östlig (bajersk--österrikisk), skilda af en linje: Bömens västspets -Nürnberg- -Donauwörth- -Lechs hela lopp och sedan gränsen mellan Tyrolen och

Schweiz, dock så att Vorarlberg hör till de alemanniska dialekternas område[1].

4. **Langobardiskan**, ett språk som möjligen en gång i tiden stått de anglofrisiska relativt nära, men som i alla händelser i historisk tid har sin närmaste frände i högtyskan, med hvilken det har den »andra» ljudskridningen gemensam, talades af langobarderna, som vid början af folkvandringarna bröto upp från sin hemvist i trakterna kring Lüneburg och Lauenburg för att efter många irrfärder hamna i Italien (568), där ännu Lombardiet bär deras namn, liksom åtskilliga nutida personnamn (t. e. *Garibaldi*) och ortnamn (t. e. *Marengo*) samt andra lånord vittna om språkets forna roll i Italien. Efter det langobardiska rikets störtande (774) utdog språket så småningom, i södra Italien något före, i norra först något efter år 1000. Dess öfver hela rikets tid spridda, men skäligen torftiga källor bestå uteslutande af lösryckta ord, dels namn, dels andra, som i allmänhet anträffas inströdda i på latin författade skrifter, t. e. langobardiska lagar och historiska verk samt urkunder[2].

§ 12. Den nordiska språkgrenen[3].

Den nordiska språkgrenen (se s. 72) har i motsats mot de båda andra germanska den fördelen att hafva minnesmärken från själfva det för de nordiska språken gemensamma urspråket bevarade till vår tid, hvars forskning det också lyckats att tolka dem. Detta språk är den s. k. urnordiskan, och dess källor, som gå tillbaka ända till de första

[1] Jfr Behaghel i Pauls Grundriss, 2 aufl., I, 650 ff. med språkkarta s. 780, och samme förf:s *Die deutsche Sprache*, 2 aufl. (1902).

[2] Jfr C. Meyer, *Sprache und Sprachdenkmäler der Langobarden* (1877); W. Bruckner. *Die Sprache der Langobarden* (1895).

[3] Jfr Noreen, *Geschichte der nordischen Sprachen* (1897) = Pauls Grundriss, 2 aufl., I, 518 ff.; en kortare öfversikt i samme förf:s *De nordiska språken*, 2 uppl. (1903); ännu elementärare Ljunstedt, *Grunddragen af modersmålets historia*, s. 54 ff.

århundradena e. Kr., bestå dels af runinskrifter sedan omkr.
250 e. Kr., dels af ord som — delvis kanske ännu tidigare
— inlånats i finskan och lapskan samt där nästan oföränd-
rade bevarats till vår tid, dels ändtligen af folk- och ort-
namn, som anföras af latinska och grekiska författare från
de sju första århundradena af vår tideräkning. Språket tycks
ha varit mycket enhetligt öfver hela Norden ända tills omkr.
800, då med den s. k. vikingatidens inträde tydliga spår af
en dialektal splittring börja visa sig och raskt tilltaga i antal
och betydelse. Vid vikingatidens slut omkr. 1050 är den
språkliga olikheten här i Norden redan så stor, att de nor-
diska dialekterna kunna, åtminstone om hänsyn blott tages
till de med tiden genom litteratur representerade (jfr för öf-
rigt kap. 3), grupperas på följande sätt, hvarvid vi först ur-
skilja två hufvudgrupper.

I. Den västnordiska, omfattande följande två språk,
som i det stora hela ha ett ålderdomligare skaplynne än den
andra gruppens:

1. Isländskan, i sin äldsta form kallad fornisländ-
ska [1] med mycket rikliga och litterärt betydande källor sedan
omkr. 1200 (frånsedt ett par tjog personnamn från tiden
omkr. 1000). Sedan omkr. 1530 kallas språket nyisländ-
ska [2] och talas nu blott på Island, sedan det omkr. 1450
utslocknat i den 986 grundade isländska kolonien på Grönland.

2. Norskan, i sin äldsta form kallad fornnorska [1]
med runinskrifter (t. e. den ryktbara Karlevi-stenen på Öland)
och enstaka orduppteckningar redan från tiden något före
1000 samt tämligen riklig bokskrift sedan omkr. 1200. Ef-
ter omkr. 1350 är emellertid denna ytterst obetydlig, och
omkr. 1530 upphör norskan alldeles att användas som litte-
raturspråk för att ersättas af danskan (jfr nedan II, 2, B),

---

[1] Jfr Noreen, *Altisländische und altnorwegische grammatik*, 3 aufl.
(1903), Einleitung.

[2] Jfr F. Jónsson, Salmonsens store Konversationsleksikon, *Island*.

som äfven mer och mer blir riksspråk i tal. Dock fortlefver norskan såsom ett i en mängd dialekter splittradt folkspråk (och ett nyligen därpå grundadt litteraturspråk, se nedan B). Vi särskilja därför:

A. De nynorska dialekterna i Norge[1], sönderfallande i två, redan i fornnorsk tid tydligt skilda hufvudafdelningar:

a. De västländska eller västnorska dialekterna i Bergens och Kristianssands stift samt Kristiania stift till Langesundsfjorden och Trondhjems stift till och med Molde stå isländskan jämförelsevis nära.

b. De östländska eller östnorska dialekterna i återstoden af Norge stå däremot svenskan jämförelsevis nära.

B. Det (ny)norska landsmålet[2] (stundom af sina anhängare kalladt helt enkelt »norska», af motståndare åter någon gång »norsk-norska», jfr »dansk-norska» nedan II, 2, B) är ett af den framstående dialektforskaren I. Aasen († 1896) år 1853 på grundval af den västländska Söndmöre-dialekten med anlitande af andra nynorska dialekter och det fornnorska (och fornisländska) litteraturspråket skapadt, rent litterärt och artificiellt språk, som icke utgör någon norrmans »modersmål» i ofvan (s. 24) angifven mening. Sedan det af olika författare på flera olika sätt modifierats, är det icke längre något fullt enhetligt språk, utan söndradt i varieteter, som mer eller mindre närma sig de i tal verkligt lefvande dialekterna. Dock synes man på sistone alltmera ena sig om användande af den af A. Garborg utbildade landsmålsformen.

---

[1] Se A. B. Larsen, *Oversigt over de norske bygdemål* (1898), kortare i Salmonsens store Konversationsleksikon, *Norske Bygdemaal*; Falk, Oldnorsk læsebog (1889), s. XXVIII ff.; M. Nygaard, Sproget i Norge (1890); Lundell *De svenska folkmålens frändskaper*, s. 40 ff., i Antropologiska sektionens tidskrift I (1880).

[2] Jfr J. Storm *Det nynorske landsmaal* (1888); kortare Lundell, Nordisk familjebok, *Landsmål;* Koht, *Det norske maalstræus historie* (Den frisindede Studenter-Forenings Smaaskrifter nr 5; 1898); Falk a. st., s. XXXVIII ff.

Sedan landsmålet år 1892 genom lag blifvit auktoriseradt till kyrklig användning och såsom alternativt undervisningsspråk i statsskolor, kan man i viss mån betrakta det som ett norskt riksspråk vid sidan af dansk-norskan.

C. Färöiskan[1] på Färöarna är en tidigt afsöndrad, mycket intressant dialekt, som intar i viss mån en mellanställning mellan norskan och isländskan och äger källor redan från vikingatiden. På 1700- och i synnerhet 1800-talet har en massa intressanta litteraturalster upptecknats och, förnämligast i våra dagar, publicerats i ett slags »normaliserad», mer eller mindre arkaiserande och från uttalet afvikande färöisk skriftform.

D. Dialekten på Shetlandsöarna[2] med mycket torftiga källor från tiden 1299—1509 och något rikligare från nyare tid utdog omkr. 1800 och ersattes liksom den följande af engelskan.

E. Dialekten på Orkneyöarna med torftiga källor, bestående af en hop runinskrifter från omkr. 1150 och några få urkunder från 1329—1426, utdog äfvenledes omkr. 1800.

F. Dialekterna på Hebriderna, i norra Skottland, i Irland[3] och på Man[4], af hvilka knappt någon mer än den sistnämnda äger några källor (åtskilliga runinskrifter från slutet af 1000-talet), äro längesedan utdöda, tidigast i Irland (omkr. 1250), senast på Hebriderna (omkr. 1400) och Man (något senare), alla ersatta af engelska eller keltiska (så särskildt på Hebriderna).

---

[1] Jfr HAMMERSHAIMB, *Færøsk anthologi*, Indledning (1891); JAKOBSEN, *Færøske folkesagn og æventyr*, Indledning (1898—1901).

[2] Jfr JAKOBSEN, *Det norrøne sprog på Shetland* (1897) och *Shetlandsvernes stednavne* i Aarbøger for nordisk Oldkyndighed 1901.

[3] Jfr A. BUGGE, *Nordisk Sprog og nordisk Nationalitet i Irland* i Aarbøger 1900.

[4] Jfr A. BUGGE, *Minder om vore forfædre paa øen Man* i Samtiden XI (1900).

II. Den östnordiska gruppen, omfattande följande två språk:

1. Svenskan[1] (i vidsträckt mening), i sin äldsta form kallad fornsvenska[2] (i vidsträckt mening). Denna uppträder i tvåfaldig, ganska olikartad gestalt:

A. Fornsvenskan (i inskränkt mening), omfattande hela det dåvarande svenska språkområdet utom Gottland och med rikliga källor alltsedan den äldre vikingatiden, bl. a. omkr. 1750 runinskrifter sedan omkr. 850 och bokskrift sedan slutet af 1200-talet. Den yngre fornsvenskan, efter omkr. 1375, kallas äfven medelsvenska. Från reformationen (1527) kallas språket nysvenska eller svenska (i inskränkt mening), om hvars språkområde, dialekter, källor m. m. se kap. 3 och 4.

B. Forngutniskan på Gottland med källor sedan vikingatiden: dels mer än 200 runinskrifter, dels sparsam bokskrift sedan 1300-talet. Med 1500-talet upphör gutniskan såsom litteraturspråk, ersatt först af danskt, sedan af svenskt riksspråk, och fortlefver endast såsom ett folkligt talspråk: de nygutniska dialekterna, om hvilka se kap. 3, § 15, IV.

2. Danskan[3] i vidsträckt mening, i sin äldsta form kallad forndanska med källor sedan början af vikingatiden: dels åtskilligt mer än 200 runinskrifter, dels bokskrift sedan slutet af 1200-talet. Språket kallas sedan omkr. 1550 nydanska, hvars ungefär samtidigt med reformationen uppkomna och i väsentlig grad genom reformationsskrifterna utbildade riksspråk är grundadt på den själländska dialekten (se nedan A, b). Detta riksspråk, som ända till 1814 äfven var Norges (se ofvan I, 2), klyfver sig efter och i följd af de båda rikenas skilsmässa i tvenne, i tal allt mer och mer be-

---

[1] Jfr den mycket populärt hållna framställningen af LJUNGSTEDT, *Grunddragen af modersmålets historia* (1898); kortare NOREEN, *Spridda studier*, andra samlingen, s. 151 ff. (äfven i Schücks och Lundahls Läsebok för folkskolans högre klasser I, s. 4 ff.).

[2] Se NOREEN, *Altschwedische grammatik*, Einleitung (1897).

[3] Jfr DAHLERUP, *Det danske Sprogs Historie* (1896).

stämdt skilda, men i skrift fortfarande — åtminstone tills på allra sista tiden — väsentligen identiska språk, det ena gällande för Danmark, det andra för Norge:

A. **Danskan i inskränkt** (och vanlig) **mening**, hvars språkområde numera utgöres af Danmark, norra hälften af Schleswig (till en ungefärlig linje Flensburg—Hoyer med stark krökning åt söder [1] och en mycket liten del af Grönland (där vida öfvervägande eskimåiska eller »grönländska» talas) samt väl några nybyggen i Amerika och möjligen Australien. De vid sidan af riksspråket alltjämt stående danska dialekterna sönderfalla i tre skarpt skilda afdelningar:

a. **Bornholmskan**, den enda återstoden i Danmark af den forndanska stora skånska dialektgruppen och därför numera intagande en mellanställning mellan de sydsvenska dialekterna (se kap. 3, § 15, I), hvilka den står närmast, och följande danska grupp.

b. **De öfriga ömålen** (de »östdanska» dialekterna) på de återstående danska öarna, hvilka intaga en mellanställning i språkligt afseende mellan de båda andra grupperna.

c. **Jutskan** (de »västdanska» dialekterna) i Jutland och norra Schleswig sönderfaller i två stora språkområden: en östlig och en västlig (och sydlig), hvilken sednare framför allt utmärker sig för att i motsats till alla andra nordiska språk, men i öfverensstämmelse med de västgermanska ha bestämda artikeln ställd före substantivet (t. e. *ä häst* hästen, *ä hus* huset).

B. **Dansk-norskan** [2] (eller helt enkelt »norskan» i modern och vanlig mening; jfr dock ofvan I, 2, B), som från synpunkten af sin historiska upprinnelse snarare borde heta »norsk-danskan», är det forna danska riksspråket med den

---

[1] Se H. V. Clausens *Sprogkårt* i Svenska landsmålen X, 5 (1889).

[2] Jfr Lundell, *Norskt språk* i Nordisk tidskrift 1882; J. Storm, *Ibsen og det norske sprog* i Henrik Ibsen, Festskrift (1898); Falk och Torp, *Dansk-norskens syntax*, s. XI ff.

norska färgning, det under tidernas lopp, särskildt under 1800-talet, fått i den norska stadsbefolkningens (i all synnerhet Kristianias) mun och framstående norska författares skrifter. Detta Norges (åtminstone hittillsvarande) riksspråk och på samma gång väsentligen de norska stadsdistriktens i någon mån dialektalt varierande språk är ytterst olika danskan i Danmark i fråga om uttalet, mindre i fråga om böjning och ordförråd.

TREDJE KAPITLET.

Nysvenskans språkområde, riksspråk och dialekter.

§ 13. Nysvenskans språkområde.

Svenskans nuvarande språkområde[1] utgöres af:

1. Sverge med undantag af den allra nordligaste delen af Norrland. Uteslutande finska eller lapska talas nämligen — det förra språket år 1895 af omkr. 22,000, det sednare af omkr. 3,000 personer — i Torneälfvens dalgång norrut ända till Korpilombolo (dock jämte svenska i Haparanda stad), därifrån västerut norr om Lina älf och Gellivare samt därifrån nordväst om en linje Gellivare—Jockmock—Kvickjock—Löfmock (vid Hornavans nordspets). Dessutom finnas trakter, där svenskan förekommer jämsides med ettdera af dessa språk eller med båda. Så talas alla tre språken utom i Haparanda äfven i det hörn af Lappland, som ligger öster om linjen Gellivare—Jockmock. Endast lapska förekommer jämte svenska i Lappland söder om den ofvan angifna gränsen för svenskan åt norr (om vintern äfven i det öfriga Norrland ända ned till järnvägslinjen Östersund—Sundsvall), dock hos bofast befolkning knappast annat än i Lule, Pite och nordvästra delen af Lycksele lappmarker samt så underlägsen svenskan, att icke fullt en tiondedel af dessa trakters hela befolkning talar lapska; dessutom i några trakter af västra Jämtland och Härjedalen — med tillsammans något öfver 800 lapsktalande individer år 1896 — samt (först sedan 1881) Särna norra kronopark i Dalarna[2]. Endast finska

---

[1] Se språkkartan s. 98 (och jfr s. 92).

[2] Se vidare WIKLUND, *Nationaliteterna i Norrland* i Nordisk tidskrift 1895.

jämte svenska förekommer sedan slutet af 1500-talet i ett litet sammanhängande område närmast riksgränsen i de värmländska socknarna Södra Finnskoga, Nyskoga och Östmark, men finskan är här stadd i utdöende och talas eller förstås knappast af mer än några få hundratal personer[2]. Från samma tid tills (delvis) långt in på 1800-talet har finska äfven förekommit inom en mängd andra ofta ganska stora nybyggareområden särskildt i Medelpad, Hälsingland, Gästrikland, Dalarna, Västmanland och Värmland med tillsammans mellan tolf och tretton tusen finsktalande individer omkr. år 1700[3].

Anm. 1. Vid den nysvenska språkperiodens början var svenskans område inom Sverge vida mindre än nu. Svenskans norra gräns (mot finskan och lapskan) gick betydligt längre i söder, såsom bl. a. talrika finska och lapska ortnamn i nuvarande svensktalande trakter bevisa[1]. Till norskt språkområde hörde — liksom hithörande dialekter i afseende på sitt historiska ursprung ännu göra — Jämtland, Härjedalen, Särna och Idre församlingar i nordligaste Dalarna, allt nejder som först 1645 kommo under Sverge, samt Bohuslän, som blef svenskt 1658. Till danskt språkområde hörde Halland (svenskt 1645), Skåne och Blekinge (svenska 1658). Att vi öfverhufvud nu kunna räkna dessa trakter trots deras dialekters fortfarande norska, resp. danska karaktär, till det svenska språkområdet, motiveras uteslutande däraf, att inom dem numera svenskt riksspråk är gällande. — Gottland lydde visserligen till 1645 under Danmark, men dess språk hade aldrig hunnit blifva i nämnvärd mån fördanskadt, om ock många lånord upptagits i gutniskan.

2. Finland delvis, i det närmare en sjundedel (13,56 %/o år 1894) af befolkningen är svensktalande (1894 omkr. 325,000 personer). Fördelningen på de olika landskapen är följande:

a. Nyland är nästan till hälften (47,5 %/o, omkr. 123,000 personer) svensktalande. Tätast är den svenska befolkningen i skärgården och å kusten, med aftagande täthet österut, där gränsen för det sammanhängande svenska området utgöres af Kymmene älf.

[2] Se WIKLUND, *Finska språkets nuvarande utbredning i Värmland* i Ymer 1902; med språkkarta.

[3] Se LÖNBORG, *Finmarkerna i mellersta Skandinavien* (särskildt s. 80 ff. och 486 ff.) i Ymer 1902; med karta (s. 83).

b. **Egentliga Finland** äger svenskt språk (taladt af omkr. 40,000 personer) blott i sin södra del (söder om Åbo), i all synnerhet skärgården.

c. **Åland** är så godt som rent svenskspråkigt (omkr. 23,000 talande).

d. **Satakunda** äger svenskt språk blott här och där i de två nordligaste kustsocknarna, Hvittisbofjärd och (här stadt i utdöende) Sastmola, samt i städerna (tillsammans omkr. 4000 svensktalande).

e. **Österbottens** södra del eller Vasa län har en sammanhängande, nästan rent svenskspråkig kust- och skärgårdssträcka från Satakundas gränser norrut till och med Gamla Karleby (30 % af hela befolkningen, dvs. omkr. 128000 personer).

f. I öfriga landskap talas svenska blott i städerna, men ingenstädes öfvervägande, mest i Viborg (af omkr. 3000 personer; i öfriga städer af omkr. 8000 tillsammans). Öfverhufvud ha alla städer i Finland en stor (40) procent svensktalande, liksom ock äfven på landsbygden ståndspersonernas flertal använda svenska.

3. **Estlands** [1] nordvästra kust och skärgård äga mellan 4000 och 5000 (mot 5200 år 1855) svensktalande individer, det s. k. »eibofolke», dvs. öbofolket. De hithörande svenska dialekterna äro emellertid samtliga sedan långt tillbaka stadda i utdöende (jfr anm. 2), i det de undanträngas af estniskan. De orter, där de ännu talas äro följande, ordnade i riktning från öster till väster:

a. **Nargö**, nordväst om Reval. Svenskan är här döende, ehuru den ännu omkr. 1800 var enrådande.

---

[1] Se SOHLMAN, *Om lemningarne af svensk nationalitet uti Estland och Liffland* (1852; äfven i Nordisk tidskrift 1852—53), med en förträfflig språkkarta; RUSSWURM, Eibofolke (Reval 1855); VENDELL, Nordisk familjebok, *Eibofolke*.

b. Rågöarna (stora och lilla), väster om Baltischport. Här är svenskan vida öfvervägande, talad af några hundratal personer.

c. Godset Wichterpal på motliggande estländska kust. Svenskan, talad af några få hundratal individer, undantränges här alltmer.

d. Odensholm, en liten ö utanför Estlands nordvästra spets med icke hundra bebyggare, är nästan rent svenskspråkigt.

e. Egeland, dvs. Estlands nordvästra spets mellan Spithams udde och Kluttarps by, hela området hörande till Nuckö socken och dess båda annex (Roslup och Suttlup). Här och där, t. e. i Roslup, talas nästan uteslutande svenska.

f. Nuckö, sydväst om Egeland, med starkt aftagande svensk befolkning (1000 à 2000 personer i Egeland och på Nuckö mot 2350 år 1855).

g. Ormsö eller Worms(ö), utanför Nuckö, med öfvervägande svenskt språk, som här är lifskraftigast och talas af omkr. 2000 personer (mot 1568 år 1855).

h. Dagö har nu högst tio svensktalande individer i Röiks by på nordvästra kusten (mot 118 år 1850, hvartill då ännu kommo 169 personer i Kertells socken på nord-östra kusten).

Anm. 2. Fordom hafva de svenska dialekterna i Estland intagit ett mer än dubbelt så stort område som nu. Så t. e. har svenska talats på ett par öar nordöst om Reval, i socknarna Kersal (öster om Baltischport) och Neve (väster om Wichterpal), på åtskilliga orter kring och söder om Hapsal och på hela norra kusten af Dagö.

4. Livland [1] äger på Runö midt i livländska viken en så godt som oblandad svensktalande befolkning (mellan 300 och 400 personer).

Anm. 3. Förr talades svenska äfven på andra orter i Livland, t. e. på Ösels sydspets och i Rotsiküll på dess västkust, i Rotsever på västra sidan af ön Moon (mellan Ösel och fastlandet) samt på Mannö och Kynö utanför Pernau.

5. Syd-Ryssland [2] har en svensk dialekt i Gammalsvenskby (på ortens mål »Galsvänskbi», på ryska »Starosj-

---

[1] Se noten å förra sidan.

[2] Se SOHLMAN a. st.; VENDELL, *Om och från Gammalsvenskby* i Finsk tidskrift 1882; WESTRIN, Nordisk familjebok, *Gammalsvenskby.*

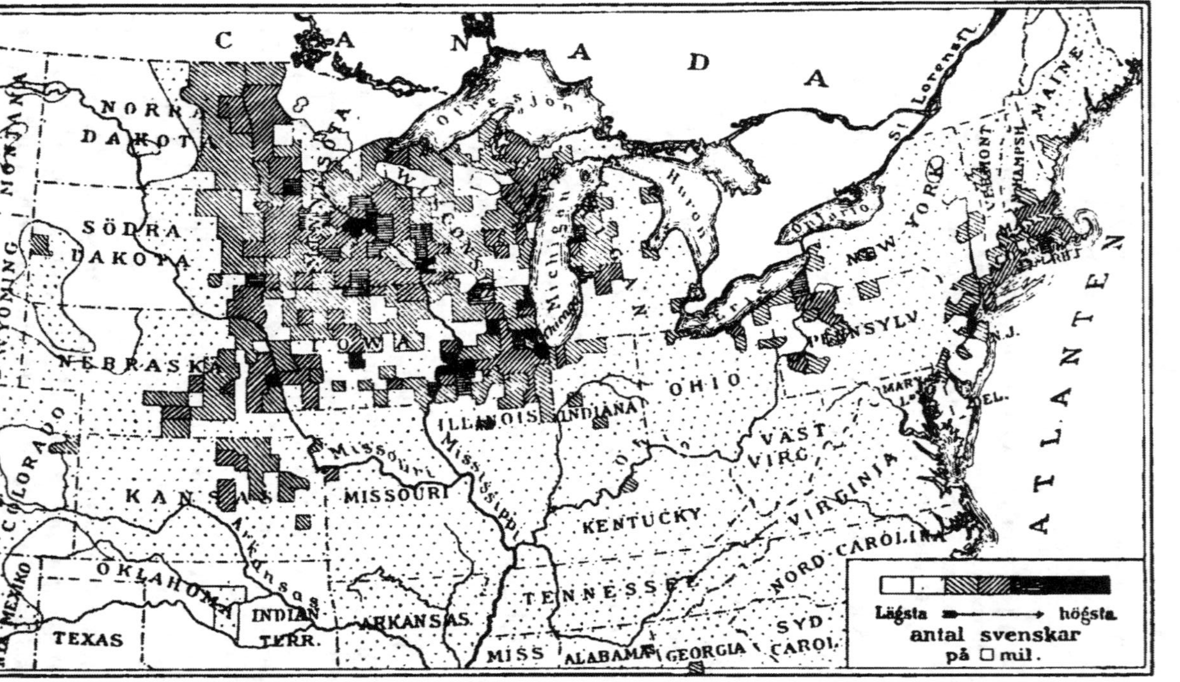

Karta öfver den svenska befolkningens hufvudsakliga utbredning och täthet i Förenta Staterna.
(Ur *Gustav Andreen,* »Det svenska språket i Amerika».)

vegskaja»), en by vid nedre Dnjepr i guvernementet Cherson något öster om staden Berislav. Den daterar sig från år 1781, då ryske kejsaren dit fördref ett tusental bönder från Dagö (jfr ofvan 3, h), och talas nu af 500 till 600 personer.

Anm. 4. I fornsvensk tid talades svenska i flera af ryska rikets kulturcentra, alltifrån dess grundläggning genom svenskar (862); så t. e. i Kijev tills omkr. 1050, i Novgorod ända tills på 1300-talet [1].

6. Nordamerikas förenta stater [2] äga en mängd svenska språköar, bildade af emigranter och deras barn. År 1900 uppgick de svensktalande amerikanarnas (»svensk-amerikanarnas») antal till bortemot $1 \, ^3/_4$ million. Häraf belöpte sig nära två femtedelar på de båda staterna Minnesota (341,467) och Illinois (299,179). Dryga två femtedelar kommo på staterna Newyork, Iowa, Massachusetts, Nebraska, Michigan, Wisconsin, Pennsylvania, Kansas och Connecticut. Den öfriga femtedelen tillhörde hufvudsakligen staterna Kalifornien, Washington, Colorado, Södra och Norra Dakota, Utah, Newjersey, Missouri, Rhode Island, Indiana, Texas, Montana och Oregon i nu nämnd ordning. Jfr språkkartan, som dock afser förhållandena år 1890.

Förmodligen finnas svenskspråkiga emigrantkolonier äfven annorstädes, t. e. i Sydamerika (Argentina?) och Australien. För öfrigt funnos år 1894 i Norge 38000, i Danmark 34000, i Tyskland 12000 och i det öfriga Europa (frånsedt Finland och Ryssland, hvarom se ofvan 2—5) 10000 svenskar, under det att själfva Sverge då ägde $4 \, ^3/_4$ million svensktalande individer.

§ 14. Nysvenskans riksspråk.

Från hvilken eller hvilka dialekter det nysvenska riksspråket utgått, är ännu endast mycket ofullkomligt utredt.

---

[1] Se THOMSEN, *Ryska rikets grundläggning genom skandinaverna.*

[2] Se *Twelfth census of the United states 1900,* vol. I, CLXXIV och CXCVII (Washington 1901); jfr ANDREEN, *Det svenska språket i Amerika* (1900; Verdandis småskrifter nr 87), med språkkarta (införd här s. 92).

Det är nog icke från östgötskan, hvilken däremot under yngre fornsvensk tid väl utöfvade det största inflytandet på det då gryende riksspråket, utan snarast och i öfvervägande grad Mälarprovinsernas dialekter, i främsta rummet kanske Södermanlands och i all synnerhet det från alla landsändar rekryterade Stockholms språk, hvilket af lätt förklarliga skäl åtminstone under yngre nysvensk tid förvärfvat ett allt större och vidsträcktare inflytande, särskildt i fråga om de mera bildade samhällslagren. Dock ha naturligtvis äfven andra bland de kulturhistoriskt sedt mera betydande provinserna utöfvat ett, om ock ständigt aftagande inflytande på riksspråkets utbildning, så att strängt taget hvarje svensk individs riksspråk är och än mer förr varit i någon mån färgadt af hans hemorts dialekt. Emellertid afslipas helt naturligt numera dessa differenser allt mer och mer i följd af den med jättesteg sig utvidgande både andliga och materiella samfärdseln olika landsdelar emellan. Detta dock med ett synnerligen viktigt undantag. Det svenska riksspråket, sådant det talas och skrifves i Finland, visar alltsedan 1809 års politiska skilsmässa och väl väsentligen just i följd af denna ett märkbart ökande i stället för minskande af de naturligtvis redan förut i någon mån befintliga afvikelserna. Dessa äro redan nu blifna så många och så stora, att man med en viss rätt kan tala om en särskild finländsk (»finsk-svensk») form af svenskt riksspråk i motsats till den »hög-svenska» i Sverge. Bland den förras — ännu otillräckligt undersökta [1] — egendomligheter må här såsom de viktigaste anföras följande:

1. Vokalerna *e* och *ä* ha, i synnerhet såsom korta och åtminstone i Hälsingfors, på samma sätt som i stockholmskan

---

[1] Jfr företrädesvis Lindström, *Studier på svensk språkbotten* (i Finsk tidskrift 1885); Pipping, *Om det bildade uttalet av svenska sproket i Finland* (i Nystavaren IV, 119 ff.; 1893); Vasenius, *Hjälpreda vid uttalsundervisningen i svenska*, s. 14 ff. (Hfors 1893); Nordenstreng, *Till frågan om vår finländska svenska* (i Finsk tidskrift 1900). Se för öfrigt den i sjätte kapitlet anförda litteraturen i ämnet.

sammanfallit i ett mellanljud (landsmålsalfabetets *a*), dock icke framför *r*, i hvilken ställning tvärtom *ä*, äfvenledes i likhet med förhållandet i stockholmsmålet, öfvergått till ett öppnare ljud (*a*). Därför rimmar t. e. Runeberg, fullt nöjaktigt från den finländska svenskans synpunkt, *eld* med *fälld* och *ställd*, *hemman* med *klämman*, *hem* med *dem*, Topelius *sett* med *lätt*. Sällsyntare äro dylika rim, då vokalerna äro långa, t. e. hos Tavaststjerna *del: farväl*.

2. I den svagtoniga förbindelsen *er* har vokalen antagit ett öppnare uttal (*a*), så att t. e. *gråter, öfver* uttalas *gråtär, övär* med samma *ä*-ljud som *där* i stockholmskan.

3. I pluralhändelsen *-or* (t. e. *flickor*) uttalas *o* som *å*, liksom förhållandet är i göteborgskan.

4. Vokalerna *a* och *u* äro kvalitativt lika såsom korta och långa. Alltså uttalas t. e. *hat* och *hatt* med samma (»allmäneuropeiska») *a*-ljud, *ful* och *full* med samma (»norska») *u*-ljud (*u*).

5. *dj*- uttalas med tydligt *d*-ljud; alltså t. e. *djup* icke som *jup*.

6. *p, t, k* uttalas alltid (såsom i franskan och finskan) utan »aspiration» (dvs. ett slags *h*-ljud mellan *p, t, k* och en omedelbart följande vokal), så att t. e. *på, tå, kål* uttalas med samma oaspirerade *p*-, *t*- och *k*-ljud som *spå, stå, skål*.

7. *r*, ehuru icke »skorrande», höres vanligen tydligt framför *d, l, n, s, t*, t. e. i *bord, pärla, barn, fors, svart*.

8. *z* uttalas nästan alltid som *ts* (icke som *s*), t. e. i *zoologi, Zakarias, Berzelius*.

9. Vokalernas kvantitet är ofta afvikande från den i Sverge normala. Så t. e. är *e* långt i räkneordet *en* (Runeberg rimmar *en* med *ren, klen* och *Bjerkén*), *o* långt i *dom, domare, prost, tom*. Omvändt är *a* kort i *karta*, *i* i *dina, mina*, *å* i *dolde, dolt, moln, porla, portvin*, *ä* i *räkna, det* (Runeberg rimmar *det* med *ett, rätt*, Topelius med *lätt, sett;* jfr 1 ofvan) osv.

10. *f, k, p, s, t* äro »långa» näst efter *j, l, m, n, r*, så att t. e. *Rolf, stark, kamp, hall, dans* uttalas *Rolff, starkk,*

kampp, haltt, danss, icke *Rollf, starrk, kammp, hallt, danns*.

11. Skillnaden mellan de båda tonfallen i t. e. *búren* (af *bur*) och *bùren* (af *bära*) är upphäfd till förmån för det förra af dem, hvilket för resten utmärkes af en betydligt större sjunkande intervall (ungefär en septima) än i Sverge (ungefär en ters).

12. Pluralformer sådana som *backor, bullor, haror, lakor, slädor* af *backe, bulle, hare, lake, släde* äro vanliga och äga ofta en motsvarande singularform på -*a*.

13. Pluraler på -*arna*, -*orna* uttalas hvardagligt alltid utan *r*, t. e. *gossana, flickona* i stället för *gossarna, flickorna*.

14. Verberna ha att uppvisa dels arkaiska former som *blås* jämte *blåser, las* för *läste*, dels nybildningar som *res* för *reser, veg* för *vigde, sofde* för *sof, galade* för *gol*, infinitiven *måsta* och supinet *måstat* (för *måst*).

15. Ordförrådet [1] äger hundratals uttryck, som äro mer eller mindre okända i Sverge, vare sig de äro för Finland egendomliga svenska ord (»finlandismer») såsom *hopa* stryka med årorna, *kräfta* fånga kräftor, *kälka* åka kälke, *spissam* som förslår väl, »klockan är en kvart *fått* i tolf» (dvs. fattas en kvart i tolf) eller lån från finskan (»fennicismer») såsom *haska* förslösa, *nippa* blemma, *paja* smeka eller från ryskan (»russicismer») såsom *isvoschik* åkare, *laffka* liten butik, *papyross* cigarrett.

16. Många ord användas helt eller delvis i för Sverge väsentligen främmande betydelser [1], t. e. *knut* vrå, *laga* förfärdiga (jfr vårt »laga mat»), *mankerad* stött, *mera* ganska, *skrinna* åka skridsko, *sätta* (t. e. strumporna på stolen) lägga.

17. Afvikelser i fråga om ordfogningen [1], sådana som t. e. *månne han gå?* för *går, är han sjuk? jo* för *ja, på* för *i* tidningen, *i* för *om* måndag.

---

[1] Se utförligare i synnerhet Freudenthal, *Skiljaktigheter mellan finländska svenskan och rikssvenskan* (i Skrifter utg. af Svenska litteratursällskapet i Finland LI, 1901); Bergroth, Rec. af Lundell, Svensk ordlista (i Tidskrift utg. af Pedagogiska föreningen i Finland 1895).

Äfven bland svenskarna i Amerikas förenta stater håller nu på att utbilda sig en afvikande form af svenska, hvilken möjligen en gång i tiden kan komma att kräfva erkännande såsom en tredje själfständigt berättigad riksspråksform vid sidan af de båda redan nämnda. Denna amerikanska svenska utmärker sig framför allt genom sina talrika lån från engelskan (»anglicismer»), vare sig dessa bestå i ett direkt inlånande af själfva det engelska ordet, t. e. *acre, farm, box* låda, *dress* dräkt, *platform* perrong, *rubber* guttaperka, eller i att ett svenskt ord upptar ett ungefär likalydande engelskt ords betydelse, t. e. *gå* resa, *såpa* tvål, *audiens* åhörareskara [1].

De lokala skiftningar som inom själfva Sverge förekomma i fråga om riksspråket äro visserligen många, men icke af den betydenhet, att de föranleda uppställandet af olika hufvudformer af svenskt riksspråk [2]; detta så mycket mindre som dessa olikheter, såsom ofvan framhållits, med hvarje dag, som går, alltmer försvinna. Sist och med största svårighet utjämnas väl differenserna i afseende på tonfallen, i fråga om hvilka knappast ännu någon riksspråksnorm uppställts, än mindre erkänts. Därnäst i betydenhet kommer motsatsen mellan de båda *r*-ljuden: det skorrande i södra, det icke skorrande i mellersta och norra Sverges riksspråk. Emellertid tenderar väl i denna punkt den allmänna uppfattningen alltmera därhän att såsom normalt riksspråks-*r* betrakta det icke skorrande, däremot det skorrande såsom en på dialektalt inflytande beroende, visserligen ännu tolererad — detta i motsats till förhållandet med det så allmänt utbredda uppsvenska »tjocka» *l*, som redan sedan länge är bannlyst inom riksspråkets båda högre stilarter — men ingalunda efterföljansvärd, än mindre eftersträfvansvärd afvikelse från

---

[1] Se ANDREEN, *Det svenska språket i Amerika*, s. 7 ff.

[2] Hvad LYTTKENS och WULFF, *Svensk uttals-ordbok*, s. 14* ff. i denna riktning anföra, betraktar jag såsom olika dialektala färgningar af ett och samma riksspråk, så att än det ena, än det andra uttalet utgör en afvikelse från det såsom norm mer eller mindre erkända, ej en lika berättigad variant.

Svensk språkkarta.

idealet. Om sålunda i detta fall majoriteten, som bland sig räknar hufvudstadens innevånare (med få undantag), rimligtvis kommer att afgå med seger, så skymtar å andra sidan vid framtidens horisont den, jag vågar säga [1], faran att minoriteten, till hvilken i denna punkt den så viktiga hufvudstaden hör, kommer att segra i en annan nu i viss mån sväfvande punkt, så att den än så länge odisputabelt för normalt riks-språk karakteristiska skillnaden mellan *e-* och *ä*-ljuden i *vecka: väcka, leka: läka* osv. uppges till förmån för mellan-ljudet *(a)*, under det att å andra sidan en ännu icke såsom normalt riksspråk, åtminstone allmännare, erkänd och god-känd skillnad mellan vokalerna i *läka, väcka: där, värre* fastslås.

§ 15. Nysvenskans dialekter.

De dialekter, som talas inom det nuvarande svenska språkområdet, gå naturligtvis i allmänhet så småningom öfver i hvarandra, hvadan en gruppering blir mer eller mindre skef, på grund af att bestämda gränser saknas. Dock kan följande indelning [2] betraktas såsom praktiskt och väsentligen äfven teoretiskt tillfredsställande, åtminstone så länge hit-hörande frågor icke blifvit mera allmänt och detaljeradt undersökta, än för närvarande är fallet:

I. De **sydsvenska** (ursprungligen danska) i Skåne, Blekinge, Småland norrut intill en ungefärlig linje Förlösa (norr om Kalmar)—Nässjö—Värnamo—Fegen och Halland norrut intill en ungefärlig linje Fegen—Tvååker (söder om Varberg). Dessa dialekter karakteriseras hufvudsakligen af följande egendomligheter [3]:

1. *r* är öfverallt (utom delvis i göingemålet, se nedan A, b, 5) skorrande (ˁ eller ꞧ) och sammansmälter i följd däraf icke

---

[1] Jfr Noreen, *Spridda studier*, s. 165 (och 101 f.).

[2] Jfr väsentligen Lundell, *Om de svenska folkmålens frändskaper* (i Antropologiska sektionens tidskrift I; 1880).

[3] Se Lundell a. st. s. 13 ff., 25 ff.

med ett följande *d, l, n, s, t* till apiko-alveolara ljud. I slut-ljud och före *d, l, n, s, t* vokaliseras det eller försvinner. t. e. *stoo* stor, *stoot* stort, *svatt* svart.

2. *l* är i ingen ställning »tjockt» och sammansmälter i följd däraf icke med ett följande *d, n, s, t* till apiko-kakuminala ljud.

3. »sje»-ljudet är dorso-velopalatalt (*ʃ*), t. e. *ʃu* sju.

4. *nn*, vare sig ursprungligt eller af *nd* uppkommet, öfvergår ofta till »äng»-ljud (*ŋ* eller *ŋ*), t. e. *muŋŋ* mun, *bɪŋŋa* binda.

5. *g* öfvergår ofta (dock icke i östra Blekinge) efter »hårda» vokaler till *w* eller *v* eller försvinner, t. e. *muwə, mavə, maə* mage, *fuuwəl, fuvəl* fågel.

6. Gammalt *w* förekommer ännu här och där i vissa ställningar, t. e. *kwarn* kvarn, *wass* hvass.

7. Slutljudande *n* kvarstår, t. e. *utan, Håkan, husen.*

8. *å* öfvergår till en diftong, t. e. *gao, goo, gao* gå. Dessutom uppträda åtskilliga andra oursprungliga diftonger.

9. Verber af typen *kalla* ha, åtminstone i supinum, sitt preteritimärke kvar, t. e. *-ade* i Småland samt (i allmänhet dock blott uti passivum) Skåne och Halland, *-ate* i (större delen af) Blekinge; sup. *-at* i Småland, Halland och Blekinge, *-ad* i Skåne.

10. Ord på svagtonigt *-et* behålla *-t* (i Skåne *-d*), t. e. *taket (-ed), litet (-ed).*

11. Pluraländelsen *r* saknas före artikeln *-na*, t. e. *hæstana* hästarna, *vænnona* vännerna, *tønnona* tunnorna.

Dessa sydsvenska dialekter kunna indelas i tvenne hufvudgrupper [1]:

A. Den sydvästliga gruppen, omfattande (södra) Halland, Skåne och västligaste Blekinge (intill Mörrums å, dvs. Listers härad), kännetecknas bl. a. af följande:

1. *k, p, t* öfvergå efter starktonig vokal till respektive *g (dj, j), b (v), d*, t. e. *bag* bak, *släba (släva)* släpa, *bryda* bryta.

---

[1] Se LUNDELL a. st. s. 39 f.

2. *g* efter »hårda» vokaler blir *v*, t. e. *lava* laga, *lyva* (jfr 3 nedan) ljuga.

3. Gammalt *iu* har blifvit *y*, t. e. *tyda* tjuta, *syg* sjuk, *lyva* ljuga.

4. Kort *u* och *o* ha sammanfallit i »europeiskt» *u*-ljud, t. e. *dumm* dum, dom.

Denna grupp, kan indelas i trenne smärre:

a. Det egentliga skånemålet [1] i större delen af Skåne (jfr b nedan) och med följande särskildt karakteristiska egendomligheter:

1. Slutljudande *t* blir *d* efter svagtonig vokal, t. e. *taged* taket, *kallad* kallat.

2. Verber af typen *kalla* sakna preteritimärke i aktivum, men ej i passivum, t. e. *kalla* kallade, men *kallades*.

3. Sammansatta ord med enstafvig första led ha vanligen hufvudtonen på den andra, t. e. *hotang'* hoftång, *byga'da* bygata.

b. Göingemålet [1] i nordöstra Skåne (Västra och Östra Göinge samt Villands härad) och västligaste Blekinge (Listers härad) med bl. a. följande egendomligheter:

1. Slutljudande *t* bibehålles efter svagtonig vokal, t. e. *taget*, *kallat*.

2. Verber af typen *kalla* bevara sitt preteritimärke äfven i aktivum, t. e. *kallade*.

3. 1. pers. plur. ändas vanligen på -*n*, t. e. *vi kallen, vi kalladen*.

4. 2. pers. sing. kan (t. e. i Västra Göinge) ändas på -*st*, t. e. *vellstu* vill du.

5. Icke skorrande *r* förekommer, i synnerhet i Östra Göinge, jämte skorrande, och i sammanhang härmed kunna *rn*, *rs* och *rt*, åtminstone i Östra Göinge, sammansmälta till apiko-alveolara ljud.

---

[1] Jfr MALM, Nordisk familjebok, *Skåne* sp. 1377 f.

c. Det egentliga (»södra») hallandsmålet[1] i Halland till linjen Fegen—Tvååker, karakteriseradt af följande:

1. Slutljudande *t* bibehålles såsom i göingemålet (se ofvan b, 1).

2. Verber af typen *kalla* sakna alltid preteritimärke, t. e. *kalla* kallade.

3. 1. pers. plur. ändas på -*m* (i Halmstads härad dock på -*n*), t. e. *vi ham* vi ha (Halmstads härad *vi kasten* vi kasta, *vi kastan* vi kastade).

4. 2. pers. sing. kan i frågesatser ändas på -*st*, t. e. *kanstu, kanste* kan du.

B. Den nordöstliga gruppen, omfattande större delen af Blekinge (jfr A ofvan) och af Småland (jfr I ofvan), kännetecknas bl. a. af följande:

1. *k, p, t* bibehållas efter starktonig vokal.

2. *g* efter »hårda» vokaler antingen bibehålles eller blir *w* (sällan *v*) eller *j;* jfr nedan a och b.

3. Gammalt *iu* har blifvit *ju, jy* o. d., t. e. *bju(a)* bjuda, *jyp(er)* djup.

4. Kort *u* och *o* ha icke sammanfallit.

Inom denna grupp kan man särskilja:

a. Det egentliga blekingsmålet i den till Blekinge hörande delen af området samt sydspetsen af Kalmar län (från och med Torsås). Här är *g* i allmänhet bevaradt efter »hårda» vokaler, t. e. *mage, mauge* mage, och preteritum ändas i verber af typen *kalla* på -*ate*, t. e. *tackate*.

b. Det egentliga smålandsmålet i den småländska delen af området (med nyssnämnda undantag). Här blir *g* efter »hårda» vokaler *w* eller *j*, t. e. *hawe, haje* hage, och preteritum ändas i verber af typen *kalla* på- *ade*, t. e. *tackade*.

Anm. 1. Såsom en tredje grupp (I, C) hör egentligen till de nuvarande sydsvenska dialekterna en dansk dialekt, nämligen bornholmskan (jfr s. 86), hvilken liksom I, A och I, B utgått från fornskånskan, sålunda

---

[1] Jfr Lundell, Nordisk familjebok, *Halland* sp. 560 f.

från en forndansk dialekt. Bland dess från de sydsvenska dialekterna i Sverge mest afvikande egendomligheter må nämnas inskottet af *i* mellan *r* och konsonant, t. e. *sorrig* sorg, *stærrik* stark, och de maskulina adjektivformerna på *-uer*, t. e. *sæwnuer* sömnig, *torstuer* törstig. — Den sydsvenska dialektgruppen i vidsträckt mening (alltså bornholmskan inberäknad) skiljer sig från de båda andra från forndanskan härstammande dialektgrupperna, ömålen och jutskan, förnämligast genom följande [1]:

1. *a* är bevaradt i ändelser, t. e. *komma* (jfr ödanska *komme*, jutska *kom*).

2. *g* och *k* ha före »lena» vokaler öfvergått till *j-* och »tje»-ljud (under det att ömålen och jutskan bevarat *g-* och *k*-ljud eller på sin höjd låtit dem bli *gj* och *kj*).

3. *j* är bevaradt i sådana ord som *tälja, vänja* (jfr danskans *tælle, vænne*).

4. De flesta ändelser äro försedda med ett svagt bitryck.

Å andra sidan öfverensstämma ännu de sydsvenska dialekterna (i nyssnämnda vidsträckta mening) med de danska ömålen och jutskan i så många viktiga punkter (särskildt de ofvan s. 99 f. under 1, 2, 4, 5, 6, 7, 9 och 10 angifna), att alla dessa tre grupper vid en indelning af hela det nordiska språkområdets nuvarande dialekter med allt skäl sammanfattas till en enhet: den **sydskandinaviska** dialektgruppen [1]. Jfr anm. 2 och 3.

II. De medelsvenska dialekterna intaga området mellan linjen Förlösa—Nässjö—Värnamo—Fegen—Tvååker i söder och en ungefärlig linje Gäfle—Nora—Värmlands nordspets i norr. Denna grupps hufvudkaraktärer äro följande [2].

1. Icke skorrande *r* finnes öfverallt (ofta jämte skorrande, se a nedan) och sammansmälter med ett följande *d, l, n, s, t* till apiko-alveolara (eller -kakuminala) ljud (jfr A, a nedan).

2. »Tjockt» *l* finnes (jämte vanligt) öfverallt och sammansmälter med ett följande *d, n, s, t* till apiko-kakuminala (eller -alveolara) ljud.

3. »sje»-ljudet är i allmänhet dorso-kakuminalt (*ʃ*), ej sällan dorso-velopalatalt (*ʃ*), sällan apiko-alveolart (*ş*) eller -kakuminalt (*ş*).

4. *nn* (*nd*) öfvergår aldrig till »äng»-ljud.

---

[1] Se Lundell a. st. s. 58; jfr Dahlerup, *Det danske Sprogs Historie*, s. 148 ff.

[2] Se Lundell a. st. s. 22 f. och 25 ff.

5. *g* öfvergår icke, utom i några enstaka undantagsfall, till *v* eller *w* (hvarvid dock bohuslänskan utgör ett undantag.

6. Gammalt *w* har (utom i viss mån på vissa håll å västkusten) blifvit *v*.

7. Slutljudande kort *n* har bortfallit, t. e. *uta* utan, *Håka* Håkan, *husa* husen o. d.

8. Diftonger, andra än riksspråkets, saknas nästan öfverallt.

9. Verber af typen *kalla* ha med få undantag (t. e. preteritum *-ed* på södra Öland, supinum *-at* i norra Halland, södra och mellersta Västergötland) förlorat sitt preteritimärke, t. e. *kalla* kallade, kallat.

10. Ord på svagtonigt *-et*, *-it* sakna i allmänhet — undantag göra t. e. Bohuslän, norra Halland, Småland, södra och mellersta Västergötland samt södra och mellersta Östergötland — sitt *-t*, t. e. *take* taket, *lite* litet, *vunne*, *-i* vunnit.

11. Bestämda pluraler af typerna *hästarna*, *sakerna*, *flugorna* uppvisa en mängd skiftande former, af hvilka de vanligaste äro *hästa*, *sakera*, *flugera*.

Att inom detta mycket olikartade område särskilja större underafdelningar är synnerligen svårt på grund af de ovanligt kontinuerliga dialektöfvergångar, som här förekomma. Dock kan man, om man så vill, indela hithörande dialekter, åtminstone tills vidare, i följande tre grupper:

A. De egentliga götamålen, hvilka äga både icke skorrande *r* och (nästan alltid, jfr b, *a* nedan) skorrande (detta vanligen i uddljud och såsom *rr* mellan vokaler) eller däraf uppkomna vokaler. Af smärre grupper inom denna afdelning torde man kunna provisoriskt uppställa åtminstone följande trenne:

a. Ölandsmålet[1] på Öland, stående på gränsen till de sydsvenska målen och karakteriseradt bl. a. af följande:

---

[1] Jfr WALTMAN, Nordisk familjebok, *Öland* sp. 639.

1. *r* (ursprungligen väl skorrande), men icke *rr*, vokaliseras i slutljud, försvinner eller vokaliseras före *d, l, n, s, t* t. e. *faa* far, *Las* Lars, *hoan* horn. Alltså saknar målet de annars af *rd, rl* osv. uppkommande apiko-alveolara ljuden.

2. »sje»-ljudet är dorso-velopalatalt (*ʃ*).

3. »tje»-ljudet börjar med en explosiva.

4. En mängd svagtoniga ändelsevokaler försvinna, i sammanhang hvarmed föregående stafvelse erhåller sammansatt accent (»cirkumflex»), t. e. *kâst* kasta, kastat, *gùbb* gubbar.

b. Östgötskan i Östergötland och nordöstra Småland uppträder i fyra hufvudformer, hvilka i allmänhet (om undantagen se ofvan II, 10) hafva det gemensamt — till skillnad från västgötskan i allmänhet — att *-t* saknas i ord af typerna *take(t), lite(t)*. Dessa äro:

a) Handbörds-målet[1] i mellersta Kalmar län (mellan Förlösa och ungefär Oskarshamn) med följande märkligare egenheter:

1. »sje»-ljudet är dorso-velopelatalt (*ʃ*).

2. »tje»-ljudet börjar med en explosiva.

3. *a* har i svagtoniga ändelser blifvit »*e*», t. e. *spele* spela, *gate* gata.

4. Skorrande *r* saknas.

β) Östgöta *e*-mål[2] i Kalmar län norr om Oskarshamn samt i Östergötland söder om Bråviken, Glan, Roxen och öster om en linje, dragen från Malmslätt ungefär rakt söderut. Märkligare karakteristika äro här:

1. »sje»-ljudet är dorso-kakuminalt (*ʃ*).

2. »tje»-ljudet saknar begynnande explosiva.

3. *a* har i svagtoniga ändelser blifvit »*e*».

γ) Östgöta *ä*-mål[2] i Östergötland norr om Bråviken,

---

[1] Jfr L[unde]ll, *Ljudbeteckning för småländskan* (1879).
[2] Jfr [Hoppe,] *Judbetekning för östgötskan* (1881).

Glan, Roxen samt en linje Malmslätt—Mjölby—Vadstena. Dialekten karakteriseras bl. a. af följande:

1. »sje»-ljudet är dorso-kakuminalt (*f*).

2. »tje»-ljudet saknar begynnande explosiva.

3. *a* har i svagtoniga ändelser blifvit »*ä*», t. e. *spelä* spela, *gatä* gata.

δ) Östgöta *a*-mål[1] i Östergötland söder om linjen Vadstena—Mjölby—Malmslätt och väster om en linje, dragen därifrån ungefär rätt söderut (jfr *β* ofvan), samt i Småland norr om en ungefärlig linje Jönköping—Nässjö—Hultsfred. I motsats mot de föregående dialekterna karakteriseras denna af följande egenheter:

1. »sje»-ljudet är än dorso-kakuminalt (*f*), än dorso-velopalatalt (*ʃ*).

2. »tje»-ljudet saknar begynnande explosiva.

3. *a* är i svagtoniga ändelser bevaradt.

c. Västgötskan[2] i Västergötland, norra Halland (till linjen Tvååker—Fegen) samt nordvästligaste Småland (till linjen Tvååker—Fegen—Värnamo—Nässjö—Jönköping; säkert åtminstone norra delen af Västbo härad, men förmodligen äfven Mo och Tveta) kännetecknas bl. a. af följande:

1. »sje»-ljudet är öfvervägande dorso-velopalatalt (*ʃ*).

2. »tje»-ljudet saknar begynnande explosiva (utom inom en del af Mark- och Kindsmålet).

3. Imperativen har särskild pluralform, t. e. *äta, -e I* äten.

Västgötskan kan lämpligen indelas i fyra hufvudmål:

a) Vadsbomålet i Skaraborgs län norr om en linje Karlsborg—Sköfde—Mariestad och med följande egendomligheter:

1. Långt *y* har blifvit *u*, t. e. *buta* byta.

2. Gammalt *ai* uppträder, liksom i riksspråket, såsom *e*, t. e. *ben*.

---

[1] Jfr [HOPPE,] *Judbetekning för östgötskan* (1881).

[2] Se LAMPA, *Ljudbeteckning för västgötamålen*, 2. uppl. (1897).

3. Gammalt *w* har, liksom i riksspråket, äfven efter konsonant blifvit *v*, t. e. *kvènna* kvinna.

4. *t* saknas i slutljud efter svagtonig vokal (under det att alla de tre andra målen bevara det), t. e. *kalla* kallat, *vunne* vunnit, *take* taket, *slete* slitet.

5. Bestämda pluralformer och bestämda feminina singularformer ändas på slutet *a*-ljud (under det att de tre andra målen ha öppet *a*), t. e. *påjka* pojkarna, *lösera* flickorna, *dîka* dikena, *gåmma* gumman.

β) Skaraborgsmålet (»mellersta» eller »egentliga» västgötamålet) i återstoden af Skaraborgs län samt Älfsborgs län norr om linjen Herrljunga—Lilla Edet karakteriseras tillräckligt däraf, att det öfverensstämmer med Vadsbomålet i fråga om punkterna 1, 2 och 3, under det att det skiljer sig från detsamma i fråga om punkterna 4 och 5.

γ) Älfsborgsmålet (»södra» västgötamålet) i Älfsborgs län mellan linjerna Lilla Edet--Herrljunga och Hallands nordgräns—Borås—Ulricehamn samt i västgötadelen af Göteborgs län kännetecknas af följande:

1. Långt *y* har i största delen af området blifvit *u*, t. e. *buta (byta)*.

2. Gammalt *ai* är kvar, men stadt i utdöende, t. e. *bain*, vanligen hos yngre personer *ben*.

3. Gammalt *w* är delvis bevaradt efter konsonant, t. e. *kwenna* kvinna.

4. Pluraländelsen *-e* förekommer hos verb, t. e. *vi äte*, *åte* vi äta, åto.

δ) Mark- och Kindsmålet i återstoden (sydspetsen) af Älfsborgs län samt de halländska och småländska delarna af västgötskans område utmärker sig särskildt för följande:

1. Långt *y* är bevaradt (utom i en del af Marks härad).

2. Gammalt *ai* är bevaradt såsom diftong öfver större delen af området, t. e. *bain*, *bäin* o. d. *ben*.

3. Gammalt *w* är bevaradt efter konsonant.

— 108 —

4. »tje»-ljudet börjar med en explosiva (utom i Marks härad).

5. 2. pers. sing. ändas ofta på *-st*, då »du» följer näst efter, t. e. *såstu*, *-e* såg du.

6. 1. pers. plur. ändas på *-(u)m*, i synnerhet då »vi» följer näst efter, t. e. *vi töckum* vi tycka, *kunnum vi, kunnume* kunna vi.

B. De egentliga sveamålen, hvilka (med mycket få undantag, mest af rent individuell art) äga endast icke skorrande *r*. Dessa till stor del ännu högst otillräckligt undersökta mål kunna för närvarande icke indelas annat än på följande, säkerligen ganska otillfredsställande sätt, hvarvid väsentligen landskapsindelningen lägges till grund:

a. Uppländskan i Uppland (Stockholm intar en undantagsställning, därigenom att riksspråket så godt som fullständigt undanträngt dialekten), Södertörn och sydöstra Västmanland (söder om en ungefärlig linje Sala—Nora). För största delen af detta inom sig högst olikartade område torde man kunna ange såsom kännetecknande:

1. Gammalt långt *e* diftongeras till *ie, je, jä* o. d., t. e. *bien* ben, *jek* ek, *jämm* hem.

2. Af gammalt kort *i* uppkommet *e* sammanfaller med *ä*, oftast i ett mellanljud mellan *e* och *ä (ɑ)*, så att t. e. *lefva* och *väfva, skepp* och *kläpp* hafva samma vokal.

3. *a* i svagtoniga ändelser är antingen bevaradt eller (oftare) blifvet *ä*, t. e. *gata* gatan, *lakan* lakan, *gummä* gumma, *levnä* lefnad, *fiskäre* fiskare.

4. »sje»-ljudet är nästan öfverallt dorso-kakuminalt *(ʃ)*, sällan (norrut) apiko-alveolart *(ʂ)* eller (österut) dorso-velopalatalt *(ʃ)*.

5. »tje»-ljudet börjar med en explosiva, vanligen ett *t*-ljud, men inom ett bälte öfver södra Uppland (från Grisslehamn—Sandhamn starkt afsmalnande västerut [1]) och i Södertörn äfven ett *k*-ljud, t. e. *tjöpä (kjöpä)* köpa.

____

[1] Se ERDMANN, Upplands fornminnesförenings tidskrift XX, 130.

6. Pluraler af typen *hästär* hästar ha i bestämd form *hästa, hästaner* eller *hästane.*

b. **Södermanländskan** i Södermanland utom Södertörn kännetecknas bl. a. af följande:

1. Gammalt långt *e* är bevaradt, t. e. *ben.*

2. Vokalerna i *lefva, väfva* och *skepp, kläpp* hållas åtskilda.

3. *a* i svagtoniga ändelser är vanligen bevaradt.

4. »sje»-ljudet är dorso-kakuminalt *(ʃ).*

5. »tje»-ljudet börjar med en explosiva (ett *t*-ljud).

6. Pluraler . af typen *hästar* ha i bestämd form *hästa.*

7. Bestämda femininformer af typen ᴗ*piga* pigan ändas på kort *a.*

c. **Närkiskan** [1] i Närke (möjligtvis med undantag af Tylö-målet på Tylö skog, hvilket torde höra till östgötskan) karakteriseras af följande:

1, 2, 3 — b, 1, 2, 3.

4. »sje»-ljudet är apiko-alveolart *(ș).*

5. »tje»-ljudet saknar begynnande explosiva.

6. Pluraler af typen *hästar* (med kort öppet *a* såsom i riksspråket) ha i bestämd form *hästar* med långt slutet *a*-ljud *(a).*

7. Bestämda femininformer af typen *piga* pigan ändas på långt slutet *a (a).*

8. Gammalt kort öppet *o* har i allmänhet blifvit (öppet) *a,* t. e. *falk* folk, *sav* sof.

d. **Värmländskan** [2] i Värmland har följande viktigare kännetecken:

1, 2 — b, 1, 2.

3. *a* i svagtoniga ändelser har, liksom alla andra svagtoniga ändelsevokaler, med mycket få undantag öfvergått till ett orent *e*-ljud, hvilket sedan i områdets norra del (norr om en ungefärlig linje Charlottenberg—Deje—Filipstad) bortfallit,

---

[1] Jfr DJURKLOU i Svenska landsmålen I, 624 f.; LUNDELL, Nordisk familjebok, *Nerike* sp. 984 f.

[2] Se utförligare NOREEN, Nordisk familjebok, *Värmland* sp. 18 f.

hvarvid föregående stafvelse i regeln erhållit sammansatt accent (»cirkumflex»), t. e. *kaste (kåst)* kasta, kastat.

4. »sje»-ljudet är i allmänhet apiko-kakuminalt *(s̩)* liksom ock det af *rs* uppkomna ljudet, så att t. e. *sjö* och *Lars* ha samma udd-, resp. slutljud; dock är i områdets östligaste del (Bergslagen) det förra ljudet dorso-velopalatalt *(ʃ)* till skillnad från det sednare.

5. »tje»-ljudet saknar begynnande explosiva (utom i allra nordligaste Värmland).

6. Pluraler af typen *häster* hästar ha i bestämd form *hästane, hästan* (vanligen med långt cirkumflekteradt *a*, jfr 3 ofvan), *hästene* (i Arvika-trakten) eller *hästera* (i Karlstad—Kristinehamn—Filipstad-trakten).

7. Kort *u* är slutet liksom det långa, så att t. e, *gull* har samma vokal *(u)* som *gul*.

e. Dalbomålet i Dalsland är ytterst ofullständigt undersökt, men torde kunna nödtorfteligen karakteriseras genom följande:

1, 2 — b, 1, 2.

3. *a* i svagtoniga ändelser är bevaradt utom i Åmålstrakten (Tössbo härad), där det liksom i värmländskan blifvit »e», t. e. *kasta (kaste)* kasta, kastat.

4. *g* efter vokal är frikativt *(ɣ)* åtminstone i mellersta Dalsland (omkring järnvägen Mellerud—Mon).

5. »tje»-ljudet saknar begynnande explosiva.

6. Pluraler af typen *hästar* ha i bestämd form *hästane*.

7. Kort *u* är öppet liksom i riksspråket.

8. *i* och *y* äro åtminstone å kuststräckan söder om Köpmannebro (Norddals och Sundals härader) apiko-gingivala (»Viby-*i* och -*y*»).

C. Bohuslänskan i Bohuslän är en ursprungligen norsk dialekt och därför helt naturligt mycket afvikande från öfriga medelsvenska mål. Den synes vara närmast besläktad med vissa sydnorska, delvis något daniserande, dialekter och kännetecknas bl. a. af:

1. *k, p, t* öfvergå efter vokal till *g, b, d,* t. e. *tag* tak, *reb* rep, *meda* meta.

2. Gammalt *iu* har blifvit *y,* t. e. *lys* ljus, *tyda* tjuta.

3. *g* har efter »hårda» vokaler blifvit *w,* t. e. *låwe* låga, *uwa* öga.

4. Neutrernas bestämda singularform har bevarat *-t,* t. e. *huset.*

III. De nordsvenska (»norrländska» i vidsträckt mening) dialekterna inom återstoden af språkområdet med undantag af Gottland kunna trots mycket stora inbördes olikheter karakteriseras genom följande, som de äga i det stora hela gemensamt [1]:

1. *r* är aldrig skorrande (frånsedt rent individuella fall).

2. »Tjockt» *l* finnes (jämte vanligt) öfver större delen af området och sammansmälter vanligen med ett följande *d, n, s, t* till apiko-kakuminala ljud.

3. »sje»-ljudet är dorso-kakuminalt *(ſ)* eller apiko-alveolart *(ṣ),* men i dess ställe står ofta någon af de ursprungliga ljudförbindelser, som gifvit upphof åt detsamma, såsom *sj, sk, skj, stj,* eller ock nya, ur de gamla utvecklade ljudförbindelser såsom *sts* o. d.

4. *nn (nd)* öfvergår aldrig till »äng»-ljud.

5. *g* öfvergår endast alldeles undantagsvis till *w* eller *v.*

6. Frikativt *l* utan röstton *(ɬ)* finnes nästan öfverallt inom området, i synnerhet såsom representant för *s* framför *l.*

7. *g, k, sk* öfvergå inom större delen af området till affrikator eller frikativor äfven före svagtonig »len» vokal, t. e. *väddjin, väddzen* väggen, *väjin* vägen, *druttji, druttsi* druckit, *fistjen, fistsen* fisken.

8. Gammalt *i* i ändelser är på de flesta håll bevaradt, t. e. *natjin* naken, *fuli* fåle o. d.

---

[1] Jfr LUNDELL, *Om de svenska folkmålens frändskaper,* s. 16 ff., 25 ff.

9. Förbindelsen af starktonig kort vokal med följande kort konsonant finnes bevarad från fordom, eller ock finnes (åtminstone spår af) den i sammanhang därmed stående regeln, att en ändelsevokal har annan kvalitet efter den nyssnämnda (forntida eller ännu bevarade) förbindelsen, än då på den starktoniga korta vokalen följer en lång eller två konsonanter, t. e. i dalmålet *livå* lefva, men *binda* binda, *fuli* fåle, men *skålle* skalle. Därjämte förekommer stundom i det förra fallet ett slags vokalharmoni, t. e. i dalmålet *gålå* gala, *gälär* gal.

10. Verber af typen *kalla* sakna preteritimärke (utom delvis i dalmålet).

11. Neutrala former på *-et* sakna slutkonsonant (utom delvis i Dalarna).

Detta stora dialektområde kan, trots i allmänhet mycket kontinuerliga öfvergångar mellan de olika målen, lämpligen indelas i trenne smärre, omfattande:

A. De väst-nordsvenska (»norsk-svenska»), ursprungligen norska dialekterna i Särna och Idre (nord-västligaste Dalarna), Härjedalen och Jämtland (där dock målet öster om Östersund så småningom öfvergår i medelpadska eller ångermanländska). Denna grupp karakteriseras hufvudsakligen af följande:

1. Pronomen *ni* heter *di, de, dä, da* eller *dö*.

2. Pron. *du, den, denne* ha aldrig former, som börja på *t-*.

3. Presens sing. af starka verber har i regeln ingen ändelse, men däremot vanligen *i*-omljudd rotvokal, t. e. *söv* sofver, *skek* skakar.

4. Det passiva preteritum ändas (liksom i riksspråket) på *-s*.

5. Ord sådana som *bro, ko, tro* heta *bru, ku, tru*.

Gruppen sönderfaller i tre hufvudmål:

a. Särnamålet i Särna och Idre församlingar i Dalarna med bl. a. följande egenheter:

1. De gamla diftongerna *ai, au* och *öy* äro kontraherade, t. e. *ben* ben, *duv* döf, *hör* hör.

2. *hv* uppträder som *kv* eller *gv*, t. e. *kvit* (Särna), *gvit* (Idre) hvit.

3. Dativen är förlorad som särskild kasus.

4. Pronomen *vi* heter *vi*.

b. Härjedalskan[1] i Härjedalen, möjligen närmast att uppdela i fyra mindre grupper[2], kännetecknas (ehuru gränsen mot jämtskan är mycket sväfvande) af följande:

1. De gamla diftongerna äro nästan öfverallt kontraherade.

2. *hv* uppträder som *v* (liksom i riksspråket) eller *w*.

3. Dativen finnes kvar som särskild kasus.

4. Pronomen *vi* heter *mö*.

c. Jämtskan[3] i Jämtland med följande hufvudsakliga kännetecken:

1. De gamla diftongerna äro nästan öfverallt bevarade (jfr *a*, 1, *β*, 1 och *γ*, 1 nedan).

2. *hv* uppträder som *v*.

3. Dativen finnes nästan öfverallt kvar som särskild kasus (jfr *a*, 3, *β*, 3 och *γ*, 3 nedan).

4. Pronomen *vi* heter *me*, *mä* eller *ma*.

Målet uppträder i tre hufvudformer[2];

a) Högjämtskan (»medeljämtskan») i större delen af Jämtland karakteriseras af följande:

1. De gamla diftongerna äro bevarade (i Bräcke socken dock endast i ringa mån), t. e. *bein* ben, *douv* döf, *röyk* rök.

2. Efter ursprungligen lång rotstafvelse bortfaller slutvokal, och rotstafvelsen erhåller sammansatt accent (»cirkumflex»), t. e. *brinn* brinna.

3. Dativen finnes kvar som särskild kasus.

En i viss mån särskild ställning intar härinom Lid-

---

[1] Jfr Lundell, Nordisk familjebok, *Herjedalen* sp. 1096 f.

[2] Se Westin, *Landsmålsalfabet för Jämtland och Härjedalen* (i Svenska landsmålen XV, 3), Företal; med språkkarta.

[3] Jfr Lundell, Nordisk familjebok, *Jämtland* sp. 1511 f.

målet i nordvästligaste Jämtland, dit det invandrat från Norge först omkr. 1750.

β) Sydjämtskan (»Bergs-målet») i sydligaste Jämtland (söder om Oviken och Oviksfjällen) med följande kännetecken:

1. De gamla diftongerna äro bevarade och därjämte har *å* diftongerats, t. e. *baål, baot, båot, båut* båt, *läung, laung, låong* lång.

2. Efter ursprungligen lång rotstafvelse behålles slutvokal såsom ett »e»-ljud, t. e. *brinne* brinna.

3. Dativen finnes kvar som särskild kasus.

γ) Östjämtskan (»Ragunda-målet») i östligaste hörnet af Jämtland utmärkes af följande:

1. Diftonger saknas.

2 = *β*, 2.

3. Dativen är förlorad som särskild kasus.

B. De central-nordsvenska (»norrländska» i inskränkt mening) dialekterna i återstoden af det svensktalande Sverge kännetecknas af följande:

1. Pronomen *ni, I* har aldrig former, som börja med *d-*.

2 = A, 2.

3. Presens sing. af starka verber har vanligen ingen ändelse, men i regeln ej heller *i*-omljudd rotvokal.

4 = A, 4.

5. Ord sådana som *bro, ko, tro* ha i allmänhet *o*-ljud.

6. De gamla diftongerna äro nästan öfverallt (dock icke i öfre Västerdalarna och Västerbotten) kontraherade.

7. *skj* och *stj* ha dels (såsom i riksspråket) öfvergått till »sje»-ljud, dels intagit något mellanstadium under utvecklingen från den ursprungliga ljudförbindelsen hänemot det enhetliga »sje»-ljudet.

Detta stora, delvis alldeles otillräckligt undersökta dialektområde kan för närvarande icke i första hand indelas på annat än följande, väsentligen från landskapsindelningen hämtade sätt:

a. Bergslagsmålet i nordvästra Västmanland och syd-östra Dalarna, alltså ungefär mellan linjerna Nora—Sala i sydöst och Oforsen—Grycksbo—Svabensverk, är ett föga utprägladt öfvergångsmål mellan de medelsvenska sveamålen å ena sidan och dalmålet å den andra. Dock kan det nödtorfteligen karakteriseras genom följande [1]:

1. *rn* och *rt* ha sammansmält till enhetliga apiko-alveolara ljud.

2. Slutljudande *n* har efter svagtonig vokal bortfallit.

3. Bestämda pluralformer finnas öfverallt och ändas vanligen på *-arne, -ana* eller *-era*.

4. Dativen har försvunnit som särskild kasus.

5. *sk, skj, stj* ha öfvergått till »sje»-ljud i samma utsträckning som i riksspråket.

b. Dalmålet [2] (i vidsträckt mening) i återstoden af Dalarna (frånsedt Särna och Idre, hvarom se A, a ofvan) karakteriseras af följande:

1. *rn* och *rt* sammansmälta icke till apiko-alveolara ljud.

2 = a, 2.

3. Bestämda pluralformer dels finnas och ändas då vanligen på *-an, -ån, -on, -a* o. d., dels saknas de och ersättas af de obestämda.

4. Dativen är bevarad såsom särskild kasus.

5. *sk, skj, stj* ha aldrig öfvergått till ett enhetligt »sje»-ljud, t. e. *skäi, stjied, stsed* sked, *stjota, stsotu* skjuta, *stiälå, stjälå, stsälå* stjäla.

Detta, det mest söndersplittrade af alla svenska dialektområden, sönderfaller närmast i två stora delar:

a) Västerdalmålet i Västerdalarna kännetecknas af

---

[1] Jfr delvis LUNDELL, Nordisk familjebok, *Vestmanland* sp. 738.

[2] Se utförligare NOREEN, *Dalmålet* i Öfre Dalarna förr och nu (1903); med karta.

att *h*-ljudet är bevaradt, t. e. *hand*, och att särskilda bestämda pluralformer finnas, t. e. *arma(n)* armarna jämte *armer, armär, armör* armar. Härinom urskiljas tvenne ganska skarpt skilda dialektgrupper. Det öfre målet i socknarna Transtrand (med Dalens kapell) och Lima har bevarat de gamla diftongerna, t. e. *bäin* ben, *håuk,, höuk, höyk* hök, *häi* hö; det nedre målet i återstoden af Västerdalarna har kontraherat dem, t. e. *ben, hök (huk), hy.*

β) Österdalmålet i Österdalarna kännetecknas af att *h*-ljudet försvunnit (dock icke i Ore och norra Venjan), t. e. *and* hand, och att särskilda bestämda pluralformer i en mängd fall (minst i Orsa) saknas, t. e. *armer* eller *armär* armar, armarna. Äfven här kan man särskilja tvenne dialektgrupper, ehuru dessa omärkligt gå öfver i hvarandra:

* Det nedre österdalmålet i Nedansiljans domsaga utgör i det hela en öfvergångsform mellan bergslagsmålet och det öfre österdalmålet utan skarpa gränser åt någotdera hållet. I det stora hela kan man dock säga, att målet (visserligen med några viktiga reservationer beträffande Ore socken) saknar alla de egendomligheter, som nedan anföras såsom karakteristiska för det öfre målet, och att det på alla dessa punkter öfverensstämmer med riksspråket.

** Det öfre österdalmålet [1] (»dalmålet» i inskränkt mening) i Ofvansiljans domsaga (naturligtvis med undantag af Särna och Idre, se A, a ofvan) kännetecknas i sin motsats mot det nedre företrädesvis af följande:

1. Gammalt långt *i, u* och *y* ha diftongerats, t. e. *ais, äis, eis* is, *åute, åyte, åitå, öito, ailä* ute, *knöyta, knåyta, knöita, knåita, kneita, knaita* knyta.

2. Riksspråkets *ö,* då detta uppkommit af gammalt *öy,* motsvaras af *ä* (dock icke i Venjan), t. e. *ära* öra, höra.

3. *l* är inom allra största delen af området »tjockt» i

---

[1] Se Noreen, a. st. s. 414 ff.; *Inledning till dalmålet* i Svenska landsmålen IV, 1; med språkkarta.

ordens början, detta något alldeles enastående inom den svenska dialektvärlden. Dessutom har det inom nästan hela området (det förnämsta undantaget bildas af Venjan) försvunnit före *g, k, p* och *v*, t. e. *tåg* talg, *fuek, fuåk, fok* folk, *iåpa* hjälpa, *kåv* kalf.

4. Det gamla *w*-ljudet är inom största delen af området bevaradt såsom *w* (ej *v*).

Detta mål, tvifvelsutan det intressantaste af alla Sverges dialekter, är splittradt i en mängd smärre, ofta begränsade till blott en enda by. Emellertid kunna alla dessa med lätthet inordnas under trenne ganska skarpt skilda hufvudformer:

† Älfdalsmålet, den ålderdomligaste af dessa former, talas i Älfdalens (med Åsen), Evertsbergs och Våmhus' församlingar samt i byn Bonäs och dess omgifning i norra Mora. Det igenkännes lättast därpå, att gammalt långt *u* blifvit *au*, t. e. *aus* hus; likaså *å* före *ng, nk*, t. e. *laung* lång.

†† Mora-målet, den i smärre munarter mest söndersplittrade af dessa former, talas i Mora (utom Bonäs, men med Oxberg), Venjans och Sollerö församlingar. Här har gammalt långt *u* blifvit *åu, åy, åi, öy* eller *öi*, t. e. *åus* osv. hus; *å* före *ng, nk* har bibehållits eller (sällan) blifvit *o*, t. e. *lång (long)* lång.

††† Orsa-målet, den i fråga om ljudutvecklingen ursprungligaste, men i fråga om ordböjningen stundom (t. e. genom att jämförelsevis rikligt bevara särskilda former för bestämd pluralis) ålderdomligaste dialekten, talas i Orsa och Skattunge församlingar. Här har gammalt långt *u* (liksom *i* och *y*) blifvit *ai*, t. e. *ais* hus (is, hys); *å* har före *ng, nk* blifvit *ö*, t. e. *löng* lång.

c. Gästrikskan i Gästrikland är föga känd, men står tydligen uppländskan nära. Karakteristiskt, åtminstone för målet i landskapets centrum (omkring Storvik), är följande [1]:

1. *r* mister sin röstton före *k, p* och *tj*.

---

[1] Se Lundell, Nordisk familjebok, *Gestrikland* sp. 1132.

2. Slutljudande *n* kvarstår efter svagtonig vokal, t. e. *gatan, solen.*

3. *s* före *l* utbytes mot frikativt *l* utan röstton *(ʌ)*, t. e. *ʌlita* slita, *beʌle* betslet.

4. De gamla diftongerna äro kontraherade.

5. Pluraler af typen »hästarna» ha formen *hästan.*

d. Hälsingskan[1] i Hälsingland har följande hufvudsakliga kännetecken:

1. *r* före *k* och *p* blir apiko-alveolart »sje»-ljud *(ş)*, t. e. *starsk, skarsp;* före *l* öfvergå både *r* och »tjockt» *l* till apiko-kakuminalt »sje», t. e. *svasʈ* svart, svalt (neutrum af 'sval').

2. Slutljudande *n* har försvunnit efter svagtonig vokal och efter *r*, t. e. *gata* gatan, *sole* solen, *bar* barn.

3, 4, 5 = c, 3, 4, 5.

6. *l* mister sin röstton före *t*, t. e. *svahʲt* svalt (preteritum af 'svälta'); jfr om »tjockt» *l* före *t* ofvan 1.

7. Plural- och presensformer sakna nästan alltid det slutande -*r*, t. e. *kalva* kalfvar, *ko* kor, *duve* dufvor, *binne* binder (obs. ej *binn* såsom vanligen annars i Norrland).

e. Medelpadskan[2] i Medelpad kännetecknas af:

1. *rk, rn, rp, rt* uttalas som i riksspråket.

2. Slutljudande *n* har försvunnit efter svagtonig vokal.

3. *s* före *l* har blifvit apiko-alveolart (»rs», dvs. *ş*), t. e. *şlut* slut.

4, 5 = c, 4, 5.

6. *l* behåller sin röstton före *t*.

7. Plural- och presensformer behålla det slutande -*r*, men starka verber sakna i sing. all ändelse, t. e. *flyg* flyger.

f. Ångermanländskan[3] i Ångermanland (utom Nordmaling och Bjurholm, se g nedan) och Åsele lappmark (syd-

---

[1] Jfr Lundell, a. st. *Helsingland* sp. 997.
[2] Se Lundell, a. st. *Medelpad* sp. 1199.
[3] Jfr Waltman, Nordisk familjebok, *Ångermanland* sp. 424.

ligaste Lappland omkring Ångermanälfvens öfre lopp) karakteriseras af följande:

1, 2 — e, 1, 4.

3. *n* är apiko-alveolart (»rn», dvs. η) efter lång vokal, t. e. *årn* ån, *firn* fin, och i åtskilliga andra fall (se t. e. 4 och 5 nedan).

4. Komparativen ändas på *-erne* (det fornsvenska *-ane*, jfr 3 ofvan) jämte det nymodigare, från riksspråket inträngande *-are*, t. e. *likerne* likare.

5. Pluraler af typen »hästarna» ändas på *-a* efter ursprungligen lång, på *-arn* (af *-an*, jfr 3 ofvan) efter ursprungligen kort rotstafvelse, t. e. *hästa* hästarna, *dagarn* dagarna.

6. *l* (äfven då det är »tjockt») mister sin röstton före *k*, *p* och *tj*.

7 — e, 7.

Inom området kan man särskilja en nordöstlig och en sydvästlig dialektgrupp, mellan hvilka gränsen utgöres af den stora Skuleskogen (något söder om Örnsköldsvik), och som skilja sig från hvarandra förnämligast därigenom, att *sl* i den förra gruppen behandlas enligt e, 3, i den sednare enligt c, 3 ofvan, och att i den förra *hv* uttalas som *gv* (t. e. *gvilä* hvila) och *t* före *v* som »tje»-ljud (t. e. *tjväga* tvaga), under det att den sednare i båda dessa fall öfverensstämmer med riksspråket [1].

g. Västerbottniskan [2] (i vidsträckt mening) i de båda östligaste socknarna (Nordmaling och Bjurholm) af Ångermanland, hela landskapet Västerbotten (inberäknadt Norrbotten) och Lappland med undantag af Åsele lappmark (se f ofvan) utmärkes bl. a. af följande:

1. Mot riksspråkets af gammalt långt *a* uppkomna *å* svarar här långt *a*, t. e. *gas* gås; dock har man *å* längst i

---

[1] Jfr WALLMAN, a. st., och K. SIDENBLADH, *Allmogemålet i norra Ångermanland*, s. 1.

[2] Jfr LUNDELL, Nordisk familjebok, *Vesterbotten* sp. 685 f.; USANDER, *Allmogemålet i södre delen af Vesterbottens län*, s. 1 f.

söder, dvs. i den ångermanländska delen af området och i Ume-floddalen.

2. De gamla diftongerna äro i det stora hela bevarade (minst längst i söder), t. e. *heim, haim* hem, *bläut, blåut, blöyt, bleut* blöt, *räis, röys, råis* röse. Dessutom ha en mängd nya diftonger tillkommit.

3. *n* har i synnerhet efter lång vokal, i större eller mindre utsträckning blifvit apiko-kakuminalt *(n)*; jfr f, 3 ofvan.

4. Dativen är bevarad såsom särskild kasus, minst i söder.

5. Pluraler af typen »hästarna» uppvisa motsättningen *hesta* hästarna: *dagana* o. d. dagarna, beroende på rotstafvelsens ursprungliga kvantitet; jfr f, 5 ofvan.

6. *l* mister före *t* sin röstton; jfr f, 6 ofvan.

7 = e, 7.

Inom detta ofantligt vidsträckta område förekomma en mängd från hvarandra i hög grad afvikande dialekter, som dock närmast kunna indelas i tvenne grupper: en sydlig (»västerbottniska» i inskränkt mening) i den ångermanländska delen af området, den del af landskapet Västerbotten, som hör till Västerbottens län, samt Lycksele och Pite lappmarker, alltså i det stora hela ungefär Ume och Skellefte floddalar, och en nordlig (»norrbottniska») i den del af landskapet Västerbotten, som hör till Norrbottens län, och Lule lappmark. Den förnämsta olikheten mellan dessa båda består däri, att det norra, men i allmänhet icke det södra, området bevarat den gamla förbindelsen af kort vokal med följande kort konsonant framför vokal, t. e. *vîli* vilja, *îti* ätit. Särskildt intressant genom sina många och stora afvikelser från vanlig svenska är inom den nordliga gruppen den allra längst i nordöst (invid finska språkgränsen) belägna dialekten i Öfver-Kalix socken, som bl. a. bjuder på följande egendomligheter: skillnaden mellan *b* och *p, d* och *t, g* och *k* är upphäfd; likaså mellan de båda tonfallen i *büren* (af *bur*) och *büren* (af *bära*), i det att det sednare alltid ersatts af det förra; *hj* motsvaras af »sje»-ljud, t. e. *sjölp* hjälpa; *d* efter vokal af *r*, t. e. i *gleri* glädje; *»jä»* af *i* i sådana fall som *stila* stjäla, *tiro* tjära, *tiror* tjäder; en mängd nya diftonger ha uppstått jämte de gamla, i det att bl. a. alla ursprungligen långa *i, o, u, y* diftongerats, t. e. *äis* is, *kåu* ko, *häus* hus, *stöyr* styra.

C. De öst-nordsvenska [1] (»östsvenska», »finsk-svenska», »transbaltiska») dialekterna i de svensktalande trakterna öster om Östersjön under ryskt välde utmärkas särskildt af följande:

1. *ld* har icke assimilerats till *ll*, t. e. *håld* hålla, *keldån* källan.

2. *ng* uttalas (utom på Runö och fasta Åland) som »äng»-ljud med följande *g*-ljud.

3. Presens sing. af starka verber på -*ll*, -*nn* och -*m* ha *d*-inskott efter *ll* och *nn*, *b*-inskott efter *m*, t. e. *faldär* faller, *brindär* brinner, *kombär* kommer.

4. Lång vokal kvarstår oförkortad före *m*, t. e. *dömär* döm(m)er, *blomån* blomman.

5. Före vokal är förbindelsen af kort vokal med följande kort konsonant bevarad (utom på Åland), t. e. *büri* burit, *hämar* hammare.

6. Pluraltypen »böckerna» ändas på -*ren* (utom på Runö, se c, β, 4 nedan), t. e. *bökren* böckerna, *hendren* händerna.

7. Pronomina »du, den, denne» börja i allmänhet på *t*- i stället för *d*-.

8. Presens sing. af starka verber har bevarat ändelsen -*r* (jfr t. e. 3 ofvan).

---

[1] Se utförligt HULTMAN, *De östsvenska dialekterna* i Finländska bidrag till svensk språk- och folklifsforskning, utg. af Svenska landsmålsföreningen i Helsingfors (1894).

9. Presensparticipiet af verber på lång vokal ändas liksom hos öfriga verber på *-and*, t. e. *roand* roende, *slåand* slående.

10. 1 pers. plur. af imperativen omskrifves medelst 1 pers. plur. (vanligen i optativ, stundom i indikativ, sällan imperativ) af »vilja» och infinitiv, t. e. *vili (vila, vilå) ga* låtom oss gå.

11. Preteritimärket *(t)* placeras (utom på Åland och i Pargas, strax söder om Åbo) efter passivmärket *(s)*, t. e. *kallast* kallades, kallats, *byggdest* o. d. byggdes, byggts, *bandist* o. d. bands, *båndist* o. d. bundits.

Detta stora område indelas lämpligast i tre grupper:

a. De nordfinländska dialekterna i Österbotten, Satakunda, Houtskär socken (i Egentliga Finlands skärgård) och på Åland kännetecknas framförallt af följande:

1. *mb* kvarstår oassimileradt i alla ställningar, t. e. *tråmbå, -u* trumma, *lämb* lamm.

2. *rd* har blifvit »tjockt» *l* (som i Gamla Karleby och Neder-Vetil öfvergått till vanligt *l*), t. e. *bol* bord.

3. Verbets pluralformer äro (utom i imperativen, se 4 nedan) ersatta af singularens.

4. Ändelsen *(-in)* i 2 pers. plur. af imperativen placeras efter passivmärket *(s)*, t. e. *harmasin* harmens, *stsämsin* skämmens.

De hithörande mindre grupperna äro:

a) Österbottniskan i Österbotten karakteriseras bl. a. af följande:

1. *g* och *k* framför (ursprunglig) »len» vokal eller *j* ha både i uddljud och midljud blifvit *dj, dz* (i midljud vanligen, i uddljud mindre ofta blott *j*) och *tj, ts*, t. e. *(d)jäl* gärda, *tjänn* känna, *stjul* skjul, *stidji, stidzi* stigit. *fluji* flugit, *sättjin, sättsin* säcken.

2. Uddljudande *gn* har blifvit *kn-*, t. e. *knid* gnida, *knag(a)* gnaga.

β) **Satakunda-målet** i den lilla svensktalande delen af Satakunda utmärkes af följande:

1. *g* och *k* äro bevarade framför »len» vokal.

2. *d* efter vokal motsvaras af *g,* t. e. *slägamäig* slädmed.

3. *h* och *l* ha icke förstummats i sådana fall som *hiul* hjul, *hiälp* hjälpa, *lius* ljus, *liug* ljuga.

γ) **Houtskär-målet** i Houtskär socken af Egentliga Finland karakteriseras af följande:

1. *g* och *k* framför »len» vokal eller *j* ha både i uddljud och midljud blifvit *j* (i midljud dock äfven *dj*) och *tj,* t. e. *jevå* gifva, *stjut* skjuta, *slaje* slaget, *flydji* flugit, *briddjå* brygga, *rintjå* rynka.

2. *hv* motsvaras af *kv,* t. e. *kvitär* hvit, *kva* hvad.

3. *u* och *ä* motsvaras i korta rotstafvelser före *i* af *y* (före »tjockt» *l* öfvergånget till *ö*) och *i,* t. e. *skyri* skurit, (*möli* mulen,) *lisi* läst.

δ) **Åländskan** på fasta Åland och i dess skärgård har bl. a. följande egenheter:

1 = γ 1. Dock har fasta Åland denna förändring af *g* och *k* blott i uddljud.

2. *u* före *gg* motsvaras af (slutet) *o,* t. e. *hogg* hugg, *togga* tugga.

3. Den gamla diftongen *au* är kontraherad; likaså i stor utsträckning de gamla diftongerna *ai* och *öy.*

4. Förbindelsen af kort vokal med följande kort konsonant saknas alldeles; jfr C, 5 ofvan.

5. Det passiva preteritet ändas icke på -*st;* jfr C, 11 ofvan.

b. **De sydfinländska dialekterna** i Egentliga Finland (utom Houtskär, se a, γ ofvan) och Nyland kännetecknas af följande:

1 = a, 1.

2. *rd* har icke blifvit »tjockt» *l* mer än å Finlands sydvästra spets (trakten omkring Hangö och Ekenäs, närmare

— 124 —

bestämdt mellan Kimito och Sjundeå). Emellertid har detta *l* sedermera öfvergått till vanligt *l* utom i den lilla del af området (nordväst om Hangö), som hör till Egentliga Finland; jfr *a* och *β* nedan.

3 = a, 3.

4. Det passiva supinet hos verber af typerna »bygga», »lysa» och »tro» bildas medelst *-ast*, lagdt till den aktiva preteritalstammen, t. e. *tåurdast* torts, *lystast* lysts, *tråuddast* trotts.

5. Förbindelsen af kort vokal med följande kort konsonant har (utom i Korpo socken, söder om Houtskär) bevarats äfven i slutljud (jfr C, 5 ofvan), t. e. *nät*, *hål* med kort *ä* och *å*. Detta dock icke, då vokalen är *a*, t. e. *bak*, *dal* med långt a.

Dessa dialekter kunna närmast indelas i tvenne mindre grupper:

a) Egentliga Finlands mål, som äga »tjockt» *l* jämte vanligt.

β) Nyländskan, som ersatt hvarje »tjockt» *l* (ursprungligt eller af *rd* uppkommet, se 2 ofvan) med vanligt.

c. De baltiska (»est-svenska», i vidsträckt mening) dialekterna i Estland, Livland och södra Ryssland (se s. 90 f.) kunna karakteriseras genom följande:

1. *mb* har mellan två vokaler blifvit *mm* (som analogiskt kan öfverföras till slutljudet, liksom *mb* kan från slutljud öfverföras till mellanvokalisk ställning), t. e. *tråmma*, *trumma* (jämte *trumba* efter den obestämda formen *trumb*) trumman.

2. *rd* har icke blifvit »tjockt» *l* utom på Nargö, där det dock vidare utvecklats till vanligt *l*.

3. *y* har blifvit *i*, och ö har i nästan alla ställningar blifvit *e* eller *ä*, t. e. *lis* lysa, *ben* bön, *sänir* söner.

4. Mot det af gammalt *iu* uppkomna *y* efter *r* och »tjockt» *l* svarar långt *u*, t. e. *ruk* ryka, *klu* klyfva.

5. *l* har icke förstummats i *lius* ljus, *liu(g)* ljuga osv.
Hit höra följande mindre grupper:

a) De estsvenska (i inskränkt mening) dialekterna i
Estland och södra Ryssland (Gammalsvenskby, se s. 91) ha
följande kännemärken:

1. *ng* uttalas som »äng»-ljud med följande *g*-ljud (jfr
C, 2 ofvan).

2. Långt *i* (ursprungligt eller uppkommet af långt *y*
enligt c, 3 ofvan) kvarstår oförändradt före *r* och »tjockt» *l*,
t. e. *stir* styre.

3. Långt *å* (ursprungligt eller uppkommet genom för-
längning) kvarstår oförändradt, t. e. *våtär* våt, *bån* barn,
lånd land.

4. Pluraltypen »böckerna» heter *bekren* (jfr C, 6 ofvan).

5. Alla neutrala substantiver ha antagit pluraländelsen
-*ir* eller -*är* (i obestämd form), t. e. *husir*, -*är* hus, *stirir*
styren.

6. Obestämd plural har icke sammanfallit med bestämd.

Härinom urskiljer man fyra hufvuddialekter:

* Nargö-målet på Nargö har följande företrädesvis
karakteristiska drag (af hvilka alla utom 6 utgör öfverens-
stämmelser med alla eller de flesta finländska mål, liksom
Nargömålet öfver hufvud står dessa nära):

1. »Tjockt» *l* har öfverallt utbytts mot vanligt *l*.

2. *hj* motsvaras (liksom i riksspråket) af *j*-ljud, t. e.
jul hjul.

3. *hv* motsvaras af *kv*, t. e. *kvass* hvass.

4. *kt* har blifvit *ht* (sällan *ft*), t. e. *siuht* sjukt.

5. Den gamla diftongen *au* har blifvit *öu*, t. e. *bröut* bröt.

6. Adjektivets singulara femininform är ersatt af den
maskulina (något hvarutinnan Nargömålet är enstående bland
alla öst-nordsvenska mål), t. e. *kvitär* hvit m. och f.

7. Verbets pluralformer äro både i presens och prete-
ritum ersatta af singularens.

— 126 —

****** Rågö-Wichterpal-målet på Rågöarna och i Wichterpal utmärkes af följande:

1. »Tjockt» *l* finnes kvar.
2. *hj* motsvaras af *si*, t. e. *siul* hjul.
3. *hv* motsvaras af *kw*, t. e. *kwass* hvass.
4 — *, 4 (åtminstone i Wichterpal).
5. Diftongen *au* har blifvit *äu*, t. e. *bräut* bröt.
6. Adjektivets singulara femininform ändas på *-a* i alla ställningar, t. e. *halva* half.
7. Verbets pluralformer äro blott i preteritum ersatta af singularens.

******* Ormsö-Nuckö-målet på Ormsö, Nuckö och Odensholm samt i Egeland har följande karakteristika:

1 — **, 1.
2. *hj* motsvaras af *hi*, t. e. *hiul* hjul.
3. *hv* motsvaras af *hw*, t. e. *hwitur* hvit.
4. *kt* har blifvit *ft* (stundom *ht*), t. e. *siuft* sjukt.
5. Diftongen *au* uppträder som *au*, t. e. *au* öga.
6. Adjektivets singulara femininform ändas i attributiv ställning på *-a*, men saknar ändelse i predikativ ställning, t. e. *halva: halv* half.
7. Verbets pluralformer äro bevarade både i presens och preteritum.
8. *tv* motsvaras af *f*, t. e. *få* två.
9. Adjektivets plural har bevarat de olika ändelserna för maskulinum, femininum och neutrum, t. e. m. *hwitir*, f. *hwitar*, n. *hwit* hvita.

******** Dagö-Gammalsvenskby-målet på Dagö och i Gammalsvenskby kännetecknas af:

1, 2, 3 — **, 1, 2, 3.
4 — ***, 4.
5 — *, 5.
6. Adjektivets singulara femininform saknar ändelse i alla ställningar, t. e. *våt* våt.

— 127 —

7. Verbets pluralformer äro på Dagö bevarade både i presens och preteritum, i Gammalsvenskby blott i presens, under det de i preteritum ersatts af singularens.

8. *tv* motsvaras på Dagö af *f*, i Gammalsvenskby af *tf*, t. e. *få*, *tfå* två.

9. Adjektivets feminina pluraländelse -*ar* har inträngt i maskulinum och neutrum, t. e. m. f. n. *kwitar* hvita.

10. *gn* motsvaras af *vn* (på Dagö dock efter *a* af *wn*), t. e. *rävn* regn, *vävn (vawn)* vagn.

β) Runö-målet på Runö äger följande förnämligare kännetecken:

1. *ng* uttalas (liksom i riksspråket) som blott »äng»-ljud.

2. Långt *i* (ursprungligt eller uppkommet enligt c, 3 af långt *y*) har före *r* och »tjockt» *l* blifvit långt *u*, t. e. *spur* spira, *sul* sila, *stur* styre.

3. Långt *å* (ursprungligt eller genom förlängning uppkommet) har diftongerats till *ua*, t. e. *kruak* kråka, *buan* barn, *luand* land (jfr a, 3 ofvan).

4. Pluraltypen »böckerna» heter *bekru*.

5. Nästan alla neutrala substantiver ha antagit (den feminina) pluraländelsen -*u*, t. e. *skepu* skepp, skeppen (jfr 6), *sneru* snören, snörena.

6. Den obestämda pluralformen är ersatt af den bestämda, t. e. *hästa* hästar, -arna, *säni* söner, -erna, *finu* fenor, -orna.

7, 8, 9 = ***, 7, 8, 9.

10 = *, 4.

11. Diftongen *au* har blifvit *åu*, t. e. *dråum* dröm.

12. Verbets pluralformer äro bevarade i presens och alternativt i preteritum, t. e. *bitu* eller *bäit* beto.

Anm. 2. Den nordsvenska dialektgruppen visar i så många punkter (t. e. III, 1, 2, 6, 7 och 9 ofvan) öfverensstämmelser med den östländska norska (se s. 83), i synnerhet sådan denna uppträder »nordanfjälls» (dvs. i Trondhjems och Tromsö stift), att dessa båda grupper vid en indelning af alla skandinaviska dialekter kunna, om ock med en viss svårighet, sammanföras till en nord-skandinavisk grupp[1].

IV. De gutniska (»gottländska») dialekterna[2] på Gottland (med Fårö) äro jämte dalmålet säkerligen de från svenska riksspråket mest afvikande af alla, detta i den grad, att de — liksom deras stammoder forngutniskan — med skäl kunna sägas utgöra ett särskildt (national)språk vid sidan af svenskan. Bland massan af karakteristiska drag må här blott nämnas följande:

1. Blott icke' skorrande *r* finnes. Detta förändrar visserligen ett följande (dorso-gingivalt) *d, l, n, s* och *t* till apiko-alveolara ljud, men kvarstår dock framför dessa utan att sammansmälta med dem.

2. »Tjockt» *l* och alla andra apiko-kakuminala ljud saknas.

3. »sje»-ljudet är dorso-velopalatalt *(ʃ)*.

4. Öfvergång från *nn (nd)* till »äng»-ljud är okänd.

5. De gamla diftongerna kvarstå såsom sådana, t. e. *bain* ben, *gauk* gök, (*bjauda* bjuda, forngutniskt *biauþa,*) *håyra* höra. Dessutom ha alla långa vokaler mer eller mindre tydligt diftongerats, t. e. *bäita* bita, *böy* by, *häus* hus, *lëik* lekte osv.

6. *u*-ljudet är dorso-velart (»europeiskt» *u*).

7. Långt *a* har icke blifvit *å*, t. e. *bat* båt.

8. Kort *i* och *y* ha (utom före *r*) aldrig blifvit *e* och *ö*, t. e. *liva* lefva, *syner* söner.

9. *g, k, sk* och *stj* ha aldrig, icke ens före »lena» vokaler, öfvergått till frikativor (eller affrikator).

10. Förbindelserna *mb, ld, ng, lg, rg* och *gd* ha bevarats äfven i de fall, då de i riksspråket blifvit *mm, ll, nn,*

---

[1] Se LUNDELL, *Om de svenska folkmålens frändskaper,* s. 47 ff.

[2] Se NOREEN, Nordisk familjebok, *Gotland* sp. 1398 ff.; utförligare LUNDELL, a. st. s. 15 f. och s. 24. Jfr om forngutniskan NOREEN, *Altschwedische grammatik,* s. 22 ff.

»äng»-ljud (utan följande *g*-ljud), *lj, rj* och *jd*, t. e. *lamb* lamm, *halda* hålla, *ting* ting, *talg* talg, *sårg* sorg, *slygd* slöjd.

11. *j* saknas i sådana ord som *bida* bedja, *hyla* hölja, *snära* snärja, *nyta* nyttja.

12. Slutljudande *n* och *l* äro bortfallna efter svagtonig vokal, t. e. *bindi* binden, *milla* mellan, *bundi* bundet, -it, *lasi* låset.

13. Den svaga bitonen på ändelser är något svagare än i riksspråket, men tillkommer alla svagtoniga ändelser (alltså äfven dem som i riksspråket äro obetonade), så att t. e. typerna *buren* (af *bur*) och *buren* (af *bära*) äro lika i fråga om intensitets- (men icke tonalitets-)förhållandena.

14. Substantivets bestämda pluralform är hos maskuliner och femininer ersatt af den obestämda, t. e. *uksar* oxar, oxarna, *kellingar* käringar, käringarna.

15. Verber af typen »kalla» ha förlorat sitt preteritimärke, t. e. *kalla* kallade.

Gutniskan sönderfaller i flera icke synnerligen olika dialekter, af hvilken den ålderdomligaste och ojämförligt intressantaste är den nordligaste af dem alla: Fårömålet på den genom ett smalt sund från det öfriga Gottland skilda Fårön.

Om de möjligen befintliga dialektskiftningarna inom »svensk-amerikanskan» och andra emigrantkoloniers språk (se s. 93) är intet kändt.

Anm. 3. De nutida nordiska dialekterna kunna således samtliga fördelas på följande sju grupper, befryndade med hvarandra ungefär i samma grad och på samma sätt, som deras geografiska läge i förhållande till hvarandra anger: Isländska, färöiska, västnorska, nordskandinaviska, gutniska, medelsvenska, sydskandinaviska. Jfr anm. 1 och 2 ofvan samt § 12.

Till vinnande af en lättare öfversikt öfver det hela meddelas här till sist följande summariska tabell öfver de nutida nordiska dialektgrupperna:

    I. Isländska (jfr s. 82).

   II. Färöiska (jfr s. 84).

  III. Västnorska s. 83.

FJÄRDE KAPITLET.

Nysvenskans perioder och källor.

§ 16. Nysvenskans perioder.

Om man daterar nysvenskan från år 1526, så är denna bestämda tidpunkt icke fullt så godtycklig, som det i förstone kunde förefalla. Ty icke blott i rent typografiskt afseende betecknar detta år en vändpunkt i den svenska skriftens historia, i det att boktryckaren Richolff i Stockholm då inför tre nya bokstafstyper: å, á, ó, i stället för de i äldre svenskt tryck (från och med omkr. 1490) använda aa, á, ö [1], hvadan ett dylikt tryck redan för en helt flyktig blick äger sitt äldsta möjliga datum gifvet; utan äfven inom själfva det talade språket börjar då en revolution, bl. a. riktad mot språkets under unionstiden alltmer kring sig gripande fördanskning, i och med uppträdandet af Olavus Petri såsom författare. Detta år begynner nämligen denne utgifvandet af sina talrika reformationsskrifter, hvilka blefvo af en så genomgripande betydelse, detta icke minst i språkligt afseende. Det nya härutinnan torde vara märkbarast i fråga om ordförråd och ordbildning, i det att det danska inflytandet minskas, under det att det tyska snarare ökas och numera ej blott är ett lågtyskt sådant, såsom under tiden för Hansans obestridda välde här i norden, utan äfven från och med 1600-talet ett högtyskt, detta sednare i synnerhet i följd af de tyska refor-

---

[1] Medelsvenska handskrifter använda *a, aa, o,* sällan *å,* mycket sällan *aå* för *å; a',* sällan *á, e,* mycket sällan *e'* för *ä; o' ö,* sällan *ó* för *ö.*

mationsskrifternas inflytande, våra krigares långvariga vistelse på tysk botten och förvärfvandet af tyska provinser. Bland viktigare punkter, som karakterisera reformationstidens svenska i motsättning mot den närmast föregående tidens medelsvenska (eller »yngre fornsvenska») må särskildt framhäfvas [1]:

1. *h* i *hj* och (senare) *hv* är förmodligen redan nu tämligen allmänt (i några dialekter redan tidigare) förstummadt.

2. Nom. och ack. plur. ändas i ord af typerna *hästar, lotter* på *-ar, -er* i stället för äldre *-a, -e*.

3. Neutra på *-e* ändas i pluralis ofta (ej såsom förut sällan) på *-er*, t. e. *stycker* (jämte det nyare *stycken* och det äldre *stycke*).

4. Genitiven ändas på *-s* i alla genera, numeri och deklinationer, således äfven i de fall, då den i medelsvenskan ändades på *-a* eller *-o*, t. e. *boghas* (eller *boghes*) båges, *qvinnos (qvinnas)* kvinnas.

5. 1. pers. plur. lånar 3 personens form, t. e. *fara, foro* för *farom, forom.*

6. Uppkomsten af verbalsubstantiver på *-ande, -ende* (ursprungligen germanismer), t. e. *lidande, uppseende.*

7. Adverber på *-liga* antaga så småningom biformer på *-ligen* (ursprungligen en germanism), t. e. *rätteligen* jämte *rätteliga.*

Att mellan 1526 och våra dagar finna en tidpunkt, som i samma grad som nyssnämnda år utgör en vändpunkt i språkets historia, är omöjligt, och valet af en periodgräns blir här alltid skäligen godtyckligt. Dock bör en sådan alldeles afgjordt helst förläggas till början af 1700-talet. Ty under det att t. e. den s. k. Karl XII:s bibel af år 1703 ännu väsentligen representerar reformationstidens språkbruk — detta visserligen till stor del i följd af afsiktligt kvarhållande af ett äldre språkbruk (jfr § 17, XXXV) — så står redan trettio år senare den tidens förnämsta språkminnesmärke inom den högre,

---

[1] Jfr Noreen i Pauls Grundriss, 2 aufl., I, 540.

om också icke lika höga, stilens område, nämligen 1734 års allmänna lag, i allt väsentligt på samma ståndpunkt som nutidens språkalster inom samma stilart; liksom ock en iögonenfallande ortografisk olikhet råder mellan de båda nämnda arbetena därutinnan, att 1703 års bibel ännu ofta använder dubbelskrifna vokaler och *dh, gh,* under det att intetdera brukas i 1734 års lag, t. e. 1703 *faar, medh, lagh,* men 1734 *far, med, lag* [1]. Och alldeles samtidigt gör Dalin genom sin Argus (1732—1734) epok inom normalstilens (och i viss mån äfven mellanstilens) prosa, som sedan dess icke så synnerligen mycket förändrat sig, om ock visserligen vida mer än den oratoriska stilens. Denna nya, af Dalin inledda tid karakteriseras, språkligt sedt, i sin allmänhet och på lättast iakttagbart sätt dels däraf, att i fråga om ordförrådet det tyska inflytandet aftar och det förut mindre betydande franska tilltar, dels ock däraf, att den från medelsvenskan ärfda nominalböjningen nu är nästan i allo definitivt uppgifven. Bland mera speciella kännetecken må följande här anföras [2]:

1. De med *dh* och *gh* betecknade (frikativa) ljuden ha försvunnit och ersatts af *d* och *g,* t. e. *bröd, lag* för *brödh, lagh.*

2. *sj* och *stj* ha sammansmält till ett enhetligt »sje»-ljud, det förra kanske redan betydligt tidigare.

3. *d* i *dj* och *l* i *lj* förstummas, det sednare kanske redan något tidigare.

4. Neutra på vokal ändas nu nästan alla (utom de på *-eri*) i pluralis på *-n*, t. e. *stycken, knän.*

5. Substantivernas bestämda form utmärker nu numerus blott hos själfva substantivet, kasus däremot blott hos artikeln, icke som förr båda delarna hos bäggedera, t. e. *synd-erna* för *synd-e(r)-nar, orm-ens* för *orms-ens, grann-ar-nas.*

---

[1] Jfr CARLSSON, *Rättskrifningen uti originalupplagan av 1734 års lag* (i Nystavaren III, 150 ff.).

[2] Jfr NOREEN, a. st. I, 541 f.

6. Adjektivet har nu af de gamla medelst ändelser bildade kasus blott en och substantivet blott två i behåll, nämligen nominativen och (hos substantivet) den omedelbart af denna (genom tillägg af *s*) bildade genitiven, t. e. *båges*, *qvinnas* för äldre *båga-s*, *qvinno-s*.

7. Adverber på *-ligen* äga ej längre, annat än undantagsvis, biformer på *-liga*.

Om man sålunda, på grund af hvad nu anförts, indelar nysvenskan i två perioder, kallas den tidigare af dem (1526 —1733) äldre nysvenska (stundom, i synnerhet förr, »gammalsvenska»), den senare (1733 tills nu) yngre nysvenska.

§ 17. Det äldre nysvenska riksspråkets källor.

Den äldre nysvenskans källor (på riksspråk; jfr § 19) bestå naturligtvis uteslutande i denna periods skrifna litteratur. En fullständig biografi öfver denna saknas ännu. Joh. Scheffers för sin tid utmärkta och ännu oumbärliga 'Suecia literata', Stockholm 1680 (ny upplaga Hamburg 1698 med tillägg och rättelser af Joh. Mollerus) slutar med år 1679 och är naturligtvis långtifrån fullständig, helst som många då för tiden ännu otryckta värdefulla handskrifter från ifrågavarande tid icke omnämnas, samt äfven stundom direkt felaktig. Dessutom är arbetets plan särskildt därutinnan olämplig, att de svenska boktitlarna öfversättas till latin (hvarpå för öfrigt hela arbetet är författadt), och att icke konsekvent ges upplysning om hvilka arbeten äro skrifna på latin och hvilka på svenska. En fullständig bibliografi för tiden 1526—30 meddelar G. E. Klemmings och A. Anderssons tillsvidare ofullbordade 'Sveriges bibliografi 1481—1600' (Uppsala 1889—92), en ganska tillfredsställande sådan för tiden 1600-32 A. A. v. Stiernmans 'Bibliotheca Sviogothica' II (1731; de öfriga sex otryckta delarna i handskrift å Uppsala universitetsbibliotek). En ganska allsidig, men långt ifrån fullständig bibliografi för hela perioden kan man också på sätt och vis sägas ha i P. F. Aurivillius' utmärkta 'Catalogus librorum impressorum bibliothecæ regiæ academiæ upsaliensis' (1814). Annars äger man blott att tillgå förteckningar öfver litteraturen inom vissa ämnen eller från vissa orter. Den historiska (i detta ords vidsträcktaste bemärkelse) litteraturen förtecknar omsorgsfullt C. G. Warmholtz' 15 band starka »Bibliotheca Historica Sueo-Gothica» (1782—1817), predikolitteraturen tämligen fullständigt J. C. Strickers 'Försök Til et Swenskt Homiletiskt Bibliotek' I (1767). Fullständiga och tidsenliga bibliografier äger man för den dramatiska och liturgiska litteraturen i Klemmings 'Sveriges dramatiska litteratur' (1863—79) och 'Sveriges äldre liturgiska literatur', s. 42 ff. (1878) samt för tidnings- och tidskriftslitteraturen i B. Lundstedts 'Sveriges periodiska litteratur' I—III (1895—1902). Af lokalt begränsade bibliografier må här blott anföras den viktigaste: S. G. Elmgrens 'Öfversigt af Finlands litteratur ifrån år 1542 till 1770' (Hälsingfors 1861). För ännu otryckta handskrifter af värde från 1500- och 1600-talen redogör bl. a. H. Wieselgrens 'Reconditi labores' i Samlaren IX, 99 ff. och XI, 27 ff.

De i litterärt (»filologiskt») afseende viktigaste alstren intill midten af 1600-talet anföras af H. Schück i 'Svensk Literaturhistoria' I, 209 ff. (1890) och för hela periodens vidkommande, men mindre utförligt, af H. Schück och K. Warburg i 'Illustrerad Svensk Litteraturhistoria' I, 173 ff. (1896). Här åter må blott förtecknas några af de i rent språkligt (»lingvistiskt») afseende allra viktigaste källorna för riksspråkets historia under ifrågavarande period, särskildt sådana arbeten, som föreligga i fullt tidsenliga upplagor, i hvilket sistnämnda fall äfven åtskilliga mindre betydande arbeten medtagas.

Främst bland alla äldre nysvenska författare måste naturligen på grund af sin mångsidighet och storslagenhet samt framför allt sin grundläggande betydelse som stilist ställas den äfven till sitt framträdande i tiden äldste nämligen

1. OLAVUS PETRI PHASE, f. 1493, d. 1552. Af hans till största delen anonyma skrifter [1] äro följande de, åtminstone för oss, viktigaste:

1. *Een nyttwgh wnderwijsning wthwr schrifftenne om menniskiones fall,* Stockh. 1526; ny, ytterligt noggrann upplaga af A. Andersson i Skrifter från reformationstiden 3 (Upps. 1893) med mycket utförlig inledning, glossar och ett varianttryck (äldre än hufvudupplagan, men dock från 1526) af första arket. Denna vår första reformationsskrift är säkerligen ett svenskt originalarbete, hvars förebild varit Luthers Betbüchlein. Det är anonymt, men, såsom Ahnfelt definitivt ådagalagt, med visshet af Ol. Petri.

2. *Een skön nyttugh vnderwisningh . . . stelt på spörsmåll och swar,* [Stockh.] 1526; ny ytterst noggrann upplaga af A. Andersson i Skrifter från reformationstiden 4 (Upps. 1893) med inledning och glossar. Detta lilla arbete, vår första nysvenska »katekes», är en nästan ordagrann öfversättning af en lågtysk bearbetning af de bömiska brödernas katekes. Det är äfvenledes anonymt, men så godt som säkert af Ol. Petri [2].

3. *Thet Nyia Testamentit på Swensko,* Stockh. 1526; nytt, bokstafstroget (med angifvande af rättade uppenbara tryckfel) textaftryck af A. Andersson, Upps. 1893. Denna första fullständiga svenska öfversättning af Nya testamentet är visserligen, äfven den, anonym, men bevisligen [1] utförd af Ol. Petri, om ock med biträde af några vänner, bl. a. Laurentius Andreæ. Att arbetet väsentligen baserar sig på Erasmus' och Luthers bibelöfversättningar, har i detalj uppvisats af E. Stave i 'Om källorna till 1526 års öfversättning af Nya testamentet' (1893).

---

[1] Se SCHÜCK, *Svensk literaturhistoria* I, 229 ff., Historisk tidskrift 1894, s. 97 ff.; Samlaren 1888, s. 5 ff.; ANDERSSON, *Skrifter från reformationstiden* 3, s. XLVI ff., (AHNFELT, sammastädes) 7, s. III.

[2] Se ANDERSSONS upplaga, Inledningen.

4. Vår äldsta luterska psalmbok [1], tryckt sannolikt 1526 (möjligen 1527) och förmodligen bärande titeln *Svenska visor eller sånger*. Andra upplagan, tryckt 1530, bar titeln *Någre Gudhelige Wijsor* och hade som bihang några mot katolicismen riktade dikter af en Olaf Svensson. Af dessa båda upplagor känner man blott till ett fragment, snarast tillhörande andra upplagan, aftryckt hos Klemming, Ur en antecknares samlingar, (Uppsala-upplagan) s. 188 ff. (1880—82), och separat, Stockh. 1871. Tredje betydligt tillökade upplagan, tryckt 1536 under titeln *Swenske Songer* (O. Svenssons tillägg med särskild titel: *Några wijsor*) är däremot fullständigt bevarad; omtryckt af Klemming, 'Svenska Psalmboken af 1536', Stockh. 1862. Innehållet utgöres väsentligen af öfversättningar från latinet och tyskan. Boken är anonym, men har allmänt antagits förskrifva sig från Ol. Petri.

5. *En Christelighen formaning til Sweriges jnbyggiare*, Stockh. 1528; ny, noggrann upplaga af Andersson och Schück i Skrifter från reformationstiden 1 (Upps. 1889). Denna vid Gustaf I:s kröning hållna predikan hör både i fråga om språk och innehåll till Ol. Petris allra bästa alster och är vår äldsta bevarade protestantiska originalpredikan.

6. *Een handbock påå Swensko*, Stockh. 1529; ny, bokstafstrogen upplaga af O. Quensel i Bidrag till svenska liturgiens historia I (Upps. 1890), med liturgiskt historisk kommentar. Arbetet är ett i det hela taget själfständigt verk af Ol. Petri och utgör vår första luterska kyrkohandbok.

7. *Een predican emoot the gruffueliga eedher*, Stockh. 1539; ny, noggrann upplaga af Andersson och Schück i Skrifter från reformationstiden 2 (Upps. 1889).

8. Ol. Petris troligen något före 1540 nedskrifna original-handskrift, innehållande uppsatserna *Om menniskionnes ärliga skapelse*, *Om menniskionnes fall* och *Om menniskionnes upret-*

---

[1] Se SCHÜCK. *Svensk Literaturhistoria* 1, 332 f.; KLEMMING och ANDERSSON, *Sveriges bibliografi*, s. 160 och 210 ff.

lelse samt tvenne fragmenter om helgon och om änglar, för första gången utgifven af O. Ahnfelt i Anderssons Skrifter från reformationstiden 7 (Upps. 1898).

9. *En swensk Cröneka,* vår första svenska historia på modersmålet och ett af Ol. Petris yppersta arbeten, bevaradt i öfver 60 handskrifter, af hvilka den äldsta, som är nästan samtidig med författarens omkr. 1540 tillkomna original och kanske en renskrift af detta, för första gången utgifvits af Klemming, 'Olai Petri svenska krönika', Stockh. 1860.

10. En i öfver 20 handskrifter bevarad lagkommentar, utgifven efter den äldsta af dessa (skrifven före 1550) af C. G. E. Björling, 'Vår äldsta lagkommentar', I, Lund 1896, med anmärkningar och med varianter från 18 andra handskrifter.

11. *Tobie Commedia.* Stockh. 1550; omtryckt senast och bäst af (Klemming och) L. Manderström, Stockh. 1849. Detta vårt tidigast tryckta drama är visserligen anonymt, men sedan gammalt allmänt tillskrifvet Ol. Petri.

II. LAURENTIUS PETRI (NERICIUS), f. 1499, d. 1573. Af hans skrifter må blott anföras:

1. *Biblia, Thet är All Then Helgha Scrifft på Swensko,* Upps. 1541. Denna vår första fullständiga bibelöfversättning, vanligen kallad »Gustaf I:s bibel», är utarbetad på grundval af Luthers öfversättning af år 1534. Hufvudredaktör för det hela var L. Petri och bland medarbetarna intog Ol. Petri en framstående plats, under det att de öfriga ej äro till namnet kända. Arbetets förhållande till sina källor behandlar utförligt i hvad angår Nya testamentet E. Stave, 'Om källorna till 1541 års öfversättning af Nya testamentet' (1896). Dess vikt och betydelse i språkligt afseende är synnerligen stor, enär det helt naturligt blef för lång tid normgifvande i fråga om den högre stilen, i all synnerhet inom den andliga litteraturen.

2. *Œconomia christiana. Om Cristeligit Husholdh,* en 1559 från tyskan öfversatt etisk afhandling, som efter den äldsta bevarade handskriften (något senare än det förlorade

originalet) för första gången utgifvits af H. Lundström i Anderssons Skrifter från reformationstiden 5 (Upps. 1897).

3. **Förslag till kyrkoordning af år 1561**, för första gången utgifvet af O. Ahnfelt, 'Laurentii Petri handskrifna kyrkoordning af år 1561', Lund 1893.

4. *Then Swenska Psalmeboken*, Stockh. 1567, redigerad af L. Petri och innehållande en mängd nya af honom (från tyskan eller danskan) öfversatta, sällan författade psalmer; ljustrycks-faksimile efter det enda bevarade exemplaret är utgifvet af Klemming, Stockh. 1884. En ny, tillökad upplaga utgafs af L. Petri 1572, och fotolitografiskt faksimile af denna, äfvenledes blott i ett enda exemplar (utan titelblad) bevarade upplaga har af Klemming och C. Annerstedt utgifvits under titeln 'Then Swenska Psalmeboken', Stockh. 1887.

III. GUSTAF VASAS författarskap föreligger dels i P. Swarts (se IV nedan) skrifter, dels, om ock icke alltid efter konungens direkta diktamen, i riksregistraturet, utgifvet af V. G. Granlund, G. O. Berg och J. A. Almquist, 'Konung Gustaf den förstes Registratur' I—XX (åren 1521—49; fortsättes), Stockh. 1861—1902. »Valda bref» ur detsamma (ända till och med år 1560) äro med moderniserad stafning, men bibehållna språkformer utgifna af N. Edén i Lundells och Noreens samling 'För skola och hem' 19 (1901).

IV. PEDER SWART, biskop i Västerås, d. 1562, har på uppdrag och under vägledning af Gustaf Vasa författat följande anonyma arbeten:

1. *Någer stykker aff then Danske Cröneke . . Teslikest the Swenskes rätferdelige och oumgångelige genswar*, Stockh. 1558; fotolitografiskt faksimile häraf utgifvet (af Klemming) Stockh. 1863. Blott »genswaret», en versifierad politisk stridsskrift, är på svenska, det föregående utdrag ur danska rimkrönikan.

2. *Chrönica . . om thens . . Herres Herr Götstaff . . regeringh* författad 1561, för första gången utgifven efter original-

handskriften af Klemming, 'Gustaf I:s krönika af Peder Swart',
Stockh. 1870. Arbetet är ofullbordadt och slutar med år 1533
(jfr VI, 1 nedan).

V. BENEDICTUS OLAUI, lifmedikus, d. 1582: *Een nyttigh
läkere book*, Stockh. 1578. Arbetet utgör vår första svenska
handbok i medicin och är en bearbetning från danskan.

VI. PEDER BRAE (Pär Brahe d. ä.), riksdrots, f. 1520,
d. 1590, har författat:

1. *Salig och Höglofflig Konungh Giöstaffz Historia*, för-
fattad på 1580-talet, för första gången (men blott delvis och
icke tillfredsställande) utgifven efter äldsta handskriften (från
slutet af 1500-talet) af O. Ahnfelt, 'Per Brahe den äldres fort-
sättning af Peder Swarts krönika' I, II, Lund 1896, 1897.
Arbetet utgör till sin förra (af Ahnfelt icke utgifna) del en
med smärre ändringar och diverse tillägg (allt dylikt af någon
vikt aftryckt hos Ahnfelt såsom »Bilaga») försedd afskrift af
P. Swarts »Chrönica», återstoden en bearbetning af Rasmus
Loduikssons utkast till en fortsättning af Swarts arbete.

2. *Oeconomia Eller Huuszholdz-Book För ungt Adels-
folck*, författad 1585, (ej 1581, såsom titelbladet uppger) men
tryckt (illa) först (Visingsborg) 1677.

VII. Obekanta författare från 1500-talet äro upphofs-
män till följande dramatiska stycken i bunden form:

1. *De Creatione Mundi*, författadt troligen före 1570, men
utgifvet först (af Klemming) i 'Twå hittills outgifna Swenska
Mysterer', Stockh. 1864.

2. *Belial ex Inferno egrediens*, en ofullbordad öfversätt-
ning, möjligen af äldre datum än föregående stycke, tillsam-
mans med hvilket det för första gången utgifvits (af Klemming).

3. Ett utan titel, förmodligen från slutet af 1500-talet;
för första gången utgifvet (af Klemming) under titeln 'Jesus
lärer i templet', Stockh. 1873.

4. *Holofernis och Judiths Commœdia*, en senast omkr.
1590 gjord bearbetning af två tyska dramer, defekt i början

och slutet; för första gången utgifven af O. Sylwan, 'Holofernes och Judit', Upps. 1895.

5. *Enn Lustigh Comedia om Doctor Simon*, författad senast omkr. 1600; för första gången utgifven (af Klemming) Stockh. 1865.

VIII. T. G. (möjligen Tomas [Petri] Gevaliensis, kyrkoherde, d. 1605) har författat följande två rimmade dramer:

1. *Josephi Historia*, Rostock 1601 (det enda bevarade exemplaret saknar titelblad, hvadan titeln här återgifvits efter 2 upplagan, Rostock 1609); senast utgifven (af Klemming) Stockh. 1849.

2. *Konungh Davidhz Historia*, Stockh. 1604.

IX. Daniel Hansson Hund, kammarjunkare, d. 1611, har bl. a. författat *En wisa om Konungh Erich then 14:des Regemente och handell* 1603—5; för första gången utgifven efter en handskrift från förra hälften af 1600-talet af F. A. Dahlgren, 'Konung Erik XIV:s krönika', Stockh. 1847, med varianter ur andra handskrifter och med en ordlista.

X. Olaus Martini, ärkebiskop, f. 1557, d. 1609, är författare till *En Liten Läkiare Book*, för första gången utgifven efter en handskrift från förra hälften af 1600-talet af J. V. Broberg, 'Olai Martini Läkiare Book', Stockh. 1879. .

XI. Magnus Olai Asteropherus, skolrektor, sedan kyrkoherde, d. 1647, har senast 1609 efter utländska mönster (särskildt Euripides) författat periodens kanske märkligaste drama: *En Lustigh Comoedia vid Nampn Tisbe*, för första gången utgifven (icke fullt nöjaktigt) efter den enda handskriften af år 1632 af C. Eichhorn, Upps. 1863. Arbetet är i språkligt afseende intressant särskildt genom sina folkscener och genom en lycklig språkbehandling i det hela.

XII. Johannes Messenius, f. 1579, d. 1636, har bland mycket annat författat sex rimmade dramer, af hvilka de fyra äldsta, *Disa, Signill, Swanhuita* och *Blanckamäreta*, af författaren själf utgåfvos Stockh. 1611, resp. 1612, 1613 (icke 1612, såsom titelbladet uppger) och 1614, den femte *Christmannus* (författad omkr. 1616), däremot först — tillsammans med omtryck af de förut nämnda fyra — i H. Schücks tillsvidare ofullbordade upplaga af 'Johannes Messenius samlade dramer', Upps. 1886—88. Den sjätte, *Gustavus* (författad omkr. 1616), är ännu outgifven. Dessa styckens språkliga betydelse beror väsentligen på de däri inströdda folkscenerna.

XIII. JACOBUS PETRI RONDELETIUS, skolrektor, sedan kyrkoherde, d. 1662, har sin egentliga betydelse såsom författare af det versifierade dramat *Judas Redivivus*, skrifvet 1614, men utgifvet (af Klemming) först Stockh. 1871.

XIV. JOHANNES THOMÆ AGRIVILLENSIS BUREUS [1], den bekante riksarkivarien, riksantikvarien och kungl. bibliotekarien, f. 1568, d. 1652, förtjänar, frånsedt sina rent språkliga skrifter (om hvilka se § 21), här omnämnas särskildt på grund af följande tvenne viktiga arbeten:

1. Dagboksanteckningar för åren 1568—1648, förmodligen påbörjade på 1590-talet; för första gången utgifna efter originalen af Klemming i Samlaren 1883, s. 12 ff. och 71 ff.

2. *Sumlen*, diverse anteckningar, »som vthi een och annan måtta tiäna till Antiquiteternes excolerande»; för första gången efter originalet utgifna i urval (bl. a. upptagande allt som rör folkmål, folksägner o. d.) af Klemming i Svenska landsmålen, Bihang I, 2 (1886).

XV. »Konung GUSTAF II ADOLFS skrifter», endast till en mindre del bevarade i original, annars i mer eller mindre öfverarbetadt skick uti andras uppteckningar eller sena afskrifter, äro utgifna i en relativt fullständig och i det väsentliga tillfredsställande upplaga af C. G. Styffe, Stockh. 1861. Ett nästan uteslutande på detta arbete baseradt urval är med

---

[1] Se utförligt KLEMMING i Samlaren 1884, s. 8 ff., där bl. a. fullständig förteckning på B:s synnerligen talrika, såväl tryckta som ännu otryckta, arbeten meddelas.

moderniserad stafning, men bibehållna språkformer utgifvet af C. Hallendorff i Lundells och Noreens samling 'För skola och hem' 13 (1901). En fullständig samling af 'Konung Gustaf II Adolfs bref och instruktioner' har utgifvits af P. Sondén i 'Rikskansleren Axel Oxenstiernas skrifter och brefvexling', sednare afdelningen, B. I, Stockh. 1888.

XVI. AXEL OXENSTIERNAS 'historiska och politiska skrifter' och 'bref' (från och med 1606 till och med 1627; fortsättes) ha utgifvits fullständigt och noggrant af C. G. Styffe och S. Clason i 'Rikskansleren Axel Oxenstiernas skrifter och brefvexling', förra afdelningen, B. I, Stockh. 1888, resp. B. II, III, Stockh. 1896, 1900.

XVII. LAURENTIUS WIVALLIUS, Sverges största skaldiska begåfning under 1600-talet, f. 1605, d. som auditör 1669, skref under tiden 1625—41 bl. a. en mängd lyriska dikter på svenska, utgifna efter dels tryckta, dels otryckta källor i en noggrann samlad upplaga af H. Schück i 'Lars Wivallius' II, 53 ff., Upps. 1895.

XVIII. NICOLAUS HOLGERI [CATONIUS], skolrektor, d. 1655: *Troijenborgh*, Kalmar 1632; versifierad dram med vårdadt språk.

XIX. LAURENTIUS OEST. HASTADIUS, fältpredikant: Jule Comœdia, Rostock 1639, en versifierad »moralitet» (vår äldsta bevarade) med af ideliga latinismer fördärfvadt språk, men af ett visst intresse på grund af några djäfvulsscener med plumpt språk; fotolitografiskt aftryck (i tre exemplar) efter det enda bevarade, men defekta (t. e. i fråga om titelbladet) exemplaret (af Klemming) Stockh. 1870.

XX. SAMUEL PETRI BRASCK, lektor, sedan kyrkoherde, f. 1613, d. 1668, har författat rimmade dramer, af hvilka följande tre äro bevarade, de två första särskildt viktiga på grund af sina bondscener:

1. *Filius prodigus . . Thet är . . Om then förlorade Sonen*, Linköping 1645.

2. *Acta et martyria apostolorum. Thet är . . Om Apostlarnars Gärningar och jämmerlige Marterningar*, Linköping 1648.

3. *Mars germanicus victus. Thet är . . Om thet wälendade Tydske Kriget*, Linköping 1650.

XXI. *Alle Bedlegrannas Spegel*, anonym versifierad fars, viktig för sin »utomordentliga råhet och plumphet»; 3 (kanske rätteligen 1, trots titelbladets uppgift) uppl. 1647, sedan ofta omtryckt, senast och bäst (af Klemming) Stockh. 1866.

XXII. JACOBUS PETRI CHRONANDER, student, sedan häradshöfding, är författare till följande två dramer, båda omtryckta (icke tillfredsställande) af P. Hanselli i 'Tvenne Komedier af J. P. Chr.' Upps. 1877.

1. *Surge Eller Flijt och Oflitighetz Skode Spegel,* Åbo 1647; versifierad och med bondscener.

2. *Bele-Snack Eller . . om Gifftermåhl och Frijerij,* Åbo 1649; till största delen på vers.

XXIII. PETRUS MAGNI GYLLENIUS, kyrkoherde, f. 1622, d. 1675, har efterlämnat en mängd, i synnerhet kulturhistoriskt viktiga [1] dagboksanteckningar, för första gången utgifna efter författarens originalhandskrift af R. Hausen, 'Diarium Gyllenianum', Hälsingfors 1882.

XXIV. SKOGEKIÄR BÄRGBO (troligen GUSTAF ROSENHANE, president, f. 1619, d. 1684) har författat följande tre viktiga diktsamlingar, alla mycket slarfvigt tryckta; omtryckta (dock icke tillfredsställande [2]) i en samlad upplaga (af Klemming), 'Vittra skrifter af G. R.', Stockh. 1853:

1. *Thet Swenska Språketz Klagemål*, Stockh. 1658.

2. *Wenerid*, Stockh. 1680; författad redan före 1650.

3. *Fyratijo små Wijsor*, Stockh. 1682; förf. 1652.

XXV. Af GEORG STIERNHIELMS rika författarskap må här endast anföras hans alltsedan 1643 tillkomna, på grund

---

[1] Jfr Svenska landsmålen VI, LXVI.
[2] Se E. MEYER, *Gustaf Rosenhane*, s. 168 (Upps. 1888).

af sin normgifvande betydelse för den följande tidens poetiska språkbruk så viktiga dikter, utgifna i en samlad upplaga *Musæ Suethizantes, Thet är: Sång-Gudinnor, Nu först Lärande dichta och spela på Swenska*, Stockh. 1668 (ny uppl. af B. Höök 1687), där dock den synnerligen viktiga *Brölopps-Beswärs Ihugkommelse* saknas (utgifven först 1818, men dåligt, af L. Hammarsköld). En god upplaga af såväl denna dikt som de mera betydande i Musæ Suethizantes har utgifvits af F. Tamm 'Valda skrifter af G. S.', Upps. 1891 (ny, i någon mån förändrad uppl. 1903) med 'Supplement till v. skr. af G. S.', innehållande 'glossar till Hercules och Brölopps-Beswärs Ihugkommelse', Upps. 1892.

XXVI. Bland OLOF RUDBECK d. ä:s skrifter må här särskildt påpekas hans under utgifning varande 'Bref rörande Upsala universitet', utg. af C. Annerstedt, I (för tiden 1661—70), Upps. 1893, II (1670—79), Upps. 1899.

XXVII. CHRISTOPHORUS LAURENTII GRUBB, borgmästare (sedan GRUBBE, landshöfding), f. 1594, d. 1681: *Penu Proverbiale* . . *Swenske Ordseder och Läraspråk*, Linköping 1665; ny uppl. Stockh. 1678, med vidfogadt *Auctarium* . . *Thet är* . . *Tilökning* af LAURENTIUS DANIELSONIUS TÖRNING, Stockh. 1677.

XXVIII. Af URBAN HIÄRNES (arkiater, f. 1641, d. 1724) talrika skrifter förtjänar i detta sammanhang särskildt framhållas hans icke minst i metriskt och rent språkligt afseende intressanta versifierade drama *Rosimunda*, uppfördt 1665, men för första gången utgifvet (dåligt) af P. Hanselli, Upps. 1856.

XXIX. ANDERS WOLLIMHAUS, student (sedan LEIJONSTEDT, riksråd), f. 1649, d. 1725, författade bl. a. före 1670 *Didos tragædia*, troligen det stycke på blandad prosa och vers, som efter en anonym handskrift för första gången utgifvits af K. Warburg i Samlaren I, 110 ff (1880).

XXX. LASSE JOHANSSON LUCIDORS (f. 1640, d. 1674) dikter utgåfvos först efter hans död: en mindre samling 'Lucida intervalla' 1685, en större sådan af Joh. Andersin under titeln *Helicons Blomster*, Stockh. 1688, men på ett högst otillfredsställande sätt. Dålig är äfven den nya upplagan af P. Hanselli, Upps. 1869. Lucidors dikter äro särskildt viktiga, emedan de till största delen utgöras af tillfällighetsdikter på hvardagsspråk och ofta med spår af Stockholmsdialekt.

XXXI. Isaac A. Börk, rektor d. 1700 eller 1701, författade som student 1688 sju eller åtta versifierade dramer, som i språkligt afseende äro ytterst viktiga, emedan författaren afsiktligt söker i sin ortografi återge hvardagsuttalet och äfven för öfrigt använder hvardagliga språkformer (såsom singulart verb efter pluralt subjekt m. m.). Utgifna äro tills vidare blott följande [1]:

.1. *Darii Sårge Spel*, efter förf:s originalhandskrift utgifven på ett i allo utmärkt sätt af K. F. Karlson, 'Darius', Stockh. 1874.

2. *Valete Theatren*, utgifven (af C. G. U. Silfverstolpe), Stockh. 1875, efter en nästan samtidig handskrift (upptagande Börks samtliga dramer), befintlig i Lunds universitetsbiblioteks Delagardiska samling.

3. *Lykko-Pris* (däri endast akt I är af Börk, akt II af J. O. Widman och akt III af G. J. Törnqvist, sedan Adelkrantz), Stockh. 1689.

XXXII. Af Israel Holmströms (krigsråd, d. 1708) burleska tillfällighetsdikter finnas endast 26 stycken i en tillfredsställande modern upplaga af G. Frunck, Samlaren, II, 65 ff. (1881).

XXXIII. *Then Swenska Psalm-Boken . . Vppå Kongl. Maj:ts. nådigste befalning Åhr MDCXCV. Öfwersedd*, Stockh. 1696; nya upplagor 1696 (rätteligen 1697), 1697 (tre — rätteligen fyra — upplagor), 1698 [2] osv. De viktigaste här nytillkomna författarna äro Jesper Swedberg (hvars förbjudna,

---

[1] Om de öfriga se Karlsons upplaga af Darius, s. IX ff.

[2] Se Klemming, *Ur en antecknares samlingar*, Uppsala-upplagan s. 118 ff.

men under åren 1694 och 1695 i sju upplagor tryckta [1] psalm-bok af år 1693 utgör den officiella psalmbokens väsentliga grundval), Haqvin Spegel, Jacob Arrhenius, Samuel Columbus, Petrus Lagerlöf, Eric Lindschöld m. fl.

XXXIV. Gunno Eurelius (sedan Dahlstierna), landt-mäteridirektör, f. 1658, d. 1709: *Kunga Skald . . som . . 1697 . . är siungen*, Stettin [1697]. Detta 268 strofer långa kväde är icke blott genom sin »marinism», utan äfven genom sin användning af dialektala och arkaiska ord och andra språkformer stilistiskt och språkligt sedt i hög grad intressant.

XXXV. *Biblia*, Stockh. 1703, den s. k. Karl XII:s bibel, är i det stora hela ingenting annat än en reviderad upplaga af Gustaf I:s bibel (se II, 1 ofvan) och intar därför äfven i rent språkligt afseende en vida ålderdomligare ståndpunkt, än som strängt taget kräfdes af den tidens religiösa stil.

XXXVI. Johan Runius' (f. 1679, d. 1713) skrifter, till allra största delen bestående af tillfällighetsdikter, som sär-skildt i fråga om rim och meter äro högst framstående och därför af största vikt för ljudläran, utgåfvos först efter hans död af Peter Frisch under titeln *Dudaim*, I, Stockh. 1714, II, 1715; ny upplaga med en tillagd del III af O. L[indsten], Stockh. 1733.

XXXVII. Jacob Frese, kanslist, f. 1691, d. 1729, är äfven rent språkligt sedt af särskildt intresse, enär han, Fin-lands första stora skald på svenska, redan i viss mån har att uppvisa finländska egenheter i sitt språkbruk. Hans skrifter äro:

1. *Andelige Och Werldslige Dikter*, Stockh. 1726.
2. *Kårta Sede-Läror*, Stockh. 1726.
3. *Passions Tankar*, Stockh. 1728.
4. *Någre Poetiske Samblingar*, Stockh. 1728.

XXXVIII. »1500- och 1600-talens visböcker» äro ut-gifna i bokstafstroget aftryck, B. I, Stockh. och Upps. 1884—94,

---

[1] Se Klemming, a. st. s. 113 ff.

af A. Noreen och H. Schück, B. II, Upps. 1901 ff., af A. Noreen
och J. A. Lundell (äfven i Svenska landsmålen, Bihang I,
resp. II). Hittills publicerade äro i denna samling [1]:

1. Johan Larssons visbok efter handskrift från 1541,
utg. a. st. I, 87 ff.

2. Harald Oluffsons visbok efter handskrift från 1572
—73, utg. a. st. I, 5 ff.

3. Nils Larsons(?) visbok efter handskrift från 1581,
utg. a. st. I, 94 ff.

4. Kungliga bibliotekets visbok i 16:o efter handskrift
från omkr. 1600, utg. a. st. II, 5 ff.

5. Kungliga bibliotekets visbok i 8:o efter handskrift
från omkr. 1600, utg. a. st. II, 111 ff.

6. Bröms Olufsson Gyllenmärs' visbok efter handskrift
från 1615—25, utg. a. st. I, 103 ff.

7. Pär Brahes visbok efter handskrift från omkr. 1621,
utg. a. st. I, 387 ff.

8. Barbro Margretha Baners visbok efter handskrift
från omkr. 1658, utg. a. st. I, 337 ff.

XXXIX. Af offentliga handlingar och urkunder äro —
utom 'Gustaf den förstes Registratur', hvarom se s. 140 — föl-
jande serier utgifna i tidsenliga upplagor:

1. 'Svenska riksdagsakter . . 1521—1718', utg. af E.
Hildebrand (och O. Alin) I—III, 1, 2 (till och med år 1596;
fortsättes), Stockh. 1887—1900.

2. 'Sverges traktater med främmande magter', utg. af
O. S. Rydberg och C. Hallendorff IV—V (till och med år
1632; fortsättes), Stockh. 1885—1903.

3. 'Stockholms stads privilegiebref 1423—1700' (äfven
under titeln 'Urkunder rörande Stockholms historia' I), utg. af
K. Hildebrand, Upps. 1900—1901 (till 1660; fortsättes).

4. 'Skrå-ordningar' (från åren 1529—1678), utg. af G.
E. Klemming, Stockh. 1856.

---

[1] Om öfriga visböcker se SCHÜCK, *Svensk Literaturhistoria* I, 368 f.

5. 'Kyrko-ordningar och förslag dertill före 1686' utg. af O. v. Feilitzen I, II, Stockh. 1872, resp. 1881, 1887.

6. 'Svenska riksrådets protokoll', utg. af N. A. Kullberg och S. Bergh I—IX (tiden 1621—42; fortsättes), Stockh. 1878—1902.

7. 'Sveriges (rikes) ridderskaps och adels riksdagsprotokoll . . från sjuttonde århundradet', utg. af W. Tham, B. Taube och S. Bergh, I—XVII (tiden 1627—1714), Stockh. 1855—1902; ny serie 'från och med år 1719', utg. af E. V. Montan och C. G. U. Silfverstolpe (samt från 1747 G. O. Berg), I ff., Stockh. 1875 ff.

8. 'Lagförslag i Carl den niondes tid', utg. af J. J. Nordström, Stockh. 1864.

9. 'Förarbetena till Sveriges rikes lag 1686—1736', utg. af W. Sjögren I—IV, Upps. 1900—1902.

Ett rikhaltigt urval ur periodens språkligt sedt intressantaste alster meddelar i bokstafstroget aftryck efter original-upplagorna eller, där sådana icke finnas, de äldsta kända handskrifterna 'Valda stycken af svenska författare 1526—1732 med anmärkningar och ordlista', utg. af A. Noreen och E. Meyer, Upps. 1893.

Beträffande en af denna språkperiods allra viktigaste källor, nämligen tidens språkvetenskapliga skrifter rörande modersmålet (såväl riksspråket som dialekterna), hvilka här förbigåtts, hänvisas till kap. 5, där de komma till behandling.

§ 18. Det yngre nysvenska riksspråkets källor.

Den yngre nysvenskans källor (på riksspråk; jfr § 19) äro naturligtvis af tvenne, väsentligen olika slag:

I. Det nutida, lefvande riks-talspråket (jfr § 14) är helt naturligt såtillvida den viktigaste af dessa båda källor, som den erbjuder den trognaste och mest detaljerade bilden af språket, sådant det verkligen är. Men denna källa är å andra sidan' såtillvida den andra underlägsen, som den är svårare att fixera, mera växlande och därför svårare att öfverskåda, och framför allt därutinnan, att den ju endast representerar nuets språkbruk och alldeles intet upplyser rörande gångna generationers språk. Den måste därför i dessa afseenden suppleras af den följande.

II. **Den på riks-skriftspråk, likgiltigt i hvilken stilart, skrifna litteraturen från och med 1733 tills nu.** En fullständig bibliografi öfver densamma saknas och är väl äfven för språkforskarens syften tämligen umbärlig. Partiella, till viss tid eller visst ämne begränsade bibliografier äger man i de ofvan s. 136 nämnda arbetena af Aurivillius, Warmholtz, Stricker, Klemming ('Sveriges dramatiska litteratur'), Lundstedt och Elmgren (fortsatt genom samme författares 'Öfversigt af Finlands litteratur ifrån år 1771 till 1863', Hälsingfors 1865). Af nyare dylika arbeten må här blott anföras: A. G. S. Josephsons 'Avhandlingar och program, utgivna vid svenska och finska akademier och skolor under åren 1855—1890', Upps. 1892—97; Renvalls 'Finlands periodiska litteratur 1771 —1871', 1871; A. Hultins 'Den svenska skönlitteraturen i Finland till och med 1885', 1888; L. Bygdéns 'Förteckning å tryckta och otryckta källor till landskapet Uplands och Stockholms stads historiskt-topografiska beskrifning', Upps. 1892; och framför allt H. Linnströms 'Svenskt boklexikon 1830—65', Stockh. 1867—84 med dess fortsättningar af Broberg 'Svensk bok-katalog för åren 1866—75', '1876—85' och '1886—95' (jfr äfven den genom samme redaktörs försorg årligen utkommande 'Årskatalog för Svenska Bokhandeln', 1861 ff.)

Af grundläggande betydelse för det yngre nysvenska språkbruket äro, såsom redan ofvan (s. 134) framhållits, dels O. v. Dalins skriftställareverksamhet i allmänhet, alltifrån tidningen *Then Swänska Argus* (dec. 1732--1734), dels *Sweriges Rikes lag, gillad och antagen 1734* (Stockh. 1736), som redan då och med rätta blef ansedd såsom språkligt mönstergiltig.

Största förtjänsten af de stilistiska och rent språkliga egenskaperna hos detta viktiga arbete tillkommer lagkommissionens (1710—34) ordförande, riksrådet GUSTAF CRONHIELM (f. 1664, d. 1737), och näst honom väl professor CAROLUS LUNDIUS (f. 1638, d. 1715). Af hela den ofantligt omfångsrika senare litteraturen må här blott några få arbeten påpekas såsom för de skilda generationernas språkbruk särskildt karakteristiska och i stilistiskt afseende varande af mera genomgripande inflytande på samtiden och eftervärlden:

1. 1740—70: LINNÉS [1] (f. 1707, d. 1778) populära skrifter (från och med Lapplands-resan 1732), t. e. *Tal om Märkvärdigheter uti Insecterna* 1739, *Öländska och Gothländska Resa* 1745, *Wästgöta-Resa* 1747, *Skånska Resa* 1751 (jfr vidare särskildt hans 'Svenska arbeten i urval', utg. af J. E. E. Ährling 1779—80 och 'Ungdomsskrifter', utg. af Vetenskapsakademien 1888—89); A. J. v. HÖPKENS (f. 1712, d. 1789) vältalighets alster (från och med 1740; se 'Riksrådet grefve A. J. v. Höpkens Skrifter', utg. af C. Silfverstolpe I, II, Stockh. 1890, 1893); BELLMANS (f. 1740, d. 1795) dikter [2] (sedan 1757), särskildt *Fredmans Epistlar* 1790 och *Fredmans Sånger* 1791 (jfr ock 'Outgifna dikter af C. M. B. med inledning af R. Steffen', Ups. 1895); CREUTZ' (f. 1731, d. 1785) dikter, framför allt *Atis och Camilla* 1761, senast utg. efter originalupplagan af B. Risberg i Lundells och Noreens samling 'För skola och hem' 20 (1902); A. NOHRBORGS (hofpredikant, f. 1725, d. 1767) predikningar, särskildt *Den fallna Människians Salighets-Ordning* 1771; J. WALLENBERGS (f. 1746, d. 1778) kåserier *Min son på galejan*, tryckta först 1781 med betydliga afvikelser från författarens text, utg. i utdrag efter originalhandskriften af E. Meyer i Lundells och Noreens samling 'För skola och hem' 14 (1901).

---

[1] Jfr TH. M. FRIES, *Bidrag till en lefnadsteckning öfver Carl von Linné*, I—VIII, Ups. 1893—98, med en mängd utdrag ur eller aftryck af otryckta skrifter af Linné.

[2] Jfr STEFFEN i Samlaren 1895, s. 150 ff. och 1896, s. 115 ff.

— 153 —

2. 1770—1800: Kellgrens (f. 1751, d. 1795) hela för-
fattarskap (sedan omkr. 1775; äldsta samlade upplaga utg.
af Lengblom och Regnér, Stockh. 1796, hvarur ett utdrag
'Valda smärre dikter' — med några rättelser efter original-
trycken i Stockholmsposten — utgifvits af H. Schück i Lun-
dells och Noreens samling 'För skola och hem' 5, 1900; jfr
vidare hans 'Bref till Rosenstein', utg. [af H. Schück] i Sam-
laren 1886, s. 87 ff., och 1887, s. 5 ff., samt 'Bref till A. N.
Clewberg', utg. af H. Schück, Hälsingfors 1894); Leopolds
(f. 1756, d. 1829) vittra skrifter (sedan omkr. 1775): Samlade
skrifter I—III 1800—2 (ny uppl. 1814—16, hvarur ett utdrag
'Valda smärre dikter' utgifvits af E. Hedén i Lundells och
Noreens samling 'För skola och hem' 24, 1903), hvartill
komma bl. a. hans 'Bref till Reuterholm', utg. af Th. Westrin
i Samlaren 1891, s. 102 ff., samt 'Bref till J. Axelsson Lind-
blom', utg. af E. Lewenhaupt i Samlaren 1885, s. 78 ff.,
1886, s. 4 ff., 1887 s. 68 ff., 1888, s. 27 ff., och 1889, s. 125 ff.;
fru Lenngrens (f. 1755, d. 1817) dikter (sedan omkr. 1775;
samlad upplaga först 1819, hvarefter — samt efter original-
tryck eller -handskrift m. m. — ett urval utgifvits af K. War-
burg i Lundells och Noreens samling 'För skola och hem'
8, 1900); Kexéls (f. 1748, d. 1796) komedier (sedan 1776),
särskildt Captain Puff 1789 (tryckt först 1799, hvarefter af-
tryck af E. Meyer i Lundells och Noreens samling 'För skola
och hem' 3, 1900); Thorilds (f. 1759, d. 1808) skrifter (sedan
omkr. 1778), särskildt Critik öfver Critiker I—III 1791 (jfr
ock hans 'Bref', utg. af L. Weibull, Upps. 1899 ff.); Franzéns
(f. 1772, d. 1847) dikter (sedan omkr. 1790). — En för känne-
domen om denna tids bildade, otvungna samtalsspråk i hufvud-
staden synnerligen viktig källa är det helt säkert af A. F.
Ristell författade lustspelet Några Mil ifrån Stockholm (upp-
fördt 1787, men ännu outgifvet), däri författaren bemödar
sig om det »nogaste iakttagande af det stafningssätt och de
bokstäfver, som det dagliga talet betjänar sig af»; jfr äfven

samme förf:s efter väsentligen samma principer tillkomna komedier *Gustaf Adolfs jagt,* tryckt 1776, och *Visittimman* (uppförd 1787), tryckt 1820 [1].

3. 1800—1825: Wallins (1779—1839) dikter och prédikningar; Tegnérs (1782—1846) dikter, tal och bref (bland hvilka de 'till C. F. af Wingård 1823—45' nyligen utgifvits af E. Tegnér, Upps. 1894); Geijers (1783—1847) skrifter; Cederborghs (1784—1835) romaner; Järtas (1774—1847) prosa (jfr senast 'Ur Hans Järtas literära brefväxling', utg. af E. Lewenhaupt, Upps. 1899 ff.) och Stagnelius' (1793—1823) poesi. Särskildt ha Wallin och Tegnér varit i språkligt afseende ytterst inflytelserika på grund af den ofantliga spridning vissa af deras skrifter, t. e. Wallins psalmbok och Tegnérs Fritiofs saga, erhöllo. För den särskilda — ej sällan ganska maniererade — form af oratorisk stil, som under den gustavianska tiden och den »götiska skolans» herravälde utbildades, den s. k. »akademiska» stilen, har man ända in i våra dagar en outtömlig källa i 'Svenska Akademiens handlingar' alltsedan 1786.

4. 1825—50. Af största inflytande, åtminstone i stilistiskt afseeende, torde af denna tids företeelser ha varit: Thomanders (1798—1865) tal- och predikostil, Crusenstolpes (1795—1865) och Sturtzenbechers (senare »Sturzenbecher», från 1855 »Sturzen-Becker»; 1811—69) journaliststil, Fryxells (1795—1881) berättande, Almqvists (1793—1866) oändligt mångskiftande och originella, C. A. V. Strandbergs (1818—77) och B. E. Malmströms (1816—65) högre samt v. Brauns (1813—60) åtskilligt lägre poetiska stil. För den finländska svenskan är naturligtvis under denna tid Runeberg (1804—77) den ojämförligt förnämste representanten, hvars inflytande gifvetvis ingalunda varit begränsadt till Finland.

5. 1850—75. Af särskild betydelse för prosastilens utveckling var vid periodens början bl. a. Blanche (1811—68),

---

[1] Jfr Grip i Språk och stil I, 145 ff.

för den poetiska stilens vid periodens slut Snoilsky (1841—),
i båda dessa afseenden V. Rydberg (1828—95). Det speci-
ellt finländska språkbruket företrädes i främsta rummet af
Topelius (1818—98), hvars inflytande äfven i Sverge knappast
torde understiga Runebergs, särskildt i betraktande af att hans
läsekrets i så ovanligt hög grad utgjorts af barn och ungdom.

6. 1875—1900. Att bland denna tidrymds så talrika
framstående författare framhäfva just dem, som företrädesvis
komma att blifva af betydelse för svenska språkets historia,
är tydligtvis omöjligt, eftersom ingen kan skåda in i fram-
tiden. Dock må det vara tillåtet att erinra om åtminstone
några få, som borde blifva det, eftersom de hvar för sig på
skilda områden framträdt såsom nyskapare på ett sätt, som
tvifvelsutan ländt till vårt modersmåls fromma, särskildt hvad
beträffar ordskattens riktande. Detta gäller i främsta rum-
met om de båda prosaisterna Strindberg och Bondeson,
hvilkas försök att föryngra vårt litteraturspråk basera sig för
den förres vidkommande på det hvardagliga samtalsspråket,
för den sednares på folkspråket och dialekterna. Liknande
förtjänster rörande den bundna formen äga Fröding och
Karlfeldt, ehuruväl deras största landvinningar äro att söka
icke på det rent språkliga området, utan på metrikens och
stilistikens angränsande fält. Bland onda makter, som sam-
tidigt drifva sitt spel inom vår språkvärld, må särskildt fram-
hållas det sedan ett tjugotal år tillbaka allt starkare fram-
trädande, i synnerhet hos författare af lägre rang — men
stor läsekrets och sålunda icke ringa inflytande — märkbara
dansk-norska inflytandet på ordbildningen, betydelseutveck-
lingen [1] och i någon mån äfven ordfogningen. Källorna för
ett studium af denna företeelse utgöras förnämligast af våra
tidningar och romanöfversättningar.

Rörande den yngre nysvenskans språkvetenskapliga litte-
ratur, som naturligtvis utgör en af de allra viktigaste källorna

---

[1] Jfr Noreen, *Spridda studier*, andra samlingen, s. 68 ff.

för vår kännedom om detta språkskedes beskaffenhet, hänvisas till kap. 5 och 6.

§ 19. De nysvenska dialekternas källor.

De nysvenska dialekternas källor äro naturligtvis liksom riksspråkets tveggehanda, nämligen dels det nutida dialektala talspråket i alla dess mångfaldiga skiftningar, dels en dialektal litteratur, som dock är mycket ojämnt fördelad på de skilda orterna och tiderna. I fråga om talspråket må det här vara nog att hänvisa till § 15. Dialektlitteraturen åter är för den äldre nysvenskans vidkommande genomgående obetydlig såväl till innehåll som omfång, och detta förhållande gäller äfven för den yngre nysvenska perioden ända tills omkring midten af 1800-talet. I följande öfversikt anföras af äldre litteraturalster de flesta af mig kända, däremot af den yngsta, ganska ymniga, men ofta ganska värdelösa, till stor del i tidningar, tidskrifter, skillingstryck o. d. kringspridda litteraturen blott det till sitt omfång eller språkliga värde mest betydande. För öfrigt hänvisas till följande bibliografiska förteckningar å dialektala texter och mindre »språkprof»: för tiden intill 1872 Leffler, Om konsonantljuden i de svenska allmogemålen (Upps. 1872), s. I ff., supplerad af Noreen i Svenska landsmålen I, 287 ff., IV, 10 ff., Eneström därsammastädes II, s. XCV ff. och Molér, Bidrag till en Gotländsk Bibliografi (Stockh. 1890); för tiden 1872—78 Lundell i Svenska landsmålen I, 265 ff.; för tiden från och med 1881 de årliga bibliografierna i Arkiv för nordisk filologi (jfr särskildt för perioden 1881—84 Lundell i Svenska landsmålen VI, s. LX ff.). De från Finland stammande bidragen till dialektlitteraturen (endast till mycket ringa del bestående af dialektprof) förtecknas för 1795—1891 af E. Lagus i (Svenska literatursällskapets i Finland) Förhandlingar och uppsatser 6, s. 80 ff., Hälsingfors 1892. Då det ofta, i synnerhet beträffande äldre källor, är svårt att afgöra, till hvilken af flera inom samma landskap befintliga dialekter ett visst språkprof hör, så ordnas här källorna blott landskapsvis med utgångspunkt från söder.

1. Skåne. Frånsedt forndanska urkunder o. a. skrifter från Skåne saknar detta landskap dialektala källor af äldre datum än 1700-talet. Från detta äger man emellertid icke så litet. Det äldsta aktstycket är ett af signaturen B. H. på Göinge-mål författadt gratulationskväde i (S. Brings och) P. Lovéns *Dissertatio gradualis de Gothungia*, Lund 1745, omtryckt af M. Weibull i 'Samlingar till Skånes historia', 1871, s. 106 ff. Det nästa är en dylik (»Gratulass» af »Gammal Bonne») på mål från Villands härad i (P. Muncks och) S. J. Sonnbergs disputation *De Willandia*, Lund 1752, omtryckt af Weibull a. st. s. 105. Så kommer en af »OLE ANNERSSEN» på Skytts härads mål författad »Grattelasion» i (S. Lagerbrings och) N. Lovéns disp. *De Territorio Skyttiano*, Lund 1778, omtryckt af Weibull a. st. s. 109. Ungefär samtidig är en »Onnerdåneg Skåul», diktad på Villands-mål af en »Glaer Paug» vid Gustaf IV Adolfs födelse 1778, tryckt i Lunds Weckoblad 1779 och ånyo af Weibull a. st. s. 106. Tio visor på Göinge-mål af lagman A. J. KRÖGER (f. 1755, d. 1818), författade under tiden 1776—1813, äro för första gången tryckta af Weibull a. st. s. 114 ff. Från förra hälften af 1800-talet känner jag för öfrigt blott en rimmad bondhistoria i Göteborgs Aftonblad 1822 (omskrifven på nutida Vemmenhögs-mål hos Weibull a. st. s. 109 ff.). Från och med 1870-talet flyta däremot källorna rikligen. Språkprof från Färs' härad meddelar L. P. HOLMSTRÖM i 'Samlingar till Skånes historia' 1873, s. 86 ff., från Göinge och Åsbo E. WIGSTRÖM i A. Hazelius' 'Bidrag till vår odlings häfder' I, 77 ff. och 97 ff. (1882) och i 'Svea' för 1882, s. 108 ff., samt 1883, s. 134 ff. Ett anonymt *Snack* är utgifvet i Trelleborg 1882, och en äfvenledes anonym bit utan angifven hemort ingår i Kasperkalender för 1885, s. 57 ff. I Svenska lands-

målen II, 9, s. 48 ff. (1883) lämnas en mängd bidrag från Villand, Göinge och Luggude af N. OLSÉNI, från Östra Göinge af N. JÖNSSON, från Frosta af L. A. NYRUP, från Gärd och Färs af G. KARLIN, från Bara af J. VIDE samt från Vemmenhög af H. KABNER. Järrestad representeras af H. WRANÉRS *Sluesnack och stätteslams*, Stockh. 1884, 2 uppl. 1893, och *Gårafolk och husmän*, Stockh. 1885, Göinge åter af P. WEILANDS *Göingen*, Stockh. 1887 (med ordlista) samt Vemmenhög af TRÖL SJINSSENS (dvs. M. E. ANDERSSONS) *Skånskt folklynne*, Malmö 1889, 2 tillökade uppl. 1893. I det af Skånska landsmålsföreningen utgifna häftet *Teckningar och toner*, Lund 1889, meddelas en mängd af A. MALM (och P. LARSSON) utarbetade stycken från södra Skåne (Oxie, Bara, Vemmenhögs, Ljunits, Färs', Järrestads, Albo, Gärds, Frosta och Torna härader), från norra Skåne däremot blott en enda (från Villand). Betydligt underlägsna dessa i fråga om noggrannhet äro de massor af större eller mindre bitar på Skånemål, som äro intagna i Svahns *Svenskt skämtlynne* I— XVI [1], Stockh. 1886 ff., 2 uppl. 1890—91, och af hvilka de flesta och kanske äfven bästa förskrifva sig från WRANÉR (Järrestads-mål), ett och annat från WEILAND (V. Göinge), 'ERNST AHLGREN' (Frosta), O. F. JOHANSSON (Bjäre) samt några pseudonymer och signaturer, det öfriga från anonyma upptecknare och författare. Ett niotal språkprof af 'Ernst Ahlgren', Wranér och några mer eller mindre anonyma auktorer i tidningar, tidskrifter och skillingstryck från åren 1885 —86 äro förtecknade af G. Billing i Svenska landsmålen X, 2, s. 253. De allra nyaste bidragen utgöras af G. KARLINS, *Mästårtjuen* (Gärds-mål) i Kulturhistoriska meddelanden, 3 årgången, s. 54 ff. (1898), och de anonyma *Kivikja-snack*

---

[1] Närmare angifvet I, 13, 31, 51, 70; II, 1, 34; III, 12, 27; IV, 1; V, 1, 31, 39, 43, 49; VI, 1, 32, 35, 46; VIII, 1, 6, 50; IX, 17; X, 1, 18, 31, 36; XI, 1, 11, 15, 16, 19; XII, 1, 6; XIII, 1; XIV, 1; XV, 32: XVI, 1, 3 samt dessutom ändock åtskilliga mera obetydliga småbitar.

(Albo-mål), Hälsingborg 1901, samt *Jäker'n ded bläcked*, tio historier dels från norra, dels från södra Skåne, af »Rika ifrau torped», Lund 1902.

Allt detta rika material föreligger emellertid blott i en mycket »grof» beteckning. Med en verkligt exakt sådan, landsmålsalfabetet, äger man blott ett par i Svenska landsmålen I, 222 ff. och 664 ff. utgifna stycken: en af ANDERS JOHANSSON och AMALIA NORDSTRÖM 1897 författad folklifsteckning från Färs' härad och en af N. OLSÉNI omskrifven saga från Hörby socken i Frosta härad.

2. Blekinge. De äldsta källorna utgöras af tre gratulationskväden från midten af 1700-talet, af hvilka de två (ett af »Jöns Pärssen» och ett af »CHRESTEN DIURSON») förekomma i (S. Brings och) A. J. Klings *Disquisitio historica . . de . . Östra härad*, Lund 1746, det tredje (af en »Blegens Bo») i (S. Brings och) J. H. Sorbons *Disquisitio historica de Blekingia:* alla tre omtryckta af M. Weibull i 'Samlingar till Skånes historia' 1871, s. 102 ff. Sedan känner jag intet förr än K. NILSSONS samlingar af historier från Karlskronatrakten: *Muntra Folklifsbilder*, Karlskrona 1879, *Gamla abeteket*, Karlskr. 1886, och *Ny samling Muntra Folklifsbilder*, Karlskr. 1888. Pseudonymen »Peron» har utgifvit *Sagor och berättelser* från Sölvesborgstrakten (alltså på Göinge-mål, se s. 101), Sölvesborg 1887. Några bitar förekomma i Svahns *Svenskt skämtlynne*[1] och en liten visa från Lister (alltså på Göinge-mål, se s. 101), upptecknad af SVEN THOMASSON, i Svenska landsmålen VII, 6, s. 61. — Uppteckningar med landsmålsalfabet saknas.

3. Öland. Äldsta källan är en anonym dikt *Då Häradshöfdingen Herr Johan Grahn och Fru Maria Catharina S—by firade sin Bröllopsfest d. 2 nov. 1764*, omtryckt hos Firmenich, Germaniens Völkerstimmen III, 842 ff. Sedan har man intet förr än de två små sagorna (den ena meddelad af E. ZET-

---

[1] Nämligen II, 10; III, 22; V, 17 (af den nämnde K. NILSSON); XII, 46.

— 160 —

TERQVIST, den andra af en 71-årig bonde) från mellersta och norra Öland i J. V. Bodorffs 'Bidrag till kännedomen om Folkspråket på Öland', Stockh. 1875. Därnäst komma ett stycke från norra Öland af A. KEMPE och tvänne från mellersta af J. P. MELÉN, samtliga tryckta i Svenska landsmålen II, 9, s. 13 ff. Ändtligen ha vi diverse bitar i Svahns *Svenskt skämtlynne* [1]. — Uppteckningar med landsmålsalfabet saknas.

4. Småland. Förmodligen är det Kalmar folkspråk som talas af tjänstefolket i [J. STAGNELS] dram *Den Lyckelige Banqueroutieren*, Stockh. 1753 [2]. Mera obestämbart är det språk, som talas af »Pär, en bonde nedre ifrån landet» i samme författares dram *Ris-Bastugan*, Stockh. 1755. Ännu säkrare är Kalmar-mål åtminstone åsyftadt i bröllopskvädet *Enfålligt Bondaglam pau rim pau Handlingsmanns uti Kalmara sta Herr Johannes Schwans . . å . . Lena Kajsa Botins Brudlopsdag 13 sept. 1763*, omtryckt hos Firmenich, Germaniens Völkerstimmen III, 851 ff. Från nyare tid har man [LOTHIGIUS] *Gubben Udds krigsbedrifter*, Lund 1862, 2 uppl. 1863 från norra Småland, en bit från Njudungen af G. ALDÉN i Svenska familjejournalen 1881, s. 305 f., F. L. GRUNDTVIGS *Svenske minder fra Tjust* (Dalhems socken), Köpenhamn 1882, och E. SVENSÉNS *Sagor från Emådalen* (mellersta Kalmar län) i Svenska landsmålen II, 7 (1882), dessa båda sednare sålunda representerande former af östgötskan (se s. 105), liksom också är fallet (se s. 106) med de stycken af G. A. KARLSSON (norra Möre) och A. J. GUSTAFSSON (norra och södra Vedbo), som meddelas i Svenska landsmålen II, 9, s. 19 f. och 21 ff. (1885). Smålandsformer af västgötskan (se s. 106 f.) åter ha vi i de af A. RAMM (Tveta) och M. A. ELMBLAD (Västbo) därsammastädes s. 25 ff. och 31 ff. meddelade styckena. Egentligt smålandsmål från sydligare

---

[1] Nämligen II, 24, 40; III, 16; VI, 17; VII, 65; XI, 52.

[2] Ett litet utdrag härur lämnas i WARBURGS *Det svenska lustspelet under frihetstiden*, s. 95 f.

delen af landskapet föreligger däremot i N. M. O. SJÖSTRANDS tre dramatiserade bilder (Sv. landsm. II, 9, s. 36 ff., 99 ff. och VII, 3) och i fyra smärre bitar af K. LINDSTÉN (Sv. landsm. II, 9, s. 41 ff.), allt från Kinnevalds härad (dock II, 9, s. 99 ff. med inströdt Tveta-mål från Nässjö), samt i en dialog från Konga af F. A. JOHANSSON (Sv. landsm. II, 9, s. 46 ff.). Många språkprof, till största delen utan ursprungsbeteckning, ingå ock i Svahns *Svenskt skämtlynne* [1].

Med landsmålsalfabet äger man några språkprof dels på Handbörds-mål af P. TUNELL (Tunalän) och E. SVENSÉN (Aspeland), dels på syd-småländska från Urshults socken i Kinnevalds härad af K. LINDSTÉN (och N. OLSÉNI), allt i Sv. landsm. II, 632 ff., 636 ff. och 745 f. Men framför allt har man från Kalmartrakten den alltsedan 1889 fortsatta, redan till 372 sidor text (hvaraf hälften med landsmålsalfabet) uppgående samlingen *Folkminnen* af H. [LUNDELL] och E. [ZETTERQVIST, f. LUNDELL]. Tack vare dessa från alla lifvets områden hämtade och med fotografisk noggrannhet gjorda uppteckningar är väl denna form af småländskan den i fråga om de litterära källornas värde för språkforskningen rikast försedda af alla svenska dialekter.

5. Halland. Af gamla källor vet jag intet annat att anföra än det »Colloquium inter Hallandum et Bahuensem», som förekommer i C. CHARISIUS' otryckta handskrift från omkr. 1750 *Hallandiæ Australis dialectus* å Uppsala universitetsbibliotek [2]. Af moderna källor äro de äldsta de korta språkprof dels på (det västgötska, se s. 106 f.) målet i norra Halland (Fjäre, Viske, Himle och Faurås' härader), dels på mål från sydligaste Halland (Tönnersjö och Höks härader), som meddelas i P. MÖLLERS 'Ordbok öfver halländska landskaps-målet', s. XVII ff. (1858). Synnerligen rika och goda

---

[1] Nämligen I, 37, 65; II, 19; V, 24, 37; VI, 29; VII, 40; VIII, 36; IX, 14, 24; XI, 49, 54; XII, 38; XIV, 17; XVI, 8, 10.

[2] Se LIND i Samlaren 1882. s. 62.

källor för mellersta Hallands mål (Faurås' och Årstad härader, särskildt Vessige socken) äger man i A. Bondesons arbete *Visor på Ätradalens bygdemål*, Uppsala 1878, och *Halländska sagor*, Lund 1880. Betydligt mindre värde äga [1] *Visor på nordliga Hallands-mål* af signaturen Edv. Ke, Göteborg 1879, förmodligen representerande Kungsbackatrakten. Några språkprof, hvaribland ett af Bondeson, förekomma äfven i Svahns *Svenskt skämtlynne* [2]. Det nyaste bidraget är A. Muténs *Folklifs-skildringar* (från mellersta Halland), Varberg 1897.

Med landsmålsalfabet äger man fyra stycken af A. Bondeson i Sv. landsm. I, 646 ff., allt från Årstad härad (Vessige, Krogsereds och Asige socknar).

6. **Bohuslän.** Äldsta källan är väl det ofvan under 5 omnämnda »Colloquium». Annars är det ett af »Ole Husman» (troligen kyrkoherden B. Wessman, f. 1741, d. 1792) författadt, i Göteborg 1761 tryckt gratulationskväde *Te Löcke .. då .. Carl Nicolaus Lilja skulle .. wyas te sammens mä .. Catharina Charlotta Gyllengahm På Röö i Hee Såcken,* alltså från Sörbygden; omtryckt af F. Busck i 'Bohuslänska folkmålsdikter' (Sv. landsm. XIII, 7), s. 21 ff. Möjligen har man ock bohuslänska i det *Samtal imellan twå Drängar, Pär och Ola,* som finnes i tidningen Götheborgske Spionen för 1770, nr 4. Därnäst kommer ett bröllopskväde utan känd författare eller hemort: *Regteg Berättelse om .. Erek Solbers å mamselle Maja Wesslos brölöbb i Öddevall .. 1778,* för första gången tryckt hos Busck, s. 8 ff. Från 1819 förskrifva sig ej mindre än tre kväden, alla tryckta (de två för första gången, det tredje förut, men illa, hos Firmenich III. 855 f.) hos Busck, s. 16 ff., 44 ff. och 50 ff.: ett på Tunge-mål af fru M[aja] E[lisabeth] H[allenberg, f. Hedelius], d. 1829; de andra båda på Tanum-mål af »Ola i Sobb-

---

[1] Se L[unde]ll i Sv. landsm. I, 720 f.
[2] Nämligen V, 11 (af Bondeson), 26; IX, 20; XI, 45 (från Fjäre).

hult». Från 1824 och 1826 finnas två födelsedagskväden på Kville-mål af hofrättsauskultanten K. E. Linderot (f. 1819, d. 1832), båda för första gången tryckta hos Busck, s. 27 ff. och 33 ff. Senast omkr. 1850 är den anonyma bröllopsvisa på Stångenäs- eller Sotenäs-mål författad, som aftryckts hos Busck s. 56 ff. Gentemot denna rikedom på gamla källor står en påfallande fattigdom i fråga om de nutida. Några *Prof på allmogemål och folkvisor från Sörbygden* meddelas af N. F. Nilén i 'Bidrag till kännedom om Göteborgs och Bohusläns fornminnen' I, 521 ff. (1877). I *(Småsaker ur) En gammal Medikofilares minnen* af Rolf [Torén], Uddevalla 1882, s. 66 f. meddelas ett och i samma arbete *Ny serie*, Uddevalla 1886, s. 67 ff. flera språkprof på »norrbohuslänska». Vidare förekomma några få bitar i Svahns *Svenskt skämtlynne* [1]. Slutligen finnes i 'Bidrag till Göteborgs och Bohusläns fornminnen' VI, 265 ff. några 1897 gjorda uppteckningar: af A. Holmertz från Fräkne härad, af K. Berggren från Tunge, af J. E. Spolén från Tanum och af R. Lundkvist från Orust.

Med landsmålsalfabet har man blott ett par småbitar från Krokstad socken i Sörbygden af N. F. Nilén i Sv. landsm. I, 640 ff. samt de ofvannämnda fyra visorna af Ola i Sobbhult och K. E. Linderot, transskriberade af F. Busck i Sv. landsm. XIII, 7, s. 27 ff.

7. Dalsland. Den enda gamla källan utgöres af bref på dalbomål i Göteborgs-tidningen Hvad Nytt? Hvad Nytt? 1775, nr 147 och 148. Från nyare tid har man A. Segerstedts *Nöa sager å paschaser på dalbonnespråke, varmelänske å anre tongemål*, Stockh. 1885, endast delvis på dialekt (troligen något retoucherad) och utan uppgift om styckenas hemort; jfr samme författares *Svenska folksagor och äfventyr*, Stockh. 1884, s. 121 ff. och 185 f. En vida viktigare källa äro de i A. Bondesons *Historiegubbar på Dal*, Stockh. 1886,

---

[1] Nämligen XII, 33 (af N. L. Hallender); XIV, 11; XVI, 20.

s. 300 ff., meddelade sagorna från Gunnarsnäs' och Örs socknar i Nordals härad. Dessutom har man några stycken i Svahns *Svenskt skämtlynne* [1] samt åtskilliga hithörande partier i J. Henrikssons *Plägseder och skrock bland Dalslands allmoge fordomdags jemte en samling sagor, gåtor, ordspråk, folkvisor och lekar*, Åmål 1889, dock utan uppgift om styckenas hemort. — Med landsmålsalfabet är intet härifrån upptecknadt.

8. **Västergötland.** Redan den ofvan s. 149 nämnda Gyllenmärs' visbok från omkr. 1620 kan på grund af sitt af västgötadialekt starkt färgade språk i viss mån betraktas såsom en hithörande källskrift. Från 1700-talet äga vi några bitar på Göteborgs-mål i tidningarna Götheborgske Spionen 1771, nr 4, Hvad Nytt? Hvad Nytt? 1773, nr 226 och 227 samt Götheborgs Allehanda 1777, nr 86; dessutom en *Bruareskreft* på något annat västgötamål i Hvad Nytt? Hvad Nytt? 1774, nr 234—37. Sedan känner jag intet tidigare än från 1800-talets slut. I Bondesons Halländska sagor (1880; se 5 ofvan) är »knallarnas» tal i styckena 19—21 på Kinds-mål. I Svenska familjejournalen för 1881, s. 334 finns en bit från Barne härad af A. Hammar, i Hofbergs 'Läsning i hemmet' s. 496 en från Redväg af A. Alström (1881) och s. 816 en från Falbygden af K. G. S—n (1882). I Sv. landsm. II, s. LXV ff. har N. L. Hallender (1883) meddelat några stycken från Barne och Viste härader. En stor mängd bitar från allehanda håll och författare, bland hvilka i synnerhet Hallender flitigt bidragit, ingår i Svahns *Svenskt skämtlynne* [2]. Föga betydande äro och A. L[idhol]ms många småskrifter:

---

[1] Nämligen XI, 42; XIII, 7; XIV, 6 (af August A.); XV, 9; XVI, 22 (August A.).

[2] Nämligen I, 40, 45, 58; II, 16, 20, 38; III, 1 (Hallender), 25; V, 20 (Hallender), 43; VI, 21 (Hallender); VII, 29 (Hallender), 45, 63; VIII, 22, 25 (Hallender), 30, 35; IX, 22; XI, 24 (Hallender), 28 (Hallender), 34, 65; XII, 26 (Hallender); XIII, 16 (Jonas K.): XIV, 3, 13 (Jonas K.); XV, 21 (Jonas K.), 28 (Kalle X.), 30 (A. W. K.); XVI, 14 (O. Ldkst), 17 (Fr. Salomonsson).

Petter Perssons första och sista Göteborgsresa, Göteborg 1885, *Olle Perssons Frieri,* Gtb. 1886, dessa båda på Vilske-mål, *Konung Carl XV och Vallehärsbonden,* Gtb. 1886 (endast delvis på Valle-mål), samt, hvad författaren själf anger vara på »moderat» dialekt, *Berga-Trolle,* Gtb. 1886, *Marknadsresan,* Gtb. 1889, och *Historien om Oxenstjerna,* Gtb. 1890. Utan uppgifven hemort äro märket S-TS *Bilder ur verkligheten* (»Hva Goodtemplara ha för sek» m. m.), Gtb. 1885. Mera uppmärksamhet förtjäna de tio sagor, som meddelas i 2 uppl., Stockh. 1888, af J. SUNDBLADS *Gammaldags bruk,* s. 186 ff., ett arbete som äfven annars här och där innehåller små obetydligare bidrag (jfr ock samme författares *Gömda blad,* Stockh. 1883, s. 194 f.). Vida värdefullare är dock K. O. TELLANDERS med flera andras biträde utgifna *Allmogelif i Vestergötland,* Stockh. 1891, däri Kind, Veden, Redväg, Frökind, Gäsene, Väne, Kålland, Kinne, Kåkind och framför allt södra Vadsbo (utgifvarens hembygd) äro representerade. »En folksaga på Vestgötamål», utan angifven hemort eller upptecknare, ingår i 'Minnen från Vestergötaland', Upps. 1900.

Med landsmålsalfabet äger man dels ett par små bitar från Barne (Ryda socken) och södra Vadsbo (Ransbergs socken) i V. WADMANS *Ljudbeteckning för Västgötamålen,* Stockh. 1884, dels en stor samling *Gåtor* från norra Vadsbo (Fredsbergs och Hofva socknar) af P. A. SANDÉN i Sv. landsm. VII, 4 (1887), dels ändtligen tre små stycken från norra Vadsbo (Ekeby), Barne (Ryda) och Kind (Holtsljunga) i S. LAMPAS *Ljudbeteckning för västgötamålen,* Stockh. 1897.

9. **Östergötland** tillhör i fråga om dialektal litteratur våra sämst lottade landskap. Äldsta källan är det anonyma bröllopskvädet *Jett litet å wiälment olglamb, då Heer Munsern å Hannelsmann Heer Munser Lasse Lideb-n skull te wäägs å krypa i Brustol .. uti .. Norkping .. 1770,* tryckt hos Firmenich III, 849 f. Från vår tid finns knappast något annat nämnvärdt än ett stycke från Vikbolandet i H. Hof-

bergs 'Läsning i hemmet', s. 732 ff. (1882), några bitar i Svahns *Svenskt skämtlynne* [1] samt i *Östgöta-snack för Östgöta Gille*, Gtb. 1901, s. 6, 22 och 24 (detta stycke på Lysings-mål).

Med landsmålsalfabet äger man blott ett mycket litet språkprof från Gullbergs härad (Vreta klosters socken) i [O. Hoppes] *Judbetekning för östgötskan*, Stockh. 1881, s. 7.

Om den ganska rikhaltiga litteraturen på östgötska från Småland se ofvan nr 4.

10. Gottland. Frånsedt de forngutniska urkunderna saknas äfven här äldre källor än från 1700-talet, nämligen ett långt otryckt poem *Samtahl .. angående Bröllopet i Follingbo .. 1771* [2] samt några mycket små språkprof i ett par andra outgifna handskrifter: Jöran Wallins (biskop, f. 1686, d. 1760) *Analecta Gothlandensia* och C. G. G. Hilfelings *Journal hållen under en Resa till Gothland år 1799* [3]. Från början af 1800-talet har man en bröllopsskrift *Samtal mellan Såjs-Stina och Tallberg vid silfverbröllop hos pastorn i Alfva 1 nov. 1828*, tryckt hos Firmenich III, 845 f. Från midten af samma århundrade ha vi några ytterst obetydliga visstumpar i C. J. L. Almqvists 'Svensk språklära', 3 uppl. (1840) s. 408 f., 4 uppl. (1854) s. 249, och i Dybecks Runa 1843, s. 39 och 1845, s. 27 f. samt s. 60, ett litet språkprof från Garda af C. Säve i Annaler för nordisk Oldkyndighed 1852, s. 149, samt en fyraradig strof i Rietz' Dialekt-lexikon (1867), s. 367. Från vår tid finnas många, men ytterst korta språkprof här och där i P. A. Säves *Åkerns sagor*, Stockh. 1876, *Skogens sagor*, Stockh. 1877, *Hafvets och fiskarens sagor*, Visby 1880, 2 uppl. 1892, *Strandens sagor*, Visby 1894; en historia af R—st i kalendern Majdugg, Stockh. 1880, s. 69 ff.; några stycken af P. A. Säve och T. Fegræus från Fårö längst

---

[1] Nämligen I, 47; VII, 1 (af Th. B.); VIII, 39; IX, 1 (Th. B.); XIII, 24 (K. W. L.).

[2] Meddeladt af kand. O. V. Wennersten.

[3] Se vidare Noreen, Sv. landsm. I, 290.

i norr, af P. R. Kullin från Vall och Hogrän på mellersta Göttland samt af T. Hansson från Rone i söder, alla uti Sv. landsm. III, 2, s. 11 ff. (1882); en hop barnvisor o. d., samlade af J. Nordlander i Sv. landsm. V, 4 (1886)[1]. Men den ojämförligt viktigaste källan utgöres af P. A. Säves kolossala samlingar i sex handskrifna volymer[2] (tillsammans åtskilligt öfver 4000 foliosidor), väsentligen tillkomna under åren 1843—86, en skatt hvartill ingen annan svensk dialekt äger något på långa vägar jämförligt; nu i Uppsala universitetsbibliotek.

Med landsmålsalfabet äger man blott några stycken i Sv. landsm. I, 365 ff. och 570 ff. från Fårö af C. Säve, A. Noreen och T. Fegræus, I, 572 ff. från trakten söder om Visby af A. Rundqvist.

11. **Södermanland.** Troligen ha vi försök, ehuru klena, till sörmländskt bondmål i två dramer från 1600-talet. Den ena är Erik Kolmodins versifierade *Genesis ætherea. Eller Jesu Christi Födelse . . vthi en enfaldigh Comoedia fattat*, Åbo 1659, däri herdarna tala ett slags folkmål. Då författaren var född i Torshälla, så är det möjligen denna orts språk, som åsyftas[3]. Något bättre är den andra, Johan Beronius' äfvenledes versifierade *Rebecca, En Ny och Andeligh Comoedia*, Linköping 1674, däri förekomma tre bondscener, till största delen aftryckta i Sv. landsm. Bihang I, 147 ff. Ehuru författaren var född i norra Kalmar län och stycket uppfördes i Söderköping, där han var rektor, tyckes språket snarast vara något slags blandning af södermanländsk dialekt och riksspråk[4]. Annars känner jag intet hithörande förr än G.

---

[1] T. e. s. 76, 104. 107, 112, 166, 176, 178 ff., 198, 200, 226, 252 f. — Ett och annat ytterligare ur tidningar o. d. är förtecknadt hos Wennersten, *Bidrag till en nygutnisk ordbok*, s. IV ff.

[2] Se närmare Molér, *Bidrag till en Gotländsk Bibliografi*, s. 22.

[3] Se vidare Lundell, Sv. landsm. Bihang I, 145 ff., där ock några utdrag ur stycket ges.

[4] Se Lundell, a. st. s. 153.

UPMARKS få och små språkprof från Södertörn (alltså »uppländska», se ofvan s. 108) i hans *Upplysningar om Folkspråket i Södertörn*, Stockh. 1869, s. 36 ff., och i 'Läsning för folket' 1869, nr 12. Synnerligen rikhaltiga samlingar af ordspråk, ordstäf, talesätt, gåtor och ordlekar har meddelats af G. ERICSSON i 'Bidrag till Södermanlands äldre kulturhistoria' (1877—1886)[3], väsentligen från Åkers och Öster-Rekarnes härader. För öfrigt är blott att nämna ett par små bitar från Oppunda härad i Svahns *Svenskt skämtlynne*[4]. — Uppteckningar med landsmålsalfabet saknas.

12. Närke. Endast moderna källor äro mig bekanta. Af egentligt värde är knappast annat än G. DJURKLOUS många och, i synnerhet litterärt sedt, utmärkta publikationer på östernärkiska (trakten söder om Hjälmaren) i *Ur Nerikes folkspråk och folklif*, Örebro 1860, s. 34 ff. och 121 f., i tidskriften Nu 1874—75, s. 162 ff. och framför allt i hans *Sagor och äfventyr*, Stockh. 1883, som till större delen utgöras af bidrag från Närke. För öfrigt är blott att nämna en bit af H. HOFBERG i 'Läsning i hemmet', s. 110 f. (1881), och tvenne sådana i Svahns *Svenskt skämtlynne*[1] samt den litterärt betydande diktsamlingen af »Jeremias i Tröstlösa» (dvs. LEVI RICKSON) *Jeremias bok*, Stockh. 1898.

Med landsmålsalfabet har man en historia af DJURKLOU i Sv. landsm. I, 624 ff.

13. Värmland. Gamla källor i egentlig mening saknas alldeles. Den äldsta mig bekanta, några fraser o. d. från olika trakter inom landskapet, meddelade af P. BJÖRKMAN i hans *Beskrifning öfver Wermland*, Karlstad 1842, s. 33 ff., är utan egentligt värde. Detsamma gäller de få fraserna i M. AXELSONS *Vandring i Wermlands Elfdal*, Stockh. 1852.

---

[1] Närmare angifvet I, 70 ff., II, 92 ff., III, 96 ff., IV, 69 ff., V, 63 ff., VI, 46 ff.

[2] Nämligen VII, 42 (Vingåker) och X, 38 (Floda).

[3] Nämligen I, 47 och XI, 56.

Desto rikare flyta källorna från slutet af 1800-talet, och om deras rent språkliga värde i allmänhet icke är så stort, så är deras litterära betydelse så mycket större. Öfverhufvud kan väl ingen svensk dialekt härutinnan ens tillnärmelsevis mäta sig med värmländskan. Sådana alster, litterärt högst betydande, men språkligt otillfredsställande på grund af det använda blandspråket (på grundval af Ransäters-dialekten), ha vi till att börja med i »Fredrek på Rannsätts» (dvs. F. A. DAHLGRENS) *Viser på Varmlanske longmåle*, Stockh. 1875, och *Speller nye viser* 1876, samlad upplaga, tillökad med *Sprett sprang nye viser* 1886, ny upplaga, tillökad med *Siste viser* 1896. Språkligt sedt af något tvifvelaktigt värde äro de historietter på Filipstads-mål och Karlskoga bergslagsmål, som G. DJURKLOU publicerat i tidskriften Nu 1876, s. 179 ff.; utmärkta däremot, i all synnerhet i litterärt afseende, de sagor, som han under kraftig medverkan af JAN MAGNUSSON utgifvit i sina *Sagor och äfventyr*, Stockh. 1883, däri den mindre delen (jfr nr 12 ofvan) är på Fryksdals-mål. Åtskilliga väl berättade, men språkligt ej tillfredsställande återgifna sagor, utan uppgift om fyndorten, ingå i A. SEGERSTEDTS samling *Nöa sager å̂ paschaser* (jfr nr 7 ofvan), 1885. Ett ganska godt bidrag är T. SVARTENGRENS *Nö hört frå varmlanske skogsbygda*, Stockh. 1887, på Brunskogs-mål från Jösse härad. Några mer eller mindre anonyma historier och visor af mycket olika värde förekomma i publikationen 'Värmländingarne', Karlstad 1894, s. 12 f. och 27, 1895, s. 10 och 27, 1896, s. 35 f. och 45. Till innehåll och färgton delvis storartade, ehuru språkligt något blandade (väsentligen Jössehärads- och Fryksdals-mål), äro *Räggler och Paschaser på våral mål tå En Bonne* (dvs. G. FRÖDING), Stockh. 1895, ny samling (»Boka numra två») 1897.

Med landsmålsalfabet har man dels »Rägglor» och besvärjelseformler från öfre Fryksdalen (Fryksände socken) samt ordstäf och ordspråk från nedre Fryksdalen (Östra Emterviks socken) af A. Noreen i Sv. landsm. II, s. V ff. (1882); dels E. H. Linds (och L. J. Erikssons) stora samling *Värmländska ordspråk, ordstäv ock talesätt* från Färnebo (socken och) härad, i hvilken införlifvats en mindre dylik från öfre Fryksdalen (Fryksände) af E. G. Sahlström, därsammastädes XI, 2 (1896).

14. Västmanland. Ett, ehuru klent, försök till återgifvande af västmanländskt folkmål — dock uppblandadt med uppländska (jfr nr 15 nedan) och riksspråk — förekommer redan i två på prosa affattade bondscener uti Uppsala-professorn Andreas Johannis Prytz' versifierade drama *Olof Skottkonung*, Upps. 1620, aftryckta af Lundell i Sv. landsm. Bihang I, 125 f. Bergslagsmål åsyftas troligen i bröllopsskriften *Enfaldigt Bonde-glam*, Strängnäs 1697, och föreligger med säkerhet i en annan dylik, utan titel, tryckår och tryckort (Västerås på 1600-talet?), vid »Päter Eckman Pärssons» och »Grieta Mediens» bröllop på Pärsbo bruk samt i *Gamlä Giäsbus Wisä . . på . . Herr Mårtens Anagrinses . . Giäsbus lag i Westerås d. 15 jan. 1730.' På Kopparbers ohlstäfwen äf* Morsbo Erck Erssa *wä Waskie*, tryckt hos Firmenich III, 867 ff. Från nutiden äger man i det hela ytterst litet och detta skäligen obetydligt, såsom R. Dybecks lilla språkprof från Köpingstrakten i Runa 1842, s. 13, och L. F. Lefflers från Ramsberg och Linde i Svenska fornminnesföreningens tidskrift II, 55 f. (1875). Viktigare äro Erik Bores *Bergslagshistorier* från Lindestrakten, Lindesberg 1889. — Med landsmålsalfabet äger man intet.

15. Uppland. Ett dåligt försök till Roslags-mål föreligger redan i de två nämnda (se nr 14 ofvan) bondscenerna uti Prytz' *Olof Skottkonung*, i det att den ene bonden (»Rolle») synes skola representera Roslagen. Troligen, i många fall säkert, ha vi att göra med uppländska af ena eller andra slaget uti en mängd bröllopskväden o. a. d. skillingstryck

från 1600- och 1700-talen, nämligen [1] *Gifft-Glamm Millan twänne Drängjar på Bygden.* Stockh. 1691, omtryckt (med anmärkningar) af E. Grip i Upplands forminnesförenings tidskrift IV, 323 ff.; *Bonden Måns Clemsson och Drängin Mattis glammas wödder*, Stockh. 1691; *Bröllops-Kotter*, Stockh. 1692, omtryckt af Grip, a. st. s. 326 ff.; *Ett Kårtwilligt Bondeglam*, Stockh. 1695; *Bonde-Rijm*, Stockh. 1697, omtryckt af Grip, a. st. s. 328 ff.; *Giæstebodz-Glam*, Stockh. 1698; *Jätt Lustut Bonde-Glam.* Stockh. 1700; *Giffte-Glam*, Stockh. 1709; *Då . . Eric Burman mä . . Anna Elisa Reftelia skulle täll å bli Brufolk*, Stockh. 1721; *Jenfaldutt Smått Giässbås-Glam . . tåf* JERCKER I BYRI BROBY, 1725; vid P. Enanders och A. Meyholms bröllop på Löfsta 1725; *Bröllops-Wälkummi*, Stockh. 1726; *Jett Samfälugt samt Beraflugt Srååk . . När som . . Samuel Mallmeen Skull tä paras . . mä . . Helena Margareta Bonde . . i . . Nohla Malms Kjyrckjå*, Stockh. 1726; *När som . . Mauritz Bånge . . fnaska säg i Giftloka hop mä . . Christina Serenia*, 1727; *Eän Jänfaldug Meäning*, Stockh. 1728; *Ienfallugt Glam . . Åf* PEHR HANSSÅ *Ifrå Grisberg i Närtu sockn*, Stockh, 1732, omtryckt af Grip, a. st. s. 331 ff.; *Når som . . Nicolaus Burman skulle täll å fnaska säg tä Sängs . . Mä . . Eva Margareta Reftelia . . Åplöste sän Språk-Lådå* HÄRRGÅLS TÅRPARN UNDER QWARNBO *Pä Nåstan i Läby Sockn*, Stockh. 1735, omtryckt af Grip, a. st. s. 334 ff.; *Reseglam emellan Roslags-Böndra*, 1739; *Manerä på Bygda af* CAL JÖNSZÅ, 1740, aftryckt i 'Skämtsamme skaldestycken' I, Upps. 1777, nr 2; *Manerä på Bygda af* CAL JÖNSZÅ, 1742, aftryckt sammastädes; *Manerä på Bygda . . Margretelund . . i Roslagin af* CAL JÖNSZÅ, Stockh. 1743, aftryckt sammastädes i nr 3 och 4; *Giwtermåls Kuntratt . . tåw* JEN PLUMPER BONDÄ, *Hiema ti Roslagin*, 1749; *Jätt lylli Rim-Blåkat*, 1751; *Når hä knaphänduga Giftas Kuntracktä skulle full-*

---

bolas, 1752, omtryckt hos Firmenich III, 860 ff.; *Giässbåss-Glam*, 1752; *Oskyldug och giänfaldug Grationsskräft*, 1755; *Jätt myckje jänfåldugt Glam*, 1764, omtryckt hos Firmenich III, 863 f.; *Twänne Uplandsdrängars Samtal i Upsala Distingsmarknaden*, Gäfle 1765; *Lyck-Önska*, 1768; *På Ståcklåms Manerä . . wö Sölfwer-Bröllops Kallasä, Beskrifwi Tåf* JAN BENGTSÅ, Stockh. 1770, omtryckt af Grip, a. st. s. 339 ff.; *Jen visa på rim* [af CHR. MANDERSTRÖM] i 'Skämtsamme skaldestycken' I, Upps. 1777, nr 1; *Hasluga Rim . . af* KARL PERSSON *i Wrån å Rospiglann*, 1784. Sannolikt har man också att göra med uppländska i den 8-radiga strof, som förekommer i LAUR. ARRHENIUS' och JAC. PRATENIUS' dissertation *De Poesi Svecana*, Upps. 1728, s. 10; aftryckt af R. Bergström i Sv. landsm. VI, s. IX. Om alltså de gamla källorna äro ovanligt många, så äro de nutida desto färre. Obetydlig är en historia från Fjärdhundra af A. THORSÉN i 'Sverges ungdoms Jul-Kalender 1883', Upps. 1883, s. 51 ff., samt ett par bitar i Svahns *Svenskt skämtlynne* V, 35 och 44, XV, 1 ff. (af A. LINDEGREN, Tierp); viktigare A. VIBÄRGS 23 *Sägner på Roslagsmål från Valö socken* i Svenska fornminnesföreningens tidskrift VII, 177 ff. (1889).

Med landsmålsalfabet har man några stycken från Vendels socken i Örbyhus' härad af V. VENNSTRÖM i Sv. landsm. I, 598 ff. (1879), ett drama på Stockholms busmål af H. MOLANDER i Sv. landsm. I, 606 ff. (1879) och E. GRIPS rikhaltiga samling af folksägner o. d. på *Skuttunge- och Björklingemål* (Bälinge och Norunda härader) i Sv. landsm. XVIII, 3 (1899).

16. Gästrikland. De äldsta källorna äro två bröllopsdikter, båda tryckta i Gäfle 1676, den ena börjande med »Ett Giespe ha här åså weri denna reya», den andra med »Hä glunkas nå tåff hwerja»; omtryckta hos Firmenich III, 872 ff. och 875 ff. Därnäst kommer *Gässbås Melodeja Å Bruglam . . Når . . Ernst Wahlgren Skulle sta . . mä . .*

Anna Christina Uhr, Stockh. 1743. Från vår tid känner jag intet annat än en jakthistoria på» gestrikefinnmål» (icke finska, utan svenska) af E. Hedberg i Ord och bild 1892, s. 162 f.

Med landsmålsalfabet har man blott en mycket liten bit (i öfvertryck) på Hedesunda-mål (vid landskapets södra gräns) uti E. Rosengrens *ABCD för Helsing- och Gestrikmålen*, Upps. 1882.

17. **Dalarna** är synnerligen rikt på gamla språkprof af mångskiftande natur. Äldst — troligen från omkr. 1600 och i så fall kanske vårt äldsta dialektprof öfverhufvud (jfr nr 22 nedan) — är väl runinskriften på trästolen från Lillhärdal i Härjedalen, som innehåller Älfdals-mål [1]. Föga yngre äro tre, språkligt sedt ganska tillfredsställande, på prosa (Älfdalsmål) affattade brudscener i Prytz' för öfrigt versifierade dram *En Lustigh Comoedia Om* . . *Konung Gustaf Then Första*, Upps. 1622, 2 uppl. Stockh. 1649, ånyo utgifven af Lundell i Sv. landsm. Bihang I, 1 (1883) med öfversättning af och anmärkningar till dalmålet af Noreen (jämte bidrag af Bugge). Älfdals-mål ha vi äfven i följande smärre stycken från samma århundrades slut: åtta versrader i bröllopsskriften *Een loflig och wäl artad Fiskiare-Noot*, Västerås 1678, aftryckta af Eneström i Sv. landsm. II, s. XCVI; gratulationskvädet *Geäsle-Kall up i daalen* af J. L. S. (dvs. Johannes Laurentii Elvius) uti J. Columbus' och D. Svedelius' dissertation 'Pastor in Parnasso', Upps. 1683, omtryckt, men dåligt, i Näsmans Historiola (se nedan s. 174), s. 63 f.; psevdonymen »And Andsunäs» verser i en bröllopsskrift vid Georg Brovallius' och Ingrid Nilsdotters bröllop, Upps. 1688. Mora-mål träffa vi först i slottspredikanten Sam[uel] Norm[oræus'] »Nachspel af twå Dalkarlar» i hans bröllopsskrift *Ächta Kjärleks Ursprung*, Stockh. 1690, omtryckt hos Näsman, s. 64 f., och i Arborelius' 'Conspectus grammatices' II, 12 ff. Några skäligen värdelösa

---

[1] Se Bugge i Svenska fornminnesföreningens tidskrift X, 30 ff.; Noreen, *Spridda studier*, andra samlingen, s. 93 f.

prof på såväl Älfdals- som Mora- och Orsa-mål förekomma i Uppsala-professorn Johan Eenberg(h)s outgifna skrift *Kort Proof af Dahlska Språkets* . . *med Ulphilæ Götska och Isländskan öfverensstämmande*, 1693, där författaren företagit sig att öfversätta Lukas' evangelium kap. 2, vers 1—21 till alla tre dialekterna. I samme författares äfvenledes outgifna handskrift *Kort Berättelse om Dahlska Språkets Egenskaper*, 1702, finnes en uppteckning af den bekanta, senast i början af 1600-talet författade folkvisan om konung Gustaf och dalkarlarna, däri de sednare tala sitt eget språk, snarast Moramål (å tillsammans 8 rader); tryckt för första gången af G. Eneström i Sv. landsm. II, 11, s. 13 f. Älfdals-mål · ha vi återigen i Jacob Danielsson [Svedelius'] gratulationsverser uti J. Upmarks och G. Barchæus' dissertation 'De Fortitudine Mulierum', Upps. 1716, och densammes odaterbara *Gilliare-Snack*, båda alstren aftryckta hos Näsman, s. 66 ff., det förra äfven hos Arborelius, a. st. s. 14 ff. Bergslagsmål från Svärdsjö träffa vi i kvädet *Når* . . *Olof Nord-g* . . *samt Stina Barch-a* . . *sammanvigdes*, 1722, af Erk Hassa i Kjyrkie-byn, aftryckt hos Firmenich III, 870 ff. Reinhold Ersson [Näsmans] gratulationsverser *Ad Prost-Ulof i Lieksand* uti O. Siljeström Larssons 'Exercitium acad. de lacu Siljan', Upps. 1730, äro åter på Älfdals-mål, under det att E. Grönwalls och samme Näsmans dissertation *Historiola linguæ dalekarlicæ*, Upps. 1733, innehåller utom de aftryckta äldre språkprofven (se ofvan s. 173) äfven många nya sådana, dels lånade från Eenberg(h)s manuskript, dels väl författade af Näsman själf, på såväl Älfdals- som Mora- och Orsa-mål, men i det hela ganska värdelösa, såsom helt naturligt är, då de bl. a. utgöras af öfversättningar från bibeln och den isländska Herrauðs saga. Sedan känner jag intet hithörande från de närmaste hundra åren. Hvad man från än senare tid äger med »grof» beteckning, är i det stora hela synnerligen otillfredsställande i fråga om noggrannhet. De väsentligaste bidragen af detta slag utgöras af följande: R. Dybecks och hans frus (samt C. Säves?) uppteckningar på olika arter af Öfre Österdalmål (jämte en visa från Leksand inom Nedre Österdalmålets område) i Runa 1845, s. 21 och 25, 1865, s. 1 ff., 31 ff., och 84 samt 1874 —76, s. 24 ff.; språkprof af C. E. Sernander från Orsa, af E. Ericsson från Rättvik och af Råbock Erik Ersson från Lima i·Dalarnes fornminnesförenings årsskrift 1867, s. 76 ff. och 110 ff.; ett par anonyma bitar på Falu- och Tuna-mål i kalendern Driftkuku 1878, s. 145 ff.; ett par bitar Orsa-mål af P. Vikner i tidningen Dalpilen 1880, nr 20 och ·22; en hop fraser på Svärdsjö-mål af O. A. Danielsson i Sv. landsm. II, s. XI ff. (1882); de anonyma småskrifterna *Frieri-Äfwentyr .. på Dalmål från Orsa, Mora, Elfdalen och Rättvik*, Gäfle 1885, och *Lustiga Frieri-Äfventyr på* osv., 2 uppl. Stockh. 1888; en bit på Orsa-mål i Svahns *Svenskt skämtlynne* IX, 29 f.

Med landsmålsalfabet äger man åtskilliga språkprof i Sv. landsm., nämligen I, 590 ff. (1881) Mora-mål från Utmeland af A. Bärsell, I, 742 ff. (1881) och II, s. LV (1883) Orsamål från Maggås af E. Eriksson och A. Noreen, IV, 2 (1882) här och där i noterna fraser på Älfdals-mål af A. Steffenburg och A. Noreen.

18. **Hälsingland.** Gamla källor saknas, och de moderna äro i allmänhet obetydliga. Det mesta förskrifver sig från Delsbo. Så de två språkprof, som meddelas i *Uppränning till grammatik för Delsbomålet, utg. af Helsinglands fornminnessällskap* [genom L. Landgren], (Söderhamn 1862, s. 50 ff.), 2 uppl. Hudiksvall 1870, s. 49 ff., och den saga, som af Anna Hjelmström (f. Härdelin) och V. Engelke meddelas i Sv. landsm. VI, s. CXXXIX ff. (1888), samt den förras rikhaltiga samling af sägner, historier, samtal m. m. (jämte ordlista) *Från Delsbo* (Sv. landsm. XI, 4), s. 32 ff. (1896). Från Ljusdal har man ett par bitar af Engelke i Sv. landsm. VII, 10, s. 12 f. (1892), och i Svensk folkkalender 1897,

s. 58 ff. och 62 ff. förekomma ett par obestämbara bitar af I. GAVELL och H. JERNBERG.

Med landsmålsalfabet har man blott sju små stycken från Hanebo, Bollnäs', Arbrå, Färila, Delsbo, Högs och Bergsjö socknar i ROSENGRENS ofvan (nr 16) nämnda *ABCD*, s. 19 ff.

19. **Härjedalen.** Gamla källor saknas. De moderna äro ytterst obetydliga: en större bit från Lillhärdal af E. JESSEN i (norsk) Historisk tidsskrift III, 24 ff. (1875) och en mindre från Sveg af S. ÖBERG i Sv. landsm. VII, 11, s. 17 f. (1890). — Med landsmålsalfabet har man blott en sida ordspråk från Linsäll socken af [J. NOR]DL[ANDER] i Sv. landsm. I, 270.

20. **Jämtland.** Af gamla källor vet jag (frånsedt en del fornnorska diplom) blott att anföra en *Brur-Skröft .. lahn w.æhlmeixt Jamt*, Upps. 1748. Däremot äro de nyare rätt ymniga och delvis ganska gifvande. Från Föllinge har man en sidas språkprof hos JESSEN (se nr 19 ofvan), s. 38 f., från Sunne ett stycke i Svahns *Svenskt skämtlynne* XVI, 30 ff. och på ett mål, som närmast kan anses tillhöra trakten mellan Åre och Mattmar, en mängd smärre publikationer af »Äcke» (dvs. E. OLSSON): *E Jästbå-Vis'*, Östersund 1887, *Gått homör* I, Östers. 1888, 2 uppl. (»Godt humör») 1897, II 1889, III 1890, IV (»Godt humör») 1893, V 1898, VI 189(8—)9. På obestämbart mål författade äro ROSA ARBMANS *Litte för roskull*, Östers. 1891, *Trö å älvåru*, Östers. 1892, och »Anders Jämtes» *Jämtmålsberättelser* I, Östers. 1892, hvilkas språk enligt författarens egen uppgift »icke är bundet vid någon viss sockendialekt», men väl i hufvudsak stammar från trakten Åre-Mattmar, samt »Pelle Gapatrasts» visor *Genom glasöugbågan*, Östers. 1894.

Med landsmålsalfabet har man dels en saga från Offerdal af J. JONSSON i Sv. landsm. I, 584 ff. (1881), dels K. H.

Waltmans stora och omsorgsfulla samling af blandadt innehåll: *Lidmål* i Sv. landsm. XIII, 1 (1894).

21. Medelpad. Gamla källor saknas, och de moderna äro ytterst obetydliga. Utan uppgifven hemort äro [J. P. Sellber]gs *Anteckningar från Medelpad* I, Sundsvall 1876. - – Med landsmålsalfabet har man en folklifsbild af L. P. Dahlgren i Sv. landsm. I, 578 ff. (1881).

22. Ångermanland. Äldsta källan och öfverhufvud en af våra allra äldsta dialektala från nysvensk tid (jfr 17 ofvan och 23 nedan) är några få fraser, som J. Bureus från sin norrländska resa 1600—1 antecknat i *Sumlen* (se s. 143 ofvan), aftryckta i Sv. landsm. Bihang I, 195, 203 f. och 215. Nästa mig bekanta språkprof är tvåhundra år yngre, nämligen bröllopsskriften *Optåg we Bröllope i Bothe d. 25 Sept. 1803*, aftryckt hos Firmenich III, 889 ff. Från senare tid vet jag blott att anföra en bit på 13 rader i K. Sidenbladhs *Allmogemålet i Norra Ångermanland*, Upps. 1867, s. 5. — Med landsmålsalfabet äger man intet.

23. Västerbotten. Enda gamla källan äro ett par korta fraser i Bureus' *Sumlen* (se nr 22 ofvan), aftryckta i Sv. landsm. Bihang I, 187 och 229. Från vår tid har man en del fraser från Nysätra i F. Widmarks *Bidrag till kännedomen om Vesterbottens landskapsmål*, Stockh. 1863, s. 16 f.; vidare språkprof från Skellefteå af J. A. Fjellström, från Piteå af A. Klim, från Luleå af P. A. Pettersson, från Neder-Kalix af O. G. Wiklund, från Öfver-Kalix af A. H. Sandström och L. E. Carlsson, allt i Sv. landsm. III, 2, s. 32 ff. (1881); ändtligen en folklifsbild från Neder-Lule af E. O. Nordlinder i Sv. landsm. II, s. LXXX ff. (1884). — Med landsmålsalfabet äger man intet.

24. Lappland. Gamla källor saknas. Af moderna finnas blott två visor från Lycksele lappmark i P. A. Lindholms *Hos lappbönder*, Stockh. 1884, s. 106 ff., och en saga från Vilhelmina i Åsele lappmark, meddelad af O. P. P[ettersso]n

i Sv. landsm. VI, s. CXXXIV ff. (1889). — Med landsmålsalfabet finnes intet.

25. Österbotten. Gamla källor saknas. Nutida språkprof från Sideby, Lappfjärds, Korsnäs', Vörå, Kronoby och Gamla Karleby socknar meddelas af J. E. WEFVAR i Finska fornminnesföreningens tidskrift III, Hälsingfors 1878, s. 29 ff., från Petalaks, Närpes och Lappfjärd af A. O. FREUDENTHAL, *Ueber den Närpesdialekt*, Hfors 1878, s. 3 och 153 ff., samt från Gamla Karleby af densamme i 'Saga', Stockh. 1885, s. 22. Rikast representeradt är Kveflaks-målet genom A. J. NYGRENS *Byyrallor*, Borgå 1889, II 1890, III 1892. Samme författares *Österbottniska lifsbilder*, Vasa 1899, har stycken från Malaks, Maxmo, Korsnäs, Kveflaks, Vörå, Munsala och Gamla Karleby; 2 samlingen, Nicolaistad 1901, sådana från Vörå, Kveflaks, Purmo, Pedersöre och Larsmo.

Med landsmålsalfabet har man af A. O. FREUDENTHAL ordstäf från Ny-Karleby i Sv. landsm. VI, s. XIII ff. (1886) och diverse språkprof från Vörå i *Vöråmålet*, Hfors 1889, s. 196 ff.; af K. J. HAGFORS tre berättelser från Gamla Karleby, Kronoby och Teerijärvi i Sv. landsm, XII, 2, s. 108 ff. (1891); af H. VENDELL ordspråk, ordstäf, talesätt och sagor från Pedersöre och Purmo i *Pedersöre-Purmo-målet*, Hfors 1892, s. 213 ff.

26. Satakunda. Språkprof saknas här alldeles.

27. Åland. Egentliga språkprof saknas äfven här alldeles. Påverkadt af åländsk dialekt, åtminstone i fråga om ordförrådet, är emellertid språket i prosten Boëtius Murenius' visitationsprotokoller för åren 1637—66, utgifna af R. Hertzberg, 'Bidrag till Finlands kulturhistoria på 1600-talet' I (tiden 1637—40), Hfors 1891.

28. Egentliga Finland. Ett gammalt språkprof från Åbo-trakten är *Värser vid Handelsmannen i Åpo Jåseph Bedrejs* [dvs. Petræus'] *och Annika Sikfris Tulers* [dvs. Sigfridsdotters] *bröllop*, Åbo 1732, begynnande »Then som ti Hantel

wallen [dvs. fallen] är, Han theri lyckli wara blär [dvs. plär]»; aftryckta hos Firmenich III, 892 ff. Från nyare tid har man ett tjugotal sidor språkprof från Korpo och Houtskär i L. V. Fagerlunds *Anteckningar om Korpo och Houtskär socknar,* Hfors 1878, s. 164 ff. -- Med landsmålsalfabet finnes intet.

29. **Nyland.** Gamla källor saknas. De moderna äro icke talrika, men så mycket omfångsrikare, detta i den grad, att väl ingen annan svensk dialekt äger så mycket af publicerade (jfr nr 10 ofvan) texter. Utom G. E. Lindströms relativt små bidrag i Sv. landsm. III, 2, s. 28 ff. (1881), och hans *Nyländska folksägner* i 'Album utgifvet af Nyländingar' VIII, 155 ff., Hfors 1881, samt A. Allardts *Byberättelser,* Borgå 1885, 2 uppl. 1886, där nyländska förekommer inströdd i vanligt riksspråk, äger man nämligen de båda kolossala samlingarna: *Nyländska folksagor,* ordnade af G. A. Åberg, Hfors 1887 (= Nyland II), och *Nyländska folksagor och -sägner,* ordnade af A. Allardt och S. Perklén, Hfors 1896 (= Nyland VI), tillsammans omkring 750 sidor i stort oktavformat, till allra största delen på dialekt och representerande så godt som alla delar af språkområdet. — Med landsmålsalfabet äger man däremot intet.

30. **Estland.** Gamla källor saknas, och de moderna äro rätt otillfredsställande. Några obetydliga bitar från Wichterpal, Nuckö, Ormsö och Dagö meddelas af C. Russwurm i *Eibofolke,* Reval 1855, s. 121 ff., 360 ff. och 366 ff. Bidrag från de tre förra hållen lämnar H. Vendells *Om Saga, Sång och Språk hos Svenskarne i Estland* i 'Album utgifvet af Nyländingar VII, Hfors 1878, s. 112 ff. och 122 ff., samt från Ormsö och Nuckö densammes *Laut- und Formlehre der schwedischen Mundarten in den Kirchspielen Ormsö und Nukkö,* Hfors 1881, s. 188 ff.

Med landsmålsalfabet har man blott en sida text från Nuckö af H. Vendell i Sv. landsm. III, 2, s. 26 f. (1881); dessutom från Nuckö, Ormsö, Dagö, Rågö och Wichterpal några rader af densamme i Sv. landsm. II, 3, s. 76 (1882).

31. Livland. Gamla källor saknas. Några klena bitar Runö-mål från midten af 1800-talet lämnas hos Russwurm, a. st. (se 30 ofvan) s. 121 och 362 ff.

Med landsmålsalfabet har man ett stycke Runö-mål af H. Vendell i Sv. landsm. II, 3, s. 75 f. (1882).

32. Gammalsvenskby (Syd-Ryssland) äger inga hvarken äldre eller yngre litterära källor.

Anm. 1. Ovisst är, hvilken dialekt som åsyftas i det lilla stycke af tvifvelaktigt språkligt värde, som förekommer i Nicolai Petri Agrelius' *Institutiones Arithmeticæ*, Stockh. 1655 (nya uppl. 1683 och 1738), s. 423; aftryckt af F. V. Hultman i Tidskrift för matematik och fysik 1871, s. 224 och (bättre) af G. Eneström i Sv. landsm. VI, s. XXI. Äfven från vår tid har man ett och annat, som är svårt att exakt lokalisera, t. e. »Olle i Grinns» samling beväringsvisor: *E dektan*, Stockh. 1898, och *E dektan te*, Stockh. 1899.

Anm. 2. I ofvanstående redogörelse har icke tagits någon hänsyn till de rikhaltiga handskrifna textsamlingar, som tillhöra landsmålsföreningarnas arkiver i Uppsala och Lund, och som äro förtecknade i Sv. landsm. II, 1, för Uppsala mycket detaljeradt s. 26 ff., för Lund mera summariskt s. 71 f., 74 f., 78.

Om dialektala källor af grammatisk och lexikalisk natur se kap. 5 (§ 23) och 6.

FEMTE KAPITLET.

Den nysvenska språkforskningens historia [1].

§ 20. Föregående behandlingar af hithörande ämnen.

Föregångare till en öfversiktlig framställning af detta ämne saknas så godt som alldeles. Det enda hithörande arbetet af allmän natur är A. NOREENS mycket kortfattade *Aperçu de l'histoire de la science linguistique suédoise* i Muséon II, Louvain 1883.

Bland speciellare bidrag må följande såsom de viktigaste här anföras. S. HOF, *Swänska Språkets Rätta Skrifsätt*, Stockh, 1753, lämnar å s. 274—81 en kronologiskt ordnad förteckning å de »utgifne skrifter angående Swänska språket och dess skrifsätt», hvilka författaren för sitt arbete begagnat. [N. VON ROSENSTEINS] 'Företal' till [C. G. AF LEOPOLDS] *Afhandling om svenska stafsättet* (i Svenska Akademiens Handlingar Ifrån År 1796, I), Stockh. 1801, har s. 42—66 en kort kritisk öfversikt af den för författaren bekanta äldre litteraturen, särskildt i stafningsfrågan. L. HAMMARSKÖLD, *Förtekning på De i Sverige . . utkomna Schole- och Undervisnings-Böcker*, Stockh. 1817, är en för sin tid god bibliografi. P. WIESELGREN, *Sveriges sköna litteratur* III, Lund 1835, s. 195—205, IV (1847), s. 12—26, 405—12 och 656 f., V (1849), s. 23—33 är i det väsentliga alldeles för-

---

[1] I det följande tages hänsyn icke blott till rent lingvistiska discipliner såsom grammatik, stilistik och lexikografi, utan äfven, om ock i mindre mån, till viktigare gräns- och hjälpvetenskaper såsom språkfilosofi, fonetik, ortografik och metrik.

åldrad. B. v. Beskow, *Om förflutna tiders Svenska Ordboks-företag*, Stockh. 1857 (och i Sv. Akademiens Handlingar Ifrån År 1796, XXXI, 227 ff., 1859), är af ganska magert innehåll och berör nästan lika mycket utländska som svenska ordboksföretag. A. Kock, *Språkhistoriska undersökningar om svensk akcent*, Lund I, 1878, s. 1 ff., II, 1884—85, s. 1 ff. meddelar en rik förteckning å arbeten rörande accenten, delvis med kritiska anmärkningar. A. G. Ahlqvist, *Anteckningar om en svensk språklära under 16:de seklet* i Historiskt bibliotek, utg. af C. Silfverstolpe, VI, 259 ff. (1879), redogör för det af Possevino igångsatta arbetet på att åstadkomma en svensk grammatik (se nedan s. 184). G. Stjernström, *Johan Ihre* i Nordisk tidskrift 1880, s. 591, ger ett litet utkast till en biografi, och samme författare skildrar *Språkstriden mellan Urban Hjärne och Jesper Svedberg* i Finsk tidskrift XI, 421 ff. (1881). En viktig källa är E. H. Linds *Förteckning öfver Upsala universitetsbiblioteks handskrifter rörande svenska språket. (Från midten af 1600- till midten af 1700-talet)* i Samlaren 1882, s. 48 ff. Ett mycket innehållsrikt och omsorgsfullt litet arbete är H. Hernlunds *Förslag och åtgärder till svenska skriftspråkets reglerande 1691—1739 jämte en inledande öfversigt af svenska språkets ställning under den föregående tiden*, Stockh. 1883. Goda, men mindre omfattande bidrag har man äfven i samme författares *Svenska Tungomåls-gillet* i Samlaren 1885, s. 25 ff., och *Vetenskaps-Akademien och Lars Laurels rättskrifnings-förslag*, Stockh. 1888 (i Program för Nya Elementarskolan 1887—88). Åtskilliga notiser rörande 1700-talets grammatiska litteratur, särskildt läroböckerna för undervisning i främmande språk, lämnar N. Beckman i Arkiv för nordisk filologi XI, 154 ff. (1885). För Svenska Akademiens språkliga verksamhet redogör G. Ljunggren, *Svenska Akademiens historia 1786—1886*, II, 384 ff. (1886).

Bidrag till metrikens historia gifva A. Sterner, *Några iakttagelser öfver den svenska hexametern och teorierna för den-*

samma, Linköping 1887 (i Årsredogörelse för läroverket, 1886—87), och O. Sylwan, *Bidrag till metrikens historia*, i Samlaren 1898, s. 1 ff.

En del notiser rörande svenska språkstudiet i Finland meddelas i I. A. Heikels *Filologins studium vid Åbo universitet* (= Åbo universitets lärdomshistoria 5), Hfors 1894.

Det betydligt yngre dialektstudiets historia är relativt utförligare behandladt. Hithörande kortfattade öfversikter lämna J. E. Rietz, *Svenskt Dialekt-lexikon*, Inledning s. II ff. G. Norlander i Svensk tidskrift 1875, s. 225 ff., och G. Djurklou i Sv. landsm. I, 1 ff. (1879); utförligare bidrag J. A. Lundell i Sv. landsm. I, 461 ff. (1881), O. Hoppe, J. A. Lundell, H. Vendell, J. Andersson, Th. Blomstrand, N. Olséni, A. Kempe och C. M. Oldin i Sv. landsm. II, 1 ff. (1885), samt H. Vendell i *Finländska bidrag till svensk språk- och folklifsforskning, utg. af Svenska landsmålsföreningen i Helsingfors*, Hfors 1894, s. 1 ff. En fullt modern öfversikt af utvecklingens hufvudpunkter lämnar Lundell i Pauls Grundriss, 2 aufl. I, 1483 ff. (1901).

För öfrigt har man naturligtvis att tillgå en mängd hithörande uppgifter i de ofvan s. 135 f. och s. 151 anförda arbetena af mera rent bibliografisk natur.

§ 21. Den äldre nysvenska perioden.

Nysvenskans språkvetenskapliga litteratur tager, om ock blott i ganska oegentlig mening, sin svaga början med ett arbete af lexikalisk natur: *Variarum rerum vocabula cum sueca interpretatione*, Stockh. 1538, sedan flera gånger under 1500- och 1600-talen omtryckt [1] samt senast ytterst omsorgsfullt af A. Andersson, Upps. 1890. Detta anonyma arbete, väsentligen en öfversättning från tyskan, är dock icke en produkt af svenskt, utan af latinskt språkstudium, utgörande en efter sakliga kategorier ordnad latinsk glosbok med mot de latinska

---

. [1] Se Klemming, *Ur en antecknares samlingar*, Uppsala-upplagan s. 25.

— 184 —

glosorna svarande svensk öfversättning, således indirekt en liten nysvensk ordbok med realuppställning. Arbetet är numera ytterst viktigt, icke blott för sin ålder, utan än mer för ordförrådets af praktiska hänsyn betingade allsidighet — sträckande sig från »Deus» och »cœlum» till de obetydligaste »utensilia rustica» — hvadan man här anträffar många ord, som annars icke råkas vare sig under fornsvensk eller nysvensk tid. En alfabetiskt ordnad glosbok är däremot ELAUS PETRI HELSINGIUS' *Synonymorvm Libellvs*, Stockh. 1587, den s. k. »Svinmagen», väsentligen en öfversättning från Joh. Serranus' lågtyska original med samma namn, tryckt i Nürnberg 1567 och i sin tur baseradt på holländaren S. Pelegromius' 'Synonymorum silva' af 1546. Här ha vi nu svenska ord och fraser såsom uppslagsord med motsvarande latinsk och grekisk öfversättning, för hvars skull arbetet öfverhufvud kommit till. I det hela är det mindre värdefullt än det förra.

För öfrigt är från 1500-talet ingenting mera att anföra än — vår första nysvenska grammatik, som dock troligtvis redan för längesedan gått förlorad. Liksom de båda nyss nämnda arbetena framkallades detta icke af några vetenskapliga, utan af rent praktiska intressen. Den påflige legaten A. POSSEVINO lät nämligen enligt egen och andras uppgift under sin vistelse i Sverge utarbeta en »grammatica suetica» till tjänst för blifvande jesuitmissionärer (»saxones, flandri, angli») i Sverge. Arbetet, som möjligen författades af den bekante rektorn vid Stockholms jesuitskola Laurentius Norvegus (»Kloster-Lasse»), var till sina grunddrag färdigt år 1580, då Possevino lämnade Sverge, medförande utkastet därtill. Detta anförtrodde han nu för revidering och fullständigande åt en svensk vid jesuitkollegiet i Olmütz, PETRUS CUPRIMONTANUS RASBERGENSIS [1], som senare träffas som teolog i Vilna, där han afled efter 1589. Bokens följande öden äro

---

[1] Troligen skriffel för RAMSBERGENSIS.

okända. Man vet sålunda, hvarken hvar den hamnat, eller om den någonsin blef färdig och i så fall tryckt [1].

Den förste, som röjer ett vetenskapligt intresse för svensk språkforskning, är den lärde mångfrestaren Joh. Buræus (jfr ofvan s. 143), ehuruväl detta hans intresse förnämligast var riktadt på fornspråket. Också har väl hans numera förlorade, men. t. e. i Aurivillius' grammatik (se s. 193 nedan) ofta citerade tabell 'Specimen primariæ lingvæ scanzianæ', Stockh. 1636, blott rört fornsvenskan (icke, såsom ofta uppgifvits, isländskan), liksom förhållandet är med hans outgifna stora lexikon (423 ss.; i kungl. biblioteket i Stockholm). Visserligen skulle hans äfvenledes outgifna [2] 'Afhandling om Språkens upkomst och skrifart' enligt sin plan handla äfven om »wårt mål», men författaren hann aldrig så långt. Emellertid torde han böra här omnämnas i sin egenskap af författare till vår första Abc-bok, *Rvna ABC Boken*, Stockh. 1611, nya upplagor med titeln *(Den) Svenska ABC Boken*, Stockh. 1612 och Upps. 1624 [3], däri han skrifver nysvenska med runor. Då han i den sista upplagan bemödar sig att, så godt sig göra låter, återge uttalet, kommer han här att lämna en och annan upplysning af vikt för ljudläran [4]. Att han ock är den förste, som upptecknat nysvenska dialektformer, få vi tillfälle tala om i § 23 nedan. Hvarpå den stundom hörda uppgiften, att han äfven sysslat med svensk syntax, stöder sig, är mig obekant.

Bureus' intresse delades af hans store lärjunge Gustaf II Adolf, som 1624 ville i Uppsala inrätta en professur i svenska språket — en plan som emellertid strandade, emedan han ej kunde få någon professor till platsen, och förverkligades först 1881 — och som i ett memorial af 1629, riktadt till »riksens

---

[1] Se utförligare Ahlqvist i Historiskt bibliotek VI, 259 ff.

[2] Handskrift i Linköpings bibliotek, nr 17 Benz., XIII Kyl., ny nr 1 Spr.

[3] Dessutom finnes en latinsk upplaga, se Hernlund, *Förslag och åtgärder*, s. 7 noten.

[4] Jfr Beckman, Arkiv för nord. fil. XI, 177 ff.

antiquarii och häfdasökiare», påbjöd︰bl. a. **anläggande af** samlingar till ett fullständigt svenskt lexikon, därvid man ej borde förgäta växtnamn, yrkestermer och ortnamn — en plan som knappast förrän i våra dagar kan sägas ha blifvit på allvar satt i verket. 1600-talets (grammatik- och) **ordboksföretag** äro ännu uteslutande af samma art som 1500-talets, nämligen praktiska hjälpredor för inlärande af främmande språk, sålunda endast indirekt upplysande svenskan. Så t. e. Nathan Chytræus' *Grammatica latina,* bearbetad af Arvidus Johannis Tiderus 1622, 2 uppl. 1626 (15 uppl. Stockh. 1731), som innehåller många svenska ordförteckningar såsom öfversättning af de latinska. »Parlörer» i stil med Variarum rerum vocabula äro Ericus Schroderus' (Upsaliensis) *Lexicon latino-scondicum quadrilingue* (dvs. latinskt-svenskt-tyskt-finskt), Stockh. 1637 [1], och densammes bearbetning af J. Amos Comenius' *Janua lingvarum* (latinsk-tysk-svensk), Stockh. 1640, nya uppl. med alfabetiskt »Register på alla the Swenske Ord» 1641 (= Index 1642, se nedan s. 187), 1643, 1647. Samma plan följes i Henricus M[atthiæ] Florinus' *Nomenclatura rerum brevissima* (latinsk-svensk-finsk), Åbo 1678, ny uppl. 1683, sedan utvidgad under titeln *Vocabularium Latino-Sveco-Germanico-Finnonicum.* Stockh. 1695, nya uppl. 1708 och 1733; i den anonyma *Vocabularium latino svecum.* Stockh. 1706, ny uppl. 1740; ja den träffas ännu i Albert Gieses *Vocabularium latino-sveco-germanico-gallicum* (och utdraget därur: *Vocabularium latino-svecum*), Stockh. 1732, ett arbete som är intressant just genom sina sammanställningar af facktermer, djur- och växtnamn m. m. Alfabetisk uppställning hade däremot möjligen en viss Bengt Mattson Ryssetolks arbeten. Denne hade 1630 en större rysk-svensk ordbok färdig och skulle just påbörja en svensk-rysk [2]. Emellertid är intetdera af dessa arbeten nu kändt. Annars vore nog

---

[1] Möjligen en äldre upplaga redan 1632.
[2] Se Ahlqvist, a. st. s. 269.

det sistnämnda, därest det verkligen kommit till, vår äldsta något omfångsrikare alfabetiska uppställning af det svenska ordförrådet. Såsom saken nu står, intas däremot denna plats af den »Index sveco-latinus», som förekommer i slutet af den s. k. Lincopensen, dvs. *Dictionarium latino-sveco-germanicum*, Linköping 1640, påbörjadt af lektorn i Linköping Nic. Grubb och fullbordadt af hans efterträdare Jonas Petri Gothus (senare biskop i Linköping, d. 1644). Denna index (192 foliospalter stor) aftrycktes sedan med smärre ändringar i en mängd andra arbeten. Så t. e. i den separat, Stockh. 1642, utgifna *Index svecicus secundus* till den ofvannämnda Janua lingvarum samt i några upplagor (s. s. 186) af själfva detta arbete; i (den nya upplaga af J. Wolimhaus' *Syllabus in quo Latinæ Lingvæ* . . *Svecica respondet*, Stockh. 1649, som anonymt utgafs under titeln) *Enchiridion Dictionarii Latino-Svecici*, Stockh. 1652, där ovanligare ord uteslutits; i biskop Joh. Gezelius' (d. ä., d. 1690) *Vocum Latinarum Sylloge*, Åbo 1672, ny uppl. 1688; i translator S. Westhius' *Fasciculus dictionum*, Stockh. 1677 (2 uppl. 1690), hvars »Index sveco-latinus» omtrycktes af Gottfried Liebezeit under titeln *Nytt Swenskt och Latiniskt Dictionarium*, Hamburg 1700, under det att arbetet i sin helhet från och med 5:te och 6:te mycket tillökade och förbättrade upplagorna utkom under den nya titeln *Dictionarium Latino-Svecanum et Sveco-Latinum*, Stockh. 1733, resp. 1744. Ett högst värdefullt komplement till »Lincopensen» för det botaniska områdets vidkommande utgör det redan något tidigare arbetet af Uppsala-professorn Joh. Franck(enius, d. 1661)[1] *Speculum botanicum*, Upps. 1638, ny tillökad uppl. *Speculum botanicum renovatum*, Upps. 1659; de svenska växtnamnen äfven aftryckta efter första uppl. i densammes postuma *Botanologia*, för första gången utg. af R. F. Fristedt, Upps. 1877 (i Nova Acta Reg. Soc.

---

[1] Se om honom utförligt Th. Fries, *Naturalhistorien i Sverige intill medlet af 1600-talet* (Upps. 1894), s. 33 ff.

Ups.). Den växtnamnslista på latin och svenska, som här för första gången lämnas, fick flera efterträdare och fortsättningar: professorn i Åbo ELIAS TIL-LANDZ' (d. 1692) *Catalogus plantarum quæ prope Aboam . . inventæ sunt,* Åbo 1673, 2 uppl. 1683, upptagande latinska, svenska och finska växtnamn; OL. RUDBECK d. ä:s rikhaltiga *Hortus botanicus,* Upps. 1685; stadsfysikus OL. BROMELIUS' (d. 1705) *Chloris Gothica . . cum Synonymis selectioribus, tam Latino qvam Svecico idiomate,* Gtb. 1694; assessorn med. dr J. LINDERS (sedan LINDESTOLPE, d. 1724) *Flora Wiksbergensis . . med namn på Latin och på Swensko,* Stockh. 1716, 2 uppl. 1728. Äfven lektor J. PALMBERGS (d. 1691) *Serta Florea Svecana,* Strängnäs 1683, 2 uppl. 1684, har ett litet svenskt namnregister; nya förbättrade och tillökta upplagor utgåfvos af rektor J. B. STEINMEJER, Stockh. 1733 och 1738.

Först vid öfvergången till 1700-talet börjar Gustaf II Adolfs plan till en utförlig svensk ordbok att i någon, om ock ringa mån förverkligas. De tidigare försöken stannade nämligen vid blotta ansatser. Det *Lexicon Sveo-Gothicum,* hvarpå arbetades af assessorn i Antikvitetskollegiet i Uppsala JOH. AXEHIELM (d. 1692), nådde aldrig till trycket, och hans samlingar därtill äro nu förlorade. Föga bättre resultat för nysvenskan efterlämnar hans store ämbetsbroder STIERNHIELMS verksamhet. Endast första häftet, omfattande bokstafven *A,* utkom af hans stort anlagda *Gambla Svea och Götha måles fatebur,* Stockh. 1643, tillkommen med etymologiskt och puristiskt syfte samt därför upptagande och etymologiskt behandlande sådana fornsvenska och fornisländska ord, som Stiernhielm ansåg vara af vinst för nysvenskan att upptaga eller vid lif bibehålla. Arbetet är sålunda endast i högst oegentlig mening att räkna till nysvenska ordböcker, såsom dock vanligen sker. Alldeles outgifvet och väl aldrig ens fullt afslutadt blef den tyske språkmannen JOB LUDOLFS i praktiskt syfte uppgjorda *Dictionarium Sueco-Germanicum,* en senast

1650 författad handskrift i Uppsala universitetsbibliotek. Sednare hälften af 1600-talet är så godt som alldeles utan nya ordboksföretag. Omnämnande förtjäna dock: CHR. GRUBBS (se ofvan s. 146) *Prænomina Sveogothica,* Linköping 1675, en ordbok öfver svenska förnamn (aftryckta tillsammans med annat i Sv. landsm. VI, 7, s. 27 ff.); klädkamreraren JOH. SALBERGS (västmanlänning[1], d. 1701) digra, men ofulländade *Lexicon Svetizans,* en ordbok öfver lånord och främmande ord i svenskan, daterad 1696 och bevarad i två handskrifter i Uppsala universitetsbibliotek, den ena omfattande bokstäfverna *A—Pr,* den andra, som är det förra manuskriptet »revisum et emendatum», blott bokstäfverna *A—C;* och den bekante rudbeckianen P. DIJKMANS (d. 1717) outgifna *Buahaiti, det är städers, häraders, soknars och största delen byanamnens ursprung uti provincien Upland förnämst, utharbetat åhr 1711,* manuskript i Uppsala universitetsbibliotek. Först i början af 1700-talet erhålla vi en något så när fullständig ordbok, som betecknar ett framsteg utöfver Lincopensens index, i och genom ärkebiskop HAQVIN SPEGELS (d. 1714) *Glossarium-Sveo-Gothicum Eller Swensk-Ordabook,* Lund 1712, där de svenska orden äro öfversatta till latin, stundom äfven till andra språk, och som innehåller strödda etymologiska anmärkningar. Outgifvet[2] har däremot förblifvit hans kamrat Skara-biskopen JESPER SWEDBERGS (d. 1735) stora verk: *En fulkomlig svensk ordabok* (manuskript i Skara bibliotek), baserad hufvudsakligen på Gustaf I:s bibel och andra reformationsskrifter, äfvenledes med latinsk öfversättning af de svenska orden. Detta resultat af trettio års arbete fick nämligen på grund af sin kätterska stafning icke tryckningstillstånd af Kanslikollegiet[3]. I manuskript har äfven stannat det stora verk i fyra folioband, som finnes i Lunds universitetsbibliotek,

---

[1] Se ANDERSSON i Samlaren 1902, s. 141 f.
[2] Men excerperadt i Schenbergs Lexicon af 1739, se nedan s. 210.
[3] Se HERNLUND, a. st. s. 75 och 83 f.

författadt af G. G. Ehrencrona (f. 1670, d. 1744): *Ordabok eller glossarium svio-gothicum*, ett för vår tid skäligen värdelöst opus. Perioden afslutas med en storartad, men ofullgången, ansats. Vetenskapssocieteten i Uppsala beslöt nämligen år 1730 att samfälldt utarbeta en svensk ordbok. Häraf blef emellertid endast bokstafven *A* färdig, utarbetad af professor Olof Celsius d. ä. (d. 1756), som i societetens Acta literaria 1732 tryckt en profbit: *Specimen lexici Suethico-Latini.* Därmed afsomnade företaget för att först långt senare i mycket ändrad form dyka upp såsom Ihres Glossarium [1]. Diverse samlingar till den ursprungligen planerade ordboken äro att finna i ett manuskript, omfattande bokstäfverna *A—Me*, af Celsius i Uppsala universitetsbibliotek.

Ledde sålunda det karolinska tidehvarfvet icke till så synnerligen stora, åtminstone i tryck synliga, resultat i fråga om ordboksarbete, så var det så mycket flitigare i att offentligen diskutera och söka utreda både allmänna och speciellare frågor af grammatisk och ortografisk natur, ämnen som först nu uppträda i litteraturen. Nysvenska grammatiken såsom vetenskap — åtminstone till syftet — är alltså att datera från denna tid. Detta nyskapade intresse torde i någon mån bero på Stiernhielms maningsrop till samtiden att akta modersmålet högt, en vädjan till allmänheten som samtidigt äfven göres af Skogekiär Bergbo i »Thet Swenska Språkets Klagemål, At thet, som sig borde, icke ährat blifwer» (se ofvan s. 145). Men i alla händelser har ingendera af dessa patriotiska skriftställare själf författat något i rent nysvensk språkvetenskap, utan t. e. Stiernhielm, som dock i så hög grad var språkman, har liksom i sitt ofvannämnda ordboksföretag så ock i sina öfriga språkliga arbeten [2] sysslat så godt som uteslutande med det äldre språket och endast undantags-

---

[1] Jfr Hernlund, a. st. s. 98 f. och 102.

[2] Förtecknade af L. Hammarsköld i *G. S:s vitterhetsarbeten*, Stockh. 1818, s. 28 ff.

vis i sammanhang därmed etymologiserat öfver nysvenska
ord, försök som nu naturligtvis äro värdelösa. Däremot hafva
några af hans samtida författat hithörande skrifter, delvis af
stort värde.

Det första i behåll varande rudimentet till en nysvensk
grammatik ha vi i »den ogement lärde» professor, sedermera
häradshöfding, MICHAEL OLAI VEXIONIUS' (sedan GYLDENSTOLPE,
d. 1670) *Epitome descriptionis Sveciæ*, Åbo 1650 (ny uppl.
Braunschweig 1726), hvars liber III (»De lingvis»), kap. 7
och 8 (»De convenientia» och »De differentia Sueo-Gothicæ
et Germanicæ lingg.») meddela paradigmer m. m. Viktig, i
våra dagar kanske ännu mer än fordom, är vår äldsta svenska
poetik: lektorn i Strängnäs, sedan kyrkoherden, ANDREAS AR-
VIDIS (d. 1673) *Manuductio ad poesin svecanam, thet är En
kort handledning til thet svenske poeterij*, Strängnäs 1651, där
i synnerhet kap. 4 och 5 (»Om . . quantiteet» och »Om . .
rijmslutande») ge oss intressanta språkliga upplysningar [1],
liksom särskildt förtjänar framhållas, att vi i sistnämnda
kapitel finna ett 76 sidor långt rimlexikon, på sätt och vis
vårt äldsta svenska. Ett mera vältaligt än innehållsrikt
opus är notarien MARTIN NYMANS (d. 1715) latinska *Oratio
De conservanda lingvæ patriæ integritate atque rectitudine*,
Upps. 1664, som har sitt intresse uteslutande däraf, att
det utgör den första behandlingen af ett sedermera mycket
diskuteradt ämne, språkriktigheten. Konkretare föremål hade
ett par, beklagligen väl aldrig utgifna [2] och numera troli-
gen förkomna, dissertationer af Uppsala-professorn MARTINUS
BRUNNERUS (d. 1679): *Contra geminationem vocalium* och
De abusu temporis plus quam perfecti med ett bihang *Dis-*

---

[1] Se vidare min inledning till S. Columbus' En svensk ordeskötsel,
speciellt s. XXI f. Om arbetets värde för poetikens historia se LEVERTIN i
Samlaren 1894, s. 79 ff.

[2] Så uppger dock ROSENSTEIN, s. 50, och efter honom WIESELGREN, III,
202, och HERNLUND, a. st. s. 15 noten 5.

quisitio brevis de abusu literæ H, hvilka afhandlingar Brunnerus enligt Joh. Schefferus' uppgift visat för denne i manuskript. Värdelöst är det kapitel 'De linguæ Scandicæ & Sueogothicæ præstantia' som professor J. Loccenius (d. 1677) meddelar i sin skrift *Antiquitatum sveo-gothicarum . . libri tres,* Stockh. 1647 (s. 192 ff.), 2 uppl. 1654 (s. 80 ff.), och som i 3 uppl., Upps. 1670 (s. 96 ff.) bär titeln 'De lingua veteri scandica & nostra gothica', (s. 96 ff.), i 4 uppl., Frankfurt 1676, titeln 'De lingva veteri & hodierna Gothica'. Mycket värdefullt är däremot Swen Tiliander IngemarsSons lilla kompendium i jämförande tysk-svensk och svensk-tysk grammatik *Semita transmittens . . Geenstijg, wijsandes huru man behändigst kan Genera i Tyskan fatta* [1], (1 uppl., tryckt i Stade, nu okänd; 2 uppl.) Västerås 1672, nya uppl. flera gånger senare, t. e. Dorpat 1691 och Stockh. utan tryckår. Alldeles särskildt har boken sitt värde genom de långa alfabetiskt ordnade ordlistorna med genusjämförelser mellan de båda språken.

Alla dessa ansatser öfverträffades emellertid vida af ett för sin tid verkligen glänsande och än i dag ytterst värdefullt arbete, som dock ända tills i vår tid förblifvit outgifvet, om också icke obegagnadt, nämligen skalden Samuel Columbus' (d. 1679) *En svensk ordeskötsel angående bokstäfver, ord och ordesätt,* författadt 1678, utgifvet af G. Stjernström och A. Noreen, Upps. 1881, med en utförlig språklig inledning (äfven separat utgifven under titeln 'Anteckningar vid läsningen af 1600-talets svenska grammatici') af Noreen. Arbetet utgör en tämligen oordnad, men omfångsrik samling af annotationer, däri författaren vill utreda frågor rörande ortografi — hvarvid han ifrar för fonetisk stafning och användande af antikvastil — och språkriktighet m. m., härutinnan fullt ut lika klarseende och lika avancerad i sina yrkanden som någon nutida författare, ja mer än kanske de flesta af dessa. För

---

[1] Titeln oriktigt angifven af Rosenstein, s. 52, och efter honom Hernlund, a. st. s. 15 noten 4.

oss har det sin allra största vikt och betydelse på grund af den omständigheten, att Columbus här principiellt i skrift använder· sin tids talspråk, så godt han kan beteckna detsamma [1]. I jämförelse härmed är bibliotekarien i Åbo GABRIEL A. E. WALLENIUS' (WESTMANNUS, d. 1690) lilla arbete *Project af swensk grammatica*, Åbo 1682, mycket obetydligt. Af icke ringa värde är dock den däri meddelade ordlistan med angifvande af ordens genus. Namn af »svensk grammatik» förtjänar emellertid detta opus näppeligen.

Vår första, åtminstone bevarade [2], verkliga svenska grammatik är däremot det af juris professorn i Uppsala ERICUS OLAI AURIVILLIUS (d. 1702) på latin författade *Grammaticæ svecanæ specimen*, att döma af företalets datering afslutadt 1684, men utgifvet, troligen efter författarens originalhandskrift, först af G. Stjernström, Upps. 1884. Vi ha här att göra med ett för sin tid och med sina förutsättningar mycket förtjänstfullt arbete. Magrast är ljudläran, men denna brist ersättes på ett lyckligt sätt af samme författares i detta afseende både fullständiga och goda *Cogitationes de Lingvæ Svionicæ* . . *recta scriptura & pronunciatione*, Upps. 1693, äfvenledes på latin. Att märka är, det författaren var från Roslagen, och att hans uppgifter rörande allmänt svenskt uttal någon gång äro af denna omständighet påverkade [3]. Fullkomligt obetydlig åter är den samtidigt af den bekante politiske martyren, Västerås-lektorn, sedan Mora-prosten JACOB BOËTHIUS (d. 1718) författade lilla *Dissertatio de nonnullis ad cultum svetici sermonis pertinentibus paragraphis*, (Västerås?) 1684—85, omtryckt af G. Stjernström, Upps. 1881. Samme författares *Tractatus* (eller *Theses*) *de orthographia linguæ sveticæ* (eller *svecanæ*), Västerås 1688, tycks vara förlorad [4].

---

[1] Jfr vidare min inledning till arbetet, s. IV ff.
[2] Jfr om Possevinos grammatik ofvan s. 184.
[3] Se SCHAGERSTRÖM i Sv. landsm. II, 4, s. 33 noten.
[4] Se STJERNSTRÖMS inledning till upplagan af Boëthius' Dissertatio.

En liflig verksamhet utvecklades på 1690-talet af Aurivillius' ämbetsbroder, den bekante skalden PETRUS LAGERLÖÖF (från Fryksdalen i Värmland, d. 1699). Han var, så vidt man vet, den förste, som i Uppsala höll föreläsningar öfver svenska språket, hvilket skedde 1691. Dessa föreläsningar blefvo visserligen outgifna, men en mängd åhörares anteckningshäften af olika omfång och med olika titlar finnas bevarade [1], i synnerhet i Uppsala universitetsbibliotek, hvars största hithörande handskrift (180 sidor 4:o) bär titeln *Een kort Anledningh till Rectitudinem lingvæ vernaculæ.* Innehållet är öfvervägande af ortografisk natur, men därjämte talas om participierna, troper, figurer och främmande ord, ges anvisningar på författare med »lingvæ puritas» och meddelas slutligen några anmärkningar rörande brefstil. Å enskilda föreläsningar hade Lagerlööf redan 1685 föredragit den *Introductio brevis ad poesin Svecanam,* som finnes både i latinsk och svensk affattning uti flera handskrifter, dels i Uppsala universitetsbibliotek, dels i k. biblioteket i Stockholm [2]. Tryckt föreligger densamma i Göteborgs-lektorn E. Poppelmans 'Brevis Introductio ad poesin Svecanam', Gtb 1736, som helt enkelt är Lagerlööfs arbete tillökadt med ett utdrag ur N. TIÄLLMANNS (se nedan s. 198) *Om verskonsten,* utgörande bihang till dennes 'Grammatica latina', Stockh. 1679 — ett förhållande som Poppelman dock på intet sätt antyder. I Uppsala-biblioteket förvaras ock i manuskript en af Lagerlööf själf eller någon hans lärjunge omarbetad och delvis utvidgad afhandling: *Dissertatio de poesi Sueonica.* Ett annat, som det uppges, till en del (de tre första kapitlen) tryckt arbete af Lagerlööf, *Præcepta poetica,* är väl förloradt. Af tryckta hithörande alster af L. känner man nämligen numera utom det nyssnämnda, af Poppelman

---

[1] Se LIND i Samlaren 1882, s. 50; HERNLUND, a. st. s. 16 noten; A. ANDERSSON, *Om Johan Salbergs grammatica,* s. II.

[2] Om Lagerlööfs arbeten i poetik se utförligt L. WAHLSTRÖM i Samlaren 1900, s. 1 ff. och 22 ff.

publicerade, endast två små ortografiska afhandlingar på latin: (L:s och Olaus Troilius Zachrissons) *Dissertatio de linguæ svecanæ orthographia*, Upps. 1694 — däri äfven influtit vissa, icke vidare klyftiga, tankar i ämnet af generalguvernören Johan Olivecrantz (d. 1707) — och ett obetydligt bihang därtill, (L:s och Johannes Rochmans) *Auctarium primum ad observationes de orthographia linguæ svecanæ*, Upps. 1695.

I det redan nu brännande rättstafningsspörsmålet intog Lagerlööf en mot Columbus alldeles motsatt ståndpunkt, strängt konservativ och förordande etymologisk stafning, under det att Aurivillius åter intog en medlande ställning, hvilket icke hindrar, att både Lagerlööf och Aurivillius i teorien oförblommeradt erkänna uttalet vara skriftens högsta lag. Lagerlööf var också tack vare sin konservatism mycket väl anskrifven hos och såsom sakkunnigt biträde anlitad af Kanslikollegiet, som 1691 upptog frågan om officiellt reglerande af stafningen. Denna åtgärd var närmast föranledd däraf, att censor librorum Cl. Arrhenius Örnhielm (d. 1695) i tryck låtit passera, ja infört sådan »Cacographia» (äfven kallad »Hr Ö:s nya svenska orthographia») som *å* för *o*, *ä* för *e*, *ck* för *ch* »och så bortåth . . at man intet wiste, om det war Swenska eller Rothwelska» (Urban Hiärnes ord), och att han fått »Apinior, som honom efterhärmade». Alltså och förty begärde kollegiet 1692 hos K. Maj:t »förbuds-placat» mot den »osedh», att »en hoop ynglingar företagit sig stafva wårt Swenska språk annorlunda än det i wår gambla Bibel är skiedt», t. e. *de* för *dhe* eller *the, härrä, åkk, Ståkkhålm* m. fl. ord, »wärre stafwade än en klook menniskia bör göra». Kollegiets öfverläggningar med Lagerlööf och en ännu större eller åtminstone myndigare auktoritet, den ryktbare arkiatern Urban Hiärne (d. 1724), ledde emellertid icke till något resultat förr än 1695 i sammanhang med den uppseendeväckande tilldragelsen, att det af Jesper Swedberg redigerade förslaget till ny psalmbok förkastades och i följd af K. Maj:ts beslut

indrogs på grund af sin nymodiga stafning (jfr ofvan s. 147 f.).
Denna åtgärd hade nämligen tvenne viktiga följder. Den ena
var den, att Swedberg 1695 uppsatte en motivering för sina
åtgöranden: *Oförgripelige Tanckar om thet Swenska Språkets
förbättrande.* Denna otryckta, men i flera handskrifter uti
Uppsala universitetsbibliotek och Riksarkivet [1] bevarade upp-
sats utgör det första utkastet till den sedan så ryktbara skriften
Schibboleth, Swenska Språketz Rycht och Richtighet, som i sin
utvidgade form var färdig till utgifning redan 1701, men i
följd af ständiga trakasserier från Kanslikollegiet o. a. blef
tryckt först 1716 (Skara). Här behandlas ej blott ortografiska,
utan äfven grammatiska, lexikaliska och språkriktighets-
frågor, i fråga om hvilka sistnämnda Swedberg i motsats till
sin ståndpunkt i rättstafningsfrågan intog en ultra-konservativ
sådan. Å andra sidan ledde den Swedbergska affären till att
öfvervakandet af den nya psalmbokens och bibelns tryckning
(1696, resp. 1703, se ofvan s. 147 f.) uppdrogs åt Kanslikollegiet,
som för detta ändamål tillsatte en kommission, däri Lagerlööf
och i all synnerhet Hiärne utgjorde själen. Denne sednare upp-
satte för kommissionens räkning *Regler angående orthographien,*
bevarade i flera handskrifter uti Uppsala universitetsbibliotek
och k. biblioteket i Stockholm [2] samt aftryckta hos Hernlund,
'Förslag och åtgärder', s. 41 ff., hvilka regler 1696 inlämna-
des till kommissionen och med obetydliga ändringar — mest
rörande vissa inkonsekvenser, åtminstone i utförandet, t. e. i
afseende på användningen af dubbelskrifna vokaler och *dh, gh*
— antogos i dess, nu förlorade, förslag. Den nya psalmboken
och bibeln vunno emellertid icke en sådan språklig och orto-
grafisk auktoritet, som de gamla på sin tid ägt, och nya
kättareskrifter uppträdde snart, t. e. kopisten, slutligen expedi-
tionssekreteraren JOH. JAC. PFEIFS (d. 1727) på omväxlande

---

[1] Se LIND, a. st. s. 51; HERNLUND, a. st. s. 30 noten 2. Innehålls-
förteckningen är aftryckt hos Hernlund, s. 52 f. noten.

[2] Se LIND, a. st. s. 52; HERNLUND, a. st. s. 40 noten 2.

latin och svenska författade *De habitu et instauratione sermodis svecani,* Stockh. 1713, däri bl. a. yrkas på slopande af dubbelskrifna både vokaler och konsonanter samt på införande af accenttecken. Häremot uppträdde kanslisten, slutligen justitiekanslern CARL JOH. ISEBHIELM i motskriften *Observationes in linguam suecanam, circa Examen Tractatus J. J. Pfeiffii . . exhibitæ,* utan tryckort och -år. Då 1716 Swedbergs Schibboleth utkom, uppträdde själfva Hiärne, hvilken redan senast 1711 författat några i en Uppsala-handskrift bevarade *Undertiänstl. och oförgripelig swar til de fråger, som af . . Biskopen . . Spegel äro öfwersende angående Orthographien,* med sitt hufvudverk i ämnet: dialogen *Orthographia Svecana Eller den Retta Swenska Bookstafweringen,* som afbröts midt under tryckningen (Stockh.?) 1716 eller 1717. Nu följde Swedbergs svarsskrift: *Heders Förswar Emot . . U. H:s Obetenckta Skrifft . . Senare Dehl*[1], Skara 1719. Hiärnes svar härpå: *Oförgrijpelige Tanckar och Skählige anmärckningar öfwer . . J. S:s Otijdige Heders Försvar* var färdigt till utgifvande i två delar senast 1721, men förbjöds af censorn[2], och härmed slutade denna den hätskaste af alla våra ortografiska fejder, rörande hvilken jag för öfrigt får hänvisa till Hernlunds (s. 48 ff.) och Stjernströms ofvan (s. 182) nämnda skrifter samt i någon mån H. Totties 'J. Svedbergs lif och verksamhet' II, 233 ff. Under det nu inträdande lugnet segrade i all stillhet Swedbergs ortografi, t. e. i Uppsala-professorn Laur. Molins bibelupplaga af 1720, förbjuden af Kanslikollegiet, men icke desto mindre tryckt[3], och i 1734 års lag. En ny liten reform försöktes af Vetenskapssocieteten i Uppsala, som 1732 antog några af professor (sedan biskop) ERIK ALSTRIN (d. 1762) uppgjorda

---

[1] Någon »Förre Dehl» är, åtminstone nu, obefintlig; se HERNLUND, a. st. s. 72 noten 2.

[2] Hiärnes originalhandskrift förvaras i Uppsala universitetsbibliotek. För innehållet redogör i största korthet HERNLUND, a. st. s. 73 noten.

[3] Se vidare HERNLUND, a. st. s. 86 ff.

regler för ortografien, hvilka visserligen icke af Kanslikollegiet godkändes, men ändock någon tid bortåt i det väsentliga tillämpades uti Vetenskapsakademiens handlingar, vunno erkännande af Ihre och Sahlstedt samt af den sednare slutligen trycktes såsom bilaga till hans 'Anmärkningar öfwer Swenska språket' 1753 [1].

Emellertid hade under dessa strider om språkets praktisk-ortografiska sida det mera rent vetenskapliga arbetet på svenska grammatiken icke legat nere. En anonym, men af konrektorn GABR. L. TAMMELINUS 1674 författad *Förteckning uppå dhe Swenske ord, om hvilka finnes underrättelse i wår Swenska Bibel, antingen de äro masculini, fœminini eller neutrius generis*, Åbo 1694, tycks nu vara förlorad [2]. Två år senare erhöll emellertid Aurivillius' grammatik icke mindre än tvenne efterföljare, af hvilka dock ingendera betecknar ett framsteg, åtminstone icke i metodiskt afseende, utöfver denna vår första grammatik. Den ena är den ofvan (se s. 189) såsom lexikograf omnämnde JOH. SALBERGS ännu outgifna, men i två handskrifter, hvaraf den ena är författarens original, i Uppsala universitetsbibliotek bevarade, digra *Grammatica svetica*, daterad Stockh. 1696 [3]. Den andra är det arbete, som ända tills inemot våra dagar allmänt gällt för att vara vår äldsta svenska grammatik: Stockholms-komministern NILS TIÄLLMANNS (ångermanlänning, d. 1715) *Grammatica suecana Äller En Svensk Språk- Och Skrif-Konst*, Stockh. 1696, där i synnerhet ljudläran flödar af allehanda onyttig lärdom, under det att formläran är jämförelsevis god. Från samme författare härrör ett i Uppsala universitetsbibliotek bevaradt mycket litet fragment af en handskrift: *Auctarium Gramma-*

---

[1] Se HERNLUND, a. st. s. 99 ff.

[2] Den omnämnes af STIERNMAN i *Anonymorum centuria secunda*, af TENGSTRÖM i *Gezelii d. y. minne*, s. 225, och af HEIKEL i *Filologins studium vid Åbo universitet*, s. 146.

[3] Se vidare ANDERSSONS inledning till *Om Joh. Salbergs Grammatica svetica* I, Upps. 1884, där författarens ljudlära utförligt behandlas.

ticale eller Swänska Språk-Konstens tilökning, förklaring och förbättring, författad efter 1710. Okänd är upphofsmannen till ett annat litet manuskript därsammastädes, författadt omkr. 1700: *Tankar om wårt Swenska Språk*, däri ortografi och formlära behandlas. Obekant är ock författaren till den anonyma skriften *Then Swänska Syntaxis*, Stockh. 1700, troligen vårt första försök i syntax, men beklagligtvis trots titeln utgörande en latinsk sådan, endast ytterst obetydligt upplysande för svenskan. Af allmänt innehåll, men föga intresse äro professor OL. CELSIUS d. ä:s *Exercitium Academicum De prærogativis linguæ svecanæ*, Upps. 1711, däri blott det tredje och sista kapitlet handlar om nysvenskan, och den bekante vältalaren professor JOH. HERMANSSONS (d. 1737) och ERLAND FAXELLS *Dissertatio gradualis Veneres nonullas linguæ suecanæ leviter adumbrans*, Stockh. 1722. Den lilla anonyma *Pro Memoria*, som Uppsala-biblioteket äger i två handskrifter från omkring 1730, är af för elementär art för att kunna i nämnvärd grad rikta vårt vetande. Först JESPER SWEDBERGS *En kortt Swensk Grammatica*, Stockh. 1722 (tysk öfversättning Stockh. 1760) är åter en ordentlig grammatik, men den är olyckligtvis snedvriden genom författarens ståndpunkt i fråga om språkriktighet, i det han gör Gustaf I:s bibel till norm för 1700-talets språkformer. På sitt sätt är emellertid arbetet viktigt, emedan det i följd af denna ståndpunkt blir ett slags grammatik öfver nämnda urkunds språk [1]. Slutligen kan i detta sammanhang lämpligen anföras ett grammatiskt arbete, som på grund af sitt tryckår strängt taget skulle föras till nästa period, nämligen AND. HELDMANS på tyska affattade, ganska utförliga (340 sidor 8:o) *Versuch Einer Schwedischen Grammatica*, Upps. 1738.

Den af Arvidi (se ofvan s. 191), Tiällmann och Lagerlööf (se ofvan s. 194) odlade poetiken, inberäknadt metriken, är äfvenledes under början af 1700-talet föremål för lifligt intresse, churu-

---

[1] Om arbetets innehåll jfr för öfrigt HERNLUND, a. st. s. 78 ff.

väl denna tids hithörande arbeten sällan eller aldrig erbjuda så mycket af rent språklig betydelse som Arvidis, utan ha en öfvervägande eller uteslutande litterär färg. Af vikt äro de i många handskrifter uti Uppsala universitetsbibliotek bevarade anteckningarna efter Uppsala-professorn FABIAN TÖRNERS (d. 1731) kollegium *Observationes in Poësin Suecanam* 1703, vidare den lilla anonyma handskriften därsammastädes *Kort Uttog af Swenska Poeteriet eller Rimkonsten* 1707 samt ännu en annan, odaterad dylik å samma ställe med titeln *Den Swänska Wärsskonsten*. Däremot innehåller den [af NILS CELSIUS] troligen 1714 författade handskriften därsammastädes *Det Swenska Poeteriet* trots sin titel ytterst litet af speciellt svenskt, än mindre af rent språkligt intresse. Utan dylikt är äfven L. ARRHENIUS' och J. PRATENIUS' dissertation *De Poesi svecana hodierna*, Upps. 1728. Af en viss språklig betydelse åter är Gäfle-lektorn ERIC ALROTS i två exemplar (det ena utskrifvet 1751) uti Uppsala universitetsbibliotek bevarade handskrifna *Kort utkast til then Swenska Rimkonsten* 1729 [1] samt J. HERMANSSONS och MAGNUS LÖNBOHMS *Tentamina nonnulla de Poesi Svecana Antiqua et Hodierna*, Upps. 1734, där kap. 2 behandlar »prosodiam svecanam hodiernam».

§ 22. Den yngre nysvenska perioden.

Frihetstiden är i fråga om svensk grammatik en synnerligen mager tid. Rent teoretiska undersökningar lågo nästan alldeles nere, och intresset fäste sig i stället vid mer eller mindre praktiska försök till »svenska språkets förbättrande» i tal och skrift, dvs. språkriktighetsspörsmålet och framför allt den outslitliga rättstafningsfrågan. Visserligen hade i afseende på den sednare en stiltje, såsom (s. 197) nämndt är, inträdt omkring 1720, men denna räckte blott ett par decennier, hvarefter frågan ånyo blossade upp. Den 1739 stiftade VETENSKAPSAKADEMIEN hade bl. a. till sin upp-

---

[1] Kocks uppgift (Svensk akcent II, 24) »1727» beror väl på tryckfel.

gift svenska språkets uppodlande, hvarför ock inom densamma en »klass om svenska språket» bildades. Men redan 1740 beslöt akademien att ej anta någon ny ledamot endast för svenska språkets skull, emedan detta »ej kan komma under namn af någon vetenskap». En månad därefter och väl i följd däraf bildades i Stockholm ett sällskap, SVENSKA TUNGOMÅLSGILLET, med uppgift först och främst att åstadkomma en grammatik och en ordbok. Det begärde kunglig stadfästelse, men detta motarbetades och hindrades af Vetenskapsakademien, som ansåg sig vara prickad, och i synnerhet af dess sekreterare A. J. v. Höpken, som för sin del uttalade den förmodan, att akademien skulle till de nämnda arbetena behöfva »mindre tid än Gillet föreskrifver, nämligen hela deras lifstid». Och snart, troligen redan 1741, hade Gillet spårlöst försvunnit, hvarpå Vetenskapsakademien tills vidare hvilade på sina verk [1].

Men när de kollegiala stämmorna tystnade, började enskilda sådana att låta höra sig. Redan något tidigare hade Lunda-professorn NICOLAUS STOBÆUS (d. 1754) utgifvit en disputation *Observationes quædam circa hodiernam Linguam Svecanam*, Lund 1737, däri uttalandena beträffande rättskrifningsfrågan gå i fonetisk riktning. För öfrigt har arbetet (s. 32) några intressanta citat ur talspråket och är i det hela ett rätt godt opus. Sin betydelse, om ock blott som ett tidens tecken, äger C. M. LILJEHÖKS uppträdande på Riddarhuset 1741, då han uppläste ett memorial, nu förvaradt i handskrift å Uppsala universitetsbibliotek, *Wälmenande Tankar om Swenska Tungomålets Uphjelpande*. Nästa inlägg är den bekante rudbeckianen, assessorn i Antikvitetskollegiet E. J. BIÖRNERS (d. 1750) *Cogitationes critico-philologicæ de orthographia linguæ Suiogothicæ tam runica quam vulgari*, Stockh. 1742, ett obetydligt arbete — mest handlande om runan Þ — som dock har fonetisk tendens i staffrågan; så t. e. vill författaren

---

[1] Se närmare HERNLUND i Samlaren 1885, s. 25 ff.

skrifva *du, de* i stället för *tu, the.* Vida viktigare är dock att JOHAN IHRE (f. 1707, d. 1780) [1] samtidigt begynner sitt nära fyrtioåriga betydelsefulla språkliga författarskap, viktigt dock mera på andra områden än i fråga om just nysvensk grammatik. Hans förstlingsalster på detta fält är det tillsammans med OLOF GRÅBERG författade *Specimen Academicum, quo Orthographiæ Svecanæ Usus simplicior . . exhibetur,* Upps. 1742, hvars titel klart anger syftet, och som utgör en hel liten lärobok i rättstafning, redigt uppställd. Äfven hans korta *Utkast till föreläsningar öfwer Swenska språket,* Upps. 1745, ny oförändrad uppl. Stockh. 1751, behandlar trots den mera lofvande titeln blott ortografien. Det samma kan sägas gälla hans *De distinctione Vocum Sveo-Gothicarum Orthographica,* Upps. 1753, som handlar om homonymer och vikten af att skilja dem åt i skrift. På sätt och vis en fortsättning af »Utkast» ha vi i Ihres och DAN. SCHEIDENBURGS *Dissertatio gradualis Stricturas Criticas in Lingvam Suio Gothicam exhibens,* Upps. 1752, där dock innehållet är af mera rent grammatisk natur, på några få sidor lämnande nästan en hel liten grammatik in nuce. Allmänna språkliga och stilistiska frågor behandlas däremot i Ihres båda småskrifter: *An scientiæ lingva vernacula tradi possint ac debeant,* Stockh. 1745, och *De obligatione sacrorum oratorum ad excolendam lingvam Suiogothicam,* Stockh. 1753.

Om de nu nämnda författarna samtliga voro mer eller mindre utpräglade framstegsmän i den ortografiska frågan, så fördes däremot konservatismens talan härutinnan af regementspredikanten ANDERS LALLERSTEDT — som redan 1740 uppträdt såsom författare af »En kort och tydelig svensk chriologi», ett slags stillära — uti hans i katekesform uppställda *Tankar om Swenska Orthographien,* Stockh. 1743. Men nyhetsifrarnas antal växte icke förty, och redan 1744

---

[1] Se vidare GEETE, Nordisk familjebok, *Johan Ihre,* och där anförd litteratur.

började ånyo attackerna på Vetenskapsakademien. Detta år inlämnades nämligen till densamma en liten anonym skrift af en dess ledamot, säkerligen C. G. TESSIN: *Oförgripeliga tanckar om svenska språket i gemen* [1], innehållande mycket förståndiga reformkraf, förnämligast i fråga om hvad till språkriktighet hörde. Visserligen lade akademien denna skrift »till de öfriga handlingarna», men väsentligen samma tankar uttalade Tessin något senare såsom preses i Vetenskapsakademien uti sitt *Kårt tal om Svenska språkets rykt och upodlande*, Stockh. 1746, däri han yrkar reglering af stafningen i fonetisk riktning, utgifvande af en fullständig och på samma gång etymologisk ordbok m. m. Förmodligen i följd af detta uttalande inkommo under åren 1747 och 1748 till Vetenskapsakademien flera skrifter i ämnet. Af dessas författare blef ingen på kort tid så beryktad som den fantastiske filosofie professorn i Lund LARS LAUREL (d. 1793), som enligt Rosensteins träffande omdöme med sina »påfund vanhedrade menniskosnillet» och uttänkte »reglor af en utmärkt besynnerlighet». 1747 ingaf denne till akademien sitt första hithörande opus, *Svenska stensvarwan*, som bl. a. bjöd på »en grundelig, och vig bokstavering», och som så imponerade på akademien, att den var starkt betänkt på att låta utge densamma af trycket. Men innan detta hann ske, hade Laurel inlämnat en ny skrift, däri han efter egen utsago bragt alla ord »på 19 när under skrifregel», och detta hans *Förslag til suenske skriv-lagen* utgafs nu, Stockh. 1748, utan L:s namn på titelbladet, af Vetenskapsakademien, som samtidigt från universiteterna, gymnasierna och konsistorierna infordrade utlåtande öfver detsamma. Sådana inkommo ock i mängd, men voro alla mer eller mindre afvisande; detta med rätta, ty vid sidan af radikalt fonetiska ansatser, såsom *v* för *f* och *fv*, *å* för *o*, *ä* för *e*, *kk* för *ck* m. m., står det argaste qvasi-

---

[1] Tryckt för första gången i HERNLUNDS *Vetenskaps-Akademien och Lars Laurels rättskrifnings-förslag*, s. 5 ff.

etymologiska stafsätt, t. e. *vändde, stötde, rode, skrivt, ände-ligen, havde, lägja, sätja,* och andra besynnerligheter, såsom *vinda* vinna, *böga, någre falske sager, kåmmet* kommit, *dok* dock, *os* oss, *at* att m. m. [1]. Vetenskapsakademien drog sig ock snart ur spelet, helst mannen blef värre och icke bättre i sina följande talrika arbeten: *Inledning til rætte foerståndet om mit . . foerslag,* Lund 1750, hvars viktigaste nyhet är, att *å, ä, ö* utbytts mot *å, æ, oe; Dissertatio, qua Fundamenta Orthographiæ . . porriguntur,* 1751; *L. L:s . . Räfst med Sina Orthographiska arbeten,* 1756, däri han vill jämka sig efter bruket, hvadan han nu ändrar sitt förra *evter* till *äfter, väkkd* till *väckd* osv.; *Pictura literarum Svethicarum genuina,* 1766; *Nordens Huvud Document äller Runa-Alpha-betets Hemlighet,* 1768; *Dissertatio Orthographiam Linguæ Sveo-num philosophicam sistens,* 1772; *Slutreflexiou öfver Nordens Huvud-Document,* 1777; ändtligen *Odu Glaf och Staf* [anagram af *Gustaf Adolf!*] *äller Svänska Språket utredt,* 1779.

Af Laurels många motståndare voro de såsom författare mest betydande Hof, Ekholm och Sahlstedt. Lektorn i Skara, sedan titulärprofessorn SVEN HOF (f. 1703, d. 1786) hade redan år 1748 i en till Vetenskapsakademien insänd anonym skrift [2] kritiserat Laurel och utvecklade sedan utförligt sina åsikter i det högst förträffliga arbetet *Swänska Språkets Rätta Skrifsätt,* Stockh. 1753, samt i en mindre, mot Ekholm riktad stridsskrift *Anmärkningar . . Angående Swänska Skrif- Och Stafnings-sättet,* Stockh. 1760; jfr ock hans i 'Den Swänska Mercurius', juli 1758, införda svar på Rhyzelius' (se nedan s. 206 f.) mot honom riktade anmärkningar samt hans lilla broschyr *Monita nonnulla . . de recta pronunciatione vocum svecanarum,* Skara 1776. I dessa sina skrifter framstår Hof såsom en, i synnerhet om man tar i betraktande tidpunkten för hans framträdande, rent af snillrik språkfilosof. Hvad särskildt

---

[1] Se utförligare härom i HERNLUNDS nyss anförda arbete.
[2] Inledningen aftryckt hos HERNLUND, a. st. s. 21 ff.

hans hufvudföremål, stafningen, beträffar, så visar han sig liksom S. Columbus, hvilken han direkt fortsätter, vara en klar och skarpsinnig anhängare af fonetisk stafning. I likhet med Ihre — i dennes »Utkast» — häfdar han grundregeln, att hvad örat hör, bör ögat se. Han drar slutsatsen, att intet ljud bör återges medelst två tecken, och att intet tecken bör representera två ljud. Han yrkar, att skrifning och läsning böra göras så lätta som möjligt, att med vårt språk införlifvade lånord böra skrifvas på svenskt sätt m. m. I teorien råder hos honom absolut konsekvens, men fullt medveten om den mänskliga naturens svaghet uppträder han i praktiken såsom en ytterst moderat reformator. Af lexikalisk natur är Hofs *Förklaring öfwer besynnerliga ord i Swänska Psalmboken*, Stockh. 1765. Om hans äfven för riksspråket mycket upplysande verk 'Dialectus Vestrogothica' se § 23.

Vida underlägsen Hof både i lärdom och begåfning, men betydligt anspråksfullare och i framställningssättet hetsigare var Laurels rival i förhållandet till Vetenskapsakademien, bokauktionsnotarien och publicisten ERIK EKHOLM (d. 1784). Redan 1748, sålunda samtidigt med Hof, hade han till akademien inlämnat dels en kritik af Laurel [1], dels ett stafningsförslag, som sedan omarbetades till skriften *Det rätta Stafningssättet i Svenskan*, Stockh. 1758. Här liksom i sin stridsskrift mot Hof, *Det rätta skrifsättet i vissa ord*, Stockh. 1758, är Ekholm — frånsedt den riktiga tanken, att lånord böra skrifvas på svenskt sätt — en ifrig anhängare af »bruket», dock med tre undantag: han vill nämligen skrifva *kk* i stället för *ck*, *ok* för *och* samt *f* för *fv*. Sistnämnda lyckliga tanke hade emellertid enligt Ekholms uppgift plagierats af domprosten i Strängnäs C. F. LJUNGBERG i dennes grammatik *Svenska språkets redighet*, Strängnäs 1756, en bok däri eftervärlden finner det mest märkliga vara terminologien, t. e. *andestaf* aspiration, *ändefall* kasus, *böjelse* konjugation, *band*

---

[1] Ett utdrag härur är aftryckt hos HERNLUND, a. st. s. 15 ff.

konjunktion osv. Genast vid sitt framträdande blef detta märkliga opus föremål för en liflig tidskriftspolemik. Det recenserades af Gjörwell i D. Sw. Mercurius, maj 1756, och af en anonym författare dårsammastädes maj 1758. I samma tidskrifts augustihäfte 1756 uppträdde psevdonymen Bomberfelt (dvs. Ekholm?) med en skämtsam kritik af Ljungbergs regel, att »Torre stafar (tenues) stå icke efter de lena (lenes)», utmynnande i yrkande på skrifningen *gt* i stället för Ljungbergs *kt*. Härpå följde antikritik af »Swänsk» i 'Lärda Tidningar' 1756, nr 79, 83 och 86 samt svar af Bomberfelt i D. Sw. Mercurius, sept. och nov. 1756. Andra kritiker och svaromål inflöto i Lärda Tidningar 1756, nr (44,) 46—50, 57—8 och 69—71. Ändtligen afbasades Ljungberg — och Hof — utförligt af Ekholm i *Kritiska ok Historiska Handlingar rörande Svenske Historien ok Språket*, I—III, Stockh. 1760.

Trots allt nit lyckades emellertid ej heller Ekholm att på längden vinna eller bevara Vetenskapsakademiens gunst, som däremot i rikare mån tillföll »den svenska litteraturkritikens fader», kungl. sekter ABRAHAM SAHLSTEDT (f. 1716, d. 1776), en man mindre utmärkt genom egentlig lärdom — speciellt saknande all språkhistorisk sådan — eller lingvistisk begåfning än genom flit och urskillning. Tack vare dessa egenskaper och Vetenskapsakademiens auktorisation lyckades han för en tid bringa en relativ ro och stadga i de ortografiska förhållandena, och hans talrika grammatikor och ordböcker utträngde för en lång tid alla ortografiska förslag af samtida medtäflare, bland hvilka här må utom de redan anförda ytterligare nämnas följande:

OLOV SVENNSSON BROMANN utgaf *Uphov Til en Bättrad Stavsättning*, Stockh. 1748, däri föreslogs *d* i stället för *th*, *v* för *f*, *fv*, *hv* och *w* m. m. A. J. MOLANDERS *Preludium grammaticale*, Stockh. 1753, är en liten grammatik för dem, som ej »lära latin», särdeles för »det ädla Fruentimbret». Biskopen i Linköping A. O. RHYZELIUS (d. 1761) införde i

D. Sw. Mercurius, febr. och mars 1758, en *Oförgripelig och wälment Hem- och Understellning om Swenska Språkets önskeliga Inrettning och ändteliga Stadgande*, däri bl. a. påyrkades af öfverheten utsedda »censores», hvilka medelst en »riktig Skriflag» och en »fulkomlig Ordabok» böra garantera »wårt Språks förwarning för framdeles förändring». Författaren är för sin del ifrigt emot användandet af arkaiska språkformer — detta i motsättning mot J. Swedberg — men ingalunda emot en arkaiserande stafning; så t. e. håller han på skrifningarna *tu, tin, tå* (men *the*), i hvilka ord icke »det Danska *d*» får användas. Den bekante publicisten Joh. Rosén (d. 1773) hade redan som docent i Uppsala utgifvit en större dissertation *De genio lingvæ svecanæ*, I, II Stockh. 1750, III Upps. 1751, innehållande bl. a. åtskilligt rörande stillära och prosodi. Såsom docent i Lund insände han 1755 till Vetenskapsakademien några ortografiska regler, »som tycktes nog billiga och förnuftiga». Med en utmärkt klarhet och reda uppställer han här såsom ortografiens högsta lag »Bruket, så wida det är almänt». Där så ej är fallet, är normen att söka i talet, »då man talar rätt». Bruket är godt, endast försåvidt det är sådant, att skriften är lätt både för dess läsare och skrifvare. Men ett allmänt bruk, om ock dåligt, är att föredraga framför ostadighet i ortografien. I praktiken blir han därför, tack vare det då för tiden mycket vacklande bruket, ofta trots sin konservativa teori en främjare af fonetisk stafning, t. e. då han skrifver *värd* (för *värld*), *där, hänne, människja*. Samme man har slutligen som lektor i Göteborg infört i Göteborgska Magazinet 1759, nr 37 och 38, en uppsats *Om Swenska Rätskrifningen*. Magister P. L. Enanders därsammastädes, nr 39, publicerade *Anmärkningar rörande Swenska rätskrifningen* bjuda blott på några, rätt dumma, modifikationer af Roséns regler för enkel- och dubbelskrifning af bokstäfverna. Originellare äro den något kuriöse magister Carl Brunkmans många reformskrifter: *Sättet Till Swensk*

Pennelag, Stockh. 1765; den anonymt utgifna *Nödwändigaste Grunden til Borgerlig Sällhet* (som uppges vara »ett enigt och redigt Landsspråk»), 1765; *Språkkänning,* 1766; *Förberedelse Til en Swensk Grammatica,* I Qvartalet 1767, II Qv. (1767—) 1774. Hans arbeten ha fonetisk syftning, och särskildt vill han ur skriften utesluta bokstäfverna *c, q, z* och *w.* Men dessutom är han en arg purist, i det han vill hafva platt afskaffade alla främmande ord i svenskan. En liten interpunktionslära med några inströdda syntaktiska reflexioner är C. C. HANELLS *Litet Försök om Sättet att rätteligen sätta Skiljomärknen uti Skrifvandet,* Kalmar 1764. Ett anonymt bref, som i D. Sw. Mercurius, dec. 1757, behandlar några stafningsfrågor, saknar hvarje betydelse. Värdelösa äro ock fyra små anonyma handskrifter från förra hälften och midten af 1700-talet, bevarade i Uppsala universitetsbibliotek [1] och afhandlande ortografiska, stilistiska och grammatiska frågor; icke alldeles utan intresse däremot en femte dylik, bevarad i två exemplar, med titeln *Diatriba Critica de Terminationibus Vocum in Svetica lingva.* — Det stafsätt, för hvilket GEORG GIÆDDA i företalet till sin öfversättning *Agricolæ Lefernes-Bescrifning,* Stockh. 1765, säger sig »snart cunna gifa Allmenheten betydande skiäl», bland hvilka nämnes vara det, att på nio ark »väl et fierdedels arc papper blifit bespardt genom onödiga bokstäfers utelemnande», erhöll aldrig denna utförligare motivering, som dock synes så väl behöflig i betraktande af de märkvärdiga stafningar, jag redan citerat, och andra dylika såsom *older* ålder, *kiyskhet, biuda, set* sett, men *redd* rädd, *teckn,* men *trycca, hedsk* hätsk, *vinlägga* osv.

SAHLSTEDTS äldsta hithörande arbete är *Försök Till en Swensk Grammatika efter det nu för tiden brukeliga Sättet att tala och skrifva,* Stockh. 1747, som redan genom titeln anger den ståndpunkt — bruket är stafningens högsta lag — hvilken Sahlstedt sedermera alltjämt intog i den företrädesvis brän-

---

[1] Se LIND i Samlaren 1882, s. 56.

nande frågan, stafningen. Också är han både i denna punkt och i andra en registrator och kompilator snarare än en själfständig vetenskaplig forskare. Genom sin kritik af Laurel trädde han 1748 i förbindelse med Vetenskapsakademien och hade till slut den tillfredsställelsen att efter åtskilliga förberedelser kunna under dess auspicier få utgifva vår första mera allmänt använda svenska grammatik. Till förarbetena höra: hans *Anmärkningar öfver Svenska Språket*, Stockh. 1753 (jfr ofvan s. 198); de fyra anonyma, delvis mycket kvicka satirerna rörande ortografiska o. a. frågor *Sagan om tuppen* och *Granskning, Hvarigenom anställes en granskning Til at granska Sagan om Tuppen*, båda 1758, samt *Tuppen om Sagan* och *Critik öfwer Tuppen om Sagan*, båda 1759, vidare *Tankar om Swenska Språket* (i hans 'Critiska Samlingar' I) och *Tankar öfwer Swenska Grammatikan* (Crit. S. II), båda 1759, *Schwedische Grammatika*, 1760, *Anmärkningar öfwer Particklarne i Swenskan* (Crit. S. III), 1764, *Någre Anmärkningar i Swenska Språket* (Crit. S. IV), 1765 — ett utdrag af de flesta språkliga partierna i Sagan om tuppen och dess fortsättningar — samt *Veckoblad om swenska språket och ordboken*, 1767. Ändtligen utkom efter att i Dagligt Allehanda för 1768, nr 59, hafva af Sahlstedt på förhand annonserats *Swensk Grammatika . . Af Kongl. Wetenskaps Akademien Gillad*, Stockh. 1769; andra upplagan utkom 1787, den tredje (å titelbladet står »andra») nästan oförändrad 1798, förkortad skolupplaga 1772, rysk öfversättning 1773, fransk i Gäfle utan årtal (1787?), tysk 1796.

Kanske ännu inflytelserikare än denna Sahlstedts grammatik blef emellertid hans ordboksarbete. Alltsedan Spegels ordbok af 1712 hade ej utgifvits andra dylika än praktiska hjälpredor, bland hvilka visserligen några mycket värdefulla, för öfversättning till främmande språk. Sådana äro: lappaposteln PETRUS FIELLSTRÖMS (d. 1764) *Dictionarium sueco-lapponicum*, Stockh. 1738; kyrkoherden i Söderhamn

Olof Linds (d. 1765) anonyma *Teutsch-Schwedisches und Schwedisch-Teutsches Dictionarium*, Stockh. 1738, ny mycket tillökad och förbättrad samt därför nu mycket värdefull upplaga med utsatt författarenamn och titeln *Teutsch-Schwedisches und Schwedisch-Teutsches Lexicon*, Stockh. 1749; lektorn, sedan prosten P. Schenbergs (d. 1777) på anmaning af biskop Erik Benzelius tillkomna *Lexicon latino-svecanum*, Norrköping 1739, för hvars andra del, »Swensk Ordabok», han enligt egen uppgift excerperat J. Swedbergs handskrifna ordbok (hvarom se ofvan s. 189); samme författares *Lexicon tripartitum*, Norrk. 1742, hvars tredje del utgöres af »Swensk Ordabok»; prosten i Nyköping, sedan biskopen i Strängnäs, den bekante statsmannen Jacob Serenius' (d. 1776) *Dictionarium suethico-anglo-latinum*, Stockh. 1741; professorn i Greifswald Levin Möllers *Nouveau dictionaire françois-svedois et svedois-françois*, Stockh. (tryckt i Greifswald) 1745, ny uppl. 1755; biskopen i Skara D[aniel] J[uslenius'] (d. 1752) *Finsk Orda-Boks Försök*, Stockh. 1745, med fullständigt svenskt register; professorn i Greifswald J. C. Dähnerts *Liber memorialis germanico-latino-svecicus*, Stockh. 1746, ny uppl., äfven med titeln *Vocabularium Eller Tysk, Latinsk och Swensk Orda-Bok*, Västerås 1775, med utförligt »Verzeichniss der Schwedischen Wörter»; samme författares *Kurzgefasstes Deutsches und Schwedisches Hand-Lexicon*, Stockh. 1784.

Värdefulla ansatser till specialordböcker ha vi i assessor Eric Tunelds (d. 1788) register till *Inledning til Geographien öfver Sverige*, Stockh. 1741, 7 uppl. 1792—94; Linnés förträffliga register »Nomina svecica» i hans *Flora Suecica*, Stockh. 1745, 2 uppl. 1755; E. Aspelins (d. 1795) *Flora œconomica*, Stockh. 1749, där hushållsväxternas namn anföras både på svenska och latin; [apologisten i Örebro, sedermera kyrkoherden Abr. Samzelius', d. 1773] *Svenska Djurens Slägtenamn På Latin och Swenska* och *Grus, Berg och Malmarternas Slägtenamn På Latin och Swenska*, Örebro 1762 (omtryckt af Noreen i Språk och Stil III, 1903), däri författaren dock upptagit en hop säkerligen aldrig brukade, af honom själf nyskapade namn; major J. F. D[AHLMANS] *Utkast Til et Sjö-lexicon*, Örebro 1765. Största värdet för vår tid äger den storartade registrering af bibelns ordförråd, som föreligger i prosten LAUR. HALENIUS' (d. 1722) efterlämnade och sålunda redan under förra perioden författade båda verk: *Nya Testamentets Swenske och Grekiske Concordantier*, Stockh. 1734, och *Swenska och Hebraiska Concordantier Öfwer Gamla Testamentet*, Stockh. 1742.

Att Vetenskapssocietetens i Uppsala plan till åstadkommande af en utförlig svensk ordbok omkring 1732 strandade på ledamöternas obekvämhet till ett dylikt arbete, är redan ofvan (s. 190) nämndt. Emellertid återupptogs planen i annan form 1738 af societetens sekreterare JOH. IHRE, som nu ock erhöll dess uppdrag att utarbeta verket, ett åliggande som han efter mer än trettio års arbete infriade, ehuru på något annat sätt, än man från början tänkt sig. Under arbetstiden utgaf han i disputationsform flera profbitar ur förarbetena såsom *De mutationibus Lingvæ Sveo Gothicæ*, I Upps. 1742, II Stockh. 1743, en kort öfversikt — vår öfverhufvud första — af svenska språkets historia, som han skärskådar hufvudsakligen från ordförrådets synpunkt och indelar i tre perioder: hednatiden, medeltiden och nyare tiden; *De usu antiquitatum in illustranda lingva svio-gothica*, Stockh. 1746; *Dissertatio gradualis jurandi formas in Sviogothia vulgares enodans*, Upps. 1746, däri han utreder våra svordomars etymologi; *De usu lingvæ sveogothicæ in illustranda antiqua gentis nostræ simplicitate*, Upps. 1748; (tillsammans med sedermera teologie professorn DANIEL ANNERSTEDT, d. 1771, hvilken ensam författat del III) *A χαι Ω observationum philologicarum in linguam suiogothicam ex occasione vocum difficiliorum libri hymnorum*, Upps. I 1751, II och III 1752; *Observationes philologicæ in lingvam sviogothicam versionis scripturæ canonicæ veteris testamenti*, Upps. 1755. Ändtligen utkom efter tolf års, delvis med statsunderstöd [1] bedrifven tryckning det på latin affattade *Glossarium Suiogothicum* i två foliodelar, Upps. 1769. Den förra delen är försedd med ett utförligt företal rörande författarens komparativt etymologiska principer. Det hela är ett jätteverk i afseende på snille och lärdom samt, åtminstone i förhållande till den i Sverge näst föregående rudbeckska skolan, äfven metod. På fullt modernt sätt jämför han de nysvenska orden i första rummet med fornspråkets, därnäst med andra germanska språks former och så i sista rummet med ännu fjärmare stående besläktade språks, och vid sina jämförelser försöker han uppställa verkliga regler för ljudmotsvarigheterna. Därför blef arbetet ock fullständigt epokgörande och har för resten ända tills våra dagar utgjort så godt som vår enda etymologiska ordbok. Dess styrka står emellertid i nära sammanhang med dess begränsning. Denna ligger nämligen däri, att det är nästan enbart etymologiskt och på grund af denna uppgiftens koncentrering icke på långa vägar uppnår eller ens åsyftar fullständighet. Så t. e. har det icke på långt när upptagit ens alla de ord, som förekomma i Spegels ordbok, om ock å andra sidan många flere nya ord tillkommit. På grund häraf samt verkets stora anläggning — både kvantitativt och kvalitativt — och dyrhet kunde det aldrig komma att tillgodose den stora allmänhetens behof af en populär, rikhaltig och handterlig hjälpreda för rimligt pris.

En sådan erbjöds ej heller i det med otrolig flit sammanbragta kolossala verk i fem [2] stora folioband af Vetenskapsakademiens ledamot, kamreraren i Bergskollegiet Samuel Schultze, för hvars utgifvande Vetenskapsakademien år 1756, således samma år som Ihre fick statsanslag för sitt verk,

---

[1] Se Beskow i Sv. Ak:s Handlingar Ifrån År 1796, XXXI, 247 ff.

[2] Så enligt Beskow. Då emellertid band 5, som nu jämte b. 2 och 3 förvaras i Svenska Akademiens ordboks-skriptorium i Lund, omfattar bokstafven S, så måste arbetet, därest det förelegat fullbordadt, ha bestått af minst sex delar.

begärde statsunderstöd, något som dock afslogs, enär arbetet ansågs ha »mera vidd än värde». Detta omdöme var säkerligen mycket orättvist. Enligt meddelande af O. Hoppe, som granskat banden 2, 3 och 5, röjer arbetet en öfverraskande språklig takt, redogör pålitligt för det samtida språket och erbjuder en storartad rikedom af goda, hufvudsakligen det lediga språket tillhörande fraser. Särskildt i sist-, nämnda afseende öfverträffas det af ingen nysvensk ordbok före Svenska Akademiens nu under utgifning varande. Akademien anmodade emellertid år 1762 SAHLSTEDT, som redan hunnit utge en mycket liten *Swensk Ord-Bok efter det nu för tiden brukeliga sättet att tala och skrifva* (med latinsk öfversättning af de svenska orden), Stockh. 1757, att omarbeta Schultzes ordbok [1]. Sahlstedt föredrog dock »mycket» att författa en alldeles ny sådan, och efter att ha uti en mängd smärre artiklar, t. e. serien *Om Swenska Ordboken* i Dagligt Allehanda 1768, nr 36, 39—50 och 52—8 (jfr ock därsammastädes 1769, nr 168, och 1773, nr 10, 55, 170, 287 och 298, samt Nya Lärda Tidningar 1774, s. 273 ff. och 345 ff.), och den lilla skriften *Fragmentum De Vocum in Dictionario Suecico interpretatione latina*, Stockh. 1772, förberedt allmänheten på densamma samt uti ett litet *Dictionarium pseudo-svecanum*, Västerås 1769, afsöndrat de främmande ord, han ansåg »kunna alldeles umbäras», utgaf han den egentliga ordboken, till hvilken han 1770 fått statsunderstöd, under titeln *Swensk Ordbok Med Latinsk Uttolkning, På Kongl. Maj:ts allernådigste Befallning Författad*, Stockh. 1773. Här ha vi en för sin tid verkligt god handbok, som ändtligen afhjälpte ett länge kändt behof och i många decennier förblef vår allmännast använda, i följd hvaraf den ock blef af det största inflytande.. Den kritiserades af signaturen c. n. i Nya Lärda Tidningar 1774, s. 47 f., och 1775, s. 73 ff. — jfr densammes *Förteckning på bristande ord i Sahlstedts swenska ordbok* (A—Be) i Gjörwells 'Adressen' I

---

[1] Se BESKOW, a. st. s. 241 ff.

(1775), nr 1, 5, 19, 21, 23—4, 26, 30—1, 35 och 40—2 — hvarpå följde svar därsammastädes af Sahlstedt 1774, s. 246 ff., och 1775, s. 97 ff., samt af märket X. Y. Z. (troligen Sahlstedt) 1775, s. 193 ff.

I detta sammanhang må nämnas å ena sidan Sahlstedts skrift *In glossarium Svio-gothicum a J. Ihre editum observationes*, Stockh. 1773, som redogör för den olika planen i hans egen och Ihres ordböcker samt framställer åtskilliga, vanligen rätt befogade — jfr dock O. Sundel i Vitt. Hist. o. Ant. Ak:s Handlingar XII, 286 ff. — anmärkningar mot Ihres glossarium och meddelar rättelser af öfversättningarna i hans eget arbete; å andra sidan IHRES efterskörd till sitt hufvudverk, disputationerna *De adagiis sviogothicis*, Upps. I 1769, II 1770, III 1771, *De harmonia lingvæ græcæ et svio-gothicæ*, Upps. 1770, och *De harmonia linguæ latinæ et svio-gothicæ*, Upps. I 1771, II 1773; hans förnämste lärjunge ERIK SOTBERGS (sedan AF SOTBERG, kansliråd, d. 1781) *Anmärkningar Öfver Svenska Språket*, författade 1773, tryckta i Vitterhetsakademiens Handlingar (äldre serien) II, 61 ff. (1776), recenserade i Vitterhets Journal 1777, s. 40 ff., hvari vi finna det till tiden andra försöket till en svensk språkhistoria, utgående från samma hufvudsynpunkter som Ihres ofvan (s. 211) nämnda försök i samma riktning; slutligen det något äldre arbetet af Ihres samtida DANIEL HERWEGHR (till sist biskop i Karlstad, d. 1787) *De generi linguæ svecanæ*, I, Upps. 1747, en akademisk dissertation, däri bl. a. frågor ur ordbildningsläran behandlas.

Ett stort lexikaliskt arbete, som möjligen kunnat jämte Ihres och Sahlstedts blifva en prydnad för tidehvarfvet, stannade däremot i manuskript, nämligen assessorn i Antikvitetsarkivet SAMUEL GAGNERUS' (d. 1791) samlingar, hvarur 1773 eller 1774 till Kanslikollegium inlämnades omkring 70 ark »Försök till det nu warande Swenska Språkets Odling och Riktande med goda och ännu lämpliga ord utur Fornspråket» m. m., upptagande äfven förslag till nybildningar och lån ur dialekterna. Såsom exempel på ord, med hvilka G. ville rikta språket, må anföras *bragd, brådlynt, brätta vika, dorma* half-slumra, *drafvel, dusa, hugstor, storbygd* (substantiv), *ädelboren, äflan* eller — hvad G. anser vara »wågade» ord — *förstena, likställig, motwerka, omfång, stortänkt, urämne.* Utdrag ur arbetet meddelades af G. i Nya Lärda Tidningar 1774, s. 73 ff. (med redogörelse för arbetets plan), 243 ff. och 249 ff. Ett profark (A—En) trycktes med titeln *Förtekning På Gamla Swenska eller Göthiska Ord . . at rikta den moderna Swenskan,* utan tryckår (troligen 1775, möjligen senare), tryckort och författarenamn. Det hela beräknades då komma att utgöra 14 ark i oktav, men år 1784 har G. i Upfostrings-Sälskapets Tidningar, nr 21, infört ett upprop till allmänheten, däri han anhåller om biträde vid insamlandet af dialekt-, vetenskaps-, konst-, slöjd- och hushållsord, öfverhufvud alla som fattades i Sahlstedts ordbok. Denna kolossala plan ledde åtminstone icke till något, som utmynnade i en publikation, och G:s storartade samlingar förvaras ännu i dag outgifna i tio (ursprungligen elfva) folioband uti Vitterhetsakademiens bibliotek [1].

I sammanhang med Gagnerus' af positiv purism besjälade arbete torde böra nämnas ett rafflande exempel på negativ sådan, nämligen den anonyma skriften *Undersökning om de följder hvarmed inhemskt språks förakt verkar på folkets seder: Med tillämpning på svenska folket i synnerhet,* Stockh. 1770, tryckt hos direktör LARS SALVIUS, den bekante utgifvaren af Lärda Tidningar m. m. (d. 1773), hvilken tvifvelsutan också är arbetets författare. Innehållet utgöres af utförliga puristisk-patriotiska haranger, icke illa skrifna, men af väl

---

[1] Enligt RYDQVIST, *Svenska akademiens ordbok, historiskt och kritiskt betraktad,* s. 29 noten, innehåller arbetet »Forn-Nordiska ord, särdeles Isländska», samlade »af Gagnerus och hans föregångare»[?], men utan värde »för Svenska Akademiens Ordbok» — ett, i betraktande af hvad jag ofvan citerat, i sanning förvånande omdöme.

allmänt hållen natur. För oss vida värdefullare är då den diskussion angående speciella språkriktighetsspörsmål, som bjudes i de följdskrifter — alla anonyma — hvilka framkallades af Olof Celsius d. y:s smaklösa »Tal om Smak uti den Svenska, så bundna, som obundna Vältaligheten», Stockh. 1768. Först kom den skarpa och kvicka skriften *Anmärkningar öfver . . Celsii Tal* osv., Stockh. 1768, författad af hofmarskalken CHR. MANDERSTRÖM, mera bekant såsom författare af bl. a. det förtjänstfulla *Försök til et svenskt rim-lexicon*, Stockh. 1779, som, om man bortser från Arvidis ofvan (s. 191) nämnda hithörande parti i hans 'Manuductio', är vårt äldsta arbete af detta slag. Så följde *Erindringar vid Anmärkningarne öfver* osv., Stockh. 1768, och [ABR. SAHLSTEDTS] *Bref Til Auctoren Af Anmärkningar öfver* osv., Upps. 1769. Alla tre broschyrerna äro närmast att karakterisera som resonerad »kriarättning». Några sidor exempel på »oriktigt» språkbruk, mest i fråga om syntaxen, förekommer ock i riksrådet CARL RUDENSCHÖLDS (d. 1783) *Tal om Svenska Språkets Art och nuvarande Bruk*, Stockh. 1772, som för öfrigt blott innehåller resonemanger af allmän natur och utan vidare intresse. Mera speciellt hållen och af verkligt värde är däremot samme författares vida äldre lilla anonyma skrift *En skälig critique*, Stockh. 1755, handlande om fel i Dalins öfversättning af Montesquieus 'Considerations'. Till samma art af författarskap höra äfven delvis SAHLSTEDTS *Anmärkningar Öfwer Framlidne Stats-Rådet Samuel Trievalds Lärespån i Swenska Skalde-Konsten* (i Critiska Samlingar II), 1759, som däremot märkvärdigt nog icke innehålla någonting rörande det metriska.

Metriken är annars, liksom under 1700-talets första tredjedel (se ofvan s. 200) så äfven under hela dess fortsättning, föremål för ett lifligt intresse. Bland hithörande arbeten af vikt och betydelse för ljudläran är det till tiden äldsta packhusinspektoren och titulärprofessorn ANDERS NICANDERS

(d. 1781) *Oförgripelige Anmerckningar Öfwer Swenska Skalde-Konsten Iämte Förslag och Bewis, At den samma kan äfwen bindas til de Reglor, Som den Latinska har til Rätte-snöre,* Stockh. 1737, hvars blotta titel röjer både arbetets plan och dess, såsom vi nu veta, grundfel. Enstaka observationer af värde saknas emellertid icke. Särskildt torde N. vara den, som tidigast iakttagit den viktiga skillnaden mellan akut och grav betoning i svenskan [1]. På samma missuppfattning, som Nicander röjer i fråga om den latinska metrikens tillämplighet utan vidare på svenskan, basera sig de »Oförgriplige Reglor» och det »Appendix angående Accenten», som riksrådet GUSTAF PALMFELT (d. 1744) vidfogade sin öfversättning, *P. Virgilii Maronis Ecloger,* Stockh. 1740. Viktiga upplysningar om accent och kvantitet meddelar en handskrift i Uppsala universitets nordinska samling med titeln *Prosodia Svecana.* Å sista sidan står med annan handstil än det öfriga »Carolus Jac. Renmarck W[ester]b[o]t[nie]ns[is] 1745» (f. 1723, kollega i Piteå, d. 1773), hvilket dock knappast torde ange författaren [2]. Då manuskriptet börjar med orden »Wi hafwa tilförene uti Orthographien wisat», så ha vi här säkerligen att göra med en afskrift af en del af ett något äldre, större arbete. Obetydliga äro däremot de »Påminnelser wid Swenska Wers-konsten», som afsluta gymnasieadjunkten i Västerås JOH. SCHEDVINS *Anwisning Til Latinska Prosodien,* Västerås 1759, 2 förbättrade uppl. 1803 med företalet dateradt 1775 (eller är detta taget ur en förlorad 2 uppl., så att den af 1803 egentligen är en 3 uppl.? [3]). Delvis rent pekoral är det lilla som förekommer i [C. J. BRUNJEANSONS] »Inledning» till *Verser i blandade ämnen,* Stockh. 1768, såsom torde framgå af följande citat: »Alla enstafviga ord äro korta. Likaledes

---

[1] Se KOCK, *Språkhistoriska undersökningar om svensk akcent,* II, 23 f.

[2] Se KOCK, a. st. II, 306 noten.

[3] Så förmodar HAMMARSKÖLD, *Förtekning på . . Undervisnings-Böcker* s. 124.

alla tvåstafviga utom *farväl* och de ord som börjas med *be* och *för*» eller: »Man bör förkasta alla trestafviga ord som icke börjas med *be* och *för:* dock undantagas *Gudinna* och *Grefvinna*». Synnerligen fina åter äro observationerna i den bekante skalden, Västerås-lektorn (slutligen prosten) OLOF BERGKLINTS (d. 1805) [1] långa not [2] till »Hvad är en vers?» i hans *(Mindre) Sammandrag af Wetenskaperne* I, 2 uppl. Stockh. 1781, 3 uppl. 1794; icke minst gäller detta loford hans eller, för att tala med Bergklint, »Naturens egen Prosodaiska Grundregel: Sätt hwar och en stafwelse på et sådant ställe i takten, at den får samma uttal eller mått, som den i sig sjelf har efter språkets tale-art, så blifwer versen sådan som den bör vara», en uppfattning af det metriska grundproblemet, hvarigenom han visar sig vara långt före sin samtid. Däremot förekommer intet af speciellt språkligt intresse i hans tidigare disputationer *De habitu lingvæ svecanæ in poesi* I (preses C. Aurivillius), Upps. 1761, II (under eget presidium) 1764. Mindre betydande äro ock de anmärkningar, som utgifvaren (magister P. RUDIN, d. 1793) af *Vitterhets Journal* 1777, s. 17 ff., anknutit vid O. v. Dalins »Korta påminnelser Vid Svenska Skaldekonsten i vår tid», införda i Vitterhetsakademiens Handlingar (äldre serien) I, 105 ff. (1755). Manderströms rimlexikon af 1779 är redan ofvan (s. 216) omnämndt. Aldrig utgifven blef SVEN HOFS (jfr ofvan s. 204) stora handskrift *Den Svenska Skaldekonsten* (öfver 600 ss. 4:o; i Skara bibliotek), hvaraf lämnas ett mycket kort sammandrag i (G. Regnérs) Svenska Parnassen för 1785, s. 78 ff., 172 ff., 281 ff. och 371 ff. Af intresse för oss är däri blott stycket »Om Skalde-qvädens utvärtes skick eller Versificationen» (Sv. Parn., s. 172 ff.), som dock icke på långt när kan mäta sig med författarens andra arbeten. Också gjordes det till föremål

---

[1] Se vidare L. RIBBING, *Om Olof Bergklint*, Stockh. 1874; H. HIMMELSTRAND, *Olof Bergklints kritiska verksamhet* (Upps. 1898), s. 28 ff., 130 ff.

[2] Nästan fullständigt aftryckt hos R. v. KRÆMER, *Om trestafviga ords användning i vers* (sep. ur Pedagogisk tidskrift 1899), s. 74 ff.

för en mycket skarp, men befogad kritik af den bekante vitterlekaren kommerserådet ERIC SKJÖLDEBRAND (d. 1814) i den anonyma skriften *Afhandling om accent och qvantité*, Stockh. 1795. Intet af språkligt intresse träffas i den lilla uppsats »Om de grunder, hvarefter Svensk vers bör uttalas», som ingår i företalet till den bekante poeten NILS LORENS SJÖBERGS (d. 1822) *Skaldestycken*, Stockh. 1796, och i de häremot riktade polemiska 'Anmärkningar om Svenska Versificationen', som skalden G. F. GYLLENBORG vidfogat sina *Försök om Skaldekonsten*, Stockh. 1798, samt i Sjöbergs häraf föranledda anonyma *Svar på anmärkningarne om svenska versificationen*, Stockh. 1798.

Öfverhufvud är den rent språkvetenskapliga produktionen under heja den gustavianska tiden mycket torftig i jämförelse med hvad som åstadkoms under frihetstidens sednare hälft, särskildt om vi tänka på Ihres och Sahlstedts storartade verksamhet. Af ordböcker är — frånsedt Sahlstedts redan (s. 213) nämnda ordbok af 1773, som ju egentligen är ett alster af frihetstiden — blott att anföra dels åtskilliga praktiska hjälpredor för öfversättning från svenska till främmande språk, dels några äfvenledes rent praktiska syften fullföljande specialordböcker. Till det förra slaget höra: den anonyma *Vocabulaire François-Svedois & Svedois-François* i två delar, Stockh. 1773; docenten J. C. SJÖBECKS *Engelskt och Svenskt samt Svenskt och Engelskt Hand-Dictionair* i två delar, Stockh. 1774, 1775; E. LINDAHLS (d. 1793) och J. ÖHRLINGS (d. 1778) *Lexicon lapponicum cum . . indice svecano,* Stockh. 1780; professorn i Greifswald J. G. P. MÖLLERS (d. 1807) *Teutsch-Schwedisches und Schwedisch-Teutsches Wörterbuch* i tre delar, Greifswald 1782, 1785 och 1790, ny uppl. *Tysk och Swensk (samt Swensk och Tysk) Ord-Bok,* Stockh. 1801 och 1802 samt Leipzig 1808, den viktigaste af dessa ordböcker; DÄHNERTS ordbok af 1784, hvarom se ofvan s. 210; sjökaptenen G. WIDEGRENS (d. 1802) *Svenskt och engelskt lexicon*, Stockh. 1788; (J. Björkegrens och) kanslisten i Kommerskollegiet BARTH. NYSTRÖMS (d. 1808) *Dictionnaire français-suédois et suédois-françois* (I, II Stockh. 1784, 1786, 2 uppl. 1795), III Stockh. 1794 (jämte särskildt paginerade 'Tilläggningar och Rättelser', bifogade 2 uppl. af b. II). Bland specialordböcker ha vi att märka: den anonyma *Concordantz Öfver Den Swenska Psalmboken*, Upps. 1772; registren till JOH. FISCHERSTRÖMS (d. 1796) förträffliga *Nya Swenska Economiska Dictionnairen* I—IV, Stockh. 1779—92; bergsrådet SVEN RINMANS (d. 1792) *Bergwerks lexicon* I, II, Stockh. 1788—89; öfverjägmästaren M. H. BRUMMERS (d. 1790) *Försök till ett svenskt skogs- och jagt-lexikon*, Gtb. 1789; B. A. EUPHRASÉNS *Carl von Linnés Termini botanici*, Gtb. 1792; [laborator A. G. EKEBERGS, d. 1813] *Försök till Svensk nomenklatur för chemien*, Upps. 1795; handelsbiträdet MAGNUS ORRELIUS' efterlämnade förtjänstfulla arbete *Köpmans- och Material-Lexicon*, Stockh. 1797.

Ännu magrare är det på den rena grammatikens fält, där vi knappast ha mer än ett enda arbete af verklig betydenhet att anföra. Alldeles obetydlig är nämligen den anonyma skriften *Försök Till Stadgad Redighet Uti Swänska Språkets Tal- och Skrifkonst*, Upps. 1775 (så å titelbladet; å sista sidan står 1776), som blott innehåller paradigmer. Icke så den bekante historikern, kammarrådet ANDERS AF BOTINS (d. 1790) *Svenska språket i Tal och Skrift*, Stockh. 1777 (recenserad i Vitterhets Journal för nov. dec. 1777), 2 förbättrade uppl. 1792, ett verkligt godt arbete — om också icke på långt när i den grad, som hans samtid höll före — hvilket i flera afseenden betecknar ett framsteg framför Sahlstedts grammatik. Förträffliga tankar i språkfilosofiska, språkpedagogiska, stilistiska, språkriktighets- och rättskrifningsfrågor uttalar BERGKLINT i de utförliga noterna till »Hvad förstås med Philologien?», »Hvad är Grammatica?», »Af huru många delar består Grammatican?» m. m. i sitt ofvan (s. 218) nämnda '(Mindre) Sammandrag af Wetenskaperne', 2 och 3 uppl. Sunda åsikter och detaljanmärkningar i språkriktighets- och stilistiska frågor uttalar äfven den ryktbare professorn i Åbo H. G. Porthan (d. 1804) flerestädes i sin akademiska disputation *De elocutione oratoris sacri*, Åbo 1784, 1795. En och annan liten ortografisk anmärkning innehåller densammes dissertation *De origine et propag. litterarum*, Åbo 1794, 1795 [1]. Ett rudiment till svensk satslära har man i den lilla inledningen till lektor Marcus Wallenbergs (d. 1799) *Syntaxis latina*, 1796, 2 uppl. 1817, 3 uppl. med ändringar och tillägg utg. af magister C. A. Carlsson, Link. 1829, 4 uppl. 1845; inledningen utgafs med tiden separat [af prosten J. P. Schoultze, d. 1848] med några tillägg och under titeln *Försök till en Konstruktions-lära i Svenska språket*, Stockh. 1831 utan författare- eller utgifvarenamn. Om några andra grammatiska arbeten från 1790-talet, bland hvilka åtminstone ett icke är utan ett visst värde, se nedan s. 224 f.

I den högviktiga rättskrifningsfrågan är Botins ståndpunkt densamma som Sahlstedts (se s. 208), men klarare preciserad och utvecklad. »Bruket är högsta lagen». »Då bruket är allmänt, måste alla andra skäl vika». Äfven då ett bruk, såsom t. e. *fv* för *v*, är »alldeles onödigt, tillkommet i senare tider och stridigt emot Svenska skrifsättets natur», så »måste det vördas», därest det är »allmänt». Då åter så icke är fallet, »bör man taga sin tillflygt till ordens ursprung eller slägtskap, som må antagas såsom andra grundsatts». »Näst bruket och ordens ursprung blifver tredje och sista grundsatts: öfverensstämmelse emellan ljud och bokstaf». Ungefär samma ståndpunkt intar Bergklint, ty ehuruväl han med sin vanliga klarhet i principernas formulering drager — liksom tidigare Hof (se s. 205) och Rosén (se s. 207) — den pedagogiska synpunkten fram i förgrunden med dessa gyllene ord: »Wi skrifwe för samma orsaks skull, som wi tale, nemligen at man af orden må med möjligaste lätthet och tydlighet

---

[1] Se Heikel, *Filologins studium vid Åbo universitet*, s. 283 f.

fatta wår mening: detta är hela grundsatsen, och til följe däraf är alt det Rättast, som bäst bidrager til dessa ändamål: alt hwad som däremot wåller hinder, måste då wara mindre rätt om icke orätt», så sätter han dock i tillämpningen »ursprunget», »analogien» (dvs. den etymologiska samhörigheten) och framför allt bruket såsom norm, ty »Där inga andra särskildta och drifwande skäl äro, där följer man tryggast det allmännaste bruket; så wåller man ej oreda genom någon sällsamhet.» En fullkomlig omvändning af denna rangordning bjuder oss en liten anonym skrift af kämnären PETER PLANBERG [1]: *Grund-Reglor til den Svenska Orthographien*, Stockh. 1787, som uppställer mycket förståndiga principer, om ock i praktiken prutmån beviljas. Rangrullan har alltså här följande utseende: 1. Uttalet. 2. Ursprunget. 3. Bruket. 4. Vigheten i skrifvande, detta sista en jämförelsevis ny och praktisk synpunkt.

Den gustavianska tidens ofruktsamhet i fråga om grammatisk litteratur är så mycket mera påfallande, som Gustaf III ju själf hade det lifligaste intresse för hithörande ämnen. Det mest slående beviset därpå är inrättandet af SVENSKA AKADEMIEN 1786, hvilken i stiftelseurkunden säges ha tillkommit »endast för Svenska språket». Och i stadgarna för akademien heter det: »Academiens ypperansta och angelägnaste göromål är at arbeta uppå Svenska Språkets renhet, styrka och höghet» samt: »Thy åligger äfven Academien at utarbeta en Svensk Ordabok och Grammatica». Med förverkligande af denna uppgift grep man sig inom akademien också an med stor ifver — till en början. År 1787 beslöts ordbokens utarbetande genom bokstäfvernas fördelning på ledamöterna medelst lottning, och samma år utdelades till akademiens medlemmar en [väsentligen af KELLGREN författad, men äfven profords-artiklar af Nordin, Leopold, Adlerbeth, Rosenstein och Clewberg upptagande] *Underrättelse*

---

[1] Så riktigt hos Rosenstein, under det att Wieselgren oriktigt uppger »Plantberg».

*om det, som bör iagttagas af de Ledamöter i Svenska Acade-
mien, hvilka åtagit sig at arbeta på den Svenska Ordaboken,*
Stockh. 1787. I denna förträffliga skrift, fullt värdig sin för-
fattares snille, meddelas först en fullständig plan för ord-
boken, så väl uppgjord, att den knappast nu kan göras bättre.
Så följa valda artiklar såsom prof på hur samlingarna borde
för de särskilda ordens vidkommande anläggas. Härtill fogas
ofta utförliga grammatiska (äfven syntaktiska) och orto-
grafiska anmärkningar: om de två tonfallen i svenskan; om
principerna för kvantitetsbeteckningen, hvilken K. helst såge
så ordnad, att dubbelskrifna konsonanter afskaffades och lång
vokal utmärktes medelst accenttecken; om försvenskad staf-
ning af lånord, m. m. Men endast ett fåtal af akademiens
ledamöter, t. e. Adlerbeth och framför allt Murberg, gjorde
allvar af ordsamlandet och -bearbetandet, och äfven dessa
upphörde rätt snart därmed, hvarefter företaget så godt som
alldeles låg nere från 1799, då den därmed (1793) särskildt
betrodde Joh. Stenhammar afled, ända till 1836 [1].

Med allvarligare intresse vände man sig till akademiens
andra språkliga uppgift grammatikan, men stannade tills
vidare helt och hållet vid utanverken, ortografien, för hvilken
intresset hos oss alltid visat sig outslitligt. Ett försök till
lagstiftning å detta område syntes fortfarande högst nödigt
och nyttigt. Det genom Sahlstedts auktoriserade arbeten och
Botins af författarens stora anseende uppburna grammatik
stadgade »bruket» var långt ifrån upphöjdt öfver angrepp af
»novatores», nyhetsmakare. Planbergs opus af 1787 är redan
omnämndt (ofvan s. 222). 1795 utgaf Vetenskapsakademiens
astronom och redaktören af dess almanackor HENRIK NICANDER
(d. 1815) sin *Upplysning Angående Det i senare åren nyttjade*

---

[1] Se utförligt om härmed sammanhängande frågor RYDQVIST, *Svenska
Akademiens Ordbok, historiskt och kritiskt betraktad,* och de därstädes, s. 3
noten, anförda skrifterna samt LJUNGGREN, *Svenska Akademiens historia 1786
—1886,* II, 384 ff., 420 ff.

Stafningssättet i Almanackorne, däri han på ett utmärkt sätt försvarar, att förnamn behandlas såsom appellativer, och att ursprungligen utländska sådana stafvas på svenskt sätt liksom andra lånord, en fråga som äfven debatteras i Stockholms Posten 1795, nr 129, 245 m. fl. En riktig radikal är den anonyme författaren af *Hjelpreda Wid Grammatiken*, Karlstad 1795, ett arbete som blott behandlar latinet, utom å det första och sista bladet, där spridda anmärkningar om modersmålet meddelas. Han skrifver konsekvent *w* för *hw* och *fw*, *kw* för *qu*, *f* för *ph*, emedan »gammal orätt bör rättas»; han vill äfven skrifva *j* för *hj*, *dj*, *lj* och »lent» *g* samt »finner inte skäligt, att ordens ursprung bör wärka på stawningen». Att äfven inom Svenska Akademien funnos kättare gentemot den Sahlstedt-Botinska ståndpunkten, synes af hvad ofvan anförts ur Kellgrens 'Underrättelse'. Den utförligare »Afhandling om Svenska Orthographien», som K. i samma skrift säger sig snart ämna förelägga akademien, och af hvilken han hoppades mycket i reformväg, blef emellertid aldrig synlig, och med hans död (1795) tyckes det ortografiskt liberala elementet i akademien ha förstummats. Olyckligtvis blef det sålunda icke en Kellgren, utan Leopold, som blef den dominerande inom akademien i denna liksom i så många andra frågor, och man bestämde sig nu för att väsentligen ansluta sig till Botins ortografiska principer. Dessa äro ock de förhärskande i ett par samtidiga, rent praktiska syften fullföljande arbeten af författare utom den akademiska kretsen. Det ena är pastorn i Langenhanshagen GUSTAF SJÖBORGS *Schwedische sprachlehre für Deutsche*, Stralsund 1796, 2 uppl. 1811 (3 uppl. utg. af K. Lappe 1829, 6 uppl. utg. af Kempe 1848), ett arbete af särskild förtjänst därigenom, att det meddelar äfven »die allgemeinsten Abweichungen der vertraulichen Umgangssprache und der vornehmsten Mundarten von den Regeln der Schriftsprache». Det andra är läraren vid Karlberg, titulärprofessorn P[ETER] M[OBERG]s (d. 1825) *Försök*

til Hjelpreda i Svenska Orthographien för Cadetterne, Stockh.
1796, hvilket anspråkslösa arbete är den utförligaste svenska
rättstafningslära, som dittills utkommit. Förmodligen är
Moberg äfven författare till det mycket lilla och högst sche-
matiska utkastet *De Oumbärligaste Grammaticaliska Begrepp* ..
til Kongl. Krigs-Academiens tjenst, Stockh. 1795. Mycket senare
utgaf samme flitige författare *Försök till en lärobok för ny-
begynnare i allmänna och svenska grammatiken,* Stockh. 1815
(recenserad i Allmänna Journalen 1816, nr 86), 2 tillökade
och förbättrade uppl. 1825, under hvilken blygsamma titel
döljer sig vår kanske ända tills dato mångsidigaste och rik-
haltigaste samt äfven i flera andra afseenden bästa nysvenska
grammatik, innehållande allt möjligt, hvaraf mycket nu för
första gången på svenska behandladt: språkfilosofi, stilistik,
syntax, ordbildningslära, ortoepi, ortografi m. m. I sist-
nämnda punkt var emellertid det »bruk», Moberg nu följde,
ett i viss mån annat än det i hans äldre arbeten hyllade.
Det var nu Svenska Akademiens.

År 1801 hade nämligen denna efter mångåriga »täta
öfverläggningar och beslut» utgifvit en [af LEOPOLD författad
och med ett långt och viktigt företal af ROSENSTEIN försedd]
Afhandling om svenska stafsättet (i Sv. Ak:s Handlingar Ifrån År
1796, del I), som för mer än ett halft århundrade blef norm-
gifvande. Arbetet är icke en egentlig rättstafningslära, utan
ett med exempel rikt späckadt resonemang öfver grundtemat
»att icke ändra hvad bruket stadgat», utan »visa skäl till
bruket» och »af delade bruk bestämma det rättaste». Detta
sista uttryck visar hän på en högre princip än bruket själft.
Denna finner Leopold icke i etymologien, hvars oduglighet
såsom stafningsprincip förträffligt uppvisas; icke heller i ut-
talet, en princip som han märkvärdigt nog alldeles under-
låter att kritisera; utan i hvad han med ett nytt ord kallar
»stafbyggnaden», dvs. att på ett likartadt sätt byggda stafvel-
ser böra beteckna samma ljud på samma sätt, hvilket vill

säga ungefär detsamma som att »undantagen» böra följa regeln, så snart de ej uppbäras af ett fullkomligt stadgadt bruk. Det är alltså stafningens reda och konsekvens, som är Leopolds högsta norm, visserligen alltid inom brukets gränser, och är han därför en af de första (jfr Hof, Rosén och Bergklint ofvan s. 205, 207 och 221), som anlägger den egentligen först i våra dagar rätt till heders komna pedagogiska synpunkten på rättstafningsläran. På nu angifna basis är L:s arbete så väl utfördt, som det öfverhufvud kunde blifva med »brukets» black om foten, och det förtjänar därför nästan alla de loford, det i lång tid fått mottaga. I en viktig punkt är det reformatoriskt. Det fastslår nämligen för all tid det berättigade i, hvad redan Hof, Ekholm, Kellgren m. fl. yrkat, att lånord skrifvas på svenskt sätt, ett yrkande som L. besynnerligt nog icke finner vara ett ändrande af stadgadt bruk. Det inför således t. e. sådana stafningar som *aktör, löjtnant, kansli, kritik, fåtölj, talang, filosofi, teater, supé* m. m., men vågar naturligtvis ej ta steget fullt ut: *Carl, Christus, corps, buste* m. m. anses det ännu för vågsamt att antasta. Också var redan det steg, som nu togs på reformvägen, alltför radikalt för mången, liksom ock tilltaget att söka råda bot för vacklandet i fråga om lång konsonants beteckning genom att favorisera dubbelskrifning verkade på många håll stötande. Det sednare är ju mindre underligt, då denna fråga ännu i dag icke kan anses vara utdebatterad, och då Kellgren nyss uttalat sig i alldeles motsatt riktning (se ofvan s. 223). Men äfven försvenskandet af lånordens stafning hade för icke så länge sedan varit föremål för en kritik, som gjort ett visst intryck, nämligen i OLOF STRANDS [1] i 'Öfningar af Sällskapet Witterlek' III, 95 ff., Stockh. 1763, införda mot Ekholm riktade satir »Svenska språket», däri han med mycken öfverlägsenhet gycklar icke blott med skrifningar sådana som

---

[1] Icke, såsom hittills antagits, Ol. Bergklint; se SYLWAN i Samlaren, 1897, s. 165.

bårjare, värv, vilken, äfter, kvikk, där, stava, kann, att, utan äfven med sådana som *kalas* (för *collats*), *kritik, filosof, ortografi.* Också var det i synnerhet mot dessa båda punkter, konsonantfördubblingen och lånordens försvenskning, som kritiken af akademiens förslag riktade sig, dels före »Afhandlingens» utgifvande och då i form af tidningspolemik (af v. Bäärenhjelm, Leopold m. fl.) i Dagligt Allehanda 1801, nr 88, 95, 153—4, 171, 181, 213, och i Stockholms Posten 1801, nr 89, 156, 159, 171, 180, 183, 187, dels senare i en utförlig motskrift af den bekante läkaren och nationalekonomen David Schulz von Schulzenheim (d. 1823): *Anmärkningar vid svenska språkets skrifsätt,* författad och daterad 1802, men tryckt först Stockh. 1807, däri den mer än sjuttioårige författaren ifrigt, ehuru med ringa framgång tar till orda för etymologisk eller åtminstone gammalmodig stafning. Den motskrift, som Leopold på akademiens uppdrag utarbetade, blef aldrig tryckt, utan omarbetades så småningom till den *Undersökning om grunderna till svenska stafsättet med hänseende till akademiens utgifna Stafnings-Lära, och till fullständigare utveckling af hennes grundsatser,* som först 1837 trycktes i akademiens 'Handlingar Ifrån År 1796', del XVII, men som då var till sitt innehåll fullständigt föråldrad och för resten aldrig tålt någon jämförelse med det arbete, den skulle försvara. Ett spår af den inhiberade specialpolemiken mot Schulzenheim ha vi kvar i den ytterst skämtsamma, ironiskt hållna uppsatsen *Bevis på Språkets försämring af Kollega Skolmark,* intagen i Leopolds Samlade skrifter, V, Stockh. 1833. — Icke ens Gustaf IV Adolfs förbud för akademien att i fråga om lånord officiellt använda den nya stafningen förmådde hindra dennas seger. Lika litet rubbades — naturligtvis — dess maktställning genom det radikala förslag till en praktisk-fonetisk stafning, delvis med anlitande af nya typer, som framställdes af en bland akademiens egna ledamöter, skalden och politikern hofjunkaren Ax. Gabr. Silver-

STOLPE (d. 1816) i hans lika snillrikt tänkta som ädelt och varmt skrifna *Försök till en enkel, grundriktig och derigenom oföränderlig Bokstafverings-Teori*, författad 1809, tryckt Stockh. 1811 tillsammans med ett par af G. J. Adlerbeth och Leopold författade kritiker, hvilka i förening med Silverstolpes arbete både i sak och i form utgöra det vackraste, men beklagligtvis så godt som ensamt stående bladet i den svenska rättstafningspolemikens långa och föga uppbyggliga historia. Alla tre författarna recenserades i Journal för Litteraturen och Theatern 1811, nr 106.

Tiden var emellertid icke mogen för Silverstolpes i allt väsentligt fullkomligt riktiga »försök», lika litet som för ett annat språkligt arbete af samme man, i hvilket han kanske i ännu högre grad visade sig vara före sin tid: *Försök till en ny uppfattning af Hufvud-grunderna för allmänna språkläran*, Stockh. 1814, en djupsinnig och i betraktande af S:s förutsättningar verkligen beundransvärd undersökning rörande ordklassernas natur. Arbetet tyckes vara i viss mån påverkadt och kanske framkalladt af ett något äldre sådant, den berömde franske orientalisten A. I. Silvestre de Sacys 'Principes de grammaire général' (1795) i svensk öfversättning af docenten JAKOB BORELIUS under titeln *Grundreglorna af den allmänna språkläran*, Upps. 1806. Öfverhufvud var hos oss liksom i hela Europa under början af 1800-talet den s. k. allmänna grammatiken föremål för lifligt intresse. Om P. Mobergs vackra försök i ämnet (1815) har redan ofvan (s. 225) talats. En språkfilosofiskt anlagd natur med goda tankar var också magister C. COLLNÉR, hvars goda och delvis rikhaltiga opus *Försök i svenska språkläran*, Stockh. 1812, utgafs anonymt med förord af Svenska Akademien, detta trots författarens från akademiens rätt afvikande åsikt, att skriftens högsta ortografiska lag är att vara »en sann teckning af det vårdade uttalet, inskränkt i vissa fall af nödvändigheten att äfven utmärka tal-ljudens [dvs. ordens] böjning», således ungefär samma ståndpunkt som i våra dagar intages af vissa anhängare i teorien af fonetisk stafning, begränsad i praktiken af hänsyn till »samhörighetslagen». Samme man utgaf senare under märket »Förf. till Försök» osv. en *Lärobok i Swenska Språket För Begynnare,* Stockh. 1815, af ungefär samma innehåll som föregående arbete, men försedd med ett intressant tillägg om »Tillfälligheter i Språket», dvs. vårdslöst uttal, lånord och arkaismer. En mindre lycklig nyhet hos Collnér är användandet af försvenskade benämningar på de grammatiska termerna, företaget i det säkerligen mycket ofullkomligt realiserade syftet, att de olärda måtte kunna förstå dem. Samma intresse för allmänna språkfrågor röjer äfven den bekante pedagogen CARL ULRIC BROOCMAN (f. 1783, d. som konrektor i Stockholm 1812) [1], hvars först efter författarens död utgifna *Lärebok i svenska språket med tillhörande öfningar,* Stockh. 1813, 2 uppl. 1814 (recenserad i Svensk Litteratur-Tidning 1814, s. 113 ff.), 3 uppl. 1820, bl. a. innehåller stycken om umgängesspråkets afvikelser från högtidligt tal, »anvisning till uppsatser», »om Språks ursprung» och — detta en fullkomlig nyhet i de svenska grammatikorna — en icke så kort språk- och litteraturhistoria. Ändtligen må såsom tillhörande denna riktning nämnas den framstående skolmannen rektor P. G. BOIVIE (d. 1860), hvars *Försök till en Svensk Språklära,* Stockh. 1820, är en af våra utförligaste och på sin tid mest använda svenska grammatikor, den där bl. a. bjöd på en 114 sidor lång inledning om »Allmänna Grammatikan» och en 22 sidor lång prosodi (jämte metrik) samt ägnade en särskild omsorg åt syntaxen. Det hithörande partiet omarbetades särskildt och utgafs såsom *Försök till en svensk syntax,* Stockh. 1826, för att ånyo omarbetadt ingå i den nya upplagan af B:s språklära, Upps. 1834. Höjdpunkten af språkfilosofiskt intresse nådde väl läro-

---

[1] Se vidare E. EURÉN i Verdandi 1894, s. 39 ff., och HERNLUND i Nordisk familjebok (Supplement), *Broocman.*

verksadjunkten JOH. L. DUFVA (d. 1848) i sitt *Utkast till allmän grammatik*, Växjö 1833. Detta arbete, som använder matematiska termer och beteckningssätt m. m., är enligt författarens uppgift skrifvet »så lättfattligt som dessa ämnen medgifvit», och dess metod hoppas han skola blifva »lätt att använda, ehuru det är den stora Philosofen Höijers». Icke desto mindre är det, åtminstone för mig, alldeles obegripligt.

Andra grammatiska och ortografiska arbeten från de trenne första decennierna af 1800-talet äro samtliga, vetenskapligt och vanligen äfven pedagogiskt sedt, skäligen obetydliga. Frånsedt en del tidningsuppsatser, såsom t. e. i Stockholms Posten 1800, nr 114, 122 och 130 (om bestämd plural af ord på *-are*), 1801, nr 299, och 1802, nr 36 (»Om twetydiga Ord och Talesätt»), äro dessa skrifter, så vidt jag lyckats uppspåra dem, följande: legationspredikanten i London GUSTAF BRUNNMARKS *A short Introduction to swedish grammar*, London 1805, ny, tillökad uppl. (»An Introduction» osv.) utg. af legationspredikanten J. P. Wåhlin, London 1825; historikern rektor (f. d. riksantikvarien) J. D. FLINTENBERGS (d. 1819) *Tabeller innehållande De Första Begreppen af Grammatikan*, Stockh. 1807, 2 uppl. 1826, som blott meddelar paradigmer o. d.; [J. RUDBERGS] *Abregé de la grammaire suédoise*, Gtb. 1811; C. D. BUNTHS *Försök til Anmärkningar öfver Fransyska och Svenska Språken, innehållande Utkast til Praktisk Fransysk Grammatik jemförd med den Svenska, 1. 2 Stycket*, Lund 1813, *3. 4 Stycket*, 1814, vidlyftig, men med mycket onödigt prat; [komministern, sedermera prosten A. LIGNELLS, d. 1863] *Försök till en grammatik för begynnare*, Karlstad 1815, mycket kort (recenserad i Svensk Litteratur-Tidning 1816, s. 639); den äfvenledes anonyma *Swensk Grammatik för Begynnare*, Lund 1816 (recenserad i Allmänna Journalen 1816, nr 293); prosten J. G. ASKENGRENS (d. 1858) *Svensk Grammatica i sammandrag*, Strängnäs 1819, 2 uppl.

Örebro 1827 [1]; L. G. LEUTHMARKS *Lärebok För Begynnare i Swenska Språkets Uttal och Stafningssätt,* Stockh. 1820, mycket obetydlig; rektor JONAS SVEDBOMS (d. 1864) *Inledning till Swenska Språkläran för Begynnare,* 1824 (recenserad i Allmänna Journalen, 1825, nr 150, 154—156), 2 uppl. Härnösand 1828, kort, men rätt allsidig, dock utan särskild märkvärdighet; den flitige läroboksförfattaren magister C. O. FINEMANS (d. 1863) *Rättstafnings och rättskrifningslära,* 1828, *Swensk Språklära lempad efter Wexelunderwisnings-Methoden,* Stockh. 1828, 3 uppl. (»Förberedande Swensk» osv.) 1836, m. fl. senare arbeten, alla obetydliga; prosten H. LYTHS (d. 1859) *Språklärans grundritning,* Visby 1828; en anonym författares *Underrättelser i Svenska Grammatiken,* Falun 1829, ett mycket litet och obetydligt arbete; kollegan, slutligen prosten EM. SCHRAMS (d. 1864) *Grammaticaliska Förklaringar,* Upps. 1829, 2 uppl. 1833, 3 uppl. 1840, 4:de (»Swensk Grammatica för Nybegynnare») 1846, 5:te 1849, 6:te (»Swensk Språklära») 1860, 7:de 1864, är blott en ledtråd vid den allra första undervisningen och visst icke af så god beskaffenhet, som de många upplagorna låta förmoda; slutligen en anonym författares *Tabeller öfver svenska ordens Böjningsformer,* Stockh. 1830.

Ehuru nästan alla nu senast nämnda författare skrefvo speciellt för skolan, lyckades dock ingen af dem genom en verkligt praktiskt lärobok mera allmänt eröfra och för längre tid behärska de svenska skolorna. Detta blef däremot händelsen med tvenne framstående pedagoger, hvilka dock båda såsom författare skurit sina vackraste lagrar på helt andra områden än den språkliga undervisningens, nämligen Anders Fryxell och C. J. L. Almqvist. FRYXELLS *Svensk språklära,* Stockh. 1824, blef tack vare sin kortfattade och rediga framställning vår första egentliga skolgrammatik och rönte en exempellös framgång. Dess 2:dra uppl. utkom 1825, 3:dje

---

[1] Enligt Linnströms boklexikon utg. äfven 1838, en upplaga som jag ej sett.

1827, 4:de (tillökad med språk- och litteraturhistoria) 1832, 5:te 1835, 6:te 1837, 7:de 1839, 8:de 1843, 9:de 1846, 10:de 1852, 11:te 1857, 12:te 1861, 13:de 1865. Emellertid röjer den icke blott författarens stora pedagogiska talang, utan äfven hans brist på djupare och mera omfattande lingvistisk bildning. Samme mans *Anmärkningar vid läran om partiklarne*, Upps. 1830 (aftryck ur tidskriften Svea), meddelar åtskilliga i pedagogiskt afseende goda anmärkningar till delar af syntaxen.

Hvad Fryxell utförde för svenska grammatikens vidkommande, det gjorde ALMQVIST för ortografien genom sin *Svensk Rättstafnings-Lära*, ett märkligt exempel på snille ådagalagdt »in corpore vili»». Också blef dess framgång kolossal, till och med öfverträffande den fryxellska grammatikens. Första upplagan, utg. af signaturen A. och afsedd blott för enskild utdelning, utkom Stockh. 1829, den andra, tillökt och förbättrad samt försedd med utsatt författarenamn, 1831, den 4:de 1834, 5:te 1837, 7:de 1843, 8:de 1846, 9:de 1847, 11:e 1853, 14:de 1860, 16:de 1865, 17:de 1866, 18:de 1869, 19:de (utg. af P. E. Fischier) 1881. Då nu Almqvist i sin bok följde Svenska Akademiens stafning, så grundfästes denna härigenom öfverallt i landet. Äfven såsom grammatikförfattare var A. produktiv och här såsom annars en mångfrestare och uppslagsgifvare. Hans *Allmän språklära, Reglor för Underwisaren*, Stockh. 1829, 2 uppl. (tillökad med en förteckning öfver »alla kända språk») 1835, är en ledtråd för språklig pedagogik. Till densamma sluter sig såsom en fortsättning *Svensk språklära*, Stockh. 1832, som bl. a. bjuder på mönsterstilprof från yngre författare, prof på äldre stil, redogörelse för äldre böjning i svenskan m. m.; 2 uppl. 1835 är tillökad med metrik och en förteckning å vittra författare; 3 uppl. 1840 med icke mindre än 236 sidor (dvs. lika mycket som allt det föregående tillsammans), handlande om de svenska dialekterna; 4 uppl. Norrköping 1854. Ändtligen uppträdde

A. äfven såsom lexikograf, nämligen med det jättelikt tillämnade, men olyckligtvis vid ett litet fragment stannande verket *Ordbok öfver svenska språket i dess närvarande skick* I *(A—Bestridande)*, Örebro 1842 (recenserad af C. Säve i Frey 1842, s. 478 ff.), II (till *Brand*) 1844, hvars snillrika inledning anger planen vara en »fullständig ordbok öfver den nuvarande svenskan», öfver »språket sådant det är», hvarför upptagas både inhemska ord och lånord, riksspråksord och »alla Landskapsord», appellativa och propria (historiska, geografiska osv.) och detta med angifvande af uttal, böjning och betydelse, men utan etymologiskt kram och språkmästrande domslut.

1800-talets svenska ordbokslitteratur före denna Almqvists väldiga ansats är i det stora hela obetydlig. Utan särskild märkvärdighet är den svensk-franska ordbok, som ingår i *Fransyskt och Swenskt samt Swenskt och Fransyskt Hand-Lexicon* af [MAGNUS] S[VEDERU]s, Upps. 1800 [1]. Likaså f. d. kaptenen ERIK [ULRIK] NORDFORSS' (d. 1806) *Nytt Swenskt och Fransyskt Hand-Lexikon*, Stockh. 1805 (recenseradt i Stockholms Posten 1806, nr 19), och magister GUSTAF AD. HALLMANS (slutligen prost, d. 1866) *Svenskt och Latinskt Hand-Lexikon*, Örebro 1806, 2 uppl. 1808. Ett verkligen utmärkt arbete är däremot sekreteraren i Krigskollegiet E. W. WESTES (d. 1839)[2] *Svenskt och fransyskt lexicon* I, II, Stockh. 1807 (= III, IV af 'Parallèle des langues françoise et suédoise'), ovanligt rikhaltigt och för oss oskattbart genom sitt noggranna angifvande af alla ords accentuering samt försedt med en inledning om accent, kvantitet, bokstäfvernas uttal och ordens böjning. Som fortsättning härå utgaf författarens släkting expeditionssekreteraren F. W. WESTEE (d. 1882) ett *Svenskt och franskt lexicon, supplement,* Stockh. 1842, som dock ej

---

[1] Rätteligen Stockh. 1800 och Upps. 1801.

[2] Se vidare KOCK, *Språkhistoriska undersökningar om svensk akcent* II, 202 ff. noten.

har uppgifter om accentueringen. Rätt rikt, om ock långtifrån »fullständigt» är professorn i Lund A. O. Lindfors' (d. 1841) *Fullständigt Swenskt och Latinskt Lexicon*, Lund I 1815 (recenseradt i Svensk Litteratur-Tidning 1816, nr 21 och 22), II 1824. Efter grammatiska kategorier är ordförrådet ordnadt i den tyske litteratören A. Ekholtz' lilla *Practisches Lehr- und Hülfsbuch der Schwedischen Sprache*, Lübeck 1831, 2 uppl. 'Der kleine Schwede. Practisches' &c. 1845, 3 uppl. 1858. Värdefullt är rektorn och hofpredikanten A. G. F. Freeses *Schwedisch-Deutsches Wörterbuch*, Stralsund 1842, detta i synnerhet genom sina rika och praktiskt uppställda samlingar af sammansatta ord, t. e. under *gräs* 37 med *gräs-* och 54 med *-gräs*, under *jern* 121 med *jern-* och 30 med *-jern* osv.

Af specialordböcker från samma tid må här anföras följande: den bekante teaterförfattaren notarius publicus C. Envallssons (d. 1806) *Svenskt musikaliskt lexikon*, Stockh. 1802; professorn i Lund A. J. Retzius' (d. 1821) *Försök til en flora oeconomica Sveciæ* I, II, Lund 1806, med ett »Swenskt Namn-Register» å örtnamn; L. N. Synnerbergs utförliga *Swenskt Waru-Lexicon* I, II, Gtb. 1815; registren till professor Sven Nilssons (d. 1883) *Ornithologia Svecica*, Lund 1817—21, 2 uppl. 1824—28, och *Skandinavisk fauna* I Lund 1820, 2 uppl. 1847, II (= Ornithologia svecica 3 uppl.) 1835, ny uppl. 1858, III 1842, 2 uppl. 1860, IV 1852—55; rektor Daniel Djurbergs (d. 1834) *Geografiskt lexicon öwer . . Swerige och Norige*, Örebro 1818; löjtnant A. A. Leijonflychts (d. 1850) goda *Swenskt Hand-Lexikon för jägare*, Stockh. 1827; [riksantikvarien, sedan riksarkivarien, J. G. Liljegrens (d. 1837) obetydliga] *Förklaring af svenska namn brukliga i äldre och nyare tider*, Stockh. 1831; publicisten G. Svederus' (d. 1888) *Skandinaviens jagt . . jemte jagtlexicon*, Stockh. 1832; Aug. Pfeiffers *Technisk-Terminologisk Ordbok öfwer Swenska Språket*, Stockh. 1837; litteratören, sedan tullinspektoren, K. M. Ekbohrns (ursprungligen Ekbom, d. 1881) *Nautisk ordbok*, Gtb. 1840.

Under hela tiden 1799—1836 låg, såsom redan ofvan (s. 223) nämnts, allt egentligt arbete på Svenska Akademiens ordbok nere. Däremot hade man upptagit arbetet på akademiens grammatik, väl förnämligast för att medelst en däri inrymd detaljerad rättskrifningslära kunna vid läroverken betrygga akademiens stafsätt, för hvilket Almqvists rättstafningslära ännu icke hunnit göra tillräcklig propaganda. På akademiens uppdrag utarbetade dess ledamot, rektorn och titulärprofessorn L. M. Enberg (d. 1865) *Svensk språklära utg. af Svenska Akademien*, Stockh. 1836. Den anonyme författaren lämnar här en obetydlig språkhistorisk öfversikt (som enligt Rydqvist »lärer vara af främmande hand»), en utförlig rättskrifningslära efter Leopold, läran om böjning och härledning efter Botin m. fl., en tämligen utförlig syntax, stillära, prosodi efter Kellgren och metrik efter Adlerbeth m. fl. Det hela betecknar intet egentligt framsteg utöfver den föregående litteraturen i ämnet.

Samma år återupptog akademien på Bernhard v. Beskows initiativ arbetet på ordboken, och ny utlottning af bokstäfver på herrar ledamöter företogs — med samma resultat som femtio år förut, detta trots Beskows nit, hvarom bl. a. vittna hans småskrifter *Om Svenska Akademiens Ordboks-arbete*, 1853 (i Sv. Ak:s Handlingar Ifrån År 1796, del XXVII), *Underdånigt utlåtande af Svenska Akademien rörande Ordboks-arbetets fortgång*, Stockh. 1857, och *Om förflutna tiders Svenska Ordboksföretag*, 1857 (se ofvan s. 182). Endast ledamöterna Beskow, Valerius, Grubbe och Enberg bearbetade och aflämnade de dem anförtrodda bokstäfverna. På bokstafven *A*, som redan Kellgren delvis bearbetat, trycktes visserligen två profark 1845 och omarbetade 1846, men dessa ratades af Rydqvist, och man inskränkte sig tills vidare till excerpering. Den ordinarie excerpisten G. L. Silverstolpe strejkade visserligen efter att ha aflämnat omkring 8,500 språkprof, men en annan, litteratören S. A. Hollander, åstadkom så småningom under åren 1844—1869 omkring 107,000 sådana jämte en alfabetisk lista öfver samtliga ord. År 1846 anställdes såsom ordinarie aflönad språkprofssamlare kanslisten K. E. Kindblad (sedan protokollssekreterare, d. 1892), hvilken redan tidigare på egen hand börjat utge en storartadt anlagd, men snart afbruten *Ordbok öfver svenska språket*, tre häften *(A—afhackning)* Stockh. 1840—1841, med en mycket utförlig inledning, däri han bl. a. med talang förfäktar och vidlyftigt motiverar mycket radikala åsikter i stafningsfrågan. Emellertid afsade sig denne redan 1850 sitt akademiska uppdrag efter att ha aflämnat 64,000 språkprof, hvarpå han återupptog sitt eget ordboksarbete i något förändrad form. Efter att ha framlagt ett *Förslag till plan för ordbok öfver svenska språket*, Stockh. 1854, som utom hvad titeln anger äfven innehöll Svenska Akademiens »Anmärkningar» vid förslaget, författarens i noter anbragta svar på dessa, hans förslag till slutlig redaktion af ordboken samt ett mot akademien riktadt mycket pikant »Förord», började han nämligen utge en ny *Ordbok öfver svenska språket*, I *(A—blomsterkulle* jämte en inledning rörande planen, ortografien m. m. samt med ett sammandrag af hans föregående artiklar i dessa frågor) Stockh. 1867, II *(blomsterkung—fjermare)* 1868 (recenserad af N. L[inde]r i Svensk literatur-tidskrift 1868), III *(fjerran—gradvis)* 1871. Härmed afstannade emellertid af brist på understöd denna vår dittills (och ända till 1893) utförligast affattade nysvenska ordbok, som afsåg att meddela det vårdade riksspråkets ordförråd (omkr. 70,000 ord) under perioden 1750—1850, styrkt med utförliga språkprof från goda författare; uttalsbeteckning saknas, och af nomina propria upptas blott vissa grupper. Emellertid hade redan före framträdandet af denna Kindblads stora ordbok åstadkommits af annan enskild mans hand vår första och tills dato enda utförligare nysvenska ordbok, som verkligen blifvit fullbordad. Den bekante lexikografen A. F. Dalin (d. 1873), som redan 1845 utgifvit ett *Nytt svenskt och franskt handlexikon,* började 1850 publicera *Ordbok öfver svenska språket,* I (*A—K* jämte förord rörande planen samt med en obetydlig språkhistorisk öfverblick), Stockh. 1850, II *(L—Ö),* 1853. Den upptar icke nomina propria, men däremot ett och annat dialektord, saknar excerperade språkprof, men äger själfgjorda fraser i riklig mängd, och anger endast undantagsvis uttalsbeteckning. Längre fram uppträdde samme flitige författare med en *Öfverblick af svenska språkets ordfamiljer,* Stockh. 1868, en *Svensk handordbok med tillägg af ordens etymologi,* Stockh. 1868, och *Svenska språkets synonymer,* Stockh. 1870, 2 föga förbättrade uppl. utg. af J. R. Spilhammar 1895. Alla dessa arbeten vittna visserligen om brist på all djupare språkvetenskaplig bildning — särskildt äro hans etymologiska »tillägg» i handordboken alldeles misslyckade — men röja å andra sidan ett varmt och erkännansvärdt nit. Redan 1852 erhöll Dalin också af Svenska Akademien uppdraget att bearbeta dess excerptsamling till en s. k. ordboksstomme, hvilken vidlyftiga uppgift han 1867 fullbordade. Slutredaktionen af den stora ordboken anförtroddes däremot 1855 åt akademiens ledamot, den förste professorn i nordiska språk vid Lunds universitet (sedan 1858), Shakspere-öfversättaren C. A. HAGBERG, som med stort intresse ägnade sig åt detta värf. Spridda artiklar å bokstafven *A* trycktes i 60 foliospalter, Malmö 1857, men gjordes till föremål för en befogad kritik af Rydqvist, ledande till en väsentligen annan plan. Enligt denna utarbetades ändtligen bokstafven *A* och inlämnades till akademien 1863, men 1864 afled Hagberg, hvarpå arbetet afbröts för att först 1884 återupptagas på ny och annan basis. Såsom »en skyldig gärd af uppmärksamhet mot Hagbergs minne» utgafs dock *Ordbok öfver svenska språket, utg. af Svenska Akademien,* A, Stockh. 1870. Arbetet, som saknar uttalsbeteckning och är fattigt på lånord, är väsentligen H:s verk, men tillökadt med en mängd språkprof, särskildt sådana från 1400-

och 1500-talen, samlade af den bekante akademikern, kanslirådet F. A. Dahlgren (d. 1895) [1]. Denne blef ock utsedd till redaktör med Rydqvist som censor, då akademien nu beslöt att, i stället för den till en oviss framtid undanskjutna ordboken, utge en knapphändig *Ordlista öfver svenska språket*, som utkom Stockh. 1874 och upptog omkr. 33,700 ord. Redan 1889 hade den hunnit till sin 6:te upplaga, som visar en i följd af den nya tidens kraf delvis ändrad ortografi samt innehåller omkr. 41,400 ord, beroende på att en mängd förut förbigångna lånord, sammansättningar och afledningar nu medtagits. Den år 1900 utgifna 7:de upplagan har ökat ordförrådet, till stor del genom upptagandet af nya lånord, ända till omkr. 71,500 ord och har vidtagit åtskilliga nya, dock i det hela mindre genomgripande ändringar i ortografien. Dessutom utgaf akademien ett redan på 1860-talet fullbordadt förarbete till den stora ordboken, *Kritisk ordbok öfver svenska växtnamnen af* Elias Fries (den bekante botanikern, d. 1878), Stockh. 1880 (jfr samme författares tidigare *Jemförelse mellan inhemska växternas namn i Skandinaviska och Engelska folkspråken* i Nordisk Universitets-tidskrift X, Upps. 1865), ett arbete som dock i vetenskapligt värde och särskildt i rikhaltighet ojämförligt öfverträffas af dansken öfverste H. [C. L.] Jenssen-Tuschs *Nordiske plantenavne*, Köpenhamn 1867—71, med tillhörande *Navnefortegnelse til nordiske plantenavne*, Kph. 1871.

Bland öfriga under tidrymden 1842—77 utgifna special-ordböcker eller bidrag till dylika torde följande vara de mest förtjänta att här omnämnas: f. d. notarien A. G. Anderssons (d. 1862) *Förklaring öfver fremmande ord i svenska språket, upptagande ordens uttal, härledning och betydelse*, Upps. 1845, 3 uppl. med titeln *15,000 ord. Förklaring* osv. Stockh. 1862; den bekante fornforskaren häradshöfding Richard Dybecks (d. 1877) *Blommor ur en svensk örtekrans* i Runa 1845, s. 49 ff., 1847, s. 11 ff., 1848, s. 27 ff., och 1849, s. 8 ff. (jfr de besläktade

---

[1] Jfr vidare Rydqvists och Ljunggrens ofvan anförda arbeten.

uppsatserna i Runa 1849, s. 18 ff., och 1850, s. 5 ff.), som väl dock snarast torde få betraktas som bidrag till ett botaniskt dialektlexikon; »Register» till Gustafwa Björklunds *Kokbok*, Stockholm 1847, 12 uppl. 1885; det anonyma *Svenskt rimlexikon*, Stockh. 1851, ett klent arbete, som dock torde böra omnämnas, eftersom det och Manderströms ofvan (s. 216) nämnda väl äro våra enda i sitt slag; notarius publicus F. M. Calwagens *Svenskt, Engelskt och Franskt sjö-lexicon*, Stockh. 1851, och *Svenskt och engelskt sjö-lexicon*, Gtb. 1853, det sednare med rik fraseologi; ortnamnsregistret i prosten Anders Lignells (jfr ofvan s. 230) grundliga *Beskrifning öfver grefskapet Dal* II, Stockh. 1852; J. J. Åstrands *Universal-lexikon för . . alla som stå i närmare beröring med handeln*, Stockh. 1855; den lilla anonyma skriften *Fyrahundrafemtio dopnamn, som ej finnas i Riks-Almanackan*, Stockh. 1861, däri åtskilliga rätt goda notiser rörande namnens ålder förekomma; kyrkoherden Kasper Strömbäcks obetydliga småskrifter *Fornåldriga samt främmande owanliga ord i Bibeln*, Stockh. 1862, och *Förklaring af främmande och owanliga Ord i Swenska Kyrkans Psalmbok*, Upps. 1862; öfverstlöjtnant Albin Stjerncreutz' (d. 1862) svensk-finska sjölexikon *Suomalainen Meri-sanakirja*, Hfors 1863; C. H. Ramstens *Svenskt och engelskt nautiskt handlexikon*, Stockh. 1866; öfverstlöjtnant D. E. Tigerhjelms *Svensk-fransysk ordbok för militärer och teknologer*, Stockh. 1867, 2 uppl. 1880; registret till bibliotekarien C. G. Styffes grundlärda verk *Skandinavien under unionstiden*, Stockh. 1867, 2 uppl. 1880, som dock väsentligen upptar blott fornsvenska namnformer; »Svenskt Namn-register» i C. F. Nymans *Utkast till svenska växternas naturhistoria* II, Örebro 1868; K. M. Ekbohrns (jfr ofvan s. 234) *Förklaringar öfver 23,000 främmande ord och namn* I, II, Stockh. 1868, 2 uppl. (37,000 ord) 1878, 3 uppl. (40,000 ord) 1885, 4 uppl. (60,000 ord), I (*A—K*) 1902; G. Svederus' (jfr ofvan s. 234) *Handlexikon för svenska landthushållare*, Stockh. 1869; H. Nisbeths *Handels-lexikon*, Stockh. 1870;

Sexhundra svenska ordstäf, samlade af publicisten J. G. Schultz (d, 1869), utg. af C. H. Atterling, Stockh. 1870; G. Dalins *Främmande ord i svenska språket*, Stockh. 1871, ett rikhaltigt, men mycket okritiskt arbete; »Alfabetiskt Register öfver Gotländska ortnamn» i A. T. Snöbohms *Gotlands land och folk*, Örebro 1871 (saknas i 2 uppl.); *Den svenska namnboken, innehållande alla brukliga dopnamn*, »genomsedd» af biblioteksamanuensen C. Eichhorn (d. 1889), ett i alla afseenden underhaltigt opus, som just därför torde böra här såsom sådant kännetecknas, helst detsamma utger sig vara tillkommet »efter de bästa inhemska och utländska källor»; aktuarien K. Sidenbladhs *Sveriges härads- och sockennamn*, Stockh. 1872, 2 uppl. 1873, ofta opåkalladt kritiserande; språk-läraren C. G. Jungbergs (d. 1883) klena svensk-engelsk-fransk-tyska *Handels-lexikon*, Stockh. 1873; registret till professor W. Lilljeborgs *Sveriges och Norges däggdjur*, Upps. 1874; A. Falk-mans *Ortnamnen i Skåne*, Lund 1877, ett rikhaltigt, men okritiskt arbete; registret till C. R. Sundströms *Fauna öfver Sveriges ryggradsdjur*, Stockh. 1877.

Af denna tids många praktiska hjälpredor för öfversätt-ning till främmande språk må här blott anföras F. F. Ahlmans *Svenskt-finskt lexikon*, Hfors 1865, 2 uppl. 1872 (i samman-drag *Svensk-finsk och finsk-svensk ordbok* I, Hfors 1874), *Supplement* 1883, viktigt för kännedomen om det finländskt-svenska ordförrådet, och professorn i Lund Christian Caval-lins (d. 1890) *Svensk-latinsk ordbok*, Stockh. 1875—76, revi-derad uppl. 1887, värdefull genom sin rika fraseologi.

Rydqvist hade som nämndt haft ett afgörande inflytande på gången af Svenska Akademiens ordboksarbete, men han hade vägrat att som hufvudredaktör öfvertaga detsamma, ehuru enträget därom anmodad såsom varande den mest, för att icke säga ensamt kompetente. Detta stora anseende var väl förtjänt. Alltsedan Ihres död (1780) tills inemot 1850 hade Sverge icke ägt en verklig vetenskapsman, som

— 241 —

till sin hufvuduppgift gjort studiet af modersmålet, särskildt i dess senare skeden. Också ha vi sett, att den nämnda periodens rätt omfångsrika litteratur i ämnet endast till ringa del är af egentligt vetenskapligt värde. Särskildt är naturligtvis den del af språkforskningen, som kräfver de mest djupgående och omfattande studierna, nämligen språkhistorien, illa tillgodosedd. Riksantikvarien JONAS HALLENBERGS (d. 1834) digra afhandling *Disquisitio de nominibus in lingua Sviogothica Lucis et Visus* I, II, Stockh. 1816, är ett lärdt monstrum, hvars redan för sin tid föråldrade ståndpunkt tillräckligt framgår af sådana uttalanden som de af författaren själf såsom uttryck för arbetets grundåskådning framhållna, att »vocabula efficta sunt imitatione sonorum», och »litteræ *s, ds, d, t* alternant». Af H:s betydliga samlingar och tillägg till Ihres Glossarium utkom aldrig något, lika litet som något blef synligt af hans tillämnade stora verk »om det Sveogötiska språkets ursprung». Däremot lyckliggjordes vår litteratur redan vid 1800-talets början med ett på sätt och vis befryndadt arbete, hvars titel torde kunna förleda flera än P. Wieselgren att hänföra det till svensk språkvetenskap, dit det dock icke hör liksom icke ens till vetenskap öfverhufvud. Detta var hofintendenten friherre D. PFEIFFS (d. 1803) *Nytt Fynd För Svenska Språkets Sjelfständighet, Renhet och Beriktigande,* Norrköping 1803, hvilket liksom samme författares *Urgång till alla Europeiska språk,* Norrk. 1801, afser att bevisa, det latinet och de romanska språken äro förvrängd svenska. Detta förhållande framgår enligt Pfeiff af sådana fall som att *accord* uppkommit af vårt *jacord* (dvs. *jak-ord), amant* af *ömand* (dvs. *ömmande), antipathie* af *inte passa, apocryphe* af *obekräft* (dvs. *obekräftad), etym-ologie* af *stum-olighet, cau-tion* af *go-tjänd* (dvs. *godkänd), blessyr* af *blo-sår, minister* af *man styr, cernere* af *rensa, parcere* af *spara* osv. Vi ha alltså här en gengångare från rudbeckianismens tid eller, om man så vill, en föregångare till och karrikatyr af den »götiska» skolan. Denna väckte nämligen onekligen till lif ett lingvistiskt intresse, men detta riktade sig först och främst på fornspråket, och nysvenskan blef tills vidare lottlös. Hvad som för kännedomen om det förra uträttades af en Schlyter m. fl., vidkommer oss emellertid icke här.

Det obetydliga försök till svensk språkhistoria, som ingår i Broocmans grammatik af 1820, är redan ofvan (s. 229) omnämndt. Större lärdom röjer aktuarien i riksarkivet, sedermera riksarkivarien OLOF SUNDELS (d. 1835) år 1821 hållna, men först 1826 (i Vitt. Hist. o. Ant. Ak:s Handlingar XII) tryckta inträdestal i Vitterhetsakademien: *Strödda Anteckningar till upplysande af Svenska Språket under Medeltiden och det närmast derefter inträffande Tidehvarf,* som dock icke är något annat än en sorts recension af eller efterskörd till Ihres Glossarium. Vår första i någon mån allsidiga språkhistoria är författad af den bekante danske språk- och litteraturforskaren N. M. PETERSEN (d. 1862) i *Det danske, norske og svenske Sprogs Historie* II, Köpenhamn 1830, hvars svenska afdelning af rektor J. W. Liffman (d. 1854) öfversattes till svenska under titeln *Svenska språkets historia,* Upps. 1837. Då arbetet emellertid nästan uteslutande dröjer vid fornsvenskan, är det för oss af ringa intresse. Ytlig och i allt väsentligt förfelad är professorn i Lund E. S. BRINGS (d. 1855) disputationsserie *Förklaring öfver åtskilliga, isynnerhet Skånska, orters namn,* Lund 1832—33 (*A—Hol*). Obetydliga äro ock de små språkhistoriska uppsatserna i Fryxells och Almqvists språkläror af 1832 (se ofvan s. 231 och 232), Svenska Akademiens af 1836 (se ofvan s. 235) och Dieterichs af 1840 och 1850 (se nedan s. 256 f.) samt Dalins ordbok af 1850 (se ofvan s. 237). Mycket elementärt och dilettantiskt är professorn i Uppsala PEHR SJÖBRINGS (d. 1842) redan 1841 hållna, men först 1850 (i Vitt. Hist. o. Ant. Ak:s Handlingar XIX) tryckta tal *Om Svenska bibelspråket i de tre normal-bibelupplagorna*

— 243 —

af år 1541, 1618 och 1703, hvilket för resten mest handlar om rättskrifningen i de nämnda arbetena.

År 1850 ändras emellertid förhållandena med ett slag. Då uppträdde nämligen biblioteksamanuensen, sedermera bibliotekarien vid kungl. biblioteket JOHAN ERIK RYDQVIST (f. 1800, d. 1877) [1] med första häftet af *Svenska språkets lagar,* af hvilket storartade och absolut grundläggande verk delen I utkom (1850 och) 1852, d. II (1857 och) 1860, d. III 1863, d. IV (1868 och) 1870, d. V 1874, d. VI (utg. af K. F. Söderwall) 1883, och genom hvilket den historiska grammatiken, sådan Jacob Grimm skapat den, hos oss infördes. Metoden illustrerades särskildt af Rydqvist i de båda smärre uppsatserna *Den historiska språkforskningen* (inträdestal i Vitterhetsakademien 1849, tryckt i dess Handlingar XX samt separat), Stockh. 1851, 2 uppl. 1863, och *Ljus och irrsken i Språkets verld* (i Sv. Ak:s Handlingar Ifrån År 1796, d. XXXIX och separat), Stockh. 1865. Hans hufvudverk, Svenska Språkets lagar, det största vetenskapliga arbete, vi tills dato äga rörande modersmålet, är snarare en historisk-etymologisk ordbok, ordnad efter grammatiska kategorier, än en verklig vare sig grammatik eller språkhistoria, allra minst detta sednare. Hufvudvikten är nämligen alldeles afgjordt lagd på fornsvenskan och därnäst på 1800-talets nysvenska, under det att blott skäligen knapphändiga och spridda notiser meddelas om den språkliga utvecklingen under 1500-, 1600- och 1700-talen. Denna lucka i vår språkhistoria fylldes sedermera på sätt och vis genom den förträffliga, men mycket kortfattade framställning, som lämnades af den såsom språkhistoriker fullkomligt af Rydqvists anda besjälade docenten, sedermera professorn i Lund K. F. SÖDERWALL i *Hufvudepokerna af svenska språkets utbildning,* Lund 1870, vår första och tills dato enda på samma gång strängt vetenskapliga,

---

[1] Se vidare NOREEN, Nordisk familjebok, *Rydqvist* 1, och där anförd litteratur.

något så när utförliga och — frånsedt betydelseläran, som ej alls beröres — allsidiga språkhistoria.

Stor ojämnhet både i fråga om omfång och värde råder också i 'Svenska språkets lagar' i afseende på behandlingen af grammatikens olika delar. För att börja med böjningsläran, så är denna af Rydqvist behandlad på ett, åtminstone för sin tid, alldeles mönstergillt sätt, och föga har därför efter hans dagar härutinnan tillagts af den följande forskningen. En kort och öfversiktlig framställning af R:s resultater på detta område — och i viss mån äfven inom ljudläran — så vidt de äro af vikt för den nysvenska grammatiken, lämnas af F. G. Nyström i den lilla skriften *Fornlemningar i svenskan*, Stockh. 1873, och i elementärare form äfven uti D. A. Sundéns 'Svensk Språklära' af 1869 (hvarom se nedan s. 261).

Inom ordbildningsläran har Rydqvist mycket styfmoderligt behandlat dels bildningen af sammansatta och afledda ord, dels öfverhufvud alla i svenskan inkomna lånord. På just båda dessa områden har docenten, sedan professor F. Tamm i en mängd afhandlingar (se nedan § 25) alltsedan 1874 vunnit allt vackrare forskningsresultater, alla i det stora hela syftande till ett och samma slutmål, nämligen att lämna hvad ingen sedan Ihre åstadkommit: en *Etymologisk svensk ordbok*, ett arbete som ock efter ett par kvalitativt mindre betydande ansatser, *Bidrag till en svensk etymologisk ordbok A*, Upps. 1874, *B*, 1875, började utges 1890 och uppfyller äfven högt ställda anspråk. Obetydligare bidrag till ordbildningsläran äro: läroverksadjunkten C. E. Schweders *Om sammansatta ord i svenska språket* I, II, Lund 1866—7; lektor D. A. Sundéns mycket elementära — egentligen blott ett utdrag ur författarens nyssnämnda 'Språklära' af 1869 — lilla uppsats *Ur Svenska Språkets ordbildningslära*, Västerås (i Redogörelse för läroverket) 1868; O. Wigerts *Om verbalafledningen på -i inom de nordiska språken*, Upps. 1872, som nästan uteslutande behandlar fornspråket; P. O. L. HALLSTRÖMS mycket obetydliga *Om substantivsammansättningar i nysvenskan*, Upps. 1875. Speciellt ortnamnens historia och framför allt ursprung behandla professorn i Hälsingfors A. O. FREUDENTHALS trenne små afhandlingar: *Om svenska ortnamn i Nyland* (i Bidrag till kännedom om Finlands natur och folk VIII), Hfors 1867, *Om svenska ortnamn i Egentliga Finland* (därsammastädes XI), Hfors 1868, och *Om Ålands ortnamn* (därsammastädes XI), Hfors 1868; ett supplement till den förstnämnda utgör uppsatsen *Om några svenska ortnamn i Nyland* i 'Album utg. af Nyländingar' V, Hfors 1872. Ett, för att icke vara af en fackman, grundligt arbete i samma väg är kyrkoherden O. R. BELLANDERS på rika samlingar stödda *Anteckningar om Westmanlands härader*, Köping 1869. Ett i alla afseenden obetydligt sådant är däremot J. G. L. BERGSTRÖMS *Bidrag till en etymologisk granskning af Södermanlands ortnamn*, Upps. 1875.

Ordfogningsläran hann Rydqvist aldrig att ens i minsta mån behandla (detta icke ens för fornspråkets vidkommande), och denna lucka har endast mycket ofullständigt fyllts genom de små hithörande partierna i Söderwalls nyssnämnda 'Hufvudepokerna' (s. 95 ff. och 113 f.). Ett enstaka, mycket litet, men rätt godt bidrag till denna så försummade del af grammatiken utgör D. A. SUNDÉNS (och C. V. MODINS) *Om infinitiven i svenskan*, Västerås 1864. För öfrigt förekomma kortfattade öfversikter öfver hela området i de flesta af denna tids nedan behandlade skolgrammatikor, särskildt t. e. i Svedboms 'Satslära' och Sylvanders 'Satsens bildning' (se nedan s. 258 och 260), men dessa sakna egentligt vetenskapligt värde.

Betydelseläran behandlade Rydqvist alls icke och hade väl heller aldrig ämnat till behandling upptaga denna då knappast upptäckta hufvuddel af grammatiken. Eller ock hade han med tiden kommit att i likhet med sina samtida instoppa de till betydelseläran hörande partier eller åtminstone notiser, som ej kunde förbigås, uti den »syntax», hvilken hans plan upptog, men som han som sagdt aldrig medhann. Ett icke oäfvet bidrag till kategoriläran är E. R. WAHREN-BERGS (och N. M. JONSSONS) *Några anmärkningar om artikeln,* Stockh. 1854. Mindre betydande är lektor G. S. LÖWENHIELMS uppsats *Hvad bör anses som predikat?* i Nya Elementarskolans årsberättelse, Stockh. 1870. Aktningsvärda, om ock icke alltid lyckade ansatser till en utredning af hithörande frågor förekomma äfven i V. Heikels, Nordvalls och Pipons nedan (s. 257 och 261 f.) anförda skolböcker samt Keysers nedan (s. 248) nämnda »Afhandling». Denna tids enda nämnvärda bidrag till den etymologiska betydelseläran, Uppsala-professorn M. B. RICHERTS (d. 1886) [1] *Kulturhistoriska Bilder, framställda genom undersökning af de svenska ordens bemärkelser* i Svensk tidskrift 1876 äro snarare populära (och icke alltid vetenskapligt grundade) bidrag till svensk etymologi än till en verkligt historisk betydelselära.

Hvad ändtligen ljudläran beträffar, så behandlades den af Rydqvist (1868—70) visserligen utförligt, men på ett fullkomligt föråldradt sätt, så att hvad han åstadkom snarast är en bokstafslära, ingen verklig ljudlära. Han är härutinnan betydligt efter sin tid, som, alltsedan E. W. Brückes 'Grundzüge der Physiologie und Systematik der Sprachlaute» 1856 gjort fonetiken på en gång vetenskaplig och populär, börjat med synnerlig förkärlek odla just den på fonetiken baserade fonologien. Härtill funnos dessutom redan själfständiga svenska uppslag, som dock icke af Rydqvist tillgodogjordes. Den finländske prosten FRANS P. VON KNORRING (d. 1875), hvilken i yngre dagar såsom lektor utgifvit ett mindre betydande opus, *Svenska språkets rättskrifning och ord-böjningar,* Hfors 1831, uppträdde senare såsom reformator i och genom sina

---

[1] Den förste som i de svenska universitetsstudierna indragit den jämförande språkforskningen. Se vidare NOREEN, Nordisk familjebok, *Richert* 2.

Språkforskningar, I. Språkljuden, Stockh. 1844, som är det första svenska försöket till en på fonetiska iakttagelser byggd svensk ljudlära, och detta ett som är förvånande väl utfördt i betraktande af tidpunkten för dess framträdande och den omständigheten, att författaren är en ren autodidakt. En verklig fonetik jämte förslag till ett fonetiskt alfabet — första uppslaget till det nuvarande landsmålsalfabetet — framlades i Svenska Vetenskapsakademien den 5 mars 1856, således innan **Brückes** arbete utkommit eller åtminstone hunnit blifva spridt, af den utmärkte zoologen professor Carl J. Sundevall (d. 1875), men trycktes först senare under titeln *Om phonetiska bokstäfver,* Stockh. 1862. Påverkad af Sundevall, Brücke m. fl. utländska författare uppträdde så ungefär samtidigt med Rydqvists ljudlära skolmannen J. A. A[urén] med sina *Bidrag till Svenska Språkets Ljudlära,* Linköping 1869, ett arbete som genom sin noggranna observation och lättfattliga framställning blef af stort inflytande på samtida och yngre forskare. Samma loford förtjäna i lika hög grad hans utförligare hållna *Bidrag till svenska språkets qvantitets-lära,* Stockh. 1874, och hans skarpsinniga stridsskrift *De klusila konsonantljuden,* Norrköping 1876, föranledd af docenten L. F. Lefflers (sedermera professor L. F. Läffler)[1] utförliga och speciella afhandling *Några ljudfysiologiska undersökningar rörande konsonantljuden* I, Upps. 1874. Mindre betydande äro Auréns senare arbeten, som utgöras af dels skolböcker, dels alster af än mera efemär natur, t. e. den förfelade skriften *Bidrag till svenska språkets akcentlära,* Stockh. 1880, eller den lilla pigga broschyren i rättstafningsfrågan: *Supinum aktivum och neutrum af participium passivum,* Stockh. 1886. En både skarpsinnig och själfständig forskare på detta område framträdde något senare, nämligen kommendör-

---

[1] Den förste innehafvaren (sedan 1881) af professuren i svenska språket och den förste, som vid Uppsala universitet tillämpat en strängt vetenskaplig forskningsmetod inom de nordiska språkstudiernas område.

kaptenen K. Theodor G. Keyser (d. 1902), som dock i följd af sitt framställningssätt och särskildt den ytterst originella terminologien ännu i denna dag icke uppmärksammats så, som han förtjänar på grund af sina små, men innehållsrika och högt syftande skrifter: den under signaturen R. R. utgifna *Afhandling om svenska språket*, Stockh. 1875, hvari äfven behandlas en del språkfilosofiska, semologiska och morfologiska frågor, samt *Om svensk skrift*, Stockh. 1889. Bland de många förtjänstfulla forskare, som efter Rydqvists död (1877) framträdt med bidrag till den nysvenska ljudläran, må här blott nämnas den i synnerhet såsom språkhistoriker framstående f. d. professorn K. Axel L. Kock [1], hvilken alltsedan det utmärkta förstlingsarbetet *Språkhistoriska undersökningar om svensk akcent*, I, Lund 1878 (II 1884 —85) oafbrutet ägnat en synnerlig omsorg åt den af Rydqvist så godt som alldeles förbisedda, men så ytterst viktiga och i svenskan särskildt intressanta accentläran.

Rydqvists efterblifna ståndpunkt i fråga om ljudläran erhöll sin skarpaste belysning genom hans enda verkligt misslyckade opus, den skarpt polemiska, för att icke säga hätska broschyren *Ljudlagar och Skriflagar*, Stockh. 1870, äfven intagen i 'Sv. språkets lagar' IV, 456 ff. under titeln »Rättskrifning och språkrigtighet». Häri sökte han, som dock själf i sina äldre arbeten icke sällan framställt vissa reform-yrkanden, om ock icke alltid i rätt riktning, nu att stäfja »staf-förbättrarnes» allt oförsyntare »upptåg». Den under de första decennierna af 1800-talet härskande relativa friden på detta område var nämligen vid denna tid för längesedan förbi. Utan tvifvel närmast i anledning af Rasks och hans lärjunge N. M. Petersens agitation i Danmark började äfven hos oss omkring 1840 en stark oro att visa sig. Kindblads radikala uttalanden i ordboken af 1840—41 och mera kortfattadt i följande arbeten äro redan ofvan (s. 236) omnämnda. Ännu

---

[1] Jfr Noreen, Nordisk familjebok (Supplement), *Kock*.

skarpare, om icke i sak, så dock i form, uppträdde samtidigt akademieadjunkten, sedermera prosten, H. K. TULLBERG (d. 1876), som redan 1825 förbluffat världen genom att teckna sig »dosent», som alltsedan 1834 använde stafningen *låva, åvan* o. d., och som 1836 »blygdes att sätta sitt namn under den så vederstyggliga svensk-akademiska rättskrivningen», hvarför han lät sin på förläggares och vänners tillskyndan med sistnämnda stafsätt tryckta *Svensk Språklära*, Lund 1836, utgifvas af docenten, sedan professorn, J. G. EK, den bekante latinaren (d. 1862). Detta arbete, som författaren anser »i de vigtigaste punkter vika från sina föregångare» och vara »det första försöket på en ny väg», är emellertid ett ganska klent opus och utan vidare intresse. Ett sådant kan man däremot icke frånkänna Tullbergs *Översigt av svänska rättskrivningsläran. Vettenskaplig behandling*, Lund 1841 (men författadt redan tio år tidigare) med följande från Rask hämtade motto: »Udtalen gör sin Ret gjeldende som Skrivningens höjeste Grund trods alle andre Hensyn og trods en betydelig Modstand af dem, der lade sig lede af Vanen og mangle Eftertanke til at indse eller Kraft til at følge det rette». Här riktas nu ett skarpt angrepp mot bruket och dess gynnare Svenska Akademien, men författarens lofvärda nit är icke visligt, ty han gör sig i sina positiva förslag skyldig till både missgrepp och öfverdrifter. Såsom exempel på det förra kan anföras det högst betänkliga, att han stundom lägger ett speciellt skånskt uttal till grund för stafningen såsom i *tøst* tyst, *godtøkke* godtycke o. d.; på det andra åter, att han vill införa *ø* såsom tecken för slutet *ö, ó* för slutet *o* samt t. o. m. uttalar den önskan, att stafningen af släktnamn måtte ändras, så att man må få skrifva *Hørlin, Röjterdal* osv. På samma gång som han således är alldeles för radikal, är han emellertid alltför inkonsekvent, i det att han t. e. skriver *jud* ljud, men *hjälpa, Svärje*, men *górde* (dvs. gjorde!) osv. På sin ålderdom utgaf T. detta arbete i en ny upplaga med samma motto, men med titeln *Svänsk Rättskrivningslära*, Lund 1862. Här är han rentaf hätsk: »Akademiens beteende är i svenska rättskrifningslärans historia alldeles makalöst och i det hela så nedanom all kritik, att jag gitter icke mera tala därom»; »Det står knappt att beskriva, huru mökket svenska akademien har skadat natjonen genom denna rättskrivningslära», »en af de sämsta som någonsin utgått i vårt land» osv. I sak intar han här fortfarande väsentligen samma ståndpunkt som förut, liksom ock detta är fallet i hans sista, icke synnerligen värdefulla arbete *Bidrag till etymologiskt lexikon över främmande ord i svenska språket*, Lund 1868, blott att ø nu utbytts mot typen ö och ó uppgifvits. Ett i sak lika skarpt, men i form mera städadt angrepp riktade den ofvan (s. 246) nämnde finländaren F. P. von Knorring i sina *Språkforskningar, II. Skrifva, stafva och läsa*, Stockh. 1857, mot hvad han kallade »orättstafningen», och samtidigt utgaf bokhandlaren, sedermera privatläraren P. Götrek (d. 1876) visserligen en *Ordbok för svenska språkets rättskrifning enligt de af Svenska Akademien fastställde grunder*, Karlskrona 1857, men försedd med en inledning, däri förordar han en radikal reform, med skäl anseende äfven Tullbergs »reformförslag ej nog radikalt för att åstadkomma den fördel man af en skeende språkreform med skäl borde kunna vänta».

En synnerlig utbredning fick reformrörelsen därigenom, att den nu florerande skandinavismen på sitt program upptog en reform af såväl den svenska som den danska (och norska) ortografien i syfte att undanrödja onödiga skiljaktigheter mellan dem båda, och redan på 1840-talet hade den norske statsrevisorn, sedermera professorn, L. Kristensen Daa (tidigare Daae) föreslagit att lösa frågan genom ett möte af språkligt bildade män från alla tre länderna. Sedan vetenskapen på 1860-talet hunnit beväpna sig med ett nytt kraftigt vapen, den uppblomstrande fonetiken, var tiden inne för denna plans förverkligande, och på nytt initiativ af Daa sammanträdde så i Stockholm 1869 det NORDISKA RÄTTSTAFNINGSMÖTET, bland hvars svenska medlemmar sårskildt docenten, sedermera professorn, M. B. Richert (jfr ofvan s. 246), som lär ha största förtjänsten af att mötet från första början fastslog uttalet såsom ortografiens högsta lag, och f. d. lektor ARTUR HAZELIUS (d. 1901) spelade en framstående roll. Det var närmast i anledning af och i opposition mot detta mötes beslut, som Rydqvists ofvan (s. 248) nämnda pamflett mot »herr Kindblads efterföljare» tillkom, detta till och med innan dess författare hunnit riktigt ta reda på hvad mötet verkligen beslutit. Också blef försvaret lätt för mötets svenske sekreterare, Hazelius, som i sitt åtminstone för den tiden rentaf glänsande och för all tid högst värdefulla arbete *Om svensk rättstafning*, 1. *Om rättstafningens grunder*, Stockh. 1870, 2. *Redogörelse för Nordiska rättstafningsmötets förslag*, 1871, lämnade icke blott hvad titeln anger, utan äfven en dräpande vederläggning både af Rydqvists detaljanmärkningar och af hans hela ståndpunkt, som innebar ett medlande mellan brukets och den s. k. historisk-etymologiska stafningens fordringar, hvarvid under årens lopp den sednares kraf alltmer fått träda tillbaka för det förras — detta visserligen med all rätt. I samma riktning som Hazelius uttalade sig flera samtidigt eller något senare uppträdande författare: RICHERT i artiklarna *Några ord om den svenska rättskrivningen* af signaturen M. B. R. i Stockholmsposten $^{10}/_3$ 1870 och *Några ord om svensk rättskrifning* af R—t i Stockholms Dagblad $^{26}/_{10}$ och $^{27}/_{10}$ 1873; docenten, sedermera professorn H. N. ALMKVIST uti *Svenskt språk och rättstafning* af —v— i Svensk tidskrift 1870; rektor C. J. DAHLBÄCK i broschyren *Svenska rättstafningsfrågan betraktad ur pedagogisk synpunkt*, Gäfle 1873, delvis riktad mot Rydqvists dåvarande anhängare lektor D. A. Sundéns rättskrifningslära; L. F. LEFFLER (jfr ofvan s. 247) uti artikeln *Några ord i rättstafningsfrågan* i Pedagogisk Tidskrift 1874 (och såsom »Tillägg» till följande skrift) och i broschyren

I rättstafningsfrågan, Stockh. 1875, den sednare riktad mot Sundéns skrift *Hr C. J. Dahlbäcks uppträdande i »Svenska rättstafningsfrågan»*, Stockh. 1874, och bemött af Sundén i *Om ä-ljudets teckning samt om härledningen såsom hjälpmedel vid rättskrifningen*, Västerås (läroverksprogram) 1877. En medelställning, närmast att beteckna som ett haltande å båda sidor, intar den lärde veteranen professor C. J. Schlyter (d. 1889) i sitt »Företal» till 'Ordbok till Samlingen af Sweriges Gamla Lagar', Lund 1877, hvars hithörande parti äfven utgafs separat under titeln *I rättstafningsfrågan*, Lund 1878.

Emeller.id vann nog äfven Rydqvists skrift anklang, åtminstone på vissa inflytelserika håll, t. e. i Första Kammaren, som 1871 afslog inrättandet af de dock sedan i gemensam votering beviljade universitetsadjunkturerna i nordiska språk, platser som måste komma att intagas af »nystafvare», och där 1874 hr Casparsson väckte motion om officiellt utarbetande af en svensk ordbok för att dymedelst stäfja »språkförbistringen». Den af Rydqvist i denna fråga alldeles behärskade Svenska Akademien gjorde för detta ändamåls vinnande hvad · den kunde genom utgifvandet 1874 af sin 'Ordlista' (jfr ofvan s. 238), hvilken dock på grund af sina flerfaldiga brister redan från första stund möttes af skarp kritik från flera håll och synpunkter. Den viktigaste af dessa kritiker är, hvad rättskrifningsfrågan angår, lektor J. Humbles ovanligt välskrifna »tre uppsatser af J.», *Rättstafningsreformen och Svenska Akademien*, Stockh. 1876, förut tryckta såsom artiklar i Aftonbladet 1874 (dec.), 1875 (febr.) och 1876 (apr.). Efter en kortare vapenhvila, hvarunder rättstafningsmötets förslag delvis, t. e. i fråga om *k* för *q*, vunno vidsträckt anslutning, delvis, t. e. i fråga om särskrifning af vissa sammansatta ord — ett olyckligt lån från Rydqvists forna förslag till »reformer» — uppgåfvos, återupptogs frågan år 1885 af docenten, sedermera professor J. A. Lundell m. fl., nu väsentligen med annan hufvudsynpunkt än den, som tidigare varit den förhärskande. Huru med denna, om icke nya, så hittills dock undanskjutna synpunkt, den pedagogiska, till ledstjärna samma år RÄTTSTAVNINGSSÄLLSKAPET bildades och genom sitt fullt radikala reformförslag framkallade en sannskyldig störtflod af skrifter för och emot, samt huruledes Svenska Akademien af allt detta förmåddes att i sjätte upplagan af sin 'Ordlista' (1889) i någon mån öfvergifva den af Leopold (1801) intagna och sedan dess af akademien segt fasthållna ståndpunkten, det rådande brukets, för att i stället begifva sig ut på de partiella reformernas sluttande plan, där resan utföre — eller låtom oss tacksammeligen säga uppföre — väl för akademiens vidkommande snarare påskyndas än fördröjes genom K. Maj:ts år 1889 utfärdade påbud [1], att den akademiska ordlistans stafning också skall vara de svenska skolornas — detta allt må här blott antydas, enär det ligger dels för nära vår tid, dels för långt från vårt egentliga ämne för att lämpligen kunna här bli föremål för en närmare redogörelse [2].

Stilistiska och språkriktighetsfrågor hafva af Rydqvist icke i någon särskild skrift behandlats, men hans ståndpunkt härutinnan är med ledning af många spridda uttalanden här och där i hans skrifter fullt klar. Det är den på hans tid allmänt rådande »litterärhistoriska», som anser en viss »klassisk» litteraturperiods språkbruk vara för eftervärlden i språkligt afseende normgifvande [3]. En till samma läger hörande anonym författare har i det af J. G. Theorell ut-

---

[1] Åtgärden var redan förut föreslagen i rektor (sedermera universitetskanslern) G. F. GILLJAMS välskrifna *Bör och kan något göras för upprätthållande af enheten i modersmålets rättstafning vid våra läroverk?*, Stockh. 1874 (i program för Gymnasium), och i kanslirådet E. F. GUSTRINS *Om reglementerad rättskrifning* i Ny Svensk Tidskrift 1885.

[2] En kortfattad öfversikt lämnar F. BEROS *Stafnings-reformen, dess historiska utveckling och nuvarande ställning*, Stockh. 1902 (ur Sveriges allmänna folkskollärares årsskrift).

[3] Se vidare NOREEN, *Spridda studier*, s. 145 ff.

gifna *Winterbladet* 1853, nr 11—14, 16, 18, 21—2, 30—2, 35—9, 43—6, 48—9 och 51—2 anställt en utförlig och skarp vidräkning med den skrifvande allmänhetens språkliga försyndelser, och denna från numera väsentligen föråldrade synpunkter utgående, men om mycken insiktsfullhet vittnande artikelserie har för vår tid ett oskattbart värde genom sina rika materialsamlingar, som göra densamma till en sannskyldig s. k. antibarbarus och väl berättiga författaren att från sin ståndpunkt kalla några af sina artiklar för »Lexicon Barbarum». Ett liknande, ehuru icke så stort, värde tillkommer de väsentligen häraf framkallade artiklarna i *Svenska tidningen dagligt allehanda* 1853, nr 27, 105, 113, 196, 235, 240, 246, 283, 287 och 295, samt den på Winterbladets artikelserie fotade lilla skriften af den bekante pedagogen magister MARTIN SCHÜCK (d. 1872), *Hur skall man tala och skrifva rätt?*, Stockh. 1856. En alldeles afvikande ståndpunkt företrädde dåvarande löjtnanten, sedermera hofmarskalken A. R. VON KRÆMER (d. 1903) i sin pigga och om en sund, men för den tiden ganska radikal språkfilosofi vittnande broschyr *Om språkfrågan*, Stockh. 1858 (förut publicerad i form af en längre artikelserie i Aftonbladet), som väckte mycket uppseende, för att icke säga ovilja, särskildt emedan författaren häfdar det otvungna talspråkets rätt att få betraktas som godt språk och, värst af allt, få göra sig gällande äfven i skrift med litterära anspråk. Lektor J. I. BRODÉNS (d. 1877) *Öfversigt af diktarterna jemte föregående undervisning om stil*, Örebro 1860, 3 uppl. 1869, har ett mycket kort, men icke oäfvet stilistiskt parti. Lektor C. G. STARBÄCKS (den bekante romanförfattaren, d. 1885) *Lärobok i svensk prosastil*, Norrköping 1869, är visserligen blott en bearbetning af tysken F. Becks likartade arbete, men är dock rätt rikhaltig i fråga om upplysningar rörande svenskt språkbruk. Lektorerna G. SJÖBERGS och G. KLINGBERGS *Svensk stilistik*, Upps. 1870, 8 uppl. Stockh. 1902, har däremot mera filosofisk än språklig prägel och afser hufvudsakligen kriadisposition o. d. Af mycket ringa betydelse för svenska språkforskningens historia är äfven D. A. Sundéns (jfr ofvan s. 245 och nedan s. 262) och J. E. Modins *Svensk stillära,* Stockh. 1871, 4 uppl. 1888, som är mycket kortfattad och till större delen utgöres af ett register å kriaämnen. En liten, väsentligen syntaktisk, antibarbarus ha vi åter i lektor C. Landtmansson *Bidrag till läran om den svenska prosastilen,* Stockh. 1872, 4 uppl. Upps. 1889, visserligen till sin uppränning blott en bearbetning af Götzingers 'Deutsche Sprachlehre', 9 uppl. 1860, men förtjänstfull genom att vara baserad på excerpter ur svenska författares arbeten. 1873 blef språkriktighetsfrågan verkligt brännande genom V. Rydbergs i Svensk tidskrift införda puristiskt entusiastiska artikel *Tysk eller nordisk svenska?* En helt annan och vida modernare ståndpunkt intar i samma fråga Es. Tegnér d. y. uti sin, likaledes i Svensk tidskrift ingående, artikel *Om språk och nationalitet,* 1874. Många goda uppslag bjuder ock den bjärt dilettantiska, men om mycket sundt förnuft vittnande ströskriften *Några ord om svenska språkets bearbetning i närvarande tid* af [H. J. Carlso]n, Gtb. 1877, under det att C. J. Schlyters hithörande antydningar i den ofvan (s. 252) nämnda skriften af år 1878 (1877) röja en ovanligt föråldrad uppfattning af ämnet. En tredje ståndpunkt, hvad jag kallat den »naturhistoriska», representeras fylligast af M. B. Richert (jfr ofvan s. 246) i hans redan 1877 hållna, men först 1888 i Ny svensk tidskrift tryckta inträdesföreläsning *Om rätta betydelsen af 'språkriktighet'* [1].

För den svenska skolbokslitteraturen efter 1830, till hvilken tidpunkt vi i det föregående (s. 232) följt densamma, anser jag mindre nödigt att här lämna någon fullständig redogörelse, liksom jag öfverhufvud icke rörande nysvensk språklitteratur efter nämnda tid afser absolut fullständighet, enär ju hela den svenska bokmarknaden alltsedan 1830 finnes

---

[1] Se om hela denna fråga utförligt Noreen, *Spridda studier,* s. 143 ff.

fullständigt förtecknad i de ofvan s. 151 anförda bibliografierna af Linnström och Broberg, och för öfrigt denna skolbokslitteratur delvis är för oss skäligen värdelös. Jag inskränker mig därför i det följande till en kortfattad redogörelse för sådana arbeten från tiden 1830—77 (endast undantagsvis något af senare datum), som vid sidan af åtskilliga redan i det föregående behandlade äro på grund af ålder, förtjänster, upplagornas stora antal eller andra särskilda omständigheter företrädesvis anmärkningsvärda. Först må då nämnas, att 1830-talets konkurrenter till Fryxells och Almqvists ofvan (s. 231 och 232) nämnda, i skolbokslitteraturen epokgörande arbeten äro genomgående rätt obetydliga. Detta omdöme gäller sålunda både komminister N. Westerlinds (d. 1864) *Anvisning till rättläsning och rättskrifning*, Karlstad 1832, rektorn, sedermera prosten C. L. Boströms (d. 1851) *Lärobok uti Svenska och Tyska Språkens Grammatik*, Stockh. 1834, och trots de synnerligen många upplagorna rektorn och prosten S. J. Filéns (d. 1858) förnämligast för folkskolan afsedda *Lärobok i Allmänna och Svenska Grammatiken*, Jönköping 1834, 6 uppl. (med utförligare satslära) 1846, 13 uppl. 1866, hvartill komma tio upplagor i Finland, den sista af år 1857; vidare kyrkoherden O. T[hali]ns (d. 1850) *Svensk Grammatika i sammandrag*, Örebro 1837, prosten L. Feuks (d. 1903) ytterst obetydliga *Reglor för svensk rättstafning*, Kristianstad 1837, 3 uppl. 1859, komminister T. R. S[allanders] *Svensk Interpunktionslära*, Uddevalla 1839, samt rektor J. N. Cramérs (d. 1893) mycket elementära *Svensk Etymologi och Syntax*, Visby 1839, 2 uppl. 1843, och samme författares lika elementära *Svensk Rättstafningslära*, Visby 1839, 3 uppl. 1859.

Däremot har 1840-talet åtminstone några delvis rätt värdefulla arbeten att uppvisa. Så t. e. rektorn och titulärprofessorn U. W. Dieterichs (d. 1865) rent praktiska syften fullföljande *Ausführliche Schwedische Grammatik*, Stockh. 1840, ny oförändrad uppl., med förord af Svenska Akademien, 1848. Arbetet innehåller utom grammatik äfven en rätt rikhaltig litteraturhistoria med några få inströdda språkhistoriska notiser samt en läsebok med lexikon därtill. Viktigast är dess framställning af syntaxen genom det rika urval af fraser, hvilka såsom exempel anföras. Obetydlig är däremot samme författares *Kurze Anweisung zur leichten Erlernung der schwedischen Sprache*, Stockh. 1844, och rent förfelad är hans högre syftande *Svensk språklära med jemförande häntydningar till Norges och Danmarks språkbruk*, Stockh. 1850, det första försöket att behandla nysvenska grammatiken på samma gång språkhistoriskt och jämförande. Författaren rör här ihop runologi, fornsvenska, nysvenska, norska och danska, och detta utan att äga ens måttliga insikter i vissa af dessa ämnen, så att han t. e. bjuder läsaren på ett »fornnorskt» verb med temat *svema, svam, svamit* o. d. Ett arbete, som jag ej lyckats få se [1], är läraren vid finska kadettkåren, sedermera prosten VILH. HEIKELS *Språktänklärans första elementer*, Uleåborg 1842, hvilket icke torde sakna värde att döma af författarens båda senare arbeten. Det ena af dessa är *Praktisk språktänklära*, Hfors 1845 [2], som enligt förordet utgör »en bearbetning af Wursts 'Practische Sprachdenklehre', ett verk däri förf. . . för elementarundervisningen bearbetat Beckers genialiska åsigter om språket och dess behandling såsom undervisningsämne», och som lämnar en utförlig och delvis mycket förtjänstfull satslära [3]. Det andra är *Kort lärobok i Swensk och Allmän Grammatik*, Hfors 1856, ett för kännedomen om den finländska svenskan viktigt arbete, som för öfrigt särskildt

---

[1] Det saknas till och med i universitetsbiblioteket i Hälsingfors.

[2] För min kännedom om detta arbete har jag att tacka meddelanden af lektor H. Bergroth.

[3] En andra del, innehållande ordbildnings- och betydelselära, utlofvas skola komma inom årets slut. Har en sådan någonsin blifvit utgifven? I Hälsingfors-biblioteket finnes den åtminstone icke.

utmärker sig genom goda definitioner, hvilka dock ofta tydligen äro lånade, utan anförande af källan, från Magers väckande uppsats 'Linguistische Studien I, Die grammatischen Kategorien' (i Pädagogische Revue), Stuttgart 1841. Samma delvis nya, af den bekante tyske pedagogen K. F. Becker först brutna, på ett vetenskapligt missgrepp beroende och äfven i pedagogiskt afseende visst icke öfvervägande lyckliga, »logiskt» grammatiska vägar i fråga om satsläran beträddes i Sverge ungefär samtidigt af rektor P. E. SVEDBOM (d. 1857), som för en längre tid bragte satsläran i förgrunden vid den svenska skolundervisningen. Detta resultat nådde han genom sitt redigare och konsekventare än föregångarnas arbeten uppställda och därför genast mycket använda *Utkast till satslära*, äfven med titeln *Ledtråd vid den första undervisningen i modersmålet, I*, Stockh. 1843, 6 uppl. 1863, som i likhet med Heikels nyssnämnda bok af 1845 väsentligen är en bearbetning af tysken R. J. Wursts bearbetning af Becker. Jfr härtill Svedboms uppsats *Om undervisning i modersmålet* i Frey 1842, nr 6, rektorn, sedermera prosten J. J. MAGNELLS (d. 1882) *Anmärkningar till Svedboms satslära*, Kristinehamn 1853, och [BOIV]IES (jfr ofvan s. 229) recension af Svedboms bok i Frey 1844, s. 341 ff., samt Sylvanders nedan (s. 260) nämnda kritiska förord. Ett klent alster är däremot det rätt mycket använda arbetet af de båda skolmännen, slutligen prostarna K. F. SJÖSTRÖM (d. 1882) och J. F. EHRNSTRÖM (d. 1882): *Svensk språklära för nybegynnare*, (1 uppl. anonym) Gäfle 1843, 3 förbättrade uppl. Stockh. 1855, 5 uppl. 1865. Rentaf betänkligt är signaturen G. B:s *Försök till Swensk Språklära för Mina Barn med förswenskade Konst-ord*, Stockh. 1847, på hvars »konstord» må anföras följande prof: *anfall* ackusativ, *framtidsskifte* futurum, *föreningsflock* konjugation, *flertalstakt* plural, ty »ord som böjas gå i en wiss takt», *skepnadsbytesord* deponens, *stillsamhetsord* intransitiv, *tålsamhetsskepnad* passiv, *utstakningssamma mednämneord* determinativer. Obetydliga äro skolläraren S. Björkqvists ytterst elementära *Svensk rättstafningslära*, Kristianstad 1848, I. M. Winges *Svensk språklära för begynnare*, Stockh. 1848, boktryckaren, sedan komministern J. Hambergs (d. 1872) *Swensk Rättstafningslära för Folkskolor*, Söderhamn 1849, 2 uppl. samma år, samt trots sina många upplagor seminarieföreståndaren, sedermera prosten C. J. Landgrens *Swensk Språklära för . . Folkskolor*, Upps. 1849, 14 uppl. 1890. Litteratörerna F. [T.] Borgs (d. 1895) och N. Perssons (senare kamrer Nordin) *Svensk språklära* I, Stockh. 1849, kan icke heller få just större loford, ehuru, enligt hvad författarna själfva påstå, här föreligger »det första försöket hos oss att mera systematiskt behandla denna vetenskap». Dock förtjänar arbetet icke det hån, för hvilket det i dagspressen blef utsatt. Ett fullständigt pekoral är däremot fil. kand., sedermera f. d. läraren i Skeninge J. P. Janzons (d. 1881) *Grunddrag till Vetenskaplig språklära, innefattande I Den allmänna tillvaroläran . . II Den allmänna Formbegreppsläran*, Jönköping 1847 (i författarens tidskrift 'Ad Utrumque', häft. 1 och 2), nitton år senare fortsatt »fr. sid. 35» genom *Språkläraren eller Språkens Grammatiska Ord- och Formbegrepp med Tillämpning på Svenska Språket jemte Logiska Begreppet och Personlighetsbegreppet*, Stockh. 1868.

1850-talet inledes af f. d. kateketen och gymnastikläraren N. Strömborgs blott alltför storartadt anlagda *Svensk språklära med afseende på språkets historiska utveckling, upptagande äfven gotiskan, fornnorskan och fornsvenskan i jemförelse med de svenska landskapsmålen*, Stockh. 1852, såsom redan af titeln synes ett arbete, som söker i miniatyr lösa ungefär samma uppgift som Rydqvists Svenska språkets lagar, med hvars första del det är nästan samtidigt. Författaren ådagalägger verklig beläsenhet, minst i fornsvenska, men föga af själfständig forskningsförmåga. Han är väsentligen en kompilator, hvars plan är något snedvriden genom den oskäliga utsträckning, i hvilken han låtit gotiskan och »fornnorskan» (dvs. fornisländskan) rent af nedtynga den öfriga framställningen. Arbetet blef ock föremål för en skarp recension af den bekante Wulfila-kännaren, docenten, sedermera professorn ANDERS UPPSTRÖM (d. 1865) i Tidskrift för literatur 1852. Smärre alster af mindre betydenhet äro Strömborgs *Svensk språklära för skolungdom* och hans ännu mindre *Svensk språklära för begynnare*, båda Stockh. 1857. Ett annat aktningsvärdt arbete från ungefär samma tid är skoladjunkten G. W. SYLVANDERS (d. 1882) *Läran om satsens bildning*, Stockh. 1856, hvars utförliga förord innehåller en åtminstone från det kritiserade arbetets ståndpunkt befogad kritik af Svedboms satslära (se ofvan s. 258), och som, i hvad den själf bjuder af positivt, är delvis god, delvis alldeles förstörd af, icke alltid fullt logiska, spekulationer i logik, såsom t. e. då han häfdar den meningen, att »Stenen flyger» o. d. icke är en sats, emedan »flyger» icke kan prediceras om »stenen», ett påstående som innebär ett groft förbiseende af den allmänt mänskliga rättigheten att få använda bildspråk, att få fantisera, att få misstaga sig, ja hvarför icke undantagsvis också rentaf ljuga. Obetydliga äro däremot icke blott det snart glömda arbetet af matematikläraren S. A. DAHL, *Swensk Språklära för Nybegynnare*, Stockh. 1857, utan äfven följande rätt mycket använda läroböcker: skolläraren, sedermera kamreren J. A. ZACHRISSONS *Praktisk lärobok i svensk rättstafning*, Gtb. 1855, ny [5] uppl. Kungsbacka 1876, skolföreståndaren, sedermera folkskoleinspektören C. J. MEIJERBERGS *Svensk språklära*, Gtb. 1856, 5 uppl. 1871, och J. I. BRODÉNS (jfr ofvan s. 254) *Förberedande kurs i grammatik*, Västerås 1856, 7 uppl. (numera med titeln *Svensk språklära*) Stockh. 1877, hvars äldre upplagor innehöllo ett tillägg om fornspråkets grammatik. En utförlig och mycket skarp kritik af Brodéns fjärde upplaga infördes af dåvarande docenten K. SIDENBLADH (jfr ofvan s. 240) i Pedagogisk tidskrift 1869, s. 71 ff. Kort, träffande och från i allt väsentligt fullt riktiga synpunkter kritiseras hela den tidens skolbokslitteratur och dess lika opedagogiska som — äfven då den som mest lade an på vetenskaplig hållning — ovetenskapliga metoder af den bekante filosofen KRISTIAN CLAËSON (d. 1859) i hans efterlämnade grundliga och skarpsinniga uppsats *Om elementar-undervisningen i filosofi och svenska språket*, tryckt i 'Skrifter' I, 299 ff., Stockh. 1860; jfr äfven det hithörande partiet (Skrifter I, 283 ff.) i hans ryktbara, ursprungligen i Nordisk universitets-tidskrift IV (1858) införda afhandling *Om språkets ursprung och väsende*. Kritiken riktar sig dels mot den grammatiska litteraturens tvenne uråldriga grundfel, den latinska schablonen och sammanblandningen af grammatiska och logiska synpunkter med t. o. m. öfvervägande bruk af de sednare, dels mot det nymodigare missgreppet att i elementargrammatiken indraga material och synpunkter, hämtade från den historiska och jämförande språkvetenskapen.

Från 1860-talet må antecknas lektor J. NORDVALLS (d. 1888) *Lärobok i modersmålet för elementarundervisningen efter en ny plan utarbetad*. Örebro 1863, hvilken betecknar ett stort och af senare författare ej tillgodogjordt framsteg i fråga om definitioner och uppställning. Författarens reformatoriska tendenser togo sig långt senare ett nytt uttryck i det delvis mycket förtjänstfulla, men framför allt mycket radikala arbetet *I rättskrifningsfrågan*, Vänersborg (läroverksprogram) 1886. Tämligen obetydlig är åter lektor A. H. BJURSTENS (d. 1866) *Lärokurs i svenska språket. II Formlära* (efter Rydqvist), Stockh. 1865, *III Satslära*, 1864; tredje, af F. LEFFLER (jfr ofvan s. 247) och G. UPMARK (amanuens, sedan intendent vid Nationalmuseum, d. 1900) omarbetade uppl. 1872 under titeln *Svensk språklära utarbetad på grundvalen af H. Bjurstens formlära och satslära*, 6 uppl. 1880. Detsamma gäller såväl läraren W. IGGBERGS (d. 1873) klara och koncisa, men schematiska *Inledning till svenska språket*, Stockh. 1866, som läroverkskollegan, sedermera rektorn, D. SJÖSTRANDS (d. 1883) *Lärobok i svenska språket*, Stockh. 1865, egentligen blott ett kort sammandrag af de nysvenska partierna i Rydqvists Svenska språkets lagar. Vida grundligare tillgodogjordes detta Rydqvists verk af den vid slutet af 1860-talet framträdande författare, hvars många läroböcker — i vidsträckt spridning öfverträffande alla i sitt slag allt intill nu — just härutinnan äga sin förnämsta förtjänst, såsom ock uttryckligen erkänts af författaren själf, D. A. SUNDÉN (jfr ofvan s. 245 och 255). Dennes hithörande arbeten äro följande: *Svensk språklära för elementarläroverken*. Stockh. 1869, 5 uppl. 1885; *Svensk språklära i sammandrag,* 1870, 25 uppl. 1920; *Svensk rättskrifningslära,* 1870, 8 uppl. 1885; *Svensk språklära för folkskolan,* 1871, 37 uppl. 1922; *Kort lärobok i modersmålet för folkskolan*; 1873, 17 uppl. (»Kort lärokurs i» osv.) 1919; *Ny svensk rättskrifningslära,* 1889, 15 uppl. 1921. Men om dessa läroböcker, hvilka, såsom synes, ännu behärska vår modersmålsundervisning, äga många förtjänster gemensamma med det stora rydqvistska verket, så röja de också ännu i dag de flesta af mästarens brister och visa i alla händelser icke i teoretiskt — om ock i praktiskt — afseende något framsteg utöfver den rydqvistska ståndpunkten vid århundradets midt. Något framsteg betecknas svårligen heller af J. A. AURÉNS (jfr ofvan s. 247) *Svensk språklära*, Stockh. 1877, 2 uppl. 1880. Om en redlig sträfvan efter en ny — dock redan af Silverstolpe (se ofvan s. 228) och i viss mån Heikel (se s. 257), Claëson och Nordvall (se s. 261) förebådad — och själfständig uppfattning, särskildt af den grammatiska terminologien och uppställningen, vittnar rektor J. PIPONS (d. 1895) *Den allmänna språklärans grunder*, Strömstad 1872, och *Svensk språklära för mellan-skolorna och till sjelf-id*, Stockh. 1878. Dock röja dessa arbeten mera en viss teoretisk begåfning än den för en läroboksförfattare framför allt nödiga praktiska; så t. e. då han »bortkastat de Latinska ok Grekiska bokstäverna *c, q, x* ok *z*» liksom de flesta »utländska ord», så att infinitiv på hans språk får heta *utsägelingsord*, kardinaltal *antalstingsbestämningsord* osv. God vilja röjer äfven fil. kand. J. P. Velanders *Utkast till en tidsenlig svensk språklära*, Stockh. 1877, men utförandet är ganska svagt. Ett visserligen reformatoriskt, men missriktadt intresse har, dock blott i fråga om ett grammatiskt specialområde, besjälat lektor A. Z. Collins (d. 1886) polemiska broschyr *Noter till svenska skolgrammatikor. I. Den falska behandlingen af läran om ordbildningen* liksom ock hans lilla *Utkast till svensk ordbildningslära för elementarundervisningen*, båda Hälsingborg 1869. Sistnämnda skrift är ett af en illa anbragt och till sitt värde minst sagdt tvifvelaktig lärdom nedtyngdt opus, ehuruväl författaren enligt egen utsago af »vetenskapens nyaste resultat» upptagit blott hvad han fann vara »rent nödvändigt» för ett dylikt »första försök att tillämpa Sanskritgrammatiken på Svenskan». Han hoppas, att det »icke må blifva det sista, ty utan Sanskrit gifves ingen hjelp hvarken för Grammatik eller Lexikon», ett uttalande i jämförelse med hvilket Sahlstedts hundra år äldre, en smula paradoxala åsikt, att historisk och jämförande språkforskning är för den nysvenska grammatiken snarare skadlig än gagnelig, ter sig nästan som ett gyllene visdomsord. — Ett verkligt värdefullt uppslag, åtminstone för ljud- och böjningslärans vidkommande, till en »tidsenlig» svensk grammatik lämnades först i och genom engelsmannen H. Sweets [1], visserligen icke för skolundervisning afsedda, *Sounds and forms of spoken Swedish* i Transactions of the Philological Society 1877—78.

Metrikens behandling under 1800-talet inledes af kanslisten, sedermera expeditionssekreteraren Gustaf Regnér (d. 1819), hvilken väl kunde förtjäna att kallas den svenska metrikens fader, med den »Afhandling om metriske öfversättningar samt grunderne till en svensk metrik», som öppnar hans *Försök till metriske öfversättningar*, Stockh. 1801; recen-

---

[1] Se vidare Noreen, Nordisk familjebok, Supplement, *Sweet*.

sion af Leopold i Stockholms Posten 1802, nr 4 och 10, äfven införd i Sv. Ak:s Handlingar Ifrån År 1796, del XXXV. s. 335 ff. Afhandlingen infördes ånyo i Regnérs *Vitterhetsnöjen*, I, 243 ff., Stockh. 1814, tillsammans med en år 1804 författad ny sådan, »Försök att bestämma Reglorna för Svenska Metriken», hvarvid båda afhandlingarna sammanfattades under den gemensamma titeln »Afhandlingar om metriska poesien». Dessa båda uppsatser utgöra tillsammans vår första ordentligt utförda metrik, byggd på den redan af Bergklint (se ofvan s. 218) uppställda grundsatsen, att svensk vers regleras af tonvikten, sådan denna i naturligt prosaiskt tal uppträder, och de förtjäna till fullo det loford, som af Palmblad tilldelades den första af dem: »ett arbete öfver hvilket man icke kan tala nog godt». Också vunno Regnérs åsikter genast ganska allmän tillslutning. Skalden och statsmannen Gudmund Jöran Adlerbeth (d. 1813) följer honom i allt väsentligt i sitt förträffliga företal till öfversättningen af *Virgilii Æneis*, Stockh. 1804, 5 oförändrade uppl. 1811; likaså M. Wallenberg (se ofvan s. 221) i företalet till sin öfversättning af *Homäros' Ilias*, Stockh. 1814, samt i det stora hela äfven [statsrådet och generalen A. F. Skjöldebrand, d. 1834, i] *Något om antagna Reglor för Svensk Hexameter*, Stockh. 1820. En partiell opposition representerades af den bekante fosforisten och boktryckaren, slutligen professorn, W. F. Palmblad (d. 1852) i ett par uppsatser. Den ena, *Svensk verslära* i Phosphoros 1811, lyser med lärdom, men betecknar intet egentligt framsteg samt är i flera punkter skef, så att t. o. m, Palmblad själf år 1842 därom yttrade: »Detta omogna arbete, författadt vid tjugo års ålder, innehåller ganska stora brister och ganska litet eget». Den andra, *Om Principen för Swensk metrisk Vers* i Swensk Literatur-Tidning 1816, nr 23—4, är bättre. Samma ståndpunkt i frågan intar den troligtvis med Palmblad identiske recensent af Wallenbergs nyssnämnda arbete, som uppträder i Sw. Lit.-Tidn. 1816, nr 8—9, och i

Bihang till Sw. Lit.-Tidn., nr 10; svar härå af Wallenberg i Bihang nr 8—9, 12—14 och 19 samt af Palmblad därsammastädes nr 15—16. Senare hithörande arbeten äro en längre tid bortåt obetydliga, t. e. FRANZÉNS företal till G. J. Adlerbeths öfversättning af *Ovidii Metamorphoser*, utg. af Jakob Adlerbeth, Stockh. 1820. Skarpsinniga, men af väl allmänt innehåll äro den bekante filosofen BENJ. HÖIJERS (d. 1812) omkr. 1811 författade, men först 1827 i hans Samlade skrifter IV utgifna *Anmärkningar hörande till Prosodi och Versification*. Att flera språkläror från denna tid, såsom Boivies af 1820, Almqvists af 1835 och Svenska Akademiens af 1836, innehålla en stundom rätt utförlig metrik, har redan ofvan (s. 229, 232 och 235) nämnts. Dessa mera elementära framställningar äro väsentligen fotade på Regnérs, Adlerbeths och Palmblads nyssnämnda skrifter i ämnet. I hög grad oklara och i ett svulstigt språk insvepta samt därför svåra att till sitt rätta värde bedömma äro den ofvan (s. 259) nämnde J. P JANZONS metriska spekulationer i *Pindaros' segersånger i öfversättning* I, Lund 1841, samt i den speciellt mot hans recensenter, af hvilka Palmblad i Frey 1842, s. 63 ff., är den viktigaste, riktade pamfletten *Metrikens fall och upprättelse*. Lund 1842. Dock förefaller J. i dessa skrifter icke så rubbad som i de ofvan omnämnda kvasi-grammatiska. Domprosten P. WIESELGRENS (d. 1877) lilla uppsats »Den Svenska Hexameterns prosodik» i hans »Postscriptum» till *Bref i bunden stil*, Gtb. 1868, är, så långt den äger något värde, blott ett eko af Skjöldebrands ofvan (s. 264) nämnda skrift [1].

En så godt som ny metrisk skola bildades något efter midten af 1800-talet af den bekante grekiske filologen, professorn i Uppsala JOH. SPONGBERG (d. 1888), som i viss mån återupptog det gamla försöket att bedöma och reglera svensk

---

[1] Om C. J. L. Almquists efterlämnade manuskript *Om svenska rim* se R. BERG i Språk och stil V, 169 ff., där utdrag af de viktigare partierna meddelas.

vers från den »klassiska» metrikens ståndpunkt, i det han
t. e. ville tillskrifva en svensk stafvelse en viss bestämd kvan-
titet (eller accent) och förnekade tillvaron af »ancipites» (dvs.
stafvelser, som äro än långa, än korta) utom i så måtto, att ett
»kort» ord kunde vid emfatiskt uttal uppträda såsom »långt».
Ståndpunkten utfördes i praktiken af honom själf i hans
öfversättning af Sofokles' 'Ajas' 1866, och än mera glänsande
af lärjungen, docenten, sedermera professorn i Lund A. M.
Alexanderson i öfversättningen af Æschylus' 'De sju mot
Thebe', 1868; den förfäktades dels med hetta och utan allt
skyggande för konsekvenserna af en annan lärjunge, lektor
M. Dalsjö, uti två recensioner i Pedagogisk tidskrift 1868,
s. 375 ff., och 1869, s. 90 ff., samt en i Svensk litteratur-
tidskrift 1869, s. 258 ff., dels med flera modifikationer, be-
tingade af en sund och fin smak, af akademiadjunkten, seder-
mera professorn i Uppsala F. W. Häggström (d. 1896) uti
den förtjänstfulla artikeln *Anmärkningar angående svensk vers-
byggnadskonst* i Svensk literatur-tidskrift 1867. En afvikande
ståndpunkt intog lektor K. H. Brandts *Afhandling i svensk
prosodik*, Stockh. 1868, som gör den svenska metriska beto-
ningen alldeles afhängig af den logiska, och till samma läger
höra fil. dr, sedermera professor K. S. Geijers *Försök till
öfversättning från Charles d'Orléans*, Stockh. 1872, och ännu
lektor A. V. Lönnegrens för öfrigt starkt åt spongbergianismen
lutande *Grundsatser i svensk prosodik*, Luleå (läroverkspro-
gram) 1881. Skarpare anfäktades emellertid Spongbergs stånd-
punkt i rektor H. R. Törnebladhs *Några anmärkningar i
svensk verslära*, Kalmar (läroverksprogram) 1869, som bl. a.
innehöll ett förträffligt försvar för ancipites; och dödsstöten
erhöll hela denna riktning genom dels J. A. A[urén]s ofvan
(s. 247) nämnda 'Bidrag till svenska språkets qvantitetslära'
1874, dels litteratören Adolf Lindgrens *Satser i svensk vers-
lära*, Upps. 1880 (aftryck ur Ny svensk tidskrift), hvilka
ovederläggligt häfdade, att alla svenska ord kunna stå både

»betonade» och »obetonade», och detta dels af rent rytmiska, dels af logiska skäl. Samtidigt hade ansatser till en utförlig vetenskaplig bearbetning af den svenska metriken för första gången börjat visa sig, i det att A. R. von Kr.æmer (jfr ofvan s. 254) utgifvit första häftet af en efter mycket stor måttstock anlagd *Svensk metrik*, Stockh. 1874, däri dock blott den allmänna inledningen till själfva ämnet medhanns. Andra häftet utkom först nitton år därefter (Stockh. 1893) och innehöll blott början till en ytterst bredt anlagd »Prosodi». Dessförinnan hade han dock ur sina ytterst rikhaltiga materialsamlingar utbrutit och separat publicerat ett synnerligen värdefullt parti: *Om enstafviga ords rytmiska värde i svenskan*, Stockh. 1882; recenseradt af A. L[indgren] i Ny svensk tidskrift 1883, s. 631 ff. Ett annat dylikt stort och betydande utsnitt är hans åtskilliga år efter metrikens andra häfte utgifna afhandling *Om trestafviga ords användning i vers*, Örebro 1899 (sep. ur Pedagogisk tidskrift). Jfr ock K:s båda små uppsatser: *En af de svåraste frågorna i svensk metrik* i Aftonbladet 1880, nr 41, och *Några anmärkningar rörande en litteraturanmälan* i Pedagogisk tidskrift 1894.

De senaste 25 årens litteratur ligger emellertid så nära våra dagar och är till så stor del författad af ännu lefvande personer, att såväl bristen på historiskt perspektiv som ock grannlagenhetsskäl göra det både svårt och olämpligt att indraga densamma i den här gifna kortfattade överblicken öfver den nysvenska språkforskningens historia. Jag har därför med högst få undantag begränsat denna skiss till tiden före Rydqvists död 1877. Denna tilldragelse lämpar sig äfven därför väl till slutpunkt, att ungefär samtidigt med den gamle mästarens bortgång den nysvenska språkforskningen i mångt och mycket ändrade metod och arbetspersonal: den s. k. junggrammatiska riktningen vann från Tyskland insteg i Sverge, som snart blef dess andra hemland, och flera nya och produktiva författare uppträdde inom det nysvenska forskningsområdet (Noreen 1877, Kock 1878, Lundell 1879 osv.). De viktigaste af denna författaregenerations alster finnas för öfrigt anförda på vederbörliga ställen nedan i kap. 6 [1].

§ 23. De nysvenska dialektstudierna.

Den förste, som fäst någon uppmärksamhet vid våra dialekter, är, såsom redan ofvan (s. 177) nämnts, J. Bureus (jfr s. 143), som på sin norrländska resa 1600—1 upptecknade några ord och fraser från Ångermanland och Väster-botten (se vidare § 19, nr 22 och 23). Frånsedt en fras på småländska samt ett litet resonemang om svenska dialekters olikhet i allmänhet, hvilka förekomma i Åbo-professorn Ene-vald Svenonius' (d. 1688) stora verk *Gymnasium capiendæ rationis humanæ*, Åbo 1658—62 [2], känner jag för öfrigt ingen-ting annat hithörande från 1600-talet än det lilla (4 ss.) »Register öfver Någre Gothlenske Ord», som finnes i tredje boken af dåvarande superintendenten på Gottland Haqvin Spegels (jfr ofvan s. 189) år 1683 författade *Rudera Goth-landica*, utg. för första gången af O. V. Wennersten, Visby 1901. Ty visserligen hoppas Tiällmann i företalet till sin grammatik af 1696 (se ofvan s. 198), att »den omhugse Stu-derande Ungdomen vid tillfällen på bygden kunde upptekna alle våre Bonde-Synonyma», men häraf blef för den närmaste tiden intet.

Vår första dialektmonografi förskrifver sig från professor J. Eenberg(h) (d. 1709) och utgöres af hans redan ofvan (s. 174) nämnda handskrift (i två exemplar) i Uppsala uni-versitetsbibliotek: *Kort Berättelse om Dahlska Språketz Egen-skaper . . Till . . Bisk. Jesp. Svedbergh uppå begiäran ställ . . 1702*, af hvars titel möjligen bör slutas, att arbetet tillkommit

---

[1] I viss mån fortsättningar av denna min öfversikt utgöra två popu-lära uppsatser af R. Berg (för tiden till 1910) och Hj. Lindroth (för tiden 1910—20) i Ord och bild 1910, resp. 1921.

[2] Se Heikel, *Filologins studium vid Åbo universitet*, s. 56.

på Swedbergs anmodan. Men den egentlige grundläggaren af det svenska dialektstudiet är (ärke)biskop Erik Benzelius d. y. (d. 1743). Redan såsom professor och bibliotekarie i Uppsala (1702—26) började han att med den studerande ungdomens hjälp anlägga stora samlingar till en »Dialectologia svecica», som han emellertid aldrig hann utgifva. Hans skapelse Vetenskapssocieteten i Uppsala var 1728 betänkt på att låta genom biskoparna insamla dialektord, och såsom biskop i Linköping (sedan 1731) ålade också Benzelius stiftets prästerskap att inkomma med ordlistor, liksom han i prästeståndet föreslog, att prästerna skulle på lediga stunder uppteckna dialektord. Af dessa B:s påtryckningar direkt framkallade äro väl de flesta af de många handskrifna större och mindre dialektordlistor från 1700-talets förra hälft, som ligga otryckta i våra biblioteker, särskildt i Uppsala universitets [1], där de viktigaste af dessa, från studenter, präster m. fl. sig förskrifvande bidrag äro: Abr. Burmans *Ordlista öwer Jemtskan* 1715; landtmätaren Wilh. Kruuses (d. 1739) [2] *Förteckning uppå the ordasätt som finnas bruklige på Dahl* 1729; pastor Andr. Schumberghs *Anmärkningar på the ordalag, som brukas i Söderhallan Brearedz Sochen;* pastor Petrus Frölings *Lista på någor ord, som äro gängse i Skedwi* [Östergötland] 1735; magister Reinhold Ersson Näsmans (jfr ofvan s. 174) *Vocabularium Dalecarlicum* 1741; prosten Casper Schönbechs (d. 1744) *Nomenclatura vocum mere Scanicarum;* kollegan Carolus Renmarcks (jfr ofvan s. 217) *Plurima Lingvæ Gothicæ Rudera in vulgari Sermone apud W[ester]botnienses,* Luleå 1752; kyrkoherden Jon. Nordwalls *Anmärckningar wid Öfwer Calix Dialect* 1754; [lektor Magnus Fallerstedts (d. 1756)] *Glossarium vocabulorum Norlandorum;* Carolus Charisius' *Hallandiæ Australis dialectus,* som äfven meddelar grammatiska anmärkningar och språkprof (jfr ofvan

---

[1] Se Lind i Samlaren 1882, s. 59 ff.

[2] Se om honom särskildt V. Berg i Bidrag till Göteborgs och Bohusläns fornminnen, V, 429 ff.

s. 161). Den ojämförligt viktigaste af denna tids outgifna handskrifter är dock prosten Lars Neogards (d. 1758) i Visby läroverksbibliotek förvarade *Gautau-Minning* 1732, däri afdelningen om »Thet Gothländska Tungomålet» på 122 foliosidor bjuder dels ordlistor, dels andra språkliga anmärkningar.

Tryckt blef däremot ytterst litet af hvad sålunda samlades. Mycket obetydliga äro i allmänhet de notiser, som förekomma i åtskilliga akademiska dissertationer af öfvervägande topografiskt innehåll och syfte, såsom (P. Elvius' och) Nic. O. Vallinus' *De Oelandia*, Stockh. 1703; (H. Vallerius' och) E. Ströms *De Angermannia*, Upps. 1704; (J. Steuchs och) Joh. Schoumachers *De Gothlandia*, Ups. 1716; (J. Upmarcks och) M. Nordals *De Medelpadia*, Upps. 1716; (I. Nesselius' och) L. Hesselgrens *De Dalia*, Upps. 1718; (M. Rydelius' och) L. Muhrbecks *De Blekingia*, Lund 1719; (J. Hermanssons och) S. Rogbergs *De memorabilibus Smolandiæ*, Upps. 1721; (A. Grönwalls och) Z. Holenius' *De Dalecarlia*. Upps. 1725; (F. Törners och) J. Asks *De Vrbe Vma*, Upps. 1731; (J. Hermanssons och) N. Hackzells *De Vrbe Lula*, Upps. 1731; (J. Hermanssons och) P. Uglas *De Præfectura Næsgardensi Dalekarliæ*, Upps. 1734; (P. Ekermans och) Christoph. Tärnströms *De Alandia* II, Upps. 1745; (S. Brings och) P. Lovéns *Diss. grad. de Gothungia* (dvs. Göinge), Lund 1745; (S. Brings och) J. H. Sorbons *Disquisitio historica de Blekingia*, Luud 1746. Lika litet gifvande äro de notiser, som meddelas i Magnus Abr[ahami] Sahlstedts digra verk *Stora Tuna i Dahlom och Bergom minnesdöme* Stockh. 1743, i Linnés trenne ofvan (s. 152) nämnda resebeskrifningar och i biskop J. Wallins (jfr ofvan s. 166) *Gothländska Samlingar* II, Stockh. 1747, samt samme författares i Visby läroverksbibliotek förvarade, under tiden 1735—45 nedskrifna väldiga manuskript *Analecta Gothlandensia*, del II, kap. 285 (»Lingua Gothlandica»). De äldsta anteckningar, vi äga rörande någon svensk dialekt i Finland, utgöras — frånsedt de få notiserna i Tärnströms nyssnämnda dissertation — af H. G. Porthans (jfr ofvan s. 221) lilla uppsats *Werba nonnulla provincialia, in Ostrobothniæ paroecia Cronoby collecta*, troligen nedskrifven på 1750-talet, men utgifven först 1892 (med anmärkningar och inledning) af A. O. Freudenthal i Svenska literatursällskapets i Finland 'Förhandlingar och uppsatser' 6, s. 51 ff. Det enda före 1750 tryckta specialarbetet på den svenska dialektforskningens område, alltså vår första dialektafhandling, är (A. Grönwalls och) den ofvan (s. 269, jfr s. 174) nämnde Näsmans *Historiola lingvæ dalekarlicæ*, Upps. 1733, som behandlar Älfdals-målet, men är ett i allo klent arbete, en kompilation af Eenberg(h)s ofvan (s. 268) nämnda manuskript m. fl. äldre skrifter och fullt af oriktiga uppgifter.

Den direkte fortsättaren af Benzelius' arbete för dialekternas studium blef Johan Ihre, till hvilken Vetenskapsakademien öfverlämnat Benzelius' till akademien testamenterade ordsamling. För att komplettera denna excerperade Ihre dels de ofvannämnda Uppsala-dissertionerna och Linnés resebeskrifningar, dels några senare utkomna, lika obetydliga bidrag: lektorn, sedermera kyrkoherden Joh. Gothenius' (d. 1809) ordsamling från Bohuslän, införd i Göteborgska Magazinet 1759, s. 190 ff., 1760, s. 196 ff., och 1766, nr 8 samt 10—13: magister, sedermera lektor Sam. Alnanders (d. 1772) ordsamling från Gottland, därsammastädes 1759, s. 397 ff. och 408 ff.; magister P. L. Enanders (jfr ofvan s. 207) västgötska samling från Kind och Mark, därsammastädes 1760, s. 577 ff.; en anonym samling från Västergötland, därsammastädes 1763, s: 137 ff.; ändtligen notiserna i den bekante samlaren »direktör» Abrah. Hülphers' (d. 1797) *Dagbok öfver en resa igenom . . Dalarne*, Västerås 1762.. Därjämte vände sig Ihre till sina »wänner uti Landsorterna» och erhöll från sådana handskrifna bidrag, delvis mycket rikhalliga. De förnämsta af dessa hans medarbetare voro: för Värmland lektor Sven Ullgrund (d. 1766), som redan under sin studietid varit Ihres medforskare i detta ämne och i sina tre dissertationer *De dialectis lingvæ svio-gothicæ* I (preses Ihre), Upps. 1756, II (preses Ihre) 1758, III (respondens Joh. Borgstedt) 1761, hvilka bl. a. innehålla ordlistor från Värmland — de äldsta därifrån kända — sökt uppvisa dialekternas vikt för ett etymologiskt utforskande af modersmålet och sålunda härmedelst åstadkommit det första försöket till vetenskaplig bearbetning af svenskt dialektmaterial; för Östergötland lektorn, sedermera prosten KARL NYRÉN (d. 1789), af hvilken hithörande otryckta samlingar finnas både i Linköpings och i Uppsala bibliotek, de på sistnämnda ställe förvarade behandlande ljudläran; för Gottland den nyssnämnde Neogard och prosten JAK. TOFTÉN (d. 1782), af hvilken sednare en föga värdefull handskrift, *Gotländsk grammatica i kort Begrep* 1767, förvaras i Visby bibliotek, under det att en annan, vida viktigare sådan, *Grammatica antiquæ linguæ rusticanæ*, hvarur utdrag meddelas i Visby Veckoblad 1836, nr 27 och 30, tyckes vara förkommen, för Jämtland prosten H. TIDEMAN (d. 1763) och en häradshöfding BIÖRNER; ändtligen för Västergötland SVEN HOF, om hvilken mera nedan. Stödd på dessa betydliga förarbeten utgaf Ihre nu *Swenskt dialekt lexikon*, Upps. 1766, vår första och för hundra år framåt enda allmänna dialektordbok, som emellertid icke gör sin berömde utgifvare stor heder, enär han blott aftryckt sina tryckta såväl som otryckta källor utan spår af bearbetning eller kritik och till och med utan nödig noggrannhet vid renskrifning och korrekturläsning, hvilket allt han själf i företalet ärligt medger.

Helt andra loford förtjänar det nästan samtidiga arbetet af Ihres medhjälpare SVEN HOF (jfr ofvan s. 204 f. och 218): *Dialectvs vestrogothica*, Stockh. 1772, vår — åtminstone i tryck — första utförliga dialektmonografi. Den är väsentligen en ordbok (med orden skrifna strängt efter uttalet), men med en mycket rikhaltig och mångsidig grammatisk inledning, och den är i sin helhet ett arbete, som ej blott ojämförligt överglänste hela den föregående litteraturen i ämnet både i fråga om utförlighet och vetenskaplig hållning, utan som i båda dessa afseenden först i vår tid blifvit öfverträffadt.

Af öfriga arbeten från 1700-talet återstå blott att nämna det af Ihres och Hofs samtida, biskop D. HERWEGHR (jfr ofvan s. 214) efterlämnade förtjänstfulla manuskriptet *Idioticon Westmannicum* (*A—R* delvis) i Västerås' läroverksbibliotek samt de obetydliga notiserna i diverse topografiska arbeten, såsom (P. A. Gadds och) JOH. LINDWALLS *Beskrifning öfver Bergqvara gods i Småland*, Åbo 1763; prosten KNUT NILSSON LENÆUS' (d. 1776) *Delsboa illustrata*, Stockh. 1764, med en jämförelsevis stor ordlista (s. 183 ff.); den bekante samlaren kammarskrivaren, S. L. GAHM PERSSONS (d. 1794) *Beskrifning öfwer Öland*, Upps. 1768; J. J. HAIGOLDS (dvs. den bekante historikern A. L. VON SCHLÖZER, d. 1809) *Beylagen zum Neuveränderten Russland* II, 362, Riga 1770, med de äldsta upplysningar, vi äga rörande Runö-målet; den ofvan (s. 271) nämnde A. HÜLPHERS' *Samlingar til en Beskrifning öfwer Norrland*, I (Medelpad) Västerås 1771, II (Jämtland) 1775, III (Härjedalen) 1777, IV (Ångermanland) 1780, V, I (Västerbotten) 1789, och samme författares *Samlingar til en Beskrifning öfwer Norrland och Gefleborgs Län*, I (Gästrikland) Västerås 1793; häradsfogden M. G. CRÆLIUS' *Försök till Ett Landskaps Beskrifning uti en berättelse om Tuna Läns, Sefwedes och Aspelands Häraders Fögderi uti Calmar Höfdinge Döme*, Kalmar 1774; pastor ERIK FERNOWS (d. 1791) *Beskrifning öfwer Wärmeland*, Göteborg 1773—79, ny uppl. utg. (icke tillräckligt noggrant) af H. O. Norstedt, Karlstad 1898; [P. MOZELIUS'] *Försök til en Beskrifning Öfwer Nora och Lindes Bergslagers Fögderi*, Örebro 1791; den bekante fornforskaren docenten, sedermera professorn N. H. SJÖBORGS (d. 1838) *Utkast till Blekings Historia och Beskrifning*, Lund 1792—93; provinsialläkaren, sedermera akademiadjunkten och titulärprofessorn F. W. RADLOFFS (d. 1838) *Beskrifning öfver Åland* Åbo 1795.

Ändtligen må nämnas öfverdykerikommissarien B. A. SAHL-STENS handskrifna *Gotländskt Dialect-Lexicon 1799* i Uppsala universitetsbibliotek. Frånsedt detta lilla manuskript åstadkoms intet hithörande specialarbete under hela den gustavianska tiden, hvilken är ännu mindre intresserad för dialekternas än för riksspråkets (jfr ofvan s. 210 ff.) utforskande.

Ytterligt mager är den hithörande produktionen äfven under de fyra första decennierna af 1800-talet, vilka nästan blott bjuda på några torftiga uppgifter i topografiska arbeten. Sådana äro: J. J. ÖLLERS *Beskrifning öfver Jemshögs Sochn i Blekinge*, Växjö 1800; (E. M. Fants och) E. KARLINS *De Parœcia Leksand in Dalekarlia*, Upps. 1815; prosten P. D. WIDE-GRENS (d. 1849) *Försök till en Ny Beskrifning öfver Östergötland*, Linköping 1817—29; magister, sedermera prosten ABR. AHL-QUISTS (d. 1844) *Ölands Historia och Beskrifning* I, Kalmar 1822; kommissionslandtmätaren FR. DAN. CRÆLIUS' *Beskrifning öfver Nås Socken i Westerdals Fögderi*, Falun 1837. Af specialafhandlingar ha vi från samma tid endast följande skäligen obetydliga: magister, sedermera prosten O. U. ARBO-RELIUS' (d. 1868) *Conspectus lexici lingvœ dalekarlicœ* (preses E. M. Fant), Upps. 1813, *Conspectus grammatices linguœ dalekarlicœ* I (preses E. G. Geijer), Upps. 1818, hvari ordböjningen behandlas, och II (respondens A. L. Hvasser), Upps. 1822, detta ett tack vare några syntaktiska notiser jämförelsevis viktigt opus, samt den bekante fornforskaren m. m. G. O. HYLTÉN-CAVALLIUS (d. 1889) ofullbordade lilla ungdomsarbete *Vocabularium vœrendicum* (preses J. H. Schröder), Upps. 1837 och 1839, upptagande en ordsamling (*A—L* delvis) jämte en mycket obetydlig (3 ss.) grammatisk inledning. Af de samlingar, som O. Sundel i sin ofvan (s. 242) nämnda skrift säger sig ha anlagt, har aldrig något blivit synligt.

År 1840 betecknar en märklig vändning till ett annat och vida bättre förhållande. Detta år utkom, såsom redan nämndt (se ovan s. 232), tredje upplagan af C. J. L. ALM-

Qvists *Svensk språklära* med sitt 236 sidor starka 13:de kap., »Om de svenska Landskapsmålen», oförändradt upptaget i 4:de upplagan af 1854. Kapitlet är försedt med en, som vanligt hos Almqvist, snillrik inledning, däri bl. a. anbefalles stiftandet af »Studentföreningar . . hvartill medlemmar toges från alla landsorter, med förbindelse att under ferierna, hvar och en på sin ort, efterhöra och insamla allt för orten i språkväg eget». För öfrigt är arbetet nästan uteslutande ett aftryck af Ihres, Hofs, Hülphers', Arborelius', Hyltén-Cavallius' m. fl:s ordlistor från Dalarna, Skåne — härifrån nya bidrag af lektor G. Andersson — Jämtland, Ångermanland, Västergötland, Småland, Östergötland, Värmland, Hälsingland och Gottland (jfr strax nedan). Lika litet nytt i sak erbjuder Almqvists ofvan (s. 233) nämnda begynnelse till en *Ordbok öfver svenska språket* 1842 och 1844, som ju dock skulle enligt sin plan upptaga »alla Landskapsord». Likväl får vikten af dessa A:s båda arbeten icke underskattas, enär de gåfvo en impuls, som nådde till vida kretsar. Och i A:s språklära var det i alla händelser en afdelning, som bjöd något verkligt nytt och godt i fråga om dialektmaterial, nämligen det sista och största stycket: »Om Gottlands-språket», med en ganska stor, ehuru beklagligen af svåra tryckfel vanprydd, ordlista och en liten grammatisk inledning samt ett språkprof, allt detta förskrifvande sig från en gotländsk student, som med tiden skulle bliva det svenska dialektstudiets andre grundläggare (jfr ovan s. 268 f. om Benzelius).

Denne man var dåvarande medicine studeranden Carl Fr. Säve, d. 1876 såsom den förste innehafvaren (sedan 1859) af professuren i nordiska språk vid Uppsala universitet, hvars studenter genom petition hos regeringen framkallat inrättandet af akademiska lärostolar i nordiska språk. Sin grundläggande betydelse vann Säve icke egentligen genom hvad han själf utgaf, ty af hans samlingar, som förnämligast röra gutniskan, dalmålet, hälsingskan och estsvenskan, blef icke mycket i tryck synligt, utan fastmera genom den lefvande nitälskan, hvaraf han själf var besjälad, och som han visste att ingjuta hos andra, samt därigenom att han insåg vikten af den dialektala grammatikens, speciellt formlärans, bearbetande, en uppgift som nödvändigtvis fordrade en verkligt lingvistisk underbyggnad. Hittills hade nämligen dialektforskningen i allmänhet haft en rent dilettantisk prägel och för övrigt varit högst ensidigt lexikografisk, läggande förnämligast an på att uppspåra besynnerliga och gammalmodiga ord i det vissa hoppet att finna — som Ihre uttryckte sig — »en myckenhet af then gamla och oförblandade Göthiskan, sådan som then med Odens följe hit inkom». Säve var nog icke fri från en, visserligen mycket moderniserad, uppfattning af besläktad art, men att han hade syn äfven för andra sidor af saken, framgår tydligt af hans senare bidrag till vår dialektforsknings litteratur: *Bemærkninger over Øen Gotland, dens Indbyggere och disses Sprog* i Molbechs Historisk Tidsskrift IV, 187 ff. (speciellt s. 219 ff.: »Grundtræk af den Gotlandske Sproglære»), Köpenhamn 1843, en uppsats som olyckligtvis missprydes af en massa tryckfel; *Om Dalarne og om Dalkarlenes Folkeegenheder, med et Forsøg paa at forklare nogle of Aarsagerne til Dalsprogets Eiendommeligheder* i Molbechs Nyt historisk Tidsskrift, I, Kph. 1847 — äfvenledes med en mängd tryckfel — omarbetad och utvidgad uppl. med titeln *Några upplysningar om Dalmålet och Dalallmogens Folklynne* i Tidskrift för literatur, Stockh. 1852, ny — separat — uppl. Stockh. 1855; äntligen den för sin tid mycket viktiga afhandlingen *De starka verberna i dalskan och gotländskan*, Upps. 1854. Emellertid gjorde sig Säves inflytande först småningom gällande, och direkta lärjungar erhöll han knappast förr än han blifvit professor (1859).

Också går 1840-talets ganska rika dialektlitteratur väsentligen i de gamla dilettantiska hjulspåren. Så rådmannen H. P. KLINGHAMMERS (d. 1876) 'Skånskt dialekt-lexikon', utgifvet såsom bihang till hans *Minnen från åren 1829—1839*, Hälsingborg 1841 [1]; docenten, sedermera prosten C. J. LENSTRÖMS (d. 1893) *Ordbok öfver Helsing-dialecten*, Upps. 1841 (recenserad af C. Säve i Norrlands Posten 1841, nr 50 och 51), väsentligen utgörande ett, ofta af tryckfel vanställdt, aftryck af rektor PEHR BOLINGS år 1803 afslutade supplement till Ihres dialektlexikon, föreliggande i ett interfolieradt exemplar af nämnda lexikon; R. DYBECKS ofvan (s. 238 f.) nämnda botaniska bidrag, hvartill komma diverse notiser af samme författare i Runa 1865, s. 1 ff., och 1875, s. 24 ff.; prosten A. J. HIPPINGS (d. 1862) *Om Svenska språkdialekten i Nyland*, Hfors 1847 (i Acta societatis scientiarum fennicæ II, 4), hvars författares ståndpunkt torde tillräckligt framgå af hans yttrande, att »af ämnets behandling synes någon egentelig vinst hvarken för språkstudium eller Historien stå att vinna»; samt de båda obetydliga akademiska afhandlingarna (båda under J. H. Schröders presidium) af M. W. KALÉN, *Östgötha Dialekten* (väsentligen ordlista), Upps. 1846, och J. E. WAHLSTRÖM, *Uplandsdialekten* (afbruten med s. 16), Upps. 1848. Detsamma gäller de delvis rätt utförliga upplysningar, som förekomma i flera topografiska arbeten från denna tid, såsom P. BJÖRKMANS *Beskrifning öfver Wermland*, Karlstad 1842; den bekante fornforskaren pastor AX. EM. HOLMBERGS (d. 1861) *Bohusläns Historia och Beskrifning* II (s. 60 ff. handlar om dialekten, mest i form af en ordlista), Uddevalla 1843, 2 uppl. Örebro 1867; (dom)prosten P. WIESELGRENS (d. 1877) *Ny Smålands Beskrifning*, Växjö 1844—46; den bekante topografen, förste landtmätaren JON. ALLVINS (d. 1866) *Beskrifning öfver Wästbo Härad i Jönköpings län*, Jönköping 1846, och samme författares *Beskrifning öfver Östbo Härad i Jönköpings län*, Jön-

---

[1] Af samme författare finnes i Lunds universitetsbibliotek en 1873 —75 daterad, handskrifven *Ordbok öfver Skåne målet*, som enligt meddelande af O. Hoppe å 3676 foliosidor har ett stort ordförråd och talrika fraser med uppgift på de härader, från hvilka de stamma.

köping 1852; pastor F. J. Ekmans (d. 1872) *Beskrifning om Runö i Liffland*, Tavastehus 1847; och biblioteksamanuensen sedermera bibliotekarien S. G. Elmgrens (d. 1897) *Beskrifning öfver Pargas Socken*, Hfors 1848 (i tidskriften Suomi, Ser. I, årg. 7).

1850-talet inledes af Rydqvists (se ovan s. 243) *Svenska språkets lagar*, 1850 ff., ett arbete som tager ganska mycken hänsyn till dialekterna, detta delvis på grund af egna och i så fall alltid goda iakttagelser. Ägnade att väcka den stora allmänhetens intresse för ämnet voro två populära artiklar, den ena litteratören Aug. Sohlmans (d. 1874) *Svenskar i Estland, Liffland och det inre af Ryssland* (i Nordisk tidskrift 1852—53; äfven separat, Stockh. 1852, under titeln »Om lemningarne af svensk nationalitet uti Estland och Liffland»), försedd med en god språkkarta öfver Estland och Livland — obetydlig är däremot samme författares därsammastädes införda artikel *Om språkrensning och de svenska landskapsmålen* — och den andra den bekante fornforskaren och sagoförtäljaren N. G. Djurklous (d. 1904) *Några ord om svenska landskapsmålen*, Örebro 1856. De språkliga partierna i sistnämnda författares senare arbete *Ur Nerikes folkspråk och folklif*, Örebro 1860, beteckna intet som helst framsteg utöfver den äldre litteraturen i fråga om ämnets behandling, lika litet som något dylikt kan förmärkas i de utmärkta topografiska arbetena af A. Lignell (jfr ofvan s. 230 och 239), *Beskrifning öfver grefskapet Dal* I, Stockh. 1851, och den ryske historikern, arkivarien i Reval C. Russwurm (d. 1883), *Eibofolke oder die Schweden an den Küsten Ehstlands und auf Runö*, Reval 1855, hvilket sednare verk dock ägnar en utförlig, men dilettantisk, behandling åt språkförhållandena, ett parti som samtidigt utkom separat under titeln, »Über die Sprache der Inselschweden». Fullkomligt ovetenskapliga äro de språkliga anteckningarna i litteratören M. Axelsons *Vandring i Wermlands Elfdal och Finnskogar* (»Ord och Talesätt», s. 143 ff., samt spridda notiser här och där), Stockh. 1852, och samme författares *Vesterdalarne* (liten ordlista jämte grammatiska notiser), Stockh. 1855.

Den förste lärjunge af Säve som uppträder med en dialektafhandling är F. Unander, hvars doktorsspecimen *Allmogemålet i södra delen af Vesterbottens län*, Upps. 1857, också genom en fläkt af verklig vetenskaplighet bådar den nya tiden med dess nya metod: dialektstudium på språkhistorisk grundval. Nästan fullkomligt fria från en dylik anstrykning äro däremot ett par något senare akademiska afhandlingar från Lund: C. R. Cimmerdahls *Några Upplysningar om Folkspråket i Bleking* (väsentligen ordlista), Lund 1859, och Truls Wibergs fragment, *Bidrag till en Ordbok öfver Skånska Landskaps-målet*, Landskrona 1859. Ett genom sin rikhaltighet mycket förtjänstfullt arbete är den på så många vidt skilda områden med framgång uppträdande ryttmästaren P. von Möllers (d. 1883) *Ordbok öfver halländska landskapsmålet* (med en liten grammatisk inledning), Lund 1858, som vittnar om verklig lärdom — om också icke alltid på rätt ställe anbragt — och som också med rätta af Svenska Akademien prisbelöntes. Samma utmärkelse vederfors äfvenledes icke utan skäl det ungefär samtidiga, likaledes rikhaltiga, men mindre »lärda» arbetet af den bekante »göten» och fornforskaren, kammarjunkaren L. F. Rääf (d. 1872): *Ydre-målet .. Ordbok samt förteckning på alla oregelbundna och starka verb .. jemte gamla dopnamn*, Örebro 1859, äfven utg. såsom 2 delen af 'Samlingar och Anteckningar till en beskrifning öfver Ydre härad i Östergötland'. Arbetet hade tillkommit under C. Säves medverkan, hvarvid dock denne begått det stora missgreppet att föranleda Rääf att utesluta en fjärdedel af sitt ordförråd »såsom mera allmänt kändt».

Den flitigaste ordsamlaren från denna tid är dock C. Säves äldre broder, antikvitetsintendenten P. A. Säve (d. 1887), hvars ordsamlingar från Gottland, bl. a. bestående af ordlistor i 13 oktavvolymer samt en ordboksstomme å omkr.

28,000 ord, nu förvaras i Uppsala universitetsbibliotek och
väl äro de största, som från något svenskt landskap finnas
(jfr ofvan s. 167). Publicerats har häraf tills dato blott *A—ben* [1]
frånsedt enstaka ord och fraser i författarens talrika kultur-
skildringar från Gottland (se ofvan s. 166). Däremot ingå
hans (och C. Säves, jfr ofvan s. 275) ordsamlingar från Est-
land i *Ordbok öfver estländsk-svenska dialekterna. Utarbetad af*
A. O. Freudenthal *och* H. Vendell, Hfors 1886—87 (Skrifter
utg. af Sv. Literatursällskapet i Finland VII). Dessutom har
P. A. Säve själf publicerat ett par obetydliga ordlistor från
Östergötland (i Antiqvarisk tidskrift för Sverige I, 147 ff.,
1864, med »Tillägg» — af hvem? — i Östergötlands forn-
minnesförenings tidskrift I, 105 ff., 1875) och Västergötland
(i Ant. tidskr. f. Sv. II, 158 ff., 1869), ett resultat af resor
företagna under åren 1861 och 1862. Icke obetydliga lära
de båda ordlistor från sydligaste Närke och sydligaste Väst-
manland vara, som af deras upptecknare, brukspatronerna
J. W. Grill (d. 1864) och H. Atterling, år 1865 i hand-
skrift öfverlämnades till Föreningen för Nerikes folkspråk
och folkminnen, och hvaraf några små utdrag meddelas i
Ant. tidskr. f. Sv. II, 43 ff., 1869. Storartad — omkr. 800
kvartsidor — tyckes den handskrifna »Ordbok öfver små-
ländska landskapsspråket» vara, som författats af prosten och
»göten» J. J. Lagergren och nu förvaras i Vitterhetsakade-
miens bibliotek, hvilket också äger en mindre samling från
Bohuslän, undertecknad af L. Åberg år 1843.

De flesta samlingarna från 1850- och 1860-talen, då
ifvern för dialektords upptecknande var synnerligen allmän
uppgingo emellertid i denna tids hufvudverk, prosten J. E.
Rietz' (f. 1815, d. 1868) [2] med både offentligt och enskildt

---

[1] En utförlig ordbok öfver Gottlands folkmål på grundval af bröderna
Säves samlingar utgifves sedan 1918 enligt åt A. Noreen och J. Lundell
givet offentligt uppdrag.

[2] Se vidare Es[saias] T[egnér] i Biografiskt lexikon, Ny följd VIII, 485 ff.

understöd under åren 1862—67 utgifna *Svenskt dialekt-lexikon*, Lund 1867. Innehållet utgöres af dels utdrag ur och sammandrag af den föregående litteraturen i samma väg, dels Rietz' egna nya samlingar (särskildt från Södermanland. omkr. 1200 ord) jämte andra dylika, insända från 59 olika personer, bland hvilka pastor J. A. LINDER från Västerbotten är den, som lämnat det rikaste materialet. Af de öfriga medarbetarna må här anföras dels de redan ofvan på sina ställen anförda Djurklou (se s. 278) för Närke, Wahlström (s. 277) för Uppland, Sylvander (s. 260)[1] för Småland, Lignell (s. 278) för Dalsland, Rääf (s. 279) för Östergötland, Möller (s. 279) för Halland, C. Säve (s. 275) för Gottland, Collin (s. 263) för Skåne, Nordvall (s. 261) för Västergötland, Dybeck (s. 238) för Västmanland, Knorring (s. 246 och 250) för Åland, Elmgren (s. 277) för Egentliga Finland, Unander (s. 278) för Ångermanland och Västerbotten samt Fries (s. 238) i fråga om växtnamn, dels följande samtidigt eller något senare såsom författare i ämnet uppträdande personer: för Närke läkaren och litteratören H. HOFBERG (d. 1883), som för öfrigt själf publicerat *Allmogeord i Vestra Nerikes bygdemål,* Örebro 1861 (i Föreningens för Nerikes folkspråk och folkminnen verksamhet 1859—60), och ett par uppsatser om »folkspråket» och »Nerkiska djur- och växtnamn» i *Nerikes gamla minnen,* Örebro 1868, allt fullkomligt dilettantiskt; för Hälsingland prosten, sedermera biskop LARS LANDGREN (d. 1888), anonym författare till den redan ofvan s. 175 omnämnda *Uppränning till grammatik för Delsbomålet,* Söderhamn 1862, hvars andra, förbättrade upplaga utkom Hudiksvall 1870, ett litet innehållsrikt och ganska upplysande, om också icke vetenskapligt tillfredsställande, arbete; för Västergötland läroverksadjunkten L. J. WERSANDER, författare till en mycket obetydlig — och oafslutad — gradualafhandling, *Westgötadialecten betraktad i förhållande till fornspråket,* Lund

---

[1] Denna har senare skänkt ordsamlingar äfven till landsmålsföreningarna i Uppsala.

1862, och den bekante topografen och fornforskaren, komministern, sedermera kyrkoherden C. J. LJUNGSTRÖM (d. 1882), som i Westergötlands fornminnesförenings tidskrift I, 25 ff. (1869) publicerat en obetydlig ordlista; för Västmanland komminister R. BLUMENBERG, som i Westmanlands fornminnesförenings årsskrift I, Västerås 1874, lämnat en obetydlig ordförteckning ur Norbergsmålet; för Södermanland kyrkoherden D. DANELIUS och metallarbetaren G. ERICSSON (jfr ofvan s. 168), hvilken sednare i 'Bidrag till Södermanlands äldre kulturhistoria', I, 39 ff., II, 31 ff., III, 49 ff., IV, 27 ff. och V, 32 ff. (Strängnäs 1877—84), meddelat en ytterst rikhaltig (214 ss.), men fullkomligt ovetenskaplig *Ordlista ur Åkers och Öster-Rekarne Härads Folkspråk*, redigerad af lektor H. AMINSON (d. 1885), som själf till Rietz' arbete lämnat ännu rikare bidrag; för Finland magister, sedermera professor A. O. FREUDENTHAL (jfr ofvan s. 245), C. Säves flitigaste och kanske trognaste lärjunge, hvilken med den i 'Album utgifvet af Nyländingar' III, Hfors 1866, införda uppsatsen *Om tonfallet i Nyländska bygdemålet* öppnade en lång, omfattande och samvetsgrann verksamhet för utforskande af Finlands svenska dialekter (se vidare § 27, nr 35 ff.). Rietz' arbete, vår till tiden andra (jfr Ihres, s. 272 ofvan) och tills dato sista allmänna dialektordbok, är såsom materialsamling betraktadt för all tid ovärderligt, men då utgifvaren däri intagit äfven sådana bidrag, som han ej själf kunnat kontrollera, är detta material dels långtifrån genomgående tillförlitligt, dels ifråga om ljudbeteckning o. a. ytterst olikformigt, hvartill kommer, att den ytterst opraktiska »etymologiska» uppställningen — till på köpet med den förmodade »äldsta» dialektformen såsom uppslagsord — i hög grad försvårar användandet af boken.

Högst obetydliga äro de ungefär samtidigt utgifna ordsamlingarna af läroverksadjunkten N. D. AUGUSTIN, *Försök till Ordbok öfver Medelpads Allmogemål, A—J*, Östersund (läroverksprogram) 1861, pastor C. E. SERNANDER, *Orsa-dialekten* (i Dalarnes fornminnesförenings årskrift 1867) och folkskole-läraren E. ERICSSON, *Rättviks-dialekten* (dårsammanstädes) — båda dessa uppsatser delvis otillförlitliga, särskildt på grund af tryckfel — samt artisten H. WERNERS lilla ordlista i skriften *Westergötlands Fornminnen*, Stockh. 1868. Däremot uppträdde vid samma tid flera lärjungar af C. Säve med delvis ganska förtjänstfulla akademiska afhandlingar. Sådana äro: F. WID-MARKS *Bidrag till kännedomen om Vesterbottens landskapsmål*, Stockh. 1863, ett mycket litet, men i synnerhet för ljudläran intressant arbete; K. SIDENBLADHS (jfr ofvan s. 240 och 260) *Allmogemålet i Norra Ångermanland*, Upps. 1867, innehållande både grammatik och ordbok (anmärkningar och rättelser därtill af J. NORDLANDER i Svenska landsmålen II, xc ff.); N. LINDERS *Om allmogemålet i Södra Möre härad af Kalmar län*, Upps. 1867, som ger en liten grammatik (hvar-till ett utkast redan förut publicerats under titeln *Bidrag till kännedomen om allmogemålet i Södra Möre*. Upps. 1866) och en stor ordbok; G. UPMARKS (d. som museiintendent 1900) *Upplysningar om Folkspråket i Södertörn*, Stockh. 1869, af blott grammatiskt innehåll. Skäligen obetydlig är den sam-tidiga akademiska afhandlingen från Lund af C. A. COLLIANDER, *Bidrag till kännedomen om Halländska Allmogemålet*, Lund 1868, berörande ljud- och böjningsläran; rätt förtjänstfull däremot Å. G. L. BELFRAGES *Om verbet i Vestgötamålet*, Lund 1871, liksom ock Rietz' lärjunges, lektor J. A. GADDS skrift *Om Allmogemålet i Östra Härad af Jönköpings Län*, Karlskrona (läroverksprogram) 1871, som bjuder på ordlista, böjnings-lära och en mycket liten ljudlära. Rikhaltig, men utan alla vetenskapliga anspråk är *Ordbok öfver allmogeord i Helsing-land*, utg. af HELSINGLANDS FORNMINNESSÄLLSKAP, Hudiksvall 1873, ett resultat af mer än tjugo enskilda personers samarbete. Ytterst obetydlig är *Skånska dialekten* af »studerande vid Lunds karolinska katedralskola» H. och HJ. v. SYDOW, Vänersborg 1874; obetydliga och dilettantiska äfven de grammatiska notiser om värmländskan och dalbomålet samt den lilla ordlista från Nordmarks härad i Värmland, hvilka förekomma i F. L. BORGSTRÖMS *Berättelse öfver en resa i Wermland . . 1845*, Kristinehamn 1875 (s. 127—30, 146, 204—6 och 85—9); något mera betydande de ordliste-artade anteckningar från södra Uppland, som komminister H. G. BLUMENBERG under titeln *Korsta-mål* infört i Upplands fornminnesförenings tidskrift I, h. IV, s. 43 ff. och V, 127 ff., Stockh. 1875, resp. 1876, samt under titeln *Ur allmogens mål och seder i Kårsta med omnejd* därsammastädes II, XLIX ff. och CXXXVII ff., 1879, resp. 1883. En i förhållande till orten och tiden för sin framkomst något efterblifven ståndpunkt intar även J. V. BODORFFS akademiska afhandling *Bidrag till kännedomen om Folkspråket på Öland*, Stockh. 1875, upptagande ljudlära, böjningslära samt monografiskt uppställda ordlistor.

I början af 1870-talet hade nämligen redan visat sig ansatser till ett nytt väsentligt framsteg i fråga om forskningsmetod och framställningssätt, i det att nu grammatikens grundläggande del, ljudläran — och detta numera en verklig sådan, byggd på den uppblomstrande fonetikens grundval (jfr ofvan s. 246 f.) — rycker fram i förgrunden af dialektstudierna. De första uppslagen härtill lämnade alldeles samtidigt en svensk och en dansk. Den förre var L. F. LEFFLER (jfr ofvan s. 247) i och genom sin gradualafhandling *Om konsonantljuden i de svenska allmogemålen*, Upps. 1872, det första försöket såväl till en jämförande som till en strängt fonetisk behandling af ämnet; obetydligare äro samme författares *Anteckningar om Västmanlands folkspråk* (i Svenska fornminnesföreningens tidskrift II), Stockh. 1875. Den sednare var den framstående språkforskaren K. A. E. JESSEN genom sina utförliga *Notiser om Dialecter i Herjedal og Jemtland* (i den norska Historisk-tidskrift 1872), där ur ett rikt, fonetiskt återgifvet material drogos allmänna slutsatser af värde;

flyktiga äro däremot samme författares något äldre *Uddrag af optegnelser om Vermsk og Båhuslänsk* (i Pedagogisk tidskrift 1869). Den första fullständiga framställningen på fonetisk grund af någon svensk dialekts ljudlära är A. NOREENS *Fryksdalsmålets ljudlära,* Upps. 1877, och samma andas barn är den föga senare utgifna, förträffliga lilla specialundersökningen af lektor C. J. BLOMBERG (d. 1890), *Ångermanländska bidrag till de svenska allmogemålens ljudlära,* Härnösand 1877. Den följande tidens hithörande, kraftigt uppblomstrande litteratur förbigår jag här, då den finnes nästan fullständigt förtecknad i de ofvan s. 156 omnämnda bibliografierna och kritiskt värderats af Lundell i Pauls Grundriss 2 aufl., I, 1495 ff. Vi återkomma för övrigt i § 27 till de viktigaste alstren af denna tids forskning. Blott det må ytterligare här framhållas, att den ovanligt rika och värdefulla produktion, som dessa årtionden ha att uppvisa, i högst väsentlig mån, för att icke säga förnämligast, beror på uppkomsten af de s. k. LANDSMÅLSFÖRENINGARNA [1]. Att första planen till dylika studentföreningar framlagts af Almqvist 1840, ja på visst sätt redan af Tiällman 1696, är ofvan (s. 274; jfr ock s. 268) nämndt. År 1853 försökte förgäfves Djurklou och några med honom liktänkande studenter att förverkliga denna plan i Uppsala. I Lund stiftades år 1861 på initiativ af docenten, sedermera professor C. V. Blomstrand (den bekante kemisten, d. 1897) »Föreningen för Smålands minnen», hvilken hade delvis samma uppgift som de senare landsmålsföreningarna, men med åren 1867 afsomnade denna för att först 1875 återupplivas i anledning af de då uppkomna landsmålsföreningarna. Äfven den på 1860-talet i Uppsala bildade »Föreningen för nordisk språk- och fornkunskap» hade bland sina ändamål upptagit verksamhet för våra dialekters utforskande, men häraf blef just intet. Den första ifrågava-

---

[1] Se utförligt HOPPE m. fl., *De svenska landsmålsföreningarna* (i Sv. landsm. II), kortfattadt LJUNDELL, Nordisk familjebok, *Landsmålsföreningarna.*

rande föreningen, »Västgöta landsmålsförening», bildades i Uppsala 1872 af dåvarande studenten, sedermera tidningsredaktören O. E. Norén, och snart (1878) hade sådana uppstått inom alla tretton »nationerna» i Uppsala. I Hälsingfors bildades en dylik år 1874, och i Lund uppstod den första år 1875, snart följd af tre andra. Visserligen hade redan vid slutet af 1880-talet de svenska landsmålsföreningarna såsom sådana i det närmaste spelat ut sin roll, men de hade då under sin knappt tjugoåriga mera lifaktiga tillvaro hunnit att göra en mäktig insats i den svenska språkforskningens historia, detta dels genom att framkalla en ytterst ifrig och fruktbringande verksamhet inom dialektforskningens område [1], dels och framför allt genom att ha föranledt det af dåvarande fil. kand. J. A. Lundell (jfr ofvan s. 252) år 1878 i anslutning till Sundevalls förslag i hans 'Om phonetiska bokstäfver' (se ofvan s. 247) skapade »landsmålsalfabetet» och den af samme man från och med 1879 utgifna landsmålsföreningarnas tidskrift »Nyare bidrag till kännedom om de *svenska landsmålen* och svenskt folklif», ett verk som utgör ett af den svenska vetenskapens ståtligaste monumenter och en heder för den vetenskapliga litteraturen öfverhuvud.

---

[1] Rörande de rika handskriftsamlingar, som förvaras i landsmålsföreningarnas arkiv i Uppsala, se redogörelsen i Sv. landsm. II, 21 ff. Rörande produktionen i tryck jfr § 19 och § 27.

SJÄTTE KAPITLET.

Bibliografisk öfversikt af de viktigaste hjälp-medlen för det nutida studiet af nysvenskan[1].

§ 24. Den äldre nysvenskans riksspråk.

Den under äldre nysvensk tid producerade litteraturen i ämnet är redan ofvan i § 21 anförd, såvidt möjligt fullständigt. Här må därför endast i korthet erinras om de för den nutida forskningen allra viktigaste arbetena inom denna äldre litteratur, jämte det att nyare bidrag af större vikt här anföras.

Inom den rena grammatikens område äro af arbeten från ifrågavarande period särskildt att framhålla Columbus' *Ordeskötsel* av år 1678 (se ofvan s. 192) samt grammatikorna af Aurivillius 1684 (s. 193), Tiällmann 1696 (s. 198), Swedberg 1722 (s. 199) och Heldmann 1738 (s. 199); vidare de viktiga bidrag som lämnas till ljudläran i och genom Aurivillius' *Cogitationes* 1693 (s. 193) och Lagerlööfs *Orthographia* 1694 (s. 195) samt till böjningsläran genom Wallenius' *Project* 1682 (s. 193). Af nyare hithörande arbeten äro redan omnämnda Rydqvists *Svenska språkets lagar* I, II, IV, V 1850—74 (s. 244 och 246), som innehåller spridda hithörande notiser, samt Söderwalls *Hufvudepokerna* 1870 (s. 243 och 245), hvars slutparti (från s. 75) hör hit.

Bland senare arbeten är främst att nämna E. Hellquists *Studier i 1600-talets svenska* (Skrifter utgifna af K. Humanistiska Vetenskaps-Samfundet i Uppsala, VII, 6), Upps. 1902,

---

[1] Jfr de årliga bibliografierna från och med 1881 i Arkiv f. nord. filologi I ff.

som genom sin utförliga och allsidiga framställning utgör hufvudverket på detta område. Enskilda punkter eller sidor af ämnet behandla följande skrifter, som anföras i kronologisk ordning. Noreens *Anteckningar vid läsningen af 1600-talets svenska grammatici,* Upps. 1881 (jfr s. 192 ofvan), behandla ljudläran och i mindre mån böjningsläran. F. V. Norelius' uppsatser *Strödda anteckningar om svenskt språkbruk under 1600- och 1700-talen: 2. Några grammatiska anmärkningar till Lucidors »Helicons Blomster»* (Arkiv f. nord. fil. I, 227 ff.), Kra 1883, och *Några grammatiska och lexikaliska anmärkningar till Gunno (Eurelii) Dahlstjernas Kungaskald* (Arkiv II, 254 ff.), Kra 1885, äro väsentligen blotta materialsamlingar. A. Anderssons afhandling *Om Joh. Salbergs Grammatica svetica* I, Upps. 1884 (jfr s. 198 not 3 ofvan) behandlar blott ljudläran. Kocks *Svensk akcent* II, Lund 1885 (jfr s. 248 ofvan) redogör å s. 247 ff. för accentueringen af sammansatta ord liksom ock samme förf:s *Die alt- und neuschwedische accentuierung* (Quellen und Forschungen 87), Strassburg 1901, s. 181 ff., under det att hans *Undersökningar i svensk språkhistoria,* Lund 1887, m. fl. smärre uppsatser innehålla åtskilliga andra bidrag till ljudläran. Detsamma gäller hans uppsats *Till frågan om akcentueringens invärkan på svenskans vokalisation* (i Sv. landsm. XIII, 11) 1894, under det att uppsatserna *Om adjektivböjningen i den äldre nysvenskan* (Sv. landsm. XI, 8, s. 9 ff.) 1896 och *Historiska bidrag till svensk formlära* (Sv. landsm. XV, 5) 1898 röra böjningsläran, och *Till de nordiska språkens historia* (Arkiv XVI) 1900 är af blandadt innehåll. Hit hör ock delvis E. Grips *Drag af Upplandsdialekt hos Ericus Schroderus* (Sv. landsm. XVIII, 4), Stockh. 1900, samt H. Vendells öfvervägande lexikaliska arbete *Språket i Peder Swarts krönika* Hfors 1905.

Inom lexikografien äro särskildt följande inom perioden tillkomna arbeten att märka: bland arbeten af mera allmän natur det anonyma *Variarum rerum vocabula* af 1538, ny uppl. 1890 (se s. 183 ofvan), HELSINGIUS' *Synonymorvm Libellvs* 1587 (s. 184), J. PETRI GOTHVS' Index till *Dictionarium* 1640 (s. 187) och SPEGELS *Glossarium* 1712 (s. 189) samt ett ofvan förbigånget arbete af icke obetydligt intresse, nämligen den anonyma parlören *Gespräch- und Wörter-Büchlein .. En lijten Språck- och Ord-Boock uthaff fyra Tungemåhl, Latin, Franzyska, Tyska och Swenska*, Stockh. och Hamburg 1703 (en annan, troligen ungefär samtidig upplaga saknar tryckår[1]), hvilken afslutas med dels en efter tyskan, dels en annan, efter svenskan uppställd alfabetisk ordlista; bland specialordböcker företrädesvis ARVIDIS *Manuductio* 1651 (s. 191), GRUBBS *Præ-nomina* 1675 (s. 189), FRANCK(ENIU)S' *Speculum (renovatum)* 1659 (s. 187) och TIL-LANDZ' *Catalogus*, 2 uppl. 1863 (s. 188).

Hufvudverket inom den nyare hithörande ordbokslitteraturen utgöres naturligtvis af SVENSKA AKADEMIENS storartadt anlagda *Ordbok öfver svenska språket*, Lund 1893 ff., så långt den tills dato föreligger, och för öfrigt F. A. DAHLGRENS *Glossarium öfver föråldrade eller ovanliga ord och talesätt*, Lund 1914—16. Smärre speciella bidrag till periodens lexikografi erbjuda bl. a. följande arbeten: RYDQVISTS spridda hithörande notiser i *Svenska språkets lagar* III, 1863, och VI, 1883; F. V. NORELIUS' *Strödda anteckningar om svenskt språkbruk under 1600- och 1700-talen: 1. Lexikaliskt* (Arkiv I, 218 ff.), Kra 1883, och samme förf:s ofvan (s. 288) nämnda artikel i Arkiv II (speciellt s. 265 ff.), 1885; A. SCHAGERSTRÖMS *Läksikaliska ock stilistiska notiser ur Gustaf II Adolfs skrifter* (i Uppsalastudier tillegnade Sophus Bugge), Upps. 1892; G. CEDERSCHIÖLDS *Döda ord*, 2 uppl. Lund 1893 (urspr. införd i Nordisk tidskrift 1891; äfven i »Om kvinnospråk och andra ämnen», Lund 1900), däri populärt behandlas vissa grupper af ord ur den äldre (och yngre) nysvenskan; H. PLEIJELS *En bild af svenska bibelspråkets utveckling*, Stockh.

---

[1] Enligt meddelande af bibliotekarien A. Andersson, som äger det enda kända exemplaret af denna upplaga.

1899, en redogörelse för de föråldrade fornsvenska ordens ersättande med andra uti de äldre (och yngre) nysvenska normalupplagorna af bibeln. Rörande person- och ortnamn under periodens första decennier kan hänvisas till de register som afsluta hvarje band af den s. 140 ofvan nämnda upplagan af Gustaf I:s registratur.

§ 25. Den yngre nysvenskans riksspråk [1].

I § 22 ofvan har redan den hithörande litteraturen anförts för tiden till och med 1830 så vidt möjligt fullständigt och af litteraturen under tidrymden 1831—1877 allt mera anmärkningsvärdt. Här kommer därför blott att påpekas det allra viktigaste af hvad som utgifvits före 1878, jämte det att alla nyare skrifter af större vikt förtecknas.

A. Grammatik.

Bland arbeten af mera allmänt och allsidigt grammatiskt innehåll må från äldre tider särskildt erinras om följande redan ofvan behandlade: IHRES och SCHEIDENBURGS *Diss. grad. Stricturas Criticas* .. *exhibens* 1752 (se ofvan s. 202), grammatikorna af SAHLSTEDT, 3 uppl. 1798 (s. 209), BOTIN 2 uppl. 1792 (s. 220) och SJÖBORG, 2 uppl. 1811 (6 uppl. 1848; s. 224), SILVERSTOLPES *Försök* 1814 (s. 228), grammatikorna af [COLLNÉR] 1815 (s. 229), BROOCMAN, 3 uppl. 1820 (s. 229), MOBERG, 2 uppl. 1825 (s. 225), BOIVIE, 2 uppl. 1834 (s. 229), [ENBERG] 1836 (s. 235) och NORDVALL 1863 (s. 261), RYDQVISTS *Sv. spr:s lagar* I, II, IV, V, 1850—74 (s. 243), [KEYSERS] *Afhandling* 1875 (s. 248) och SWEETS *Sounds and forms* 1877—78 (s. 263).

Bland nyare arbeten af denna art böra följande här särskildt omnämnas. Först må då såsom otidsenligt och delvis byggdt på oriktiga principer (t. ex. öfverensstämmelse med andra språks grammatik) framhållas det schematiska *Utkast till svensk språklära för de allmänna läroverken*, som

---

[1] Om den finländska svenskan se § 26.

ingår (s. 73 ff.) i det för öfrigt intressanta »Betänkande angående likformig uppställning af grammatiska för rikets allm. läroverk afsedda läroböcker», Stockh. 1882, hvilket på offentligt uppdrag utarbetats af en kommitté. N. Linders *Regler och råd angående svenska språkets behandling i tal och skrift*, Stockh. (1882; 2 mångfaldigt förstorade uppl.) 1886, 3 delvis af E. Olson omarbetade uppl. 1908, är en ovärderlig materialsamling, som förråder den erfarne skolmannen, hvaremot förf:s omdömen om »riktigt» och »oriktigt» språkbruk icke alltid äro lyckade och böra endast med urskillning godtagas. E. Hellquists *En kort redogörelse för Bellmans språkbruk* (i Arkiv IV), Kra 1888, är den enda hithörande författaremonografi, som vi äga (jfr dock Z[egolsson]s uppsats om Tegnér s. 294 nedan samt Mjöbergs s. 311 och Bergs s. 312 omnämnda artiklar om Selma Lagerlöf, resp. Tavaststjerna och Runeberg). En speciell sida af ämnet behandlar E. Tegnèrs uppsats *Tyska inflytelser på svenskan* (i Arkiv V), Lund 1889. Mycket innehållsrik är N. Beckmans afhandling *Bidrag till kännedomen om 1700-talets svenska. Hufvudsakligen efter Sven Hofs arbeten* (i Arkiv XI), Lund 1895. Värdefull är äfven E. Grips likartade uppsats *Ett bidrag till kännedom om svenskt talspråk i slutet på 1700-talet* (i Språk och Stil I), Upps. 1901. G. Cederschiölds och V. Olanders *Vinkar och råd om undervisningen i modersmålet*, Lund 1901, är närmast en »antibarbarus» med språkpedagogiskt syfte, men äger en rent vetenskaplig betydelse genom sina rikhaltiga exempelsamlingar från dels den lägre stilens, dels det oriktiga språkbrukets områden, hvarvid visserligen förff. ofta med väl stor stränghet föra till det sednare fallet hvad som rätteligen torde höra till det förra. En ovanligt rik och allsidig materialsamling från den högre stilens område föreligger i R. G:son Bergs stora afhandling *Om den poetiska friheten i 1800-talets svenska diktning* (i Göteborgs K. Vetenskaps- och Vitterhets-Samhälles Handlingar, 4 följden, V, 2), Gtb. 1903; jfr ock samme förf:s uppsats *Stilistiska sträfvanden hos Tranér och Adlerbeth* (Språk och stil V, 205), Sth. 1906. — Att hvad som hittills utgifvits af SVENSKA AKADEMIENS *Ordbok* naturligtvis har betydelse för grammatikens alla delar, må här en gång för alla påpekas.

Bland arbeten, som speciellt behandla ljudläran, är från äldre tid knappast något annat att framhålla än HOFS *Svenska språkets rätta skrifsätt* 1753 (se ofvan s. 204). Så mycket rikare är den hithörande litteraturen från våra dagar. Redan i det föregående omnämnda äro J. A. A[AURÉN]s delvis grundläggande arbeten (se s. 247), af hvilka åtminstone *Qvantitetslära* 1874 än i dag är af väsentligt värde på grund af sina materialsamlingar; likaså KRÆMERS prosodiska afhandlingar om *enstafviga* och *trestafviga ord* 1882, resp. 1889 (se s. 267). I korthet omnämnda (s. 248) äro äfven KEYSERS originella och lärorika *Om svensk skrift* 1889 och KOCKS *Svensk akcent* 1878—85, hvilket sistnämnda arbete tills dato är hufvudverket inom svenska accentläran, baseradt som det är på storartade samlingar och i ämnets behandling alltigenom tillfredsställande sin samtids högsta vetenskapliga anspråk. Af den öfriga, ännu icke refererade litteraturen är först att nämna J. A. LUNDELLS stora och viktiga arbete *Det svenska landsmålsalfabetet* (Sv. landsm. I, 2), Stockh. 1879, som emellertid endast indirekt handlar om riksspråkets ljud. Af ett visst intresse är ännu J. FLODSTRÖMS till omfånget mycket obetydliga uppsats *Strödda anmärkningar öfver nysvenska konsonantljud* (i Nord. tidskr. f. filologi, N. R. IV), Kph. 1879. A. NOREENS *Ljudlära* i »Svensk språklära af E. Schwartz och A. Noreen, I», Stockh. 1881, är en i pedagogiskt syfte gjord kortfattad öfversikt, som nu är i åtskilliga punkter föråldrad och i allt väsentligt ersatt af samme förf:s trenne likartade öfversikter af senare datum: *Inledning till modersmålets ljudlära*, Upps. 1895, 3 uppl. Stockh. 1903, *Inledning till modersmålets prosodi*, Upps. 1897, 2 uppl. med titeln *Grunddragen af mo-*

dersmålets prosodi, Upps. 1901, 3 uppl. Sth. 1911, och den utförliga artikeln *Accent* i Nordisk familjebok, Supplement I, Stockh. 1895 (förkortad till hälften, med uteslutande af viktiga partier, i samma arbetes nya upplaga I, 1903); jfr ock samme förf:s uppsats *Språkets musikaliska sida* i Spridda studier, andra samlingen, Stockh. 1903, 2 uppl. 1911. O. SVAHNS arbete *Språkljud och qvantitativ betoning i högsvenskan*, Stockh, 1882 (förkortad uppl. samma år under titeln *Lärobok i välläsning*, sammandragen bearbetning i förf:s *Lärobok i det muntliga föredraget*, Kalmar 1903) är visserligen högst erkännansvärt såsom det första försöket till en utförlig och tidsenlig behandling af ämnet, men framställningen är ej sällan oklar eller sväfvande och innehållet delvis dilettantiskt (jfr Lundells recension i Ny svensk tidskrift 1883). Hufvudverket på den kvalitativa ljudlärans område är tills dato I. A. LYTTKENS' och F. A. WULFFS *Svenska språkets ljudlära och beteckningslära jämte en afhandling om aksent*, Lund 1885 (förkortad uppl. s. å. under titeln *Svenska språkets ljudlära*), med utomordentligt rika och värdefulla exempelsamlingar till den kvalitativa ljudläran och en mängd själfständiga vetenskapliga iakttagelser. Af mera omtvistadt värde är den vidfogade aksentläran; jfr [NIL]s [PALLI]NS *Strödda anmärkningar vid Lyttkens och Wulffs Svenska språkets ljudlära*, Lund 1886, och A. KOCKS *Kritiska anmärkningar om svensk akcentuering* (i Sv. landsm. VI, 2), Stockh. 1887. Ett utdrag ur denna ljudlära, omfattande det för skolans lärare i ortoepiskt afseende viktigaste, men tillökadt med en mängd nyttiga jämförelser med främmande språk, är samma båda förf:s *Melodiska ljudöfningar (Lärarens upplaga)*, Lund 1892, 2 uppl. 1912. Deras broschyr *Om samhörighet och dess förhållande till ljudenlighet*, Lund 1886, behandlar på ett förtjänstfullt sätt en specialfråga, förhållandet mellan ljudlagsenliga och associativa språkformer, och deras *Svensk uttalsordbok*, Lund 1889 [—1891], är vår första dylika med vetenskaplig hållning, rikhaltig och äfven för öfrigt förtjänstfull, om ock, såsom helt naturligt är, icke utan en viss subjektivism i fråga om uppfattningen af hvad som är svenskt riksspråksuttal (jfr Brates viktiga recension i Nystavaren IV, 142 ff., Upps. 1893). Af betydelse såsom uttalsordbok är äfven RÄTTSTAVNINGSSÄLL-SKAPETS *Rättstavningslära och ordlista*, utg. genom A. NOREEN och R. ARPI (i Nystavaren II; äfven separat), Upps. 1887, i det att den bl. a. stöder sig på de uppgifter, som från alla landsändar inkommo som svar på sällskapets utskickade lista öfver ord med vacklande uttal i det svenska språket (utarbetad af A. ANDERSSON), Upps. 1886 (utan titel och författarenamn). Af intresse för ljudläran äro äfven åtskilliga andra af de nedan (s. 333 ff.) anförda rättstafningslärorna. Språkhistoriska bidrag till ljudläran innehåller F. TAMMS klara och öfversiktliga afhandling *Fonetiska kännetecken på lånord i nysvenska riksspråket*, Upps. (i universitetets årsskrift) 1887. Viktiga bidrag särskildt till de »orena» rimmens historia i äldre och nyare tid lämnar F. WULFFS *Svenska rim och svenskt uttal*, Lund 1898. Till sist må påpekas L. Z[EGOLSSON]s *Spår af värmländskt inflytande i Tegnérs språk* (i Pedagogisk tidskrift), Örebro 1899, och åtskilliga hithörande uppsatser i tidskriften Språk och stil, bland hvilka må såsom särskildt värdefulla framhållas de i första häftet, Upps. 1901, ingående af B. HESSELMAN, *Skiss öfver nysvensk kvantitetsutveckling*, och J. A. LUNDELL, *Hvad vi verkligen säga.*

För betydelseläran är i äldre tid så godt som intet gjort. Af nyare arbeten äro redan (s. 246) omnämnda LÖWENHIELMS *Hvad bör anses som predikat* 1870 och RICHERTS *Kulturhistoriska Bilder* 1876, båda utan större betydelse. Små, men mycket värdefulla bidrag till modersmålets betydelselära innehållas i E. TEGNÉRS *Språkets makt öfver tanken*, Stockh. 1880, *Hemmets ord* (i Tidskrift för hemmet), Stockh. 1881, och *Om genus i svenskan* (i Sv. Akademiens Handlingar ifrån år 1886, del 6), Stockh. 1892. Föga gifvande för den svenska gram-

matiken äro K. Ahléns skäligen obetydliga och öfvervägande
med de klassiska språken sysslande afhandling *Om betydelsens
försämring och förbättring i äldre och nyare språk*, Örebro (läro-
verksprogram) 1887, och C. Svedelius' originella, men något
oklara och endast få positiva resultat bringande skrifter *Étude
sur la sémantique*, Upps. 1891, och *L'analyse du langage*, ib.
1897. Icke utan intresse för nysvenskan är K. F. Södervalls
De nordiska språkens uttryck för sedliga begrepp, Lund 1895.
Mera speciella frågor behandla G. Cederschiölds *Om eufemism*
i Nordisk tidskrift 1896 (samt i 'Om kvinnospråk och andra
ämnen', Lund 1900), J. Kjederqvists *Ett fall af preteritum i
stället för presens*, Lund 1898, H. O. Östbergs *Jämförande tale-
sätt i Vestgötamålet* i 'Minnen från Vestergötland', Upps. 1900, K.
G. Westmans skarpsinniga *Om förhållandet mellan subjekt och
predikat* (Ped. tidskr.) 1900 och Å. W:son Munthes *Om använd-
ningen af ordet katt i svenska eder och liknande uttryck* uti 'Stu-
dier i modern språkvetenskap, utg. af Nyfilologiska sällskapet i
Stockholm, II', Upps. 1901. Till väsentlig del hithörande äro
Th. Hjelmqvists storartade materialsamlingar *Bibliska personers
namn med sekundär användning*, Lund 1901, och *Förnamn och
familjenamn med sekundär användning*, Lund 1903, med före-
löparen *Petter, Per och Pelle* i 'Från filologiska föreningen i
Lund', Lund 1897. Kortfattade schematiska öfversikter af
större delar af ämnet lämna A. Noreens *Inledning till moders-
målets betydelselära*, Upps. 1901, 2 uppl. Stockh. 1903, och
Satsens hufvudarter, Upps. 1903, under det att samme förf:s
artikel *Två olika slags frågesatser* (i Språk och stil I), Upps.
1901, ägnar en utförligare behandling åt en hithörande detalj.
— Af intresse äfven från svensk synpunkt är fransmannen A.
Darmesteters högst läsvärda lilla arbete *La vie des mots étudiée
dans leur signification*, Paris 1887, 3 uppl. 1889, om hvilket där-
för må i detta sammanhang erinras.

Äfven för ordbildningsläran är i äldre tid föga eller
intet gjort utöfver hvad som innehålles i de ofvan (s. 290)

omnämnda arbetena af allmän natur. Åtskilliga hithörande arbeten från tiden 1866—1875, samtliga dock utan större betydelse för den nutida forskningen, hafva redan ofvan (s. 244 f.) omnämnts. De ojämförligt största förtjänsterna på detta område hafva inlagts af F. Tamm (jfr s. 244), särskildt genom följande talrika och resultatrika samt klart och öfversiktligt skrifna afhandlingar: *Tyska prefix i svenskan*, Upps. 1876; *Tränne tyska ändelser i svenskan* (i Göteborgs K. Vetenskaps- och Vitterhets-Samhälles Handlingar), Gtb. 1878 (jfr A. Kock, *Till frågan om den östnordiska avledningsändelsen -else* i 'Från Filologiska föreningen i Lund', II, 1902); *Om tyska ändelser i svenskan*, Upps. (universitetets årsskrift) 1880; *Nysvenska sammansättningar med två lika starkt betonade stafvelser* (i Språkvetenskapliga sällskapets i Uppsala förhandlingar 1888—91), Upps. 1891; *Om avledningsändelser hos svenska substantiv* (i skrifter utg. af K. Humanistiska Vetenskaps-Samfundet i Uppsala V, 4), Upps. 1897; *Om avledningsändelser hos svenska adjektiv* (ib. VI, 8), Upps. 1899; *Om ändelser hos adverb och arkaiskt bildade prepositionsuttryck i svenskan* (ib. VI, 6), Upps. 1899; *Sammansatta ord i nutida svenskan undersökta med hänsyn till bildning av förleder* (ib. VII, 1), Upps. 1900. Vid sidan häraf äro andra författares bidrag till ämnets behandling ringa, om ock delvis af stort värde. Så särskildt E. Tegners två afhandlingar: *Om svenska familjenamn* i Nordisk tidskrift 1882 och *Om elliptiska ord* i Forhandlinger paa det andet nordiske filologmøde, Kra. 1883, båda af allmänt intresse och populär form samt särskildt den förra rik på både material och resultat, samt G. Cederschiölds *Studier öfver verbalabstrakterna i nutida svenska*, Gtb. 1908. Förtjänstfull är äfven A. Schagerströms *Om svenska bär- och fruktnamn på -on*, Upps. (läroverksprogram) 1884. Af populär natur äro A. Noreens *Svensk folketymologi* i Nordisk tidskrift 1887, ny uppl. i Spridda studier, Stockh. 1895, 2 uppl. 1912, *Något om våra förnamn* i tidskriften Ord och bild 1897, ny uppl.

i Spridda studier, andra samlingen, Stockh. 1903, 2 uppl.
1911, *(Något) om våra ortnamn och deras ursprungliga bety-*
delse i Nordisk tidskrift 1900, ny uppl. i Svenska turistföre-
ningens årsskrift 1901 och i Spridda studier, andra sam-
lingen, 1903, 2 uppl. 1911, *Huru uppstå nya förnamn i våra*
dagar uti tidskriften Ateneum, Hfors 1902, ny uppl. i Spridda
studier, andra samlingen, 1903, 2 uppl. 1911, *Ordens död* i
Nordisk tidskrift 1902 och i Spridda studier, andra samlingen,
1903, 2 uppl. 1911, samt *Våra familjenamn* i publikationen
Juldagar, Upps. 1903. Obetydlig är H. HAINERS *Om de*
sammansatta verben i nysvenskan, Karlskrona (läroverkspro-
gram) 1888. E. HELLQUISTS utförliga och på material yt-
terst rika uppsatser *Bidrag till läran om den nordiska nomi-*
nalbildningen (i Arkiv VII), Lund 1881, och *Om nordiska verb*
på suffixalt -k, -l, -r, -s och -t samt af dem bildade nomina
(i Arkiv XIV), Lund 1898, behandla endast i ringa mån rent
nysvenska förhållanden. Högst läsvärd är S. A. ANDRÉES
uppsats *Uppfinningarnas och industriens betydelse för språkets*
utveckling i Nordisk tidskrift 1892, däri framhållas några myc-
ket beaktansvärda synpunkter i fråga om ordförrådets historia.
Omnämnande förtjänar pseudonymen Bores (dvs. G. BORG-
STRÖMS) uppsats *Om de sammansatta verben i svenskan* uti tid-
skriften Verdandi 1896. Intressant är A. NORDFELTS *Om än-*
delsen -is i nysvenskan uti 'Studier i modern språkvetenskap,
utg. af Nyfilologiska sällskapet i Stockholm, I', Upps. 1898,
och af mycket värde lofvar att blifva samme förf:s afhandling
Om franska lånord i svenskan, af hvilken hittills endast en
»Inledande öfversikt» utgifvits i samma publikation, II, Upps.
1901. Till sist må anföras ett arbete, som icke äger blott
kuriositetsintresse, nämligen den förteckning å omkring 4,500
mer eller mindre lyckade, af våra dagars telegramafsändare
fabricerade sammansatta »ord», hvilken af KUNGL. TELEGRAF-
STYRELSEN utgifvits under titeln *Ordsammansättningar i tele-*
gram, Stockh. 1900, ny uppl. 1910.

— 298 —

Rörande ordfogningsläran finnes för tiden intill 1880 knappast något annat att tillgå än hvad som bjudes i de allmänna grammatikorna och några få andra ofvan (s. 245) omnämnda arbeten af ringa omfång och betydelse, åtminstone för nutiden. Äfven den senare produktionen är synnerligen mager i jämförelse med den på de flesta andra områden. Relativt innehållsrik är V. E. Schultz' lilla uppsats *Grammatiska iakttagelser* i Skolan och Hemmet, utg. af C. Kastman, III, Stockh. 1883, ny utvidgad uppl. i Linköpings läroverksprogram för 1894—95. Föga gifvande äro de små artiklarna af F. Gustafsson *Attribut, predikativ och apposition* i Tidskr. utg. af pedagogiska föreningen i Finland, Hfors 1885, och I. A. Heikel, *Förslag rörande tempusläran i svenskan* (ib.), Hfors 1886, samt *Rak och omvänd ordföljd*, Hfors 1892. Däremot hör visserligen Tegnérs ofvan (s. 294) nämnda, synnerligen framstående skrift *Om genus i svenskan*, 1892, till väsentlig del hit. En intressant detalj behandlar Å. W:son Munthes *Språkrim* i tidskriften Ord och bild, Stockh. 1894 (jfr Vendells delvis likartade, större arbete strax nedan). Läsvärd är G. Cederschiölds uppsats *Om s. k. subjektlösa satser i svenskan* uti Nordisk tidskrift 1895. Med vanlig grundlighet, utförlighet och materialrikedom behandlar Kræmer (jfr s. 254 och 267 ofvan) en specialfråga i *Om predikativet* uti Pedagogisk tidskrift, Örebro 1896—97. En liten verkligt god behandling af en annan sådan lämnar G. Borgström i sin uppsats *Om objektet* uti Verdandi 1897. Ändtligen må påpekas N. Linders lilla *Attributsbestämningar*, Stockh. 1900, R. G:son Bergs *Några anmärkningar om kollektiverna* (i Pedagogisk tidskrift), Falun 1901, S. Silfverbrands *Undersökningar rörande användningen af sig och sin i nysvenskan* (Språk och stil I), Ups. 1901, C. A. Ljunggrens samtidiga, men betydligt mera djupgående behandling af samma ämne i *Om bruket af sig och sin i svenskan*, Lund 1901, H. Vendells utförliga förteckning å rimmade, tautologiska, antitetiska m. m. talesätt, *Bidrag till svensk fraseologi*, Hfors 1903, och J. E. Hylén på en grundlig statistisk utredning fotade kritiska uppsats *Två svenska språkregler* (Språk och stil III). Upps. 1903.

Fattigast är litteraturen på böjningslärans område. Utom hvad som innehålles i de ofvan (s. 290 f.) nämnda arbetena af allmän natur samt E. Brates i fråga om material rätt rikhaltiga skolbok *Svensk språklära*, Stockh. 1898 (om hvilken för öfrigt se A. Noreens mycket utförliga »granskning» i Pedagogisk tidskrift 1898), är här endast att tillgå några specialundersökningar af N. Linder, *Några anmärkningar om slutartikeln i svenska språket* i Forhandlinger paa det andet nordiske filologmøde, Kra 1883, och *Om -er, -r, -ar och -or såsom pluraländelser för neutrala substantiver*, Stockh. 1890, af hvilka isynnerhet den sednare är värdefull, samt af P. Hallström, *Om ordböjningen i 1734 års lag*, Stockh. (läroverksprogram) 1897, hvartill kommer A. Noreens schematiska framställning af några grundläggande synpunkter för ämnets behandling: *Inledning till modersmålets formlära*, Upps. 1899, 2 uppl. Stockh. 1903.

B. Lexikografi.

Bland allmänna, dvs. åtminstone större delen af det vanliga ordförrådet omfattande och från ett flertal synpunkter behandlade, ordböcker torde af de redan i det föregående behandlande från äldre tid (dvs. till 1877) följande, som vi här endast i förbigående erinra om, vara de för den nutida forskaren viktigaste: Serenius' af 1741, Linds uppl. af 1749, Levin Möllers uppl. af 1755 (dessa tre utförligare omnämnda å s. 210 ofvan), Sahlstedts 1773 (s. 213), J. G. P. Möllers del III, uppl. 1808 (s. 219), Westes 1807 med Westes supplement 1842 (s. 233), Lindfors' 1815—24 (s. 234), Dalins 1850—53 (s. 237), Kindblads (oafslutade) 1867 —71 (s. 236) och Cavallins 1875 (s. 240).

Af nyare verk är främst att nämna Svenska Akademiens under utgifning varande *Ordbok* (jfr s. 289 ofvan), af hvilken emellertid ännu endast en mindre del (A—Famn) är publicerad. En brukbar handordbok äger man i D. A. SUNDÉNS *Ordbok öfver svenska språket*, Stockh. 1885—92, med omkring 56,400 ord. Ännu ordrikare äro C. G. BJÖRKMANS dock icke i allo pålitliga *Svensk-Engelsk ordbok*, Stockh. 1889, och F. SCHULTHESS' *Svensk-fransk ordbok*, 2 uppl. 1890 (omtryckt 1900), den sednare med omkring 75,800 ord. Af »ordlistor» äger man förutom SVENSKA AKADEMIENS ofvan s. 238 nämnda (8 uppl. 1923, med omkr. 80,000 ord) tvenne lika omfångsrika, nämligen E. WENSTRÖMS och O. JEURLINGS *Svenska språkets ordförråd eller 80,000 inhemska och främmande ord och namn*, Visby 1891 (och 1900, oförändrad), som skiljer sig från de andra genom upptagandet af allehanda nomina propria, samt J. A. LUNDELLS *Svensk ordlista med reformstavning och uttalsbeteckning*, Stockh. 1893, upptagande 81,000 ord jämte en lista på dopnamn.

I fråga om de mångahanda specialordböcker, som gifvas, må här först tagas i betraktande de, som behandla hela ordförrådet från en viss särskild synpunkt, t. e. etymologiska, uttals-, synonym-, och rim-lexika, och därefter de, som behandla endast en viss begränsad del af ordförrådet, t. e. ordböcker rörande ort-, person-, djur- och växtnamn eller allehanda yrkestermer (»facklexika») och kotterispråk (såsom slang- och tjufspråk) m. m. d.

Hvad då först etymologiska ordböcker beträffar, så ägde vi länge icke någon fullständig sådan af vetenskaplig halt mer än IHRES *Glossarium* 1769 (se ofvan s. 212), hvilket dock naturligtvis numera är väsentligen föråldradt. Men en ny, tidsenlig och trots sin fullt vetenskapliga hållning kortfattad, är delvis utgifven af F. TAMM (jfr s. 244, † 1905): *Etymologisk svensk ordbok* I (A-Karsk), Upps. 1890—1905, och nu senast af E. HELLQUIST: *Svensk etymologisk ordbok*, Lund 1922; jfr ock SVENSKA AKADEMIENS *Ordbok*. Endast ett, visserligen rikt, urval af kulturhistoriskt viktigare ord, mest lånord och facktermer, behandlas i R. Geetes populärt hållna, men vetenskapligt tämligen osjälfständiga *Ordklyfverier*, Stockh. 1888. Om också sålunda våra fullständiga och planmässigt anlagda etymologiska hjälpredor äro få, så äro däremot de spridda smärre bidrag, som under de sista årtiondena i åtskilliga mindre afhandlingar och allehanda tidskriftsuppsatser lämnats till vårt ordförråds etymologiska förklaring, så mycket flere och delvis af stort värde. Af denna rika litteratur må här endast anföras: F. Tamms *Om främmande ord förmedlade genom tyskan*, Upps. 1880, *Svenska ord belysta genom slaviska och baltiska språken*, Upps. (universitetets årsskrift) 1881, *Om lånord i svenskan av blandat ursprung* (i Språkvetenskapliga sällskapets i Upsala förhandlingar 1888—91), Upps. 1891, *Granskning av svenska ord* (Skrifter utg. af K. Humanistiska Vetenskaps-Samfundet i Uppsala XII, 4), Upps. 1901, och *Några fall af ordblandning* (i Språk och stil II), Upps. 1902, samt *Undersökning af svenska ord* (i Nordiska studier, Upps. 1904); A. Kocks *Bidrag till svensk etymologi*, Lund 1880, *Några ordförklaringar* (i Nordisk Tidskr. for Filologi, N. R. VII), Kph. 1887, *Bidrag till svensk ordforskning* (Sv. landsm. X, 3), Stockh. 1889, *Anmärkningar om några svenska ord* (Sv. landsm. XIII, 8), 1894, *Etymologisk undersökning af några svenska ord* (i 'Från filologiska föreningen i Lund', I), Lund 1897, och *Några svenska etymologier* (Sv. landsm. XV, 8), Stockh. 1898; A. Noreens *Om orddubbletter i nysvenskan* (i Språkvetenskapliga sällskapets i Upsala förhandlingar 1882—85), Upps. 1886, *Folketymologier* (Sv. landsm. VI, 5), Stockh. 1888, *Etymologier* (Arkiv VI), Lund 1890, och *Svenska etymologier* (Skrifter utg. af K. Humanistiska Vetenskaps-Samfundet i Uppsala V, 3), Upps. 1897; samt O. v. Friesens *Några ordförklaringar* (i Språk och stil I och II), Upps. 1901 och 1902.

Relativt talrika äro särskildt de etymologiska bidragen till ortnamnsforskningen, af hvilka under erinran om några i det föregående redan nämnda arbeten, såsom Styffes grundläggande verk *Skandinavien under unionstiden* 1867, ny uppl. 1880 (jfr s. 239), 3 uppl. 1911 och de mindre betydande alstren af FREUDENTHAL 1867—68 och BELLANDER 1869 (s. 245) samt SIDENBLADH 1872, ny uppl. 1873, och FALKMAN 1877 (s. 240), här må anföras: M. F. LUNDGRENS († 1903) *Språkliga intyg om hednisk gudatro i Sverige* (i Göteborgs K. Vetenskaps- och Vitterhets-Samhälles Handlingar), Gtb. 1878, och *Genitiven af personnamn, använd såsom ortnamn* (Arkiv III, 231 ff.), Kra 1886, liksom ock hans och E. BRATES äfven för ortnamnsforskningen ytterst viktiga arbete *Personnamn från medeltiden* (Sv. landsm. X, 6). Stockh. 1892—1915; G. DJURKLOUS populära *Om svenska ortnamn, stälda i samband med historiska och kamerala forskningar* (Sv. landsm. I, 545 ff.), Stockh. 1879; J. NORDLANDERS flitiga men delvis dilettantiska skrifter *Minnen af heden tro och kult i norrländska ortnamn*, Härnösand (läroverksprogram) 1881, *Om sil och sel i norrländska ortnamn* (Sv. landsm. II, 6), Stockh. 1882, *Anteckningar om några norrländska ortnamn* (Svenska fornminnesföreningens tidskr. VII), Stockh. 1889, *Några norrländska ortnamns etymologi* (ib. IX), 1896, *Norrländska namnstudier* (Vitt. Hist. o. Ant. Ak:s Månadsblad XXIV, 1895), Stockh. 1898, *Med preposition sammansatta ortnamn* (ib. XXV, 1896), Stockh. 1901, *Jämtländska ortnamn tolkade* (Sv. landsm. XV, 2), Stockh. 1899, *Några gamla ortnamn i Helsingland* (i Helsinglands fornminnessällskaps årskrift I, 1901), Sth. 1902 och *Medelpads äldre byanamn* (Norrländska samlingar h. 5), Stockh. 1903; A. JOHANSSONS (senare STENHAGENS) populära uppsats *Hvad betyder det namnet?* (i Förr och nu I, 485 ff., 557 ff. och 603 ff.), Stockh. 1886; L. F. A. LÄFFLERS *Svänska ortnamn på skialf* (*skælf*) i Arkiv X, Lund 1894; R. SAXÉNS *Finska lånord i östsvenska dialekter* (Sv. landsm. XI, 3). Stockh. 1895—98, däri äfven de svenska ortnamn i Finland och Estland, som äro af finskt ursprung, upptagas till behandling, och *Finlands kommuners namn i svensk skrift* (i tidskriften Fennia XIV, 4), Hfors

1897—99; A. Noreens *(Om) namnet Värmland* i publikationen Värmländingarne, Karlstad 1896, samt i Spridda studier, andra samlingen, Stockh. 1903, 2 uppl. 1911 (jfr ock samme förf:s ofvan s. 296 f. upptagna uppsats *Om våra ortnamn och deras ursprungliga betydelse*); P. Olssons *Ortnamnen i Jämtland och Härjeådalen jämte upplysningar om byarnes ålder* (i Jämtlands läns fornminnesförenings tidskr. II h. 3). Östersund 1899, och *Socknar och sockennamn i Jämtlands län*, Östersund 1901; K. H. Karlssons *Några bidrag till Sveriges uppodlingshistoria hemtade från ortnamnsforskningens område* (Sv. fornminnesföreningens tidskrift X), Stockh. 1897, och *Upplands ortnamn* (i 'Uppland, skildring af land och folk. Utg. af K. Humanistiska Vetenskaps-Samfundet i Uppsala' I), Upps. 1903; E. Hellquists *Några Svenska ortnamn* (Arkiv XVII), Lund 1901, och hans stora verk *Svenska sjönamn* (i Sv. landsm. XX, 1), Stockh. 1903—1906; E. Modins *Härjedalens ortnamn och bygdesägner* (Sv. landsm. XIX, 2), Stockh. 1902, 2 uppl. 1911; F. U. Wrangels *Gamla gatunamn* i Stockholmiana, Stockh. 1902, och *Personnamn i Stockholms nuvarande gators, gränders och torgs namn* samt *Kvartersnamnen i Stockholm*, de båda sednare i Stockholmiana, andra samlingen, Stockh. 1902.

Vida mindre tillgodosedd är den etymologiska forskningen rörande våra personnamn. Det grundläggande verket i fråga om »förnamn» är norrmannen P. A. Munchs stora afhandling *Om Betydningen af vore nationale Navne* (i Norsk Maanedskrift III, Kra. 1857, samt i Samlede Afhandlinger IV, Kra. 1876), i fråga om »tillnamn» åter Tegners ofvan (s. 296) nämnda *Om svenska familjenamn* 1882. Af vikt för det förra slaget af namn är ock Lundgrens ofvan (s. 301) anförda *Språkliga intyg* 1878. Af senare tillkomna hithörande bidrag är knappast annat att här nämna än [J. A. Lundells] *Namnskick* (Sv. landsm. IX, 1, s. 5 ff.), Stockh. 1889, G. Djurklous *Om vedernamn* (Sv. fornminnesföreningens tidskr. IX), Stockh. 1894, A. Noreens *Namnet Oskar* (i Ateneum, Hfors 1901, samt i Spridda studier, andra samlingen, Stockh. 1903, 2 uppl. 1911) och A. Paues, *Engelska namn i vår almanack* (Språk och stil I), Upps. 1901. I sammanhang med sistnämnda artikel må här påpekas ett äldre, icke i det föregående omnämndt arbete, som icke saknar ett visst värde, nämligen [E. Burmans] *En kort Berättelse, Vtaf hvad tillfälle . . Namn Blifvit införde Vti Almanachen*, Stockh. 1731, 2 uppl. 1768, 3 uppl. Västerås 1794, 4 uppl. därsammastädes 1815.

Af uttalslexika äga vi, innan Svenska Akademiens ordbok hunnit fortskrida längre, för det nutida språkbruket egentligen blott Lyttkens' och Wulffs ofvan (s. 293 f.) omnämnda, under det att för ett något äldre språkskede Almqvists och Westes s. 233 nämnda arbeten väl i flertalet fall torde lämna nödtorfteliga upplysningar, och af rimlexika finnes före Leksells 1907 intet enda ens något så när tillfredsställande [1], enär Manderströms af år 1779 (se s. 216) naturligtvis nu fullständigt föråldradt och det (s. 239 omnämnda) anonyma af år 1851 redan vid sin framkomst icke uppfyllde berättigade anspråk. Detsamma gäller om vårt enda synonymlexikon, A. F. Dalins ofvan (s. 237) omnämnda. Någon hjälp kan man på vissa punkter ha af J. W. Wennerbergs. för helt annat syfte tillkomna *Engelskt och svenskt synonym-lexikon*, Stockh. 1872.

I fråga om ortnamnslexika må först erinras om några redan behandlade arbeten af äldre datum såsom Djurbergs *lexikon* 1818 (se s. 234), Lignells ortnamnsregister 1852 (s. 239) och Sidenbladhs *härads- och sockennamn* 1873 (s. 240), hvartill kommer den [af N. W. Forsslund ombesörjda] 8:de, fullständigt omarbetade och mycket utvidgade, men oafslutade upplagan af Tunelds geografi (jfr s. 210). Af nyare arbeten äro några, af väsentligen lexikalisk natur och därför hithörande, redan ofvan s. 303 nämnda: Saxéns *Finlands kommuners namn*, Olssons *Ortnamnen i Jämtland och Härjeådalen* och

---

[1] Af ett visst värde för svenska förhållanden är emellertid A. Sörensens goda *Dansk Rim-Ordbog*, Kph. 1900.

Socknar och sockennamn i Jämtlands län, HELLQUISTS *Svenska sjönamn* samt MODINS *Härjedalens ortnamn*. Bland öfriga äro först att anföra de som röra riket i sin helhet såsom *Historiskt-geografiskt och statistiskt lexikon öfver Sverige* med *Supplement* och *Register*, Stockh. 1859—70, C. M. ROSENBERGS *Geografiskt-statistiskt handlexikon öfver Sverige*, Stockh. I 1882, II 1883, K. GENERALPOSTSTYRELSENS *Svenskt postortlexikon*, Sth. 1883 och 1894, *Post- och telegrafortförteckning* 1909, samt K. SIDENBLADHS *Sveriges kommuner*, 8:de årg., Stockh. 1898, men framför allt det, så långt det utkommit, fullständigaste af dem alla, nämligen EKONOMISKA KARTEVERKETS *Beskrifningar till kartorna* öfver Uppsala, Stochk. 1864—66, Örebro, 1867—75, Norrbottens, 1870 ff., Östergötlands, 1876—82, Stockhofms, 1878 ff., Värmlands, 1879—97, Kopparbergs, 1880 ff., Skaraborgs, 1882—87, Älfsborgs, 1892—1901, och Södermanlands, 1901 ff., län. Af de många arbeten, som endast afse ett visst mindre område, må blott följande, såsom hörande till de viktigaste af detta slag, här omnämnas; C. A. EHRENSVÄRD, *Fru Dorothea Bjelkes jordebok år 1660* i Bidrag till kännedom om Göteborgs och Bohusläns fornminnen och historia I, Stockh. 1874—79, och *Fru Margareta Hvitfeldts till Sundsby jordebok af år 1660*, därsammastädes II, 1879—83; A. RIDDERSTAD, *Historiskt, geografiskt och statistiskt lexikon öfver Östergötland*, I, II, Norrköping 1875—79; E. O. NORDLINDER, *Förteckning öfver Lule-socknarnas person- och ortnamn* (Sv. landsm. VI, 3), Stockh. 1887; P. J. LINDAL, *Upplands ortnamn* (i Upplands fornminnesförenings tidskr. II), Stockh. 1890; J. NORDLANDER, *Ångermanländska fiskevatten på 1500-talet* (Norrländska samlingar h. 1), Stockh. 1892, *Skatteboken af Medelpad pro a:o 1543* (ib. h. 3), 1896, *Skatteboken af Ångermanna Land pro anno 1550* (ib. h. 4), 1899, och *Fogdefodringsmantalet af Gestrikland pro a:o 1541* (ib. h. 5), 1903; C. CEDERSTRÖM, *Wermlands läns fiskevatten* I—IV, Karlstad 1895—97; [O. F. HULTMANS och G. SCHAUMANS] *Förteckning öfver svenska ortnamn i Finland* (Sv. literatursällskapets i Finland 'Förhandlingar och Uppsatser' 10), Hfors 1897; samt [F. ÖDBERG], *Skara stifts kyrkliga jordebok af år 1540*, Stockh. 1899[—1902].

Ett egentligt **personnamnslexikon** äga vi ännu icke, vare sig i fråga om för- eller tillnamn. Rörande de förra äger man dock en ganska fullständig förteckning jämte summarisk statistisk öfversikt i K. och S. NORRMANS *Förteckning öfver svenska dopnamn tillika med en sydsvensk namnlista af A. L. Senell och några jämförande anteckningar* (Sv. landsm. VI, 7), Stockh. 1888. Förtjänstfull är ock P. A. KJÖLLERSTRÖMS visserligen dilettantiska, men rikhaltiga och i fråga om dopnamnen delvis på egna källstudier hvilande *Svensk namnbok*, Ulricehamn 1895. I fråga om tillnamnen åter har man naturligtvis outtömliga källor i alla möjliga adress-, adels- och statskalendrar, student-, skol- och telefonkataloger m. m. d., men ingen enda sammanfattande framställning af materialet existerade förr än *Sverges familjenamn* 1920.

För åstadkommande af en ordbok öfver svenska **djurnamn** är från språkvetenskapligt håll så godt som intet gjordt. Man har därför tillsvidare att hålla sig till registren i NILSSONS, LILLJEBORGS och SUNDSTRÖMS ofvan (s. 234 och 240) nämnda zoologiska verk, hvartill kunna läggas [H. A. MÖLLERS] *Delineatio regni animalis*, utan tryckort och år [Skara omkr. 1755], samt af nyare dylika arbeten särskildt C. J. SUNDEVALLS (jfr s. 247) *Svenska foglarne*, Stockh. 1856—91, ny omarbetad upplaga af G. KOLTHOFF och L. A. JÄGERSKIÖLD under titeln *Nordens fåglar*, Stockh. 1898, LILLJEBORGS *Sveriges och Norges fiskar* I—III, Upps. 1881—91, och A. CARLSONS *Sveriges fåglar*, Lund 1894, samt E. LÖNNBERGS *De svenska ryggradsdjurens vetenskapliga namn*, Upps. 1908. En enda monografi med språklig anstrykning finnes, nämligen J. NORDLANDERS rikhaltiga *Norrländska husdjursnamn* (Sv. landsm. I, 9), Stockh. 1880.

Ungefär på samma sätt förhöll det sig med den lexikografiska litteraturen rörande våra **växtnamn** före A. LYTTKENS *Svenska växtnamn* I—III 1904—15. De förnämsta hjälpmedlen voro förut sådana från naturvetenskapligt håll lämnade bidrag som de redan ofvan nämnda NYMANS *utkast* 1868 (se s. 239), JENSSEN-TUSCHS *Nordiske plantenavne* 1871 (s. 238) och FRIES' »ordbok» (s. 238); jfr ock [A. SAMZELIUS', jfr s. 210] *Blomster Kranlz Af de allmännaste och märkwärdaste uti Neriket Befintliga wäxter hopflätader,* Örebro 1760, S. LILJEBLADS *Utkast till en svensk flora,* 3 uppl., Upps. 1816, och C. J. HARTMANS *Handbok i Skandinaviens flora,* 11 uppl. Stockh. 1879. En fullständig revolution i fråga om den svenska nomenklaturen åsyftar F. LAURELLS *Förteckning öfver . . odlade träd och buskar med svenska namn enligt den binära nomenklaturen,* Upps. 1891, och K. LANDTBRUKSSTYRELSENS från samma principer utgående *Normalförteckning öfver svenska växtnamn . . fastställd att användas vid undervisningen vid . . landtbruksskolor och landtmannaskolor äfvensom . . frökontrollanstalter,* Norrköping 1894, till hvilken anslutit sig L. M. NEUMANS och FR. AHLFVENGRENS *Sveriges flora,* Lund 1901. Alla tre arbetena äro synnerligen rika på nybildningar, som emellertid gjorts till föremål för en skarp och i mycket befogad kritik af A. G. NATHORST: *Svenska växtnamn* I (i Bihang till K. Svenska Vet.-Akad:s Handlingar, B. 28, Afd. III, N:o 9), Stockh. 1903; jfr dock LAURELLS viktiga motskrift *Svenska växtnamn och binär nomenklatur,* Upps. 1904. Den af Nathorst förordade nomenklaturen är införd i TH. O. B. N. KROKS och S. ALMQUISTS *Svensk flora för skolor,* 9 uppl. Stockh. 1903.

Beträffande ordböcker öfver lånord och främmande ord är blott att hänvisa för 1700-talet till SAHLSTEDTS *Dictionarium psevdo-svecanum* 1769 (se s. 213), för 1800-talet till G. DALINS och EKBOHRNS ofvan (s. 240 och 239) nämnda arbeten af år 1871, resp. 1902, 1904 (4 uppl.). Hufvudverket på detta område är dock tillsvidare — jämte hvad som utkommit af Svenska Akademiens ordbok — *Nordisk familjebok* I—XVIII jämte *Supplement* I, II, Stockh. 1876—94 och 1896, 1899, ny uppl. 1903 ff.

Samma arbete utgör vårt allsidigaste och modernaste »facklexikon.» Då vi nu öfvergå till ett angifvande af de viktigaste bland de speciellare yrkesordböckerna, må först en undantagsställning anvisas åt FISCHERSTRÖMS ofvan (s. 220) omnämnda, beklagligtvis oafslutade, *Economiska dictionnaire* 1779—92, som behandlar de flesta af sin tids näringar och yrken och därför icke illa för sin tid fyllde uppgiften af »familjebok». Mera begränsade hithörande områden tillgodoses af följande arbeten.

För landthushållningen är knappast annat att anföra än SVEDERUS' ofvannämnda *Handlexikon* af 1869 (se s. 239).

Däremot äro våra handelslexika synnerligen talrika Till de äldre af ORRELIUS 1791 (s. 220), SYNNERBERG 1815 (s. 234), ÅSTRAND 1855 (s. 239), NISBETH 1870 (s. 239) och JUNGBERG 1873 (s. 240) komma i senare tid ytterligare *Namn- och sakförteckning till Verldshandeln* i 'Uppfinningarnas bok, red. af O. W. Ålund', B. VII, Stockh. 1875, A. W. CRONQUISTS *Illustrerad ordbok öfver näringsämnen och handelsartiklar* (A-H), Stockh. 1867—80, M. EKENBERGS och J. LANDINS *Illustreradt varulexikon*, Stockh. 1894, samt E. SNELLMANS och T. OSTERMANS *Handelstermer på svenska, tyska, franska, engelska*, Stockh. 1903, af vilka särskildt det näst sista är värdefullt.

Talrika äro äfven våra sjölexika ('nautiska ordböcker'). Redan i det föregående anförda äro D[AHLMAN]s 1765 (s. 211), EKBOHRNS 1840 (s, 234), CALWAGENS båda arbeten af 1851 och 1853, STJERNCREUTZ' 1863 och RAMSTENS 1866 (alla tre se s. 239), hvartill nu komma S. v. KONOWS *Svensk-fransk sjömilitärisk ordbok*, Stockh. 1887, H. C. T. och P. E. CARAVELLOS *Terminologie maritime suédoise-française*, Gtb. 1893, G. Z. SANDMANS *Svensk-finsk och finsk-svensk nautisk ordbok*, Viborg 1899, C. S[MI]THS *Bålseglarebok*, Stockh. 1899. samt A. EKELÖFS *Svensk nautisk ordlista*, Stockh. 1899. Af betydelse äfven för svenska förhållanden är I. ALNÆS' *Bidrag til en Ordsamling over Sjømandssproget* (Christiania Videnskabs-Selskabs Forhandlinger for 1892, No. 3), Kra 1902, som har en mera språkvetenskaplig läggning, liksom G. GOEDELS *Etymologisches Wörterbuch der deutschen Seemannssprache*, 1902.

I fråga om **jaktlexika** är att hänvisa dels till de redan omnämnda af BRUMMER 1789 (se s. 220), LEIJONFLYCHT 1827 (s. 234) och SVEDERUS (s. 234), dels till TH. HAHRS *Handbok för jägare och jagtvänner* II, 2 uppl. Stockh. 1882, som har ett kort »Bihang II. Förklaring öfver de allmännast brukliga jagttermerna.» Ännu något kortare är den »Förklaring öfver de brukligaste jakttermerna», som förekommer i G. SCHRÖDERS *Svenska jakten*, Stockh. 1891.

För **skogshushållning** är nu att tillgå A. CNATTINGIUS' goda *Svenskt skogslexikon*, Stockh. 1894.

Beträffande **tekniska ordböcker** (för industri och ingenjörvetenskap) är dels att erinra om RINMANS *Bergwerks lexicon* 1788—89 (se s. 220), PFEIFFERS *Technisk-Terminologisk Ordbok* 1837 (s. 234) och TIGERHJELMS *ordbok för militärer och teknologer* 2 uppl., 1880 (s. 239), dels att tillägga M. STURTZENBECHERS ofvan förbigångna *Ingeniör lexikon*, Stockh. 1805, samt följande tre nyare arbeten, hvilka alla utgifvits såsom 'Bilaga till Tekniska föreningens i Finland förhandlingar': F. G. BERGROTH, *Svensk-finsk Ordförteckning öfver Metallurgiska termer*, Hfors 1887; L. IKONEN, *Svensk-Finsk-Tysk-Engelsk Ordförteckning öfver Byggnadstermer*, Kuopio 1889; J. ZIDBÄCK, *Svensk-Finsk-Tysk-Engelsk Förteckning öfver Mekanisk-Tekniska Termer*, Kuopio 1890. Härtill kommer ytterligare HJ. TALLQVISTS *Svensk-finsk ord-förteckning i mekanik*, Hfors 1898. Ett hufvudverk för hela detta område är *Register till Uppfinningarnas bok* I—VI (red. af O. W. Ålund), Stockh. 1875; ny uppl. af Uppf. bok utgafs af A. Berglund 1896—1907.

Militära termer förteckna bl. a. TIGERHJELMS nyssnämnda och KONOWS s. 308 anförda arbeten.

I fråga om **lek och idrott** är att påpeka de rika registren till A. NORMANS och Ellas (dvs. L. A. HUBENDICKS) *Ungdomens bok* I, II, 2 uppl. Stockh. 1883, samt A. ULRICHS utförliga redogörelse för *Simidrottens ordförråd* (Sv. landsm. XVIII, 10), Stockh. 1903, förut delvis publicerad i Tidning för idrott XVI och XVII, Stockh. 1896 och 1897. Sistnämnda årgång af denna tidning innehåller äfven terminologiska bidrag rörande *Atletisk sport* och (utförligare) *Hjulsport.*

För kokkonst är att hänvisa till icke blott BJÖRK-LUNDS ofvan (s. 239) nämnda *Kokbok,* 12 uppl. 1885, utan framförallt C. E. HAGDAHLS *Kok-konsten som vetenskap och konst,* Stockh. 1889—92, ny uppl. 1896, med dess utförliga register.

Af vetenskapliga facklexika må här blott anföras G. MARKLINS ofvan förbigångna arbete *I. C. W. Illigers försök till en fullständig systematisk terminologi för djur- och växtriket, Öfversatt och tillökt,* Upps. 1818, vidare P. T. CLEVES *Kemiskt hand-lexikon,* Stockh. 1883 (jfr [EKEBERGS] *Försök* 1795, s. 220 ofvan), KEJSERLIGA SENATENS *Svensk-finsk lag- och kurialterminologi,* Hfors 1883, samt J. LINDGRENS *Förteckning öfver de allmännaste svenska läkemedels namn,* Jönköping 1891, 2 uppl. (. . . *läkemedelsnamnen*) 1902.

Af lexikografi rörande skön konst är icke mycket att nämna. ENVALLSSONS musikaliska *lexikon* 1802 (se s. 234) har efterträdts af J. L. HÖIJERS *Musik-lexikon,* Stockh. 1864, som dock numera ej är fullt tidsenligt. I mycket föråldradt är naturligtvis F. BOYES *Målare-lexikon,* Stockh. 1833.

Bland egentliga kotterispråk må här blott nämnas slang- och tjufspråk, emedan våra lägre stilarter ej sällan riktas just från dessa båda håll. Bidrag till slangens lexikografi ha vi i R. G:SON BERGS uppsats *Årets valspråk, ett slags svensk slang* (Nordisk tidskrift 1899), i samme förf:s *Skolpojks- och studentslang* (Sv. landsm. XVIII, 8), Stockh. 1900, och i viss mån äfven i den anonyma skriften *Sa' han och sa' hon. Ordstäfsbok,* 2 uppl. Stockh. 1880. Bidrag till en ordbok öfver — de visserligen endast till en ringa del svenska — tjuftattare-, skojare- och knallare-språken (jfr s. 24 och s. 40) lämnas åter i följande arbeten: *Ordfortegnelse til det norske og svenske Fantesprog* och *Ordfortegnelse til det imellem svenske (vestgöthiske) Handelskarle brugelige hemmelige Sprog (knallare-språk, monsing)* i E. SUNDTS 'Beretning om Fante- eller Landstrygerfolket i Norge', Kra 1850, 2 uppl. 1852; *Något om Rommanispråket* i C. F. RIDDERSTADS 'Samvetet eller Stockholms mysterier' I, 432—8, Linköping 1851; den lilla anonyma uppsatsen *Räkneorden i tjufspråket* i Språk och Stil I, Upps. 1901.

Af öfrig hithörande litteratur må blott erinras om det redan (s. 297) nämnda opuset *Ordsammansättningar i telegram* samt påpekas O. V. WENNERSTENS *Real- och verbal-konkordans öfver vår svenska psalmbok*, Visby 1903. En utmärkt öfversikt af ett mycket speciellt område är G. CEDERSCHIÖLDS *Om grundtalens lexikaliska behandling*, Gtb. 1897, som dock delvis är af rent grammatiskt innehåll.

C. Stilistik.

De hithörande något äldre arbeten, som hafva någon betydelse för vår tid, äro ofvan s. 253—5 anförda. Af yngre, delvis hithörande arbeten hafva äfvenledes redan i det föregående omnämnts LINDERS *Regler och råd* 1866 (s. 291), CEDERSCHIÖLDS *Om eufemism* 1896 (s. 295), CEDERSCHIÖLDS och OLANDERS *Vinkar och råd* 1901 (s. 291) och BERGS *Om den poetiska friheten* 1903 (s. 291 f.). Bland öfrig litteratur må först och främst såsom hufvudverket på detta område framhållas G. CEDERSCHIÖLDS *Om svenskan som skriftspråk*, Gtb. 1897, 4 uppl. 1916. Speciellare bidrag lämna följande skrifter: E. TEGNÉRS populära föredrag [*Om poesiens språk*] Inträdestal, i Sv. Akad:s Handlingar ifrån år 1796, del 58, Stockh. 1883; vissa partier af O. SVAHNS *Det muntliga föredragets konst i tal och sång* I, Stockh. 1890; A. NOREENS *Om tautologi* i Nordisk tidskrift 1894 och i Spridda studier, Stockh. 1895, 2 uppl. 1912, samt *Tala svenska — med svenskarna!* i tidningen Ariel nr 7, 1901, och i Spridda studier, andra samlingen, Stockh. 1903, 2 uppl. 1911; I. A. HEIKELS obetydliga uppsats *Något om svenska språkets olika stilarter* i Tidskrift utg. af Pedagogiska

Föreningen i Finland XXXVII, Hfors 1900; J. A. Lundells *Bör talspråk eller skriftspråk användas vid undervisningen* i Verdandi 1901; R. G:son Bergs *Sinnesanalogier hos Almqvist* (Språk och stil I), Upps. 1901, och *Randanmärkningar till Spencers 'The Philosophy of style'* (ib. II), Upps. 1902; J. Mjöbergs *Några iakttagelser om uttrycksfullhet och ordknapphet i det poetiska språkbruket* (ib. I), Upps. 1901, och *Selma Lagerlöfs bildspråk* i 'Ver sacrum. Skrift utg. af Göteborgs Studentförening', Gtb. 1902; samt till sist N. Linders pamflett *Svenska språket i modern diktkonst*, Stockh. 1902, hvarmed bör sammanhållas R. G:son Bergs förträffliga motkritik *Stilideal och stilistik II* i Stockholms Dagblad för 4 april 1902. — Bland utländska arbeten af särskildt intresse för äfven svensk stilistik må nämnas H. Spencers uppsats *The philosophy of style* (i Westminster Review, oktober 1852, och i Essays II, 1868), bearbetad och sammandragen i svensk öfversättning af Robinson (dvs. U. v. Feilitzen) i *Behaget och andra uppsatser af H. S.*, Stockh. 1888, samt vissa partier af V. Andersens *Danske studier*, Kbh. 1893.

§ 26. Det finländskt svenska riksspråket.

Ett äldre arbete af särskild betydelse för kännedomen om den finländska svenskan är redan ofvan (s. 257 f.) berördt, nämligen V. Heikels *Grammatik* 1856. Af senare skrifter i ämnet äro företrädesvis följande att nämna.

Af allmänt grammatiskt innehåll liksom Heikels nyssnämnda arbete äro: K. Lindströms uppslagsgifvande artikel *Studier på svensk språkbotten* (i Finsk tidskrift), Hfors 1885; F. Gustafssons små notiser *Ur talsvenskan i Finland* i 'Finländska bidrag till svensk språk- och folklifsforskning utg. af Svenska landsmålsföreningen i Helsingfors', Hfors 1894; några dylika af V. Vasenius i hans bok *Den första undervisningen i språk*, Hfors 1894, s. 87 ff.; »Lennart Hennings» (dvs. R. G:son Bergs) *Språkliga iakttagelser i K. A. Tavaststjernas arbeten* (Finsk tidskr.), Hfors 1899, och samme förf:s (icke psevdonymt utgifna) *Runebergs språkbruk* (Pedagogisk tidskr.), Falun 1900; R. Nordenstrengs *Till frågan om vår finländska svenska* (Finsk tidskr.), Hfors 1900, och i synnerhet hans *Finländsk svenska på 1700-talet* i Svenska literatursällskapets i Finland 'Förhandlingar och Uppsatser' 16, Hfors 1903.

Speciellt frågor ur ljudläran behandla: I. U[schakoff]s uppsats *Om e och ä såsom ljudtecken i svenska språket* (Finsk tidskr.), Hfors 1883; V. Vasenius' *Hjelpreda vid uttalsundervisningen i svenska*, Hfors 1893, s. 14 ff.; samt H. Pippings grundliga och viktiga uppsats *Om det bildade uttalet av det svenska sproket i Finland* (i Nystavaren IV), Upps. 1893. Åtskilliga hithörande notiser träffas dessutom i sådana skolböcker som K. W. Forsmans *Routsin kielioppi* (dvs. Svensk Språklära), Hfors 1884, K. Lindströms *Svensk rättstafningslära*, Hfors 1887, och A. Freudenthals *Svensk rättskrifningslära*, 4 uppl. Hfors 1888.

Något fullständigt lexikon öfver finlandismer i nysvenskan finnes före Bergroths *Finlandssvenska* 1917 icke. Utförligast af hithörande bidrag är A. Freudenthals *Skiljaktigheter mellan finländska svenskan och rikssvenskan, upptecknade å Helsingfors svenska landsmålsförenings sammanträden 1873—99* (i Skrifter utg. af Svenska literatursällskapet i Finland LI), Hfors 1901. En kortare dylik ordförteckning ingår i H. Bergroths recension (af Lundells Svensk ordlista) i Tidskrift utg. af Pedagogiska Föreningen i Finland 1895. För öfrigt kan man inhämta hithörande upplysningar af i Finland utgifna ordböcker från svenska till annat språk. De viktigaste af dessa torde vara: O. A. D. Meurmans *Svenskt och tyskt lexikon* I, II, Hfors 1846—47; D. E. D. Europæus' *Svenskt-finskt handlexikon*, Hfors 1852; F. F. Ahlmans *Svenskt-finskt lexikon* (se ofvan s. 240), 3 mycket tillökade uppl. utg. af K. Forsman, Hfors 1885; J. A. Hahnssons, A. H. Kallios, H. Paasonens och K. Cannelins omfångsrika *Svenskt-finskt lexikon*, Hfors (1884—)1899; A. Jännes' *Svensk-finsk ordbok*, Borgå 1887; E. Cajanders *Ny svensk-finsk-rysk ordbok*, Hfors 1901; J. Mandelstams och

A. Igelströms *Svensk-rysk ordbok*, Hfors 1905. Jfr ock G. A. Åbergs *Svensk ordlista*, Hfors 1886.

§ 27. Dialekterna [1].

I § 23 (s. 268 ff.) har redan den grammatiska (och lexikografiska) dialektlitteraturen till och med år 1877 nästan fullständigt anförts [2]. Här blir sålunda endast fråga om att påpeka de allra viktigaste alstren inom denna litteratur samt att omnämna viktigare arbeten af senare datum [3].

1. Bland skrifter af mera allmänt — dvs. hela eller en jämförelsevis stor del af språkområdet afseende — innehåll är Rietz' *dialekt-lexikon* af 1867 redan (s. 280 ff.) omnämndt; om Vendells se nedan s. 555. J. A. Lundells grundläggande arbete *Det svenska landsmålsalfabetet, tillika en öfversikt af språkljudens förekomst inom svenska mål* (Sv. landsm. I, 2), Stockh. 1879 (jfr s. 292), innehåller en dels på äldre författares arbeten, dels på en mängd af Lundell själf insamlade primäruppgifter rörande dittills oundersökta dialekter stödd systematisk öfversikt af hela språkområdets dialektala ljudlära. Den fullständigas i åtskilliga punkter af samme förf:s viktiga afhandling *Om de svenska folkmålens frändskaper* (i Antropologiska sektionens tidskrift I, 5), Stockh. 1880, som lämnar en kort karakteristik af alla våra landskapsmål, detta äfven i fråga om böjningsläran. Af metodologisk natur är densammes uppsats *Om dialektstudier med särskild hänsyn till de nordiska språken* (Sv. landsm. III, 1), Stockh. 1881. H. Vendells *Bidrag till svensk folketymologi* (i Förhandlingar och Uppsatser, utg. af Sv. literatursällskapet i Finland, 2, med »Tillägg 1» ib. 3), Hfors 1887 (och 1888), meddelar en hop intressanta bidrag till de öst-nordsvenska dialekternas ordbildningslära, delvis

---

[1] Angående dialekternas indelning och namn se § 15 (s. 99 ff.).

[2] Rörande dialektala språkprof af både äldre och nyare datum se § 19 (s. 157 ff.).

[3] Jfr äfven de i noterna ofvan s. 99—128 nämnda arbetena, till hvilka här i allmänhet ingen hänsyn tages.

af helt annan art än titeln angifver. Samme förf:s *Östsvenska monografier*, Hfors 1890, utgör ett vackert bidrag till en synonymik — det första försöket i denna väg — för samma dialekters vidkommande. Synnerligen viktig är N. Beckmans afhandling *Om uppkomsten och utvecklingen af sekundära nasalvokaler i några skandinaviska dialekter* (Sv. landsm. XIII, 3), Stockh. 1893. Ett storartadt anlagdt och i allt väsentligt synnerligen väl genomfördt försök att genetiskt behandla en större dialektgrupp är O. F. Hultmans *De östsvenska dialekterna* (i 'Finländska bidrag till svensk språk- och folklifsforskning utg. af Sv. landsmålsföreningen i Helsingfors'), Hfors 1894, som väl för lång tid kommer att utgöra det för hvarje vetenskapligt studium af de öst-nordsvenska dialekterna grundläggande hufvudverket. I viktiga punkter hafva Hultmans undersökningar förts vidare och hans resultater delvis omformats genom B. Hesselmans afhandling *Stafvelseförlängning och vokalkvalitet i östsvenska dialekter*, Upps. 1902, hvars nya uppslag emellertid hafva en räckvidd, som sträcker sig långt utom de öst-nordsvenska dialekternas område.

2. Egentliga skånemålet är bäst behandladt i G. Billings *Åsbomålets ljudlära* (Sv. landsm. X, 2, med karta), Stockh. 1890, som afser trakten öster om Engelholm. Vidare är att märka N. Olséni, *Södra Luggudemålet* (Sv. landsm. VI, 4), Stockh. 1887, för trakten sydöst om Hälsingborg. Rörande accentueringen i Skytts-målet, väster om Trälleborg, se Kock, *Språkhistoriska undersökningar om svensk akcent* II, 238 ff.

3. Göingemålet saknar ännu grammatisk behandling, hvadan man för kännedom om detsamma är, frånsedt de obetydliga notiserna från Lister i Öllers s. 274 nämnda arbete, uteslutande hänvisad till hvad som kan inhämtas af de, visserligen rätt talrika, språkprof därifrån, hvilka äro anförda s. 157 ff., samt en 4 sidors ordlista från Östra Göinge i P. Johnssons *Kulturbilder samt sagor och sägner*, Hessleholm 1904.

4. För egentliga hallandsmålet är före Wigforss

storartade *Södra Hallands folkmål* 1913—18 blott att hänvisa till v. Möllers och Collianders s. 279, resp. s. 282 nämnda arbeten, af hvilka det sednare blott afser Halmstadstrakten och nejden nordväst därom, medan det förra tager hänsyn till så godt som hela Halland.

5. För egentliga blekingsmålet är, frånsedt de obetydliga notiserna i Muhrbecks, Sorbons och Sjöborgs s. 270, resp. s. 273 nämnda arbeten, blott att tillgå det lilla rörande östra Blekinges språk, som meddelas i Cimmerdahls s. 278 anförda afhandling.

6. Egentliga smålandsmålet är förnämligast behandladt i Linders och Gadds s. 283 nämnda afhandlingar, den förra afseende kusten söder om Kalmar, den sednare Hvetlanda-trakten. Obetydliga äro de upplysningar rörande målet i Växjö-Vislanda-trakten, som lämnas i Hyltén-Cavallius' s. 274 omnämnda arbete.

7. För ölandsmålet har man, frånsedt de magra notiserna i Vallinus' (se s. 270), Linnés (s. 152), Gahm Perssons (s. 273) och Ahlquists (s. 274) arbeten, blott att tillgå Bodorffs rätt utförliga, men för öfrigt föga betydande afhandling (se s. 283), hufvudsakligen behandlande målet å nordöstra kusten samt ett parti af mellersta Öland midtemot Kalmar.

8. Handbörds-målet saknar grammatisk behandling och kan sålunda i skrift studeras endast med ledning af de s. 160 f. nämnda språkprofven.

9. Östgöta *e*-mål är blott representeradt genom Crælius' (se s. 273) — och i någon ringa mån Kaléns (s. 277) — obetydliga notiser samt de få s. 165 f. nämnda språkprofven.

10. Östgöta *ä*-mål är blott tillgodosedt genom Kaléns och P. A. Säves s. 277, resp. s. 280 nämnda små bidrag.

11. För Östgöta *a*-mål är att tillgå Rääfs afhandling (se s. 279) samt ett litet språkprof (Lysings-mål, se. s. 166).

12. För Vadsbo-målet äger man intet annat än P. A. Säves s. 280 nämnda ordlista samt en hop språkprof (se s. 165).

13. **Skaraborgsmålet** har i äldre tid varit föremål för en utmärkt behandling i HOFS *Dialektvs* 1772 (se s. 272), som väl närmast afser språket i Skara-trakten, därifrån Hof själf härstammade. Af yngre litteratur är nästan blott BELFRAGES afhandling (se s. 283) att nämna. Väsentligen hit hör ock ÖSTBERGS s. 295 anförda uppsats *Jämförande talesätt*, som i öfvervägande grad är byggd på iakttagelser rörande språkbruket i Frökinds härad, strax söder om Falköping.

14. **Älfsborgsmålet** saknar grammatisk behandling, hvarför man är hänvisad till de s. 164 f. nämnda språkprofven.

15. **För Mark- och Kinds-målet** finnas blott några ordförteckningar af ENANDER (s. 271) från själfva Mark och Kind samt ALLVIN (s. 277) från nordöstra Småland; jfr dock v. MÖLLER (s. 279) rörande norra Halland.

16. **Uppländskan** är jämförelsevis rikt behandlad. För Södertörns-området har man UPMARKS afhandling (se s. 283). Till Attundaland höra tre utmärkta arbeten: A. F. SCHAGERSTRÖMS *Upplysningar om Vätömålet* (Sv. landsm. II, 4), Stockh. 1882, med både ljud- och böjningslära för nejden utanför Norrtälje; densammes *Ordlista öfver Vätömålet* (Sv. landsm. X, 1), Stockh. 1889; och G. A. TISELIUS' mönstergilla *Ljud- och formlära för Fasternamålet i Roslagen* (Sv. landsm. XVIII, 5), Stockh. 1902—03, från trakten närmast väster om Rimbo. Härtill komma BLUMENBERGS ordlistor från trakten söder om Rimbo (se s. 284) och J. BJÖRKS obetydliga ordförteckning och ännu obetydligare grammatiska notiser i uppsatsen *Allmogemålet i Alsike socken* (söder om Uppsala) uti Upplands fornminnesförenings tidskrift II, xxv ff., Stockh. 1878. För Tiundaland har man först och främst E. GRIPS utförliga afhandling *Skuttungemålets ljudlära* (Sv. landsm. XVIII, 6), Stockh. 1901 — jfr s. 172 om samme förf:s dithörande rika språkprof med fonetisk text — och för samma område (norr om Uppsala) K. P. LEFFLERS detaljerade redogörelse för *Skuttungemålets akcentuering* (Sv. landsm. XVIII, 2), Stockh. 1898;

vidare G. Bergmans *Alundamålets formlära* Sv. landsm. XII, 6), Stockh. 1893, behandlande en socken midt emellan Uppsala och Östhammar. Från Fjärdhundra äger man numera (frånsedt det s. 172 nämnda lilla språkprofvet) A. Isacssons *Om södra Fjärdhundralands folkmål* 1923 (från den västmanländska delen af språkområdet; jfr det lilla språkprofvet från Köpingstrakten, se s. 170). Notiser rörande uppländskan i allmänhet meddela dels de s. 277 och 288 nämnda afhandlingarna af Wahlström och Grip, dels A. Erdmanns *Redogörelse för undersökningen af Upplands folkmål* i Upplands fornminnesförenings tidskrift IV, 1 ff., 255 ff. och 271 ff., Upps. 1898 —1902.

17. För Södermanländskan äger man, frånsedt några språkprof (se s. 168) Erikssons s. 282 omnämnda *Ordlista* från trakten mellan Mariefred och Eskilstuna och T. Ericssons *Södermanlands folkmål* (Sv. landsm. B. 8) 1914.

18. Närkiskan är äfvenledes mycket torftigt tillgodosedd. Man har nästan blott att tillgå Djurklous s. 278 och Hofbergs s. 281 nämnda arbeten, alla företrädesvis afseende språket å södra Hjälmar-stranden. Jfr dock III, 336.

19. Värmländskan är däremot rätt utförligt behandlad i nyare tid: dels genom A. Noreens arbeten *Fryksdalsmålets ljudlära* 1877 (se s. 284), egentligen blott afseende Fryksdalen omkring Mellan-Fryken, *Ordbok öfver Fryksdalsmålet samt en ordlista från Värmlands Älfdal* (väsentligen från Dalby socken [1]), Upps. 1878, och *Dalbymålets ljud- och böjningslära* (Sv. landsm. I, 3; med »Tillägg och rättelser» ib. I, 733 ff.), Stockh. 1879, behandlande en dialekt i nordspetsen af Värmland, samt J. Magnussons *Tillägg till Adolf Noreens ordbok öfver Fryksdalsmålet* (Sv. landsm. II, 2), Stockh. 1880, väsentligen upptagande Gräsmarks-målet i väsentligaste delen af Nedre Fryksdalen; dels genom G. Kallstenius' omfattande

---

[1] En del i mitt arbete icke upptagna ord från Dalby meddelas af Esselde (dvs. S. Adlersparre) i Tidskrift för hemmet XXV, 87 ff., Stockh. 1883.

och grundliga afhandling *Värmländska bärgslagsmålets ljudlära* (Sv. landsm. XXI, 1; med språkkarta), Stockh. 1902, som redogör för hela Färnebo härad (Filipstads bergslag) m. m. (se II, 479 f.). Genom dessa moderna arbeten hafva de äldre skäligen torftiga bidragen af ULLGRUND (se s. 271), FERNOW (s. 273), BJÖRKMAN (s. 277), AXELSON (s. 278), BORGSTRÖM (s. 283) och JESSEN (s. 284) fullständigt antikverats, åtminstone hvad de i de förra behandlade trakternas språk angår. — Jfr äfven Z[EGOLSSON]s s. 294 omnämnda uppsats.

20. Dalbomålet är grammatiskt behandlat af E. NOREEN i *Ärtemarksmålets ljudlära* I, 1905. För öfrigt är man hänvisad till de obetydliga ordsamlingarna af HESSELGREN (se s. 270) och (från nordligaste Dalsland) LIGNELL (s. 278) samt de äfvenledes icke mycket upplysande språkprofven (se s. 163 f.).

21. För bohuslänskan äger man, frånsedt de ganska talrika språkprofven (se s. 162 f.) samt de obetydliga ordsamlingarna af GOTHENIUS (s. 271), HOLMBERG (s. 277) och JESSEN (s. 284), dels N. F. NILÉNS *Ordbok öfver allmogemålet i Sörbygden* (öster om sjön Bullaren) utgifven såsom 'Bihang' till 'Bidrag till kännedom om Göteborgs och Bohusläns fornminnen och historia', Stockh. 1879, och utgörande den största specialordbok vi äga för någon svensk dialekt inom själfva Sverge, samt försedd med en, mycket liten, öfversikt af ordböjningen; jfr A. KOCKS utförliga anmälan: *Sörbygdmålet* (Sv. landsm. I, 12), Stockh. 1880, dels LINDBERGS *Skeemålets ljudlära* 1906.

22. Särnamålet är, frånsedt några notiser i JESSENS s. 284 nämnda *Notitser*, alldeles obehandladt.

23. Härjedalskan är däremot utförligt behandlad, dels i JESSENS nyssnämnda arbete, dels i H. WESTINS *Landsmålsalfabet för Jämtland och Härjedalen* (Sv. landsm. XV, 3; äfven i Jämtlands läns fornminnesförenings tidskrift II. 1 ff.), Stockh. 1897, med språkkarta.

24. För jämtskan har man, frånsedt de talrika och utförliga samt delvis utmärkta språkprofven (se. s. 176 f.),

blott de sakrika och rätt goda redogörelserna i Jessens och Westins nyssnämnda arbeten.

25. **Bergslagsmålet** är mycket ofullständigt och sporadiskt undersökt. Från den västmanländska delen af språkområdet har man att tillgå [Mozelius'] små notiser från Nora och Lindes fögderi (se. s. 273), Blumenbergs lilla ordlista från Norberg, väster om Krylbo (s. 281 f.), Lefflers *Anteckningar* från Norberg och Ramsberg (norr om Linde) rörande ljud- och böjningslära (s. 284) samt en af V. E. Öman under titeln *Bergslagsmål för 50 år sedan* i tidningen Nerikes Allehanda $^{21}/_4$—$^{9}/_7$ 1896 införd ordlista från Nora och Ramsberg; från den till Dalarna hörande delen Uglas lilla ordförteckning från Näsgårds fögderi (trakten öster om Hedemora) och Sahlstedts ännu mindre dylika från Stora Tuna (sydöst om Borlänge), båda nämnda s. 270. Från hela språkområdet meddelas åtskilligt ordförråd i *Ur* Västmanlands-Dala Landsmålsförenings *samlingar till en ordbok*, I (A, Æ) Gäfle 1877, II (B) Upps. 1880, III (D) Upps. 1881. Luckorna i vår kännedom om målet utfyllas endast mycket ofullständigt af de få och små språkprofven på Svärdsjö-, Falu- och Tuna-mål (se s. 174 f.).

26. **Västerdalmålet** är obehandladt, ty Crælius' (s. 274) och Axelsons (s. 278) små ordlistor samt ett minimalt språkprof (s. 175) upplysa så godt som intet Ej heller meddelas mycket hithörande i nyssnämnda »samlingar till en ordbok». Mest upplysande äro väl Noreens på egna primärundersökningar hvilande notiser i sammelverket »Öfre Dalarna förr och nu», Stockh. 1903.

27. **Nedre österdalmålet** är lika illa tillgodosedt. Mycket otillfredsställande äro de små ordlistorna af Karlin (s. 274) och Ericsson (s. 282) från Leksand, resp. Rättvik, och textprof saknas så godt som alldeles (se s. 175). Obetydliga äro äfven de nyare upplysningar som meddelas i Västmanlands-Dala Landsmålsförenings och Noreens nyssnämnda skrifter (se nr 25 och 26 ofvan). Jfr III, 536.

28. Öfre österdalmålet är bättre företrädt. Utom äldre arbeten såsom de obetydliga af EENBERG (s. 268), HOLENIUS (s. 270), NÄSMAN (s. 271), HÜLPHERS (s. 271) och SERNANDER (s. 282) samt de ännu delvis värdefulla af ARBORELIUS (s. 274) och C. SÄVE (s. 276) äger man nu NOREENS schematiska öfversikt dels i nyssnämnda arbete [1] af 1903 (med språkkarta), dels i *Inledning till dalmålet* (= *Dalmålet I;* Sv. landsm. IV, 1; med språkkarta), Stockh. 1881, samt hans rätt utförliga *Ordlista öfver dalmålet i Ofvansiljans fögderi efter* A. STEFFEN-BURGS, HANS ERSSONS *och egna anteckningar* (= *Dalmålet II;* Sv. landsm. IV, 2), Stockh. 1882. Jfr II, 480 och VII, 536.

29. Gästrikskan är, frånsedt HÜLPHERS torftiga notiser (se s. 273) och några obetydliga språkprof (s. 172 f.), nästan alls icke i tryck behandlad. Jfr III, 536.

30. För hälsingskan äger man nästan blott äldre, i allmänhet obetydliga och i alla händelser dilettantiska, bidrag af LENÆUS (s. 273), LENSTRÖM (s. 276 f.), [LANDGREN] (s. 281) och HELSINGLANDS FORNMINNESSÄLLSKAP (s. 283), de båda sistnämnda rätt utförliga. Några notiser från Ytter-Hogdal i nordvästliga Hälsingland förekomma i JESSENS s. 284 nämnda *Notiser;* några *Grammatiska anmärkningar* af LUNDELL rörande Delsbo-målet ingå i Sv. landsm. XI, 4 s. 80 ff. jämte en liten ordlista s. 84 ff.

31. För medelpadskan finnes före BOGRENS och VEST-LUNDS avhandlingar 1921, resp. 1923 så godt som intet af större värde. Såväl de små ordsamlingarna af NORDAL (s. 270), HÜLP-HERS (s. 273) och AUGUSTIN (s. 282) som de minimala språk-profven (s. 177) äro mycket litet gifvande. Jfr dock III, 537.

32. För ångermanländskan är mera gjordt. Obetydliga äro visserligen BUREUS' (s. 268), STRÖMS (s. 270) och HÜLPHERS (s. 273) små ordförteckningar, men rätt upplysande är SIDENBLADHS afhandling (med NORDLANDERS anmärkningar; se s. 283), som närmast afser Örnsköldsviks-trak-

---

[1] Därur delvis aftryckt i *Spridda studier,* andra samlingen (1903, 2 uppl. 1911).

ten, och enstaka punkter i Multrå-målets (nära Sollefteå) ljud-
lära äro utmärkt behandlade af Blomberg (se s. 285). Några
notiser från Sollefteå ingå i Jessens s. 284 nämnda *Notitser.*

33. Den sydliga västerbottniskan är en bland de
dialektgrupper inom själfva Sverge, som i tryck fått den rikaste
grammatiska behandlingen. Hit hör först och främst J. V.
Lindgrens utförliga och grundliga *Burträskmålets grammatik
I, Ljudfysiologisk översikt, akcentlagar, vokallagar* (Sv. landsm.
XII, 1), Stockh. 1890—1918 närmast afseende språkområdet
söder om Skellefteå. Vidare har man P. Åströms äfvenledes
goda och rikhaltiga afhandlingar *Språkhistoriska studier öfver
Degerforsmålets ljudlära* (Sv. landsm. VI, 6), Stockh. 1888, och
Degerforsmålets formlära (Sv. landsm. XIII, 2), Stockh. 1893,
behandlande Ume-floddalens språk, speciellt norr om Vännäs.
Ännu rätt värdefull är Unanders s. 278 nämnda afhandling, som
ger en kortfattad grammatisk och lexikalisk redogörelse för språ-
ket i den ångermanländska delen af området samt å Västerbottens
kust norrut till och med Umeå. Äfven Widmarks (se s. 283) korta
notiser, speciellt rörande Nysätramålet på kusten midt emellan
Umeå och Skellefteå, äro fortfarande af intresse. Endast i
ringa mån däremot gäller detta om de äldre, magra uppgifterna
hos Bureus (s. 268), Ask (s. 270) och Hülphers (s. 273).

34. Den nordliga västerbottniskan (»norrbottni-
skan») är däremot i grammatiskt och lexikaliskt afseende
synnerligen vanlottad, i det man blott äger några små noti-
ser af Hackzell (se s. 270), från Luletrakten och några andra,
fylligare och noggrannare, af Widmark (i nyssnämnda arbete),
förnämligast från Öfver-Kalix. Lyckligtvis har man att tillgå
rätt många och upplysande språkprof (se s. 177).

35. Österbottniskan är ovanligt utförligt och mång-
sidigt behandlad. Redan från midten af 1700-talet har man
Porthans uppteckning af omkr. 50 ord ur Kronoby-målet
(söder om Gamla Karleby), hvarom se s. 270. Det öfriga är
från våra dagar: A. O. Freudenthals *Über den Närpesdialect*

(norr om Kristinestad), Hfors 1878, med både ljud- och böjningslära, och *Bidrag till ordbok öfver Närpesmålet*, Hfors 1878 (båda dessa skrifter utg. i Finska Vetenskaps-Societetens »Bidrag» h. 30), samt *Vöråmålet* (öster om Vasa), Hfors 1889 (i Skrifter utg. af Sv. literatursällskapet i Finland XII) innehållande ljud- och böjningslära, ordlista med register samt karta; vidare K. J. Hagfors' *Gamlakarlebymålet, ljud och formlära samt språkprov* (Sk. landsm. XII, 2), Stockh. 1891, med karta; slutligen H. Vendells *Pedersöre-Purmomålet. Ljud- och formlära samt språkprof*, Hfors 1892, och hans omkr. 10,000 ord upptagande *Ordbok öfver Pedersöre-Purmo-målet*, Hfors 1895 (båda dessa skrifter utg. i nyssnämnda »Bidrag» h. 52, resp. 56), representerande trakten kring Jakobstad och österut därifrån. Om de rika språkprofven se s. 178.

36. Rörande Satakunda-målet är alls intet publiceradt.

37. Houtskär-målet är behandladt blott i L. W. Fagerlunds rikhaltiga *Anteckningar om Korpo och Houtskärs socknar* (i Finska Vetenskaps-Societetens »Bidrag» h. 28), Hfors 1878, innehållande ljud- och böjningslära, ordlista och språkprof.

38. För åländskan har man ingenting annat af egentligt värde än A. Karstens *Kökarsmålet* (Sv. landsm. XII, 3), Stockh. 1891, utgörande ljud- och böjningslära för målet i Kökars kapell, längst i sydöst uti den åländska skärgården. Högst obetydliga äro Tärnströms (se s. 270) och Radloffs (s. 273) notiser rörande ordförrådet.

39. Egentliga Finlands mål behandlas i följande arbeten: J. Thurman, *Pargasmålets ljud- och formlära* (Sv. landsm. XV, 4), Stockh. 1898—1900, afseende Pargas socken strax söder om Åbo; H. Vendell, *Ordlista öfver det svenska allmogemålet i Finnby kapell af Bjärnå socken* (norr om Hangö), med en liten grammatisk inledning, Hfors 1890 (i Finska Vetenskaps-Societetens »Bidrag» h. 49); Fagerlunds ofvan (se nr 37) nämnda *Anteckningar*, i hvad de angå Korpo socken (långt ut i skärgården, sydväst om Åbo).

40. Nyländskan är rätt väl tillgodosedd genom A. O. FREUDENTHALS *Om svenska allmogemålet i Nyland* (i nyssnämnda »Bidrag» h. 15), Hfors 1870, en kortfattad ljud- och böjningslära för hela området, som, om ock nu i väsentliga punkter föråldrad, dock på sin tid gjorde Hippings ofvan s. 277 nämnda arbete alldeles antikveradt, H. VENDELLS omkr. 14,000 ord upptagande *Samling af ord ur nyländska allmogemålet* (= *Nyland I*), Hfors 1884 (jfr E. Korsströms recension i Sv. landsm. VI, XLVII ff.), väl den digraste ordbok, vi äga för någon svensk dialekt, och samme förf:s *Nyländska etymologier*, Hfors 1892, samt *Ordaksenten i Raseborgs härads svenska folkmål* (i Finska Vetenskaps-Societetens »Öfversigt» B. XXXIX), Hfors 1897. Tämligen obetydliga äro densammes *Minnen från Västre Nyland* (i Album utg. af nyländingar VII), Hfors 1878, med en fem sidors grammatisk öfversikt, och *Nyländska etymologier* (i Sv. literatursällsk:s i Finland 'Förhandlingar och Uppsatser' 4), Hfors 1899. Om de i storartad grad omfångsrika nyländska språkprofven se s. 179.

41. Rörande Nargö-målet finnes alls intet i tryck tillgängligt. Jfr nedan s. 556.

42. Rågö-Wichterpal-målet behandla A. O. FREUDENTHALS *Upplysningar om Rågö- och Wichterpalmålet* (i Finska Vet.-soc:s »Bidrag» h. 24), Hfors 1875, samt den s. 280 omnämnda, på grundval af bröderna SÄVES och H. VENDELLS ordsamlingar genom Freudenthal och Vendell utgifna, mycket stora ordboken öfver alla Estlands svenska dialekter utom Nargös, försedd med en liten inledning rörande ordböjningen.

43. Ormsö-Nuckö-målet är utförligt, men dock icke på tillfredsställande sätt skildradt af H. VENDELL i *Laut- und Formlehre der schwedischen Mundarten in den Kirchspielen Ormsö und Nuckö*, Hfors 1881; jfr Noreens recension i Sv. landsm. II, I ff. Målets ordförråd är förtecknadt i den nyssnämnda stora estsvenska ordboken. — Väsentligen hit höra samme förf:s obetydliga grammatiska notiser i den lilla genom

sina språkprof (se s. 179) nyttiga uppsatsen *Om Saga, Sång och Språk hos Svenskarne i Estland* (i Album utg. af nyländingar VII), Hfors 1878, hans *I Est- och Liffland svenska bygder* (i Odalmannen, Svensk Folkkalender), Hfors 1881, och hans i hufvudsak missvisande *Sydöstsvenska etymologier* (i Sv. literatursällskapets i Finland 'Förhandlingar och Uppsatser' 2 och 4), Hfors 1887 och 1889. Jfr nedan s. 556.

44. **Dagö-Gammalsvenskby-målets** ordförråd upptages i samma estsvenska ordbok, men någon utförd grammatisk behandling däraf finnes ej, så att man är hänvisad för Dagö till hvad som står att finna i nämnda ordboks lilla inledning och de mer eller mindre notisartade gamla bidragen af Sohlman (se s. 278) och Russwurm (ib.) samt för Gammalsvenskby till H. Vendells föga gifvande upplysningar i artikeln *Om och från Gammalsvenskby* (i Finsk tidskrift XII), Hfors 1882.

45. **Runömålet** är behandladt af H. Vendell i *Runömålet* (Sv. landsm. II, 3), Stockh. 1882—87, i form af såväl ljud- och böjningslära som ordbok, hvarigenom de äldre, fattiga upplysningarna hos Haigold [v. Schlözer] (se s. 273), Ekman (s. 277), Sohlman (s. 278) och Russwurm (ib.) blifvit antikverade.

46. **För gutniskans** vidkommande utgöras de hufvudsakligaste hjälpmedlen af A. Noreens på grundval af bröderna C. och P. A. Säves ordsamlingar (jfr s. 279) utarbetade *Fårömålets ljudlära* (Sv. landsm. I, 8), Stockh. 1879, med tillägg (ib. I, 736 ff.) 1881, som blott afser den ålderdomligaste munarten, Fåröns (nordöst om själfva hufvudön), och O. V. Wennerstens *Bidrag till en nygutnisk ordbok, hufvudsakligen ur tryckta källor* (efter år 1800) *I. A—K* [bör vara *J*], Upps. 1903, som afser hela språkområdet. En god specialundersökning är M. Klintbergs *Laumålets kvantitet och aksent* (Sv. landsm. VI, 1), Stockh. 1885, som med synnerlig utförlighet och grundlighet redogör för accentueringen inom Lau socken å Gottlands sydöstra kust. Af äldre literatur är

knappast något annat än C. Säves s. 276 nämnda två afhandlingar numera af nämnvärt intresse. — Jfr ock s. 280 med not 1.

§ 28. Den nysvenska grammatikens viktigaste hjälpvetenskaper.

1. Språkfilosofi (och allmän språkvetenskap):

Hufvudverket rörande hithörande frågor är alltjämt H. Pauls *Prinzipien der Sprachgeschichte*, 4 uppl. Halle 1909, och vid dess sida intar Ph. Wegeners i synnerhet för syntaxen och betydelseläran viktiga *Untersuchungen über die Grundfragen des Sprachlebens*, Halle 1885, fortfarande en hedersplats. Nyare allmänt hållna arbeten af värde äro W. Wundts *Völkerpsychologie I. Die Sprache* 1, 2, Leipzig 1900, 3. aufl. 1912, som dock lider af en oproportionerlig bredd i framställningen, och som äfven i sak ej sällan tarfvar beriktigande (jfr t. e. L. Sütterlins »kritische Bemerkungen» *Das Wesen der sprachlichen Gebilde*, Heidelberg 1902), samt H. Oertels *Lectures on the study of language*, New York 1902. Ännu långt ifrån antikverad är Kr. Claësons ofvan (s. 261) nämnda, klara och öfversiktliga samt i fråga om äldre språkfilosofiska uppfattningar lyckligt orienterande afhandling *Om språkets ursprung och väsende*, som dock i en viktig punkt, frågan om förhållandet mellan språk och nationalitet, måste väsentligen beriktigas. Denna korrigering är på ett förträffligt sätt lämnad i Es. Tegnérs uppsats *Om språk och nationalitet* i Svensk tidskrift 1874. Mycket elementär och populär är K. Ljungstedts *Språkets lif*, Stockh. 1899 (jfr VII, 536), mycket innehållsrikare H. Sweets äfven populärt hållna lilla arbete *The history of language*, London 1900, som dock bör läsas med kritik.

Den synnerligen viktiga och grundläggande frågan om begreppet ljudlag och dess innebörd samt däraf följande metodologiska konsekvenser behandlas utom i de nyss nämnda arbetena af Paul, Wegener, Wundt och Oertel äfven i en stor mängd andra helt eller delvis åt detta ämne ägnade skrifter,

bland hvilka här blott må anföras följande såsom varande
de för svenska läsare och förhållanden mest lämpade: H.
Schuchardt, *Über die Lautgesetze*, Berlin 1885, väckande; A.
Noreen, Ljudlag i Nordisk familjebok (1885) med tillägg i
dess Supplement (1898); W. Wundt, *Über den Begriff des Ge-
setzes mit Rücksicht auf die Frage nach der Ausnahmslosigkeit
der Lautgesetze* i Philosophische studien III, Leipzig 1886; K.
Nyrop, *Adjektivernes konsböjning i de romanske sprog*, Kph.
1886, numera i någon mån föråldrad i fråga om den all-
männa ståndpunkten; O. Jespersen, *Til spörgsmålet om lyd-
love* i Nord. tidskr. f. Filologi, N. R. VII, Kph. 1886 (och
under titeln *Zur Lautgesetzfrage* i Techmers Internationale
Zeitschrift für allgem. Sprachwissenschaft III, Leipzig 1886),
intressant, om ock något ensidig; P. Passy, *Étude sur les chan-
gements phonétiques*, Paris 1890, inledningen; R. Lœwe, *Die Aus-
nahmslosigkeit sämmtlicher Sprachneuerungen* i Zeitschrift des
Vereins für Volkskunde I, Berlin 1891; O. Bremer, *Deutsche Pho-
netik*, Leipzig 1893, förordet; G. E. Karsten, *The psychological
basis of phonetic law and analogy* i Publications of the Modern
Language Association of America IX, Baltimore 1894, viktig;
A. Kock, *Om språkets förändring*, Göteborg 1896, icke tids-
enlig i fråga om det rent språkfilosofiska, men för öfrigt in-
tressant; H. Paul, *Grundriss der germanischen Philologie* I,
211 ff., 2 uppl. Strassburg 1897 (—1901); M. Bréal, *Des lois
phoniques* i Mémoires de la Société de linguistique X, Paris
1898; K. Brugmann, *Griechische Grammatik* s. 4 ff., 3 uppl.
München 1900 (i Handbuch der klassischen Altertums-
wissenschaft II, 1), mycket kort, men klart; E. Wechssler,
Giebt es Lautgesetze, Halle 1900 (äfven i Forschungen zur ro-
manischen Philologie, Festgabe für H. Suchier), den utförli-
gaste och fullständigaste behandlingen af ämnet.

Språkriktighets-problemet behandlas i A. Noreens
Om språkriktighet (4 uppl.) i Spridda studier, Stockh. 1895,
2 uppl. 1912, och dess följdskrifter af I. Flodström, *I språk-*

riktighetsfrågan (Nystavaren II), Upps. 1887, A. Johannson, *Zu
Noreens Abhandlung über Sprachrichtigkeit* (Indogermanische
Forschungen I), Strassburg 1891, och M. Bréal, *Qu'apelle-t-on
pureté de langue?* i Journal des savants 1897 samt i samme
förf:s *Essai de sémantique* Paris s. å., 3 uppl. 1904. — När-
besläktade· spörsmål behandlas i O. Jespersens synnerligen
läsvärda broschyr *Fremskridt i sproget* (i Studier fra Sprog-
og Oldtidsforskning, nr 4), Kph. 1891, i utvidgad och omar-
betad gestalt uti *Progress in language*, London 1894. Samma
grundtankar äro i korthet framställda dels tidigare af M. Bréal
i den mycket välskrifna afhandlingen *De la forme et de la
fonction des mots*, Paris 1866, dels senare af G. Cederschiöld
i den lilla uppsatsen *Framsteg i språket* uti Läsning för folket
1897 samt uti *Om kvinnospråk och andra ämnen*, Lund 1900.

Bland öfriga företrädesvis läsvärda arbeten af ifrågava-
rande natur må påpekas: I. Flodströms lilla, men goda upp-
sats *Om språklig enhet* i Finsk tidskrift XVI, Hfors 1888; G.
F. Stouts förträffliga artikel *Thought and language* i tidskrif-
ten Mind XVI, London 1891; B. Bourdons originella och
rikhaltiga arbete *L'expression des émotions et des tendances
dans le langage*, Paris 1892; H. Sweets *A new english gram-
mar I*, London 1892, inledningen; A. Martys uppsats *Über
das Verhältnis von Grammatik und Logik* i Symbolæ Pragen-
ses, Prag 1893; N. Beckmans *Språkpsykologi och modersmåls-
undervisning*, Lund 1899; E. Martinaks *Psychologische Unter-
suchungen zur Bedeutungslehre*, Leipzig 1901; A. Thumbs och
K. Marbes *Experimentelle Untersuchungen über die psycholo-
gischen Grundlagen der sprachlichen Analogiebildung*, Leipzig
1901. I viss mån hithörande är också O. Svahns mycket
läsvärda, om ock väl bredt och hyperpopulärt skrifna arbete
Det muntliga föredragets konst I, Stockh. 1890.

2. Fonetik:

Bland handböcker i allmän fonetik torde fortfarande
hedersrummet intagas af E. Sievers' *Grundzüge der Phonetik*,

5 uppl. Leipzig 1901, som också innehåller en utförlig bibliografi rörande öfrig fonetisk litteratur af värde. Men under det att detta arbete är för begynnaren väl vidlyftigt och detaljeradt, erbjuder samme förf:s *Phonetik* i Pauls Grundriss der germanischen Philologie I, 2 uppl. Strassburg 1897 (—1901), en utmärkt klar och öfversiktlig sammanfattning af det viktigaste i ämnet. Kortfattad och synnerligen förträfflig är äfven den egentliga fonetiken i P. Passys ofvan (s. 327) nämnda *Étude* 1890. Lärorik, men väl speciell och närmast afseende tyska förhållanden är O. Bremers därsammastädes omnämnda *Deutsche Phonetik* 1893. Skarpsinnig och originell, men väl vidlyftig samt alldeles öfvervägande sysslande med tyska, franska och engelska förhållanden är M. Trautmanns *Die Sprachlaute*, Leipzig 1886. Det sistnämnda gäller i kanske ännu högre grad W. Vietors *Elemente der Phonetik*, 7 uppl. Leipzig 1923. En massa fina och värdefulla enskildheter rörande de mest olikartade språk, men ingen systematisk öfversikt, innehåller J. Storms *Englische Philologie*, 2 uppl. Leipzig 1892(—96). Skarpsinnigt och trots all knapphet i framställningen synnerligen rikhaltigt, men för nybegynnaren benhårdt, är O. Jespersens strängt vetenskapliga arbete *The articulations of speech sounds*, Marburg 1889.

Bland arbeten, som i öfvervägande grad eller uteslutande afse de nordiska språkens ljudsystem, utgöres det förnämsta verket af O. Jespersens på samma gång mycket utförligt och populärt hållna *Fonetik*, Kph. 1897—99. Oafslutad är fortfarande J. Storms *Kort omrids af Fonetiken* i tidskriften Norvegia, Kra 1884 (och, oförändradt, 1902)—1908), en mycket populär och särskildt därigenom intressant framställning, att den är utförligast rörande sådana punkter, som af andra författare pläga behandlas kortast. Elementerna af fonetiken meddelas i Lyttkens' och Wulffs ofvan (s. 293) nämnda *ljudlära* 1885 och det allra minimalaste i J. A. Lundells *Om rättstavningsfrågan*, Stockh. 1886, samt A.

— 330 —

Noreens s. 292 nämnda *Inledning till modersmålets ljudlära*, 3 uppl. 1903.

Den akustiska sidan af ämnet behandlas populärt och sakligt förträffligt i C. F. E. Björlings *Klangfärger och språkljud*, Stockh. 1880, hvarmed numera bör jämföras H. Pippings *Über die Theorie der Vocale* (i Acta societatis scientiarum fennicæ XX, nr 11), Hfors 1894.

Elementerna af det anatomiska meddela dels O. Svahns ofvan (s. 328) nämnda arbete, dels bättre R. Tigerstedts *Föreläsningar i hälsolära*, Stockh. 1895, och J. af Klerckers *Människokroppen*, Stockh. 1902, alla dessa arbeten försedda med nödiga illustrationer.

En viktig detaljfråga behandlar från ny synpunkt I. Flodström i uppsatsen *Om konsonantgeminationen och andra därmed i sammanhang stående frågor* (i Nordisk tidskrift f. Filologi, N. R. V, Kph. 1880—82, och under titeln *Zur Lehre von den Konsonanten* i Bezzenbergers Beiträge zur Kunde der Indogerm. Sprachen, Göttingen 1883); jfr den närstående lilla uppsatsen *Språkfysiologiens enklaste begrepp* af samme förf. i Skolan och Hemmet utg. af C. Kastman III, Stockh. 1883. Mycket speciell är A. F. Nyströms afhandling *Om r-ljuden i svenska språket och deras ersättningsljud* i Tidskrift för döfstumskolan, Stockh. 1888.

3. Metrik (verslära):

Blott en enda sammanfattande vetenskaplig framställning af den nysvenska metrikens hela område finnes, nämligen N. Beckmans kortfattade, klara och öfversiktliga arbete *Grunddragen af den svenska versläran*, Lund 1898, 2 uppl. Sth. 1905, 3 uppl. Sth. 1918, hvartill ansluta sig värdefulla kritiska anmärkningar af bl. a. O. Sylwan, *Ett metriskt spörsmål*, R. G:son Berg, *Versifikatoriska synpunkter*, och J. Paulson, *Strödda anteckningar*, alla dessa i Språk och stil II, Upps. 1902. Delvis andra synpunkter komma till tals i de mycket läsvärda arbetena af C. Rosenberg, *Vor versbygnings grundlove* (i Nordisk tidskrift), Stockh. 1883, och F. Wulff, *Om rytm och*

— 331 —

rymticitet i värs (i Forhandlinger paa det 4. nordiske filologmøde), Kph. 1893, samt *Om värsbildning*, Lund 1896. En värdefull undersökning rörande rimmet från rent metrisk synpunkt är H. Söderberghs *Rimstudier på basis af rimmets användning hos moderna svenska skalder* (i Från filologiska föreningen i Lund), Lund 1897. — Beträffande Kræmers nyttiga arbeten i prosodi hänvisas till s. 267 ofvan.

Endast en skald, Runeberg, har blifvit föremål för flera detaljerade metriska specialundersökningar. Liten och af föga betydelse för språkforskaren är F. Gustafssons uppsats *Om Runebergs verskonst* (i Svenska literatursällskapets i Finland 'Förhandlingar och Uppsatser', 6), Hfors 1891. Vida viktigare är V. Vasenius' *J. L. Runeberg som konstnär. I. versbyggnaden, 1*, Hfors 1886, hvarmed bör jämföras H. Pippings kritiska uppsats *Om Runebergs hexameter* (i Finsk tidskrift XLIII), Hfors 1897. Jfr V. 690.

Andra delvis mycket värdefulla arbeten af öfvervägande historiskt innehåll äro, utom Sterners och Sylwans redan ofvan (s. 183) nämnda, följande: C. Rosenberg, *To nordiske versarter* i Nordisk tidskrift, Stockh. 1883, hufvudsakligen behandlande folkvisestrofen (jfr ock samme förf:s *Nordboernes Aandsliv* II, 408 ff., Kph. 1880); K. A. Melin, *Om sonettdiktningen under det s. k. stjernhjelmska tidehvarfvet. Bidrag till den svenska versifikationens historia*, Stockh. (läroverksprogram) 1887 (jfr E. Meyer, *Gustaf Rosenhane*, Upps. 1888, s. 179 ff.); J. C. H. R. Steenstrup, *Vore folkeviser*, Kbh. 1891, s. 113 ff.; O. Sylwan, *Stafvelseräkning som princip för svensk vers under sextonhundratalet* (i tidskriften Samlaren), Upps. 1894; A. Åkerblom, *Bidrag till den blandade värsens historia i Sverige. (Lucidor, Runius, Dalin)* i Samlaren, Upps. 1901; K. Mortensen, *Studier over ældre dansk versbygning . . I. Stavrim og episke rimvers*, Kph. 1901, ett viktigt arbete, som nästan lika mycket berör svensk som dansk metrik; G. Kallstenius, *Anteckningar om Kellgrens metrik* (i Språk och stil II), Upps.

1902. S. Lampas *Studier i svensk metrik I*, Upps. 1903, berör knappast mer än i sitt första kapitel ('Metriska principfrågor') den speciellt nysvenska versen.

4. **Retorik:**

Hithörande litteratur saknas så godt som alldeles. Vissa delar af ämnet behandlas icke utan förtjänst i O. Svahns ofvan nämnda båda arbeten, det mycket utförliga men oafslutade *Det muntliga föredragets konst I*, 1890 (se s. 238) och det mera kortfattade *Lärobok i det muntliga föredraget* 1903 (se s. 293). Jfr och A. Mankells icke helt föråldrade skrift *Om sann och falsk deklamation*, Örebro 1862.

5. **Grafik:**

Ej heller på detta område äga vi någon duglig sammanfattande framställning. Vissa principiella spörsmål behandlas i T. Keysers originella och läsvärda *Om svensk skrift* 1889 (se s. 248). För det rent vetenskapligt fonetiska landsmålsalfabetet redogör utförligt J. A. Lundells ofvan nämnda afhandling *Det svenska landsmålsalfabetet* 1879 (se s. 286, 292 och 314), kortare samme förf:s artikel *Landsmålsalfabetet* i Nordisk familjebok 1885, ny uppl. 1911, hvilken sednare framställning emellertid så till vida är fullständigare än den förra, att den lämnar redogörelse äfven för de tecken, som efter landsmålsalfabetets skapande tillkommit i detsamma.

Handstilens historia illustreras dels korteligen i M. Weibulls *Handskrift-prof 1500—1800*, Stockh. 1891, som utom faksimilen (14 stycken) meddelar transkriberad text därtill, samt vida rikare i E. Hildebrands dock blott af faksimilen (128 stycken) bestående praktverk *Svenska skriftprof från Erik den heliges tid till Gustaf III:s. II. Nyare tiden*, Stockh. 1900.

6. **Ortografik (rättskrifningslära):**

För den äldre nysvenskans ortografi äga vi ingen något så när allsidig och tillfredsställande redogörelse. Det viktigaste bidraget därtill är Hernlunds s. 182 nämnda rikhaltiga skrift *Förslag och åtgärder* &c. Alldeles underhaltiga äro O. Sjö-

GRENS tolf teser *Om svenska språkets ortografi under karolinska tidehvarfvet* (bihang till förf:s 'Försvarskriget i Lifland 1701 och 1702'), Stockh. 1883. För själfva brytningspunkten mellan den äldre och yngre nysvenskan ha vi en god redogörelse i JOH. CARLSSONS utförliga uppsats *Rättskrivningen uti originalupplagan av 1734 års lag* (i Nystavaren III), Upps. 1891.

Likaledes saknar man fortfarande hvarje i någon mån utförligare vetenskaplig öfversikt öfver den yngre nysvenskans ortografiska utveckling, särskildt under något äldre tider. Först från och med Rosensteins och Leopolds (s. 181 och s. 225 f. nämnda) *Afhandling* af år 1801 kan man mera fullständigt öfverblicka om icke själfva ortografiens, så dock de talrika ortografiska stridsfrågornas öden. En öfversikt af utvecklingen intill 1877 har ofvan lämnats i femte kapitlet, och en kort populär redogörelse för den följande tiden erbjuder F. BERGS s. 253 not 2 nämnda ströskrift *Stafnings-reformen* 1902, där ock en bibliografisk förteckning å den viktigare litteraturen efter 1800 meddelas. En fullständig sådan för de särskildt produktiva åren 1885 och 1886 lämnar E. H. LIND i Nystavaren II, 163 ff. (1887) samt för tiden 1892—98 (med skrifterna kronologiskt ordnade) I. A. LYTTKENS och F. A. WULFF i sin broschyr *Bort med stumma tecken!*, Norrköping 1898. Jfr II, 480.

Den senaste på samma gång kortfattade och dock såvidt möjligt fullständiga öfversikten öfver rättskrifningens principer är A. NOREENS *Om skrift i allmänhet och svensk skrift i synnerhet* uti Spridda studier, Stockh. 1895, 2 uppl. 1912, äfven ingående såsom en del af samme förf:s *Rättskrifningens grunder* (Verdandis småskrifter nr 42), Stockh. 1892, 2 uppl. 1920. Mycket kortare och mera allmänt hållen är J. A. LUNDELLS artikel *Rättstafning* i Nordisk familjebok 1890, ny uppl. 1916.

För Sverges (och åtminstone hvad skolorna beträffar äfven Finlands) nu gällande officiella ortografi, kodifierad i SVENSKA AKADEMIENS *Ordlista*, 8 uppl. 1923 (jfr s. 238), och 1903 anbefalld till användning af offentliga myndigheter, redogör i kortfattad läroboksform bl. a. V. Sturzen-Beckers *Svensk rättstafningslära*, 6 uppl. Stockh. 1901, D. A. Sundéns *Ny svensk rättskrifningslära*, 15 uppl. Stockh. 1921, och samme förf:s *Svensk språklära i sammandrag*, 25 uppl. Stockh. 1920. Vid sidan häraf förekomma emellertid en mängd mer eller mindre afvikande ortografiska systemer, af hvilka här nedan de viktigaste anföras i samma ordning, i hvilken de ifrågavarande ståndpunkterna kronologiskt framträdt.

a) Nordiska rättstafningsmötets af år 1869 (se s. 251) representeras först och främst af A. Hazelius' grundläggande arbete *Om svensk rättstafning* 1, 2, Stockh. 1870, 1871 (se vidare a. st.). På denna ståndpunkt stod i allt väsentligt den i Finland hittills öfvervägande använda stafningen, sådan den framför allt företrädes af A. O. Freudenthals synnerligen allmänt brukade lärobok *Svensk rättskrifningslära*, 6 uppl. Hfors 1901.

b) I. A. Lyttkens' och F. A. Wulffs äldre ståndpunkt i *Förslag till ändringar i svenska språkets rättskrifning*, Upps. 1885, och den därtill sig anslutande *Svenska språkets beteckningslära i kortfattad framställning. I*, Lund 1885, har väsentligen ändrats i deras senaste hithörande skrift *Bort med stumma tecken!* (se s. 333), hvars program på sistone vunnit stora sympatier.

c) J. A. Lundells stafningsprinciper utvecklas förnämligast i skriften *Om rättstafningsfrågan*, Stockh. 1886, och i artikeln *Olika ståndpunkter* (i Nordisk tidskrift), Stockh. 1887, samt åskådliggöras i detalj genom hans ofvan (s. 300) nämnda *Svensk ordlista* 1893.

d) Rättstavningssällskapets radikala uppfattning är formulerad i dess genom A. Noreen och R. Arpi utgifna *Rättstavningslära ock ordlista*, Upps. 1887 (samt i Nystavaren II s. å.) och förfäktas hufvudsakligast i följande tidskriftsartiklar och broschyrer: A. Noreen, *Professor Es. Tégner och rättstafningsfrågan* I, II (i Nystavaren I; äfven i Ny svensk tidskrift 1886 jämte bilaga därtill), Upps. 1886; A. Schagerström, *I rättstafningsfrågan* (Pedagogisk tidskrift), Halmstad 1886, och *Pro-*

fessor E. Tegnér mot rättstafningssällskapet (Nystavaren I; äfven i Pedagogisk tidskr. 1886), Upps. 1886; E. H. LIND, *Rättstafningsfrågan i dess senaste skede* (i tidskriften Verdandi), Stockh. 1887, och *Rättstavning eller vrångstavning*, Upps. 1889 (äfven i Nystavaren III s. å.), samt — mycket kortfattadt — *Om rättstafningen. Dess uppgift och dess öden i vårt land* (Verdandis småskrifter nr 36), Stockh. 1891, 2 uppl. 1917. Väsentligen samma ståndpunkt intar A. NOREEN i sin ofvan (s. 333) nämnda broschyr *Rättskrifningens grunder* 1892, utmynnande i ett från Rättstavningssällskapets icke synnerligen mycket afvikande reformförslag.

e) E. TEGNÉRS mäklande ståndpunkt är framställd dels i stridsskriften *Natur och onatur i fråga om svensk rättstavning*, Upps. 1886 (äfven såsom extrahäfte af Ny svensk tidskrift s. å.), dels i *Svensk rättstavning. Ändringsförslag framlagda i Svenska Akademien*, Lund 1887.

f) Svenska Akademiens ursprungliga, ultrakonservativa ståndpunkt (från tiden före 1883) är bäst försvarad i TH. WISÉNS *Utlåtande i rättstafningsfrågan afgifvet till Svenska Akademien*, Lund 1887.

g) Svenska Akademiens äldre reformerade stafsätt, framlagdt i och genom dess ordlistas 6 uppl. 1889 (se s. 238) var till 1906 i allmänhet de svenska skolornas och framställes i läroboksform bl. a. uti 5:te (1898), resp. 6:te (1898) och 14:de (1900) upplagorna af STURZEN-BECKERS och SUNDÉNS ofvan (s. 333 f.) nämnda skolböcker samt i J. A. AURÉNS *Svensk bokstafveringslära*, 7 uppl. Stockh. 1890.

h) En speciellt finländsk radikalism representeras af I. A. HEIKELS *Om långt konsonantljuds beteckning i svenskan*, Hfors (läroverksprogram för Svenska samskolan) 1891, H. PIPPINGS intressanta uppsats *Några ord med anledning af det stundande rättstafningsmötet* (i 'Nya svenska lärovärket 1882—1892'), Hfors 1892, och HUGO GRÖNSTRANDS (icke HUGO GRÖNSTRANDS!) *Försök til svensk retstavnigslära*, Hfors 1893.

Såsom synes är rättskrifningslärans ena del, rättstafningsläran (jfr s. 46), rikligen tillgodosedd i senare tid genom mer eller mindre vetenskapliga läroböcker och undersökningar. Däremot är alldeles för litet gjordt för dess andra del, interpunktionsläran, och hvad som finnes rörande detta ämne har icke ens lyckats utreda ifrågavarande vetenskapsgrens hufvudprinciper. Bland dogmatiskt uppställda redogörelser för faktiska, mer eller mindre gängse interpunktionssystemer må framhållas hithörande parti i N. Linders ofvan (s. 291) omnämnda *Regler och råd* af år 1886 och år 1908, K. Karlgrens utförliga *Skiljeteckenslära, grundad på interpunktionen i Läsebok för Folkskolan*, Stockh. 1895, och s. 36—57 af E. Brates s. 299 nämnda *Svensk språklära* 1898. Bland kritiskt hållna bidrag till frågornas utredande må i främsta rummet nämnas A. Palmgrens *Om behofvet af jämte förslag till en reform i vårt kommateringsväsen* (i Språk och stil II), Upps. 1902, R. G:son Bergs *Två skrivtecken. 1. Bindestrecket* och *2. Apostråfen* (i Nystavaren V), Upps. 1899, samt E. Brates *Avstavning* (Nystavaren III), Upps. 1891. Af mera omtvistadt värde äro den sistnämndes båda uppsatser (i Nystavaren IV): *Stor begynnelsebokstav* och *Välläsning ock kåmmatering*, Upps. 1892, resp. 1897. Den grundmotsats, som äger rum emellan Palmgrens och Brates uppfattningar af kommats uppgift och användning, kommer äfven tillsynes i ett par läsvärda norska ströskrifter: A. Western, *Om en reform i vor tegnsœtning*, Hamar 1897 (äfven i Norsk skoletidendes tillægshefte s. å.), och H. Falk, *Om en reformeret tegnsætning* (Norsk retskrivningssamlags småskrifter nr 3), Kra 1893.

7. Ortoepik (uttalslära):

Ingenting annat finnes här att tillgå än A. Noreens korta öfversikt i *Svensk språklära* 1881 (se ofvan s. 46 not 4) samt O. Ottelins likartade *Utkast till svensk uttalslära, vägledning för norrmän och danskar vid studiet af svenska*, Upps. (Sommarkurserna) 1903 och E. Wesséns lilla *Lärobok i svenska språket*, Kristiania 1919.

ANDRA DELEN.

Ljudlära (Fonologi).

§ 29. Den nysvenska ljudlärans begrepp.

Ljudlära eller fonologi är, såsom redan ofvan s. 50
visats, vetenskapen om talspråkets fysiska material: de artikulerade språkljuden. Naturligtvis består språkmaterialet också
i någon mån af s. k. pauser, ljudlösa momenter, inströdda
här och där bland språkljuden. Men att därför med Flodström [1] och Hoffory [2] anse ljudläran böra definieras såsom
handlande om »språkelementerna», dvs. ljud och pauser, är
pedantiskt. Ingen lär väl vilja definiera musiken såsom konsten att åstadkomma estetisk verkan medelst toner *och pauser,*
huru sant det än må vara, att just pauserna i musiken spela
en ytterst viktig roll; liksom man väl ej heller rimligen bör
bestämma rättstafningläran såsom läran om bokstäfvers *och
tomrums* användande. För öfrigt är »språkelement» en
olämplig term, ty såsom ett sådant måste man, från annan
synpunkt betraktadt, erkänna både 'ordet' och 'meningen',
hvilka utgöra de elementära beståndsdelarna, det förra inom
formläran, den sednare inom betydelseläran, liksom 'ljudet' är
det inom ljudläran. Ännu sämre är Flodströms alternativt
föreslagna term, »bokstaf», ty detta uttryck har ju sin specifika terminologiska betydelse inom rättstafningsläran, med
hvilken ljudläran ofta nog — olyckligtvis — förblandas, äfven
utan dylik tillskyndelse.

---

[1] Tidskr. f. Filologi, N. R. V, 135 ff.
[2] Professor Sievers und die Principien der Sprachphysiologie, Berlin 1884.

Den nysvenska ljudläran handlar sålunda om de nysvenska språkljuden och närmare bestämdt dels om dem hvart för sig och i deras förbindelse med hvarandra, dels om deras etymologiska förhållande till hvarandra och till andra (besläktade) språks ljud.

Med ett (i motsats till två eller flere) språkljud — hvarmed i detta sammanhang afses endast medelst de mänskliga talorganerna frambragta artikulerade ljud (jfr s. 17 och s. 20), i det följande ofta för korthetens skull kallade blott »ljud» — menas så stor ljudmassa (så stort ljudkvantum) som frambringas medelst en och samma likformiga »artikulation», dvs. en fullt bestämd och regelbunden, inlärd och i följd af öfning med mekanisk färdighet företagen anordning af talorganernas verksamhet. Med ljudförbindelse åter menas en större eller mindre grupp af omedelbart på hvarandra följande ljud. Ljud och ljudförbindelse sammanfattar jag efter franskt föredöme under den gemensamma termen fonem (ljudmassa, ljudkvantum). Fonemer af olika slag äro sålunda såväl enstaka ljud, t. e. *s, k, r, i,* som ljudförbindelser af mindre eller större omfång, t. e. *sk, skr, skri, skrik, skreikr, skriker du, skriker du inte* osv.

Enligt ofvan gifna definition på nysvensk ljudlära sönderfaller den i tvenne delar (jfr s. 48): deskriptiv ljudlära, redogörande för de olika slagen af nysvenska fonemer, deras bildning och förekomst, och etymologisk ljudlära, redogörande för de särskilda ny svenska fonemernas historiska utveckling (speciellt i förhållande till fornspråkets, i viss mån äfven frändspråkens samt i någon ringa mån äfven ännu andra språks) och deras därpå beroende förhållande af inbördes växling. För förståendet af vare sig den ena eller andra af dessa delar är det emellertid nödigt att förutskicka en inledande del, upptagande det för nysvenskan viktigaste af ljudlärans förnämsta hjälpvetenskap, fonetiken, dvs. vetenskapen om språkets akustiska, anatomiska och fysiologiska förutsättningar (jfr s. 44). Vi ha, med andra ord, att för oss klargöra den fysiska beskaffenheten af såväl de ljud, hvilka — till skillnad från många andra — användas i språkligt syfte, som ock de apparater, de mänskliga talorganerna, medelst hvilka dessa ljud frambringas och uppfattas, samt ändtligen de processer, »artikulationen», genom hvilka man förmedelst nämnda apparater lyckas frambringa nämnda ljud. Emellertid•måste den välbehöfliga och till en fullständig fonetik hörande redogörelsen för den märkliga hörselapparaten och dess sätt att i afseende på språkljuden verka här förbigås, emedan denna sida af ämnet ännu så länge är inom den fonetiska litteraturen alltför litet beaktad, behandlad och utredd [1].

---

[1] Jfr tillsvidare de intressanta antydningarna af PIPPING i hans (s. 330 ofvan nämnda) skrift *Über die Theorie der Vokale* och hans recension af Lloyd i Zeitschrift für französische Sprache und Litteratur XV, 164 ff. samt hans artikel *Språk och öra* i Finsk tidskrift 1909.

AFDELNING I.

Fonetisk inledning.

FÖRSTA KAPITLET.

Språkljudens akustiska beskaffenhet.
(Fonetisk akustik).

§ 30. Ljud.

Ljud i vidsträckt fysiologisk betydelse är hvarje hörsel-
förnimmelse. En sådan beror nästan alltid på en befintlig hastig
dallring (»vibrationer», ljud i fysikalisk betydelse) hos en
kropp, vanligen luften, till hvilken kropp denna dallring van-
ligen spridt sig från någon annan dallrande kropp, den s. k.
ljudkällan. Alltefter de härvid uppstående (luft)vibrationernas
— »ljudvågornas» — olika beskaffenhet erhåller man tre olika
slags hörselförnimmelser, dvs. tre till »kvaliteten» olika slag
af ljud:

A. Ton, då vibrationerna äro likformiga och taktmäs-
siga (regelbundet periodiska), dvs. de måste efter en viss
tidsenhets förlopp alltjämt åter uppträda på fullkomligt samma
sätt. Deras antal måste, för att företeelsen skall kunna af
vårt öra uppfattas såsom ton, vara flere än 16—28, men högst
34—38 tusen (olika för olika individer) i sekunden. Af detta
slag äro t. e. de ljud som uppstå, då man blåser i en flask-
hals eller ett valthorn, slår an en stämgaffel, en puka eller
en tangent på ett piano, sjunger en vokal m. m.

B. Buller, då vibrationerna äro olikformiga, ske i otakt eller äro till antalet högst 16 i sekunden. Hit höra t. e. ljudet af ett yxhugg, åskdundret, skrapningar med foten, knarrandet af skodon, ljudet af kastanjetter, de vanliga *s-* och *f*-ljuden, hviskade vokaler m. m. Liksom gränsen mellan toner och buller icke är skarpt utpräglad, så är det ofta, och i ännu högre grad, svårt att strängt skilja mellan buller och följande slag af ljud.

C. Sorl, då vibrationerna samtidigt äro af båda de nyssnämnda slagen, dvs. den ljudande kroppen (eller kropparna) frambringar samtidigt ton (eller toner) och buller, emedan ljudkällan vibrerar dels regelbundet, dels oregelbundet. Hithörande ljud äro t. e. källans porlande, vattenfallets brus, vågskvalpet, vindens tjut, ljudet af en trumma eller ett bäcken, det vanliga *r*-ljudet och det tonande *s*-ljudet m. m.

Betraktade från synpunkten af sitt frambringningssätt kunna alla dessa ljud indelas i följande två grupper:

a) Momentant (dvs. ögonblickligt) frambragta eller — ganska oegentligt — s. k. **momentana** ljud, vid hvilka ljudkällan bragts i vibration genom en enda stöt eller ett enda slag. Hit höra knäpp- och slaginstrumenters (t. e. gitarrens och pukans) toner, ljudet af en nedfallande kropp, s. k. explosiva språkljud (t. e. *k*, *p*, *t*) m. m.

b) Kontinuerligt (dvs. fortlöpande) frambragta eller s. k. **durativa** ljud, vid hvilka ljudkällans vibrationer oafbrutet underhållas under längre eller kortare tid. Till detta slags ljud höra stråk- och blåsinstrumenters (t. e. fiolens och basunens) toner, skrapningar, vokaler, *r*-ljud, s. k. frikativa språkljud (t. e. *f*, *s*, *v*) m. m.

Men vidare kunna två eller flere på hvarandra följande ljud betraktas relativt, dvs. jämföras sinsemellan i ett eller annat afseende. Genom en dylik jämförelse framkomma deras relativa eller s. k. prosodiska egenskaper, hvilka äro följande fyra:

1. Sonoritet eller hörbarhetsgrad. Ett ljud är nämligen mer eller mindre sonort (hörbart) alltefter hörselorganernas större eller mindre känslighet för detsamma, jämfördt med andra ljud af samma fysikaliska intensitet. Sonorast är det ljud, som under för öfrigt lika förhållanden höres på längsta afståndet [1]. — Från sonoritet är noga att skilja ljudens relativa grad af förmåga att ådraga sig uppmärksamheten, detta vanligtvis i samma mån som de göra ett oestetiskt intryck. I detta afseende, alltså i fråga om hvad man skulle kunna kalla den falska sonoriteten, utmärka sig isynnerhet bland bullerljud *s-* ock *»sj»*-ljud, bland toner hvisslingen, hvadan ock dessa båda slag af ljudprodukter fått en vidsträckt praktisk användning vid hyssjning och lystring.

2. Kvantitet eller tidsutdräkt (»längd», »uttalstid», »uthållighet»). Ett ljud är långt (lat. longus) eller kort (lat. brevis) alltefter den större eller mindre tid, under hvilken (de af hörseln uppfattade) vibrationerna äga rum. Denna skillnad är af ingen eller åtminstone högst ringa betydelse i fråga om momentant frambragta ljud, vid hvilka den beror hufvudsakligen på graden af ljudkällans elasticitet. Däremot är den af större betydelse i fråga om kontinuerligt frambragta ljud, vid hvilka den beror äfven och väsentligen på längden af den tid, under hvilken det s. k. anslaget (dvs. den eller de stötar, som sätta ljudkällan i dallring) — i detta fall anstrykningen eller anblåsningen — varar.

3. Intensitet eller styrka. Ett ljud är, rent fysikaliskt eller »objektivt» sedt, starkt (lat. fortis) eller svagt (lat. lenis) — jfr de musikaliska termerna »forte» och »piano» — alltefter vibrationernas, på anslagets styrka beroende, större eller mindre svängningsvidd (»amplitud»). Ett ljuds styrka växer nämligen direkt proportionellt mot

---

[1] Att sonoriteten är, intill en viss gräns, vida större hos ljud som ligga högt på tonskalan än hos sådana, som ligga lågt, har nyligen uppvisats af Wien i Archiv der gesammten Physiologie B. 97, s. 1 ff. (1903).

svängningsviddens kvadrat, dvs. att om t. e. svängningsvidden fördubblas, så fyrdubblas ljudets styrka, tredubbblas den förra, så niodubblas den sednare osv. Detta dock blott i fall ljudets tonalitet (se 4 nedan) och den vibrerande luftmassan (eller ock ljudkällans massa) förbli oförändrade. Ty ett ljuds styrka växer äfven direkt proportionellt mot »svängningstalets» (se 4 nedan) kvadrat, så att t. e. ett ljud, som har dubbelt så stort svängningstal som ett annat (och alltså »ligger en oktav högre på tonskalan»), är fyra gånger så starkt, äfven om de båda ha samma svängningsvidd. Och ändtligen är ett ljud starkt i samma mån som den vibrerande massan är stor. Ett ljuds styrka beror alltså icke blott, om ock förnämligast, på vibrationernas svängningsvidd, utan äfven på deras svängningstal och på den vibrerande massans storlek. — Emellertid är att märka, att vårt öras uppfattning af de olika styrkegraderna, den s. k. subjektiva eller fysiologiska intensiteten, icke direkt svarar mot den här skildrade s. k. objektiva eller fysikaliska intensiteten. Beklagligtvis är det exakta förhållandet mellan de båda ännu icke vetenskapligt fastställdt [1].

4. Tonalitet eller läge på tonskalan (»höjd», »tonhöjd»). Ett ljud är högt eller lågt allt efter vibrationernas större eller mindre hastighet, dvs. vibrationernas antal i förhållande till den tid de uppta, alltså det större eller mindre antal vibrationer, som rymmes inom en och samma tidsenhet, eller, som saken också kan uttryckas, den mindre eller större tid, under hvilken ett visst antal vibrationer hinna försiggå. Det antal vibrationer, som för ett visst ljud belöper sig på tidsenheten — hvartill vanligen väljes sekunden — kallas för det ifrågavarande ljudets »svängningstal». Dettas storlek är afhängigt af åtskilliga omständigheter, som i fråga om olika

---

[1] Se vidare F. AUERBACH i Zeitschrift für französische Sprache und Litteratur XVI, 123. Jfr dock numera WIENS i föreg. not nämnda viktiga undersökningar.

ljudkällor kunna spela en olika roll. För t. e. strängar äro följande att märka: a) ljudkällans volym, i det att under för öfrigt lika förhållanden svängningstalets storlek är omvändt proportionellt mot såväl längden som tjockleken [1], dvs. att t. e. en sträng, som är hälften så lång eller tjock som en annan har dubbelt så stort svängningstal, hvilket innebär att den afger ett ljud, som ligger en oktav högre på tonskalan; b) ljudkällans täthet, i det att svängningstalet är omvändt proportionellt mot egentliga viktens kvadratrot, dvs. att om t. e. en sträng är förfärdigad af ett ämne, som har fyra (eller nio) gånger så stor egentlig vikt som det, hvaraf en annan sträng består, så har den förra blott hälften (resp. tredjedelen) så stort svängningstal som den sednare och afger ett ljud, som ligger en (resp. drygt halfannan) oktav lägre; c) ljudkällans spänning, i det att svängningstalet är direkt proportionellt mot spännviktens kvadratrot, dvs. att om t. e. en strängs spänning ökas genom att strängen belastas med en fyra gånger så tung vikt, så blir strängens svängningstal dubbelt så stort och dess ljud en oktav högre. — Olikheter i afseende på tonalitet äro ojämförligt märkbarast och viktigast i fråga om toner.

Den del af ljudläran, som behandlar språkljudens »prosodiska» egenskaper kallas prosodi(k) och utgör den förnämsta grundvalen för metriken (se s. 45 ofvan).

§ 31. Ton.

En ton kan i afseende på sättet för vibrationernas uppträdande hos ljudkällan vara af två olika slag: enkel och sammansatt.

Med en enkel ton (eller ton i inskränkt bemärkelse) förstås en sådan som uppstår därigenom att ljudkällan vibrerar i enkla, pendelartade svängningar. Enkla toner äro

---

[1] Se närmare härom O. Bremer, *Deutsche Phonetik*, s. 114.

emellertid mycket sällsynta. Sådana frambringas t. e. af en anslagen stämgaffel och en anblåst flaska eller andra vida hålrum. Tillnärmelsevis enkla äro äfven flöjttoner och människors hvissling. Af dessa toners jämförelsevis stora enkelhet förklaras det »tunna», icke »fylliga» ljud, som allmänneligen anses karakterisera dem.

En sammansatt ton eller klang uppstår däremot, då ljudkällan vibrerar i svängningar, hvilkas form utgör en resultant af de olika enkla pendelsvängningar, som uppstode, därest ej blott ljudkällan i sin helhet, utan därjämte en eller flera delar af densamma hade att svänga hvar för sig, så att hvar och en afgåfve sin särskilda enkla ton. Af detta slag äro de flesta toner, t. e. fiolens, pianots, klockspelets, pukans, klarinettens, hornets m. fl. instrumenters samt människans sångtoner — men visst icke alla hennes under »sång» frambragta ljud — och alla våra talade vokaler, försåvidt de, såsom i normalt tal är fallet, äro försedda med röstton och icke t. e. hviskas fram.

En klang är således ett slags ackord (»samklang» [1]), dvs. en grupp af samtidigt och såsom ett helt uppfattade toner. Från det konstnärliga ackordet, som kommer till användning i musiken, skiljer sig klangen icke blott genom att vara ett »naturackord», utan äfven genom att utgå från en och samma ljudkälla, icke från flera olika instrumenter eller (såsom på pianot) olika delar af ett dylikt, alltså från olika ljudkällor. Liksom hvarje annat ackord kan en klang vara antingen harmoniskt eller disharmoniskt sammansatt, alltefter förhållandet mellan de i densamma ingående enkla tonerna. Dessa kallas partialtoner (dvs. deltoner). Den lägsta af dem är den, som motsvarar hela ljudkällans tänkta enkla pendelsvängning, och som kallas grundton, emedan den gör sig mest gällande för uppfattningen och bestämmer det helas

<hr>

[1] Riktigare vore uttrycket »samton», enär såväl enkla som sammansatta toner kunna ingå i ackord.

tonhöjd, hvarför ock en musikalisk klang (vanligen kallad helt enkelt »ton») plägar benämnas efter grundtonen. De öfriga, högre på tonskalan liggande partialtonerna, hvilka motsvara de för ljudkällans vibrerande delar förutsatta enkla pendelsvängningarna, kallas bitoner eller vanligen öfvertoner (i fråga om fiol eller andra stråkinstrumenter till sin tonhöjd motsvarande de s. k. »flageolett-tonerna»). Vanligen, dvs. af icke särskildt härutinnan öfvade och uppmärksamma personer, uppfattas öfvertonerna af vårt hörselsinne icke på annat sätt eller i annan mån än att den ifrågavarande klangen väsentligen genom dem erhåller en viss särskild så att säga färg, den s. k. klangfärgen eller »timbren», som gestaltar sig olika alltefter de förhandenvarande öfvertonernas olika styrka, antal och (på svängningstalet beroende, se s. 345 ofvan) höjd. Förhålla sig samtliga partialtoner — hela ljudkällans, halfva, tredjedelens osv. — svängningstal till hvarandra såsom $1:2:3:4$ osv. (eller, om ej alla leder förefinnas, såsom t. e. $1:3:5$ osv.), dvs. såsom 1 till andra hela tal (hela mångfalder af 1) — detta hvad man kallat det »naturharmoniska ackordet» — så har man att göra med s. k. harmoniska öfvertoner (eller »alikvot-toner»). Sådant är förhållandet hos alla stränginstrumenter och de allra flesta blåsinstrumenter, till hvilka sednare äfven människorösten kan räknas. Skillnaden emellan dessa instrumenter ifråga om klangfärg beror sedan dels, och i främsta rummet, på de särskilda öfvertonernas relativa styrka, i det att t. e. hos pianot och andra instrumenter med »fyllig» klangfärg de lägsta öfvertonerna äro de ojämförligt starkaste, under det att t. e. oboe och fagott däremot ha de höga öfvertonerna relativt starka, liksom fallet är med »gälla» människoröster; dels, och först i andra rummet, på öfvertonernas antal, som är störst hos stråkinstrumenter — hvilka också därför ha den allra »rikaste» klangfärgen — och som till sin tur beror på instrumentets material (t. e. silke, metalltråd, tarm osv.);

dels ock slutligen på intervallerna dem emellan, så att t. e. oboen och fagotten låta såväl udda som jämna öfvertoner tydligt framträda, under det att klarinetten och andra instrumenter med hvad man kallar »näston» blott framhäfva de udda. Stå däremot partialtonernas svängningstal till hvarandra i något annat, mera inveckladt förhållande än det ofvannämnda (1 : 2 : 3 osv.), så har man att göra med s. k. disharmoniska öfvertoner. Sådana förekomma hos klockspelet, glasharmonikan, metallskifvor och -stänger m. m.[1]

§ 32. Resonans.

Om den ton (enkel eller sammansatt) som af en vibrerande kropp afges, kroppens s. k. egenton (den ton hvari han är »stämd»), är en klang, så kan denna för uppfattningen väsentligen modifieras genom tillvaron af en annan kropp i grannskapet. En kropp, som själf kan vid tillfälle afge en egenton, men som tills vidare befinner sig i hvila, kan nämligen genom en annan, vibrerande kropp själf försättas i vibration. Afger nu den primära (ursprungliga) ljudkällan en klang, så uppväcker denna den andra, dittills i hvila befintliga kroppens egenton, om nämligen denna egenton är identisk med någon eller några partialtoner hos den primära ljudkällan. Detta fenomen kallas resonans. Den kropp, hos hvilken resonansen uppstår, kallas resonator. En sådan är t. e. den s. k. resonansbottnen på ett musikaliskt instrument såsom fiolen, pianot m. fl. Utmärkta resonatorer äro äfven luftfyllda hålrum (»kaviteter») eller s. k. resonansrum, t. e. munhålan eller näskaviteten i deras förhållande till tonbildningen i struphufvudet. Står ett resonansrum i omedelbar förbindelse med en (primär) ljudkälla, så kallas det för dennas ansatsrör (»bucca»). Ett sådant förekommer å de flesta blåsinstrumenter och särskildt det bästa af dem alla, nämligen den mänskliga talapparaten — närmast att jämföra med

---

[1] Jfr i det hela C. F. E. Björling, *Klangfärger och språkljud*, s. 35 ff.

en tungpipa i en orgel — där alla hålrum ofvanom röstbanden tillsammans utgöra ansatsrör till dessa sednare i deras egenskap af ljudkälla.

Af det nu sagda framgår, att en klang kan genom användandet af olika slags resonatorer på mångfaldigaste sätt förändras. Resonatorns genom resonans framkallade egenton kommer ju nämligen helt naturligt att förstärka den eller de af den primära ljudkällans partialtoner — det s. k. förstärkningsområdet — som för de båda kropparna äro gemensamma, under det att däremot de öfriga partialtonerna dämpas. Då nu klangfärgen ju väsentligen beror på partialtonernas relativa styrka (se s. 348 ofvan), så innebär resonatorns tillträde en förändring af den ursprungliga klangfärgen. Härpå beror bl. a. den olika klangfärgen hos blåsinstrumenter af samma material och konstruktion, men med ansatsrör af olika form och storlek, t. e. horn, basun osv.; jfr att en orgel kan genom olika pipors användning härma de flesta af dem. Härpå beror ock skillnaden mellan våra vokaler, dvs. röstbandens (i struphufvudet) toner eller ock hviskningsljud (ett slags buller; jfr strax nedan), modifierade genom vårt alltefter behof på olika sätt omformade ansatsrörs resonans.

Naturligtvis kan resonans äga rum äfven i fråga om buller och sorl, men den är då af jämförelsevis mindre betydelse, emedan den oftast mindre inverkar på vår uppfattning af det hela, hvari den primära ljudkällans ljudkvalitet vanligen fortfarande är den förhärskande. Detta dock icke alltid, ty t. e. vid hviskade vokaler ådrar sig ansatsrörets resonans (som bestämmer vokalens kvalitet) minst lika stor uppmärksamhet som röstbandens svaga gnidningsljud.

ANDRA KAPITLET.

Den mänskliga talapparaten.

(Fonetisk anatomi).

Den mänskliga talapparaten består af trenne grupper af talorganer, nämligen bålens, struphufvudets och hufvudets.

§ 33. Bålens talorganer.

Bålens talorganer äro de samma som våra andnings- eller »respirations»-organer, alltså hufvudsakligen följande:

1. Mellangärdet, den breda muskel som skiljer buk- och bröstrummen åt. I slappt tillstånd bildar det ett sig uppåt höjande hvalf, men vid sammandragning tillplattas det, hvarigenom bröstkaviteten och särskildt lungorna utvidgas, ett resultat hvartill äfven en del andra muskler medverka. — Ofta ersättes mellangärdets verksamhet helt eller delvis af bröstkorgens.

2. Lungorna, två öfver mellangärdet belägna, mycket elastiska kroppar, bestående af en stor mängd sammangytt- rade, än mer, än mindre luftfyllda små blåsor, sittande i ändan på fina rör, som alltmer sammanlöpa för att slutligen, redu- cerade till endast två grofva sådana (de s. k. bronkerna), vid äfven dessas slutliga förening ge upphof åt

3. Luftstrupen, ett groft rör, upptill utvidgande sig till och öfvergående i det s. k. struphufvudet.

§ 34. Struphufvudet.

Struphufvudet eller »larynx» kan alltså sägas vara luftstrupens öfversta, vidare del. Det är sålunda öppet nedtill. Väggarna utgöras af brosk, af hvilka det understa är det s. k. **ringbrosket**, till formen liknande en signetring med den breda och platta delen belägen baktill (dvs. inåt halsen). Härpå hvilar **sköldbrosket**, förgrenadt i tvenne skiflika partier, som framtill sammanlöpa i en vinkel — hvars öfversta, mer eller mindre framskjutande del är det s. k. adamsäpplet — under det att de baktill omsluta ringbroskets bakre, breda del. Ofvanpå denna sistnämnda äro fästade, ett på hvar sin sida, de båda **kannbrosken**, två små pyramider, hvilka kunna medelst särskilda muskler såväl i viss mån vridas kring en lodrät axel som närmas intill hvarandra. En af hvartderas spetsar är riktad framåt, dvs. mot struphufvudets inre, och från dessa spetsar, de s. k. **röstbandsutskotten** (eller -utsprången) utgå struphufvudets egentliga talorganer: **röstbanden** (eller »stämbanden»).

Dessa äro tvenne elastiska, genom särskilda muskler spännbara, halfrunda hinnor, som med sin yttre, rundade kant äro fästade horisontellt längs utefter de båda sköldbroskskifvornas insida, tills de längst fram nästan sammanlöpa. På så sätt uppstår mellan deras inre, nästan rätliniga kanter ett smalt tomrum, ungefär i form af en likbent triangel med basen belägen baktill. Detta är den s. k. **röstspringan.** Dennas fortsättning bakåt utgöres naturligtvis af rummet mellan kannbroskens insidor: **andningsspringan.** Båda dessa springor, som sammanfattas under namnet **ljudspringan** eller »glottis», kunna genom kannbroskens vridning och närmande intill hvarandra förminskas ända därhän, att både röstbanden och kannbrosken vidröra hvarandra (jfr s. 370 ff. nedan). — Omedelbart ofvanom röstbanden utvidgar sig struphufvudet åt båda sidorna till ett par snedt uppåtgående, ficklika hvalf, de s. k. **ventriklarna.** De öfre kanterna af de öppningar som leda in till ventriklarna, utgöras af tvenne nya band af mera köttig beskaffenhet: de **falska röstbanden** (eller »falska stämbanden»). Äfven dessa kunna när-

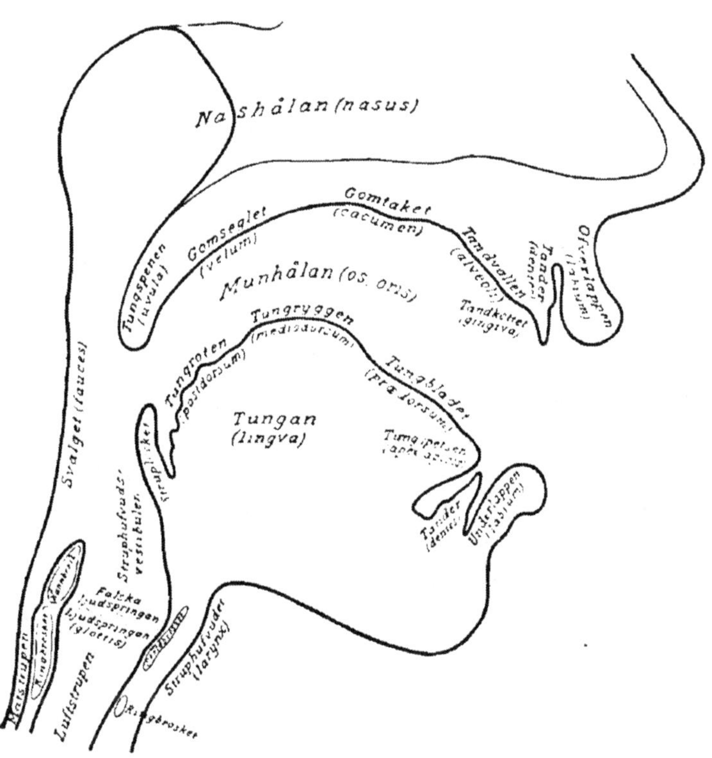

Väsentligen efter O. Bremer, Deutsche Phonetik, Leipzig 1893.

mas till hvarandra, men vanligen ligga de betydligt åtskils
och ha då den s. k. falska ljudspringan emellan sig.

Ändtligen hör till struphufvudet äfven struplocket
(»epiglottis»), ett om ett tillplattadt päron påminnande, spad-
likt brosk, som med sin smalända är fästadt vid sköld-
brosket framtill, omedelbart ofvanför röstbandens gemensamma
utgångspunkt. Dess bredända är riktad snedt uppåt och fri-
stående, under det att struplocket ungefär vid sin midt är
genom band fästadt vid tungroten. Detta har till följd, att då
tungroten vid »sväljande» drages uppåt-bakåt, så drages adams-
äpplet uppåt, men struplocket fälles ned, så att det alldeles
täpper igen struphufvudet upptill. — Rummet mellan röst-
banden och struplocket kallas struphufvudsvestibulen.

§ 35. Hufvudets talorganer.

Hufvudets talorganer fördela sig närmast på trenne hål-
rum, hvilka tillsammans med struphufvudets ventriklar och
vestibul utgöra röstbandens ansatsrör (se s. 349 ofvan). Dessa
tre äro svalget, näshålan och munhålan.

I. Svalget (»fauces» eller »pharynx»), tomrummet bakom
struphufvudsvestibulen samt därofvan ända intill gombågarna
(se III, A, 1, a nedan) och gomseglet (se därsammastädes).
Till sin form är det ett vidt rör, hvars utseende och storlek
kan icke obetydligt förändras dels genom främre väggens —
tungrotens — förskjutning, dels genom gomseglets rörelser,
men det spelar i alla händelser en jämförelsevis obetydlig
roll såsom talorgan. Nedåt fortsättes det bakom struphufvu-
det af matstrupen, uppåt förgrenar det sig vid och i följd af
bakre gombågen uti följande tvenne hålrum:

II. Näshålan — belägen i näsan (»nasus») — ett till
sin form föga föränderligt hålrum, som på sin nedre sida
begränsas af gommen (se III, A, 1 nedan), och som ett godt
stycke ofvanom bakre gombågen genom en lodrät skiljevägg

klyfves i tvenne rum, hvilka framåt-nedåt utmynna genom näsborrarna, två hål som icke kunna automatiskt stängas.

III. **Munhålan** (lat. »os», gen. »oris»), jämte struphufvudet det viktigaste af alla talorganerna, är rummet mellan öfver- och underkäken. Detta rum är såväl till storlek som form ytterst föränderligt, dels på grund däraf att underkäken är rörlig och sålunda kan mot den orörliga öfverkäken bilda en till sin storlek mycket varierande — störst vid »gäspning», minst vid slutna tänder — **käkvinkel**, dels på grund af den stora rörligheten och föränderligheten hos de flesta af de partier i båda käkarna, som i första hand bilda munhålans väggar. Genom tändernas sammanslutande delas munhålan i tvenne delar (en inre och en yttre):

A. Den **inre munhålan**, begränsad af följande trenne organer: gommen, tungan och tänderna.

1. **Gommen**, den inre munhålans tak, delas närmast i två delar:

a) Den bakre eller **mjuka gommen**, äfven, kallad **gomseglet** (»velum»), en framåt-uppåt stigande, rörlig muskelskifva, som ungefär vid sin midt är tvärtöfver genomdragen af en bågformig, å båda sidorna ända till tungroten nedlöpande muskel, **främre gombågen**, och hvars bakre-undre kant utgöres af ännu en dylik, i svalget nedlöpande, muskel: **bakre gombågen**. Mellan gombågarna, men närmare den främre, utlöper gomseglet i en rätt ned hängande flik: **tungspenen** (»uvula»). [1]

b) Den främre eller **hårda gommen** (»palatum»), som byggd af ben sträcker sig ungefär från de bakersta oxeltändernas sammanbindningslinje fram till tänderna, och som indelas i

a) **Gomtaket** eller **höga gommen** (»cacumen»), det

---

[1] De på sidorna, tämligen långt ned, genom hvar sitt hål framstickande båda körtelmassor, som kallas »mandlarna» (eller »tonsillerna») ha ingen användning som talorganer.

konkava hvalf, som utgör den hårda gommens bakre, större och högt belägna parti.

β) Tandvallen eller låga gommen [1] (»alveoli»), gommens hästskoformiga konvexa framsida, nedtill slutande med tandköttet (»gingiva»), som omsluter tandrötterna.

2. Tungan (»lingva»), det viktigaste talorganet inom munhålan, bildar dess golf och är en platt, långsträckt muskel af den största och allsidigaste rörlighet. Den främsta delen (»framtungan») är fri och kan högst betydligt uttänjas, så att den skjuter ut ur munnen. Den öfriga delen är medelst tungbandet m. m. undertill fästad vid underkäken. Hos tungan har man att särskilja följande:

a) Tungspetsen (»apex», gen. »apicis», eller »corona»), tungans framkant, hvilken i tungans hvilande läge stöter emot undre framtänderna.

b) Tungans båda sidokanter (»latera»).

c) Tungans öfre yta (»dorsum»), som lämpligen indelas i tre partier, mellan hvilka dock gränsen helt naturligt är tämligen sväfvande och godtycklig:

α) Tungbladet (»prædorsum»), det främsta partiet.

β) Tungryggen (»mediodorsum»), midtpartiet.

γ) Tungroten (»postdorsum»), det bakersta partiet.

3. Tänderna (»dentes»), den inre munhålans väggar, äro dels öfver-, dels undertänder, de förra i öfver-, de sednare i underkäken. Undertänderna äro af mycket ringa betydelse såsom talorganer, och äfven öfvertänderna höra icke till de viktigare bland dessa. Hos öfvertänderna komma i be-

---

[1] Äfven kallad »tandlådsvallen», »öfre tandvallen», »tandvallslisten», »tandvallarna» eller — och detta hittills väl oftast — alveolerna, hvilket sistnämnda ord i denna sin förmodligen allra vanligaste användning, nämligen såsom språkvetenskaplig term, emellertid saknas i Svenska Akademiens ordbok (där dock det däraf härledda ordet »alveolar» är upptaget, churu visserligen med en olämplig hänvisning till den anatomiska termen alveol »tandhåla».

traktande dels deras inre sida, dels deras undre kant, hvilken sednare hos framtänderna kallas **tandeggen.** ·

B. Den **yttre munhålan,** begränsad inåt af tänderna (och tandköttet), utåt af följande två organer:

1. **Kinderna,** ett par mycket rörliga muskelpartier, som kunna betydligt både utspännas och indragas liksom ock på andra sätt förskjutas, vanligen i sammanhang med läpparnas rörelser. Härigenom möjliggöras en mängd modifikationer af munhålans form.

2. **Läpparna** (»labia») stå i omedelbart sammanhang med kinderna, af hvilka de kunna anses utgöra det främsta partiet, liggande framför hörn- och framtänderna samt genom munöppningen (eller, om man så vill, »läppöppningen») klufvet i tu uti **öfverläppen** och **underläppen.** Båda äro ytterst rörliga och kunna icke blott öppnas (mer eller mindre) och slutas, utan ock i viss mån framskjutas, hvarigenom de punkter, där de båda läpparna löpa samman, **mungiporna** bringas att närma sig till hvarandra. Omvändt kunna mungiporna med kindernas tillhjälp dragas abnormt åtskils.

TREDJE KAPITLET.

Talorganernas verksamhet eller artikulationen.
(Fonetisk fysiologi).

§ 36. Indelning af talorganerna efter deras olika verksamhetsart.

Alltefter sin förmåga af spontan (rörelse och annan) verksamhet kunna talorganerna indelas i aktiva och passiva. Aktiva äro mellangårdet, bukens och bröstkorgens respirationsmuskler, de muskler som sätta kannbrosken och sålunda medelbarligen röstbanden — hvilka vi därför räkna såsom sekundärt aktiva organer — i rörelse samt de som spänna röstbanden; vidare gomseglet, tungan, kinderna och läpparna. Passiva äro däremot lungorna, luftstrupen och struphufvudet — där dock kannbrosken och röstbanden äro sekundärt aktiva — liksom ock väsentligen svalget och näshålan, hvilkas muskler äga endast en ytterst inskränkt aktivitet.

Alltefter sitt mer eller mindre genomgripande inflytande på ljudbildningen kan ett talorgan uppträda på något af följande tre sätt:

1. De luftförande organerna ha blott till uppgift att bringa luft till (och ifrån) ljudkällorna (se 2 nedan). De »mata» alltså dessa med luft, som ju är en nödvändig förutsättning för ljudets uppkomst. På sådant sätt verka: aktivt, dvs. såsom en verklig »motor», mellangårdet (i synnerhet verksamt hos män) och bröstkorgens respirationsmuskler (i synnerhet verksamma hos kvinnor), i det de genom sina

rörelser reglera in- och utandningen; passivt, dvs. såsom blott luftkanal, lungorna, luftstrupen och hela ansatsröret.

2. De (primärt) ljudbildande organerna ha till uppgift att i första hand alstra ljud. Man kan urskilja två olika slag af ljudkällor:

a) Den nedre ljudkällan utgöres af struphufvudets aktiva organ, röstbanden, hvilka kunna bilda såväl (sammansatta) toner som buller (jfr § 30, A och B).

b) De öfre ljudkällorna utgöras af ansatsrörets aktiva organer: gomseglet, tungan, underläppen — för hvilken rent individuellt undre framtänderna kunna vikariera (se § 42, 10, b) — och i mindre grad öfverläppen samt rent undantagsvis kinderna (i och för vissa »sugljud», se s. 361 nedan). Äfven i näsbålan kan undantagsvis ljud bildas (vid s. k. fnysning). Alla dessa de öfre ljudkällornas produkter äro buller, med det enda undantag att läpparna kunna bilda det slags nästan enkla toner (jfr § 31, s. 346), som kallas »hvisslingar» (se vidare § 40, 3).

Vi finna alltså, att alltefter de ljud, som af de ljudbildande organerna alstras, dessa organer kunna indelas i dels tonbildande: röstbanden och i viss mån läpparna; dels bullerbildande: röstbanden, gomseglet, tungan, läpparna och i viss mån kinderna och näsan. Sorlen (jfr § 30, C) däremot bildas i regeln genom samtidig verksamhet af det tonbildande organet i nedre ljudkällan (alltså röstbanden) och ett bullerbildande organ i en öfre ljudkälla. Endast alldeles undantagsvis kan ett sorl bildas af ett talorgan ensamt, t. e. af röstbanden vid »mumlande» (se s. 373), af tungan vid s. k. tunghvissling eller af läpparna vid »prustning», men i alla tre fallen är företeelsen utan språklig användning och betydelse.

3. De resonansbildande organerna ha endast till uppgift att skapa resonans åt de i ljudkällorna alstrade ljuden, därigenom visserligen mer eller mindre modifierande

dem. På sådant sätt verka: passivt, dvs. såsom blott resonansrum, ansatsröret (dels i sin helhet, dels i och genom sina särskilda delar) och vid s. k. brösttoner (se s. 372 nedan) äfven luftstrupen samt lungorna, alltså de delar af talapparaten som äro hålrum (kaviteter); aktivt gomseglet, tungan, läpparna, underkäken och kinderna, i det deßa fasta kroppar genom sitt olika läge modifiera de ifrågavarande resonansrummen till form, storlek och antal. Detta sker antingen genom (hel eller partiell) spärrning, s. k. klaffbildning, eller genom talorganernas uttänjning, s. k. utdrag. På förra sättet verka gomseglet, tungan och läpparna, på det sednare underkäken och kinderna samt i viss mån äfven de nyss nämnda klaffbildande organerna.

§ 37. De luftförande organernas artikulation.

Alltefter mellangärdets och bröstkorgens olika verksamhetssätt ha de luftförande organerna att uppvisa två väsentligen olika artikulationer:

1. Inspiratorisk artikulation eller »inandning», då mellangärdet sammandrages och sänkes, resp. bröstkorgen vidgas, och lungorna i följd däraf svälla ut samt luft utifrån genom ansatsröret och luftstrupen insupes. Ljudbildning under inandning, ledande till s. k. inspiratoriska ljud, är öfverhufvud sällsynt, oftast förekommande vid hvissling och hviskning. Emellertid kan undantagsvis hvilket som helst fonem så bildas, t. e. om det frambringas under »gäspning», eller då man ej har tid att »hämta andan» ljudlöst — exempelvis då man räknar i kapp med en annan — eller då man, såsom vid »buktalning», vill förställa rösten, för hvilket ändamål inspiratorisk artikulation är ett synnerligen godt medel. Särskildt ofta uttalas så ordet *ja*, som därigenom får en bismak av likgiltighet. Endast ett fåtal — snarast oartikulerade — ljud, alla perspirerade (se s. 370), bildas i svenskan alltid på detta sätt, då de begagnas som interjek-

tionella meningar med en viss specifik betydelse, som annars icke tillkommer dem, men som förklaras däraf, att dessa läten (jfr. I, 17 ff.) äro naturliga följder af vissa organsensationer. Sådana äro t. e. *a* i betydelsen »Hvilken härlig doft! Måtte jag få mer däraf!»; *hm*, dvs. perspirerad nasal resonant (jfr § 50, D, 3), i betydelsen »Luktar det icke här någonting, hvad det nu kan vara?»; *f* och *s* i betydelsen »Aj, hvad det svider!», närmast på läpparna, resp. tungbladet, men sedan äfven öfverfördt till att gälla om t. e. fingerspetsarna o. a.

Från inspiratoriska ljud äro att skilja de ofta med dessa förväxlade sugljuden, hvilka bildas hvarken medelst in- eller utandning, utom genom att läppar, tunga eller kinder suga sig fast vid hvarandra eller vid gommen eller tänderna och sedan mer eller mindre hastigt slitas loss, ett artikulationsätt som icke hindrar att såväl in- och utandning som rösttonsbildning kunna samtidigt fortgå obehindradt, enär de vid sugljuden ifrågakommande luftförskjutningarna ej sträcka sig längre än till munhålan. Åtskilliga dylika ljud — mest bekanta från hottentottskan och sulukaffriskan (t. e. det ljud som klumpigt nog återges med *cele* i namnet *Celewayo*) — användas äfven af oss, men knappast annat än till hästar. Dessa äro de s. k. smackningarna, som alltefter artikulationsstället äro af flera slag — bilabiala, apikoalveolara, dorsoalveolara m. fl. (jfr s. 380 ff. nedan) — alla med betydelsen »sätt dig i gång!» eller »raska på!» i olika nyanser. I samma betydelse kan äfven i samma passiva hästspråk (se I, 10) förekomma ett »kyssljud», som är ett sugljud bildadt med framskjutna läppar.

2. **Exspiratorisk** artikulation eller »utandning», då mellangärdet slappas och höjes, resp. bröstkorgen sammandrages, samt lungorna i följd af sin elasticitet hopdraga sig och luften utströmmar. Ljudbildning under utandning ledande till s. k. exspiratoriska ljud, är den i fråga om nästan alla språkljud normala och vanliga.

Hvarje exspirationsström måste förr eller senare afbrytas af en inspirationsström, om ej förr så då ej mera luft, kan ur lungorna utandas; man måste »hämta andan». Men den kan äfven dessförinnan afbrytas genom att man »håller andan», dvs. hvarken använder in- eller exspiration. I båda fallen uppstå exspiratoriska pauser, hvilka emellertid icke omöjliggöra, att vissa ljud samtidigt frambringas, t. e. vissa smackningar och några andra explosiva ljud. Således äro dessa pauser att skilja från akustiska pauser — ögonblick af tystnad, afbrott i ljudandet — då talapparaten icke producerar något ljud, hvilket icke hindrar, att den kan vara i verksamhet för att förbereda kommande ljud, eller att exspiration samtidigt kan äga rum, t. e. i form af ljudlös utandning eller vid munhålans stigande spänning under den akustiska paus, som betecknas medelst det första *p* i *tappa*. Sådana akustiska pauser som den i det sistnämnda fallet föreliggande kallas, enär de uppstå i och genom själfva artikulationen, lämpligen för artikulerade pauser (se vidare § 47). Sammanfaller, såsom ofta är händelsen, en exspiratorisk paus med ett afbrott äfven i de öfriga talorganernas verksamhet, så har man en absolut paus — afbrott i hela artikulationen — dvs. talapparaten verkar såsom sådan icke alls, vare sig ljudbildande eller ljudmodifierande eller ens ljudpreparerande, utan återgår till sitt »indifferensläge», till hvila. En sådan paus är naturligtvis alltid på samma gång en akustisk paus.

Hvarje fonem, större eller mindre, som är inneslutet mellan tvenne absoluta pauser, kallar jag, i väsentlig öfverensstämmelse med gängse språkbruk, en fras. Frasernas storlek kan vara högst skiftande — från ett ljud till några tjog ljud — dels hos olika individer, dels hos samma individ under olika förhållanden, och den beror dels på fysiskt tvingande omständigheter såsom lungornas kapacitet, kroppens syrgasbehof m. m., som är bestämmande för andhämtningsbehofvet, dels på relativt frivilligt hänsynstagande till logiska och andra psykiska faktorer. Så t. e. kan meningen »O huru ofta har jag icke tänkt på dig under de sista fem åren!» uttalas såsom en, två, tre, fyra eller ännu flere fraser, i hvarje särskildt fall med någon skiftning i betydelse och stämningsvärde. Till öfverdrift går det logiska hänsynstagandet hos vissa talare, som pausera nästan mellan hvart ord. Att ge pauserna rätt antal, plats och tidsutdräkt är en af de viktigaste uppgifterna för utöfvaren af »det muntliga föredragets konst», för hans s. k. frasering. Se vidare Prosodien.

Talets exspirationsström har icke under hela sin tillvaro samma grad af styrka, beroende på styrkan af den eller de stötar, hvarigenom mellangärdet, resp. bröstkorgen, pressar ut luften. Är strömmen än så kort, kan man dock nästan alltid iakttaga ett tilltagande (»crescendo») och sedan ett aftagande (»decrescendo») i dess styrka. Är en fras icke af minimal längd, så följer på aftagandet i styrka åter ett tilltagande osv., hvarigenom vissa delar af frasen framstå såsom mera markerade (»starka», »fortes», se s. 344 ofvan) än andra (»svaga», »lenes») [1]. De förra fonemerna, de som ha större »intensitet» eller, som det ofta heter, exspiratorisk accent [2], sägas vara »accentuerade», de sednare däremot »oaccentuerade» [3]. Växlingen mellan båda innebär s. k. rytm. De ac-

---

[1] Såsom dansken Forchhammer visat, beror detta ofta eller kanske vanligen icke direkt på luftströmmens styrka, utan samma intryck kan åstadkommas genom att röstspringan göres smalare, resp. bredare, hvadan den kommer att bereda luftströmmen ett större, resp. mindre, motstånd, hvilket bringar röstbanden i starkare, resp. svagare, svängningar. Se O. JESPERSEN, *Fonetik*, s. 354 ff.

[2] Om den mångtydiga termen »accent» se min framställning i *Nordisk familjebok*, ny uppl. (utförligare i första upplagans *Supplement*).

[3] Är en hel fras starkare än en annan, så plägar den förra — mycket oegentligt — sägas vara uttalad »med hög röst» eller »högljudt», den sednare »med låg röst» eller »lågmält», uttryck som dock stundom syfta på sonoriteten (se s. 344), icke på intensiteten, t. e. då en energisk hviskning säges vara mindre högljudd än ett lågmält tal med röstton.

centuerade fonemerna ha emellertid icke alla samma grad af styrka, de oaccentuerade icke samma grad af svaghet, utan finnas å båda hållen en mängd skiftningar alltifrån den svagaste hviskning upp till det kraftigaste »gallskrik». I vanligt normalt tal förekomma dock blott ett fåtal grader och bland dessa ett intensitetsmaximum, som sällan öfverskrides, liksom ock ett intensitetsminimum, som sällan underskrides. Ett fonem, som sträcker sig från och med ett intensitetsmaximum intill — men icke till och med — ett annat, närmast följande dylikt (eller till en absolut paus), kallas en (språk-) takt. Fonemet mellan en absolut paus och ett närmast följande intensitetsmaximum kallas upptakt. Takterna kunna vara af mycket varierande storlek och sammansättning. Uttalas t. e. den nyss (se s. 363 ofvan) citerade meningen såsom en fras, så får den vanligen sex takter af följande utseende [1]: »O huru | ofta har jag icke | tänkt på dig under de | sista | fem | åren!»; däremot uttalad såsom fyra fraser följande indelning: »O — huru I ofta — har jag icke I tänkt på dig — under de I sista | fem | åren!»; såsom två fraser: »O huru | ofta har | jag icke tänkt på | dig — under de I sista fem | åren!»; och ännu flere sätt kunna tänkas. I vanliga fall är således rytmen obunden. Äro däremot takterna lika långa eller åtminstone till sin tidsutdräkt bestämda af ett visst mått, så har man »bunden» rytm eller s. k. meter.

En takt kan således icke uppvisa mer än ett intensitetsmaximum. Däremot kan den alltförväl innehålla flera intensitetsminima. Ett fonem, sträckande sig från ett intensitetsminimum till det nästföljande, kallas exspiratorisk stafvelse eller tryckstafvelse. En dylik kan alltså sägas vara frambragt medelst en exspirationsstöt, om man under »stöt» sammanfattar luftströmmens crescendo och decrescendo (mellan hvilka naturligtvis ligger ett relativt intensitetsmaxi-

---

[1] Jag betecknar gränsen mellan två takter med |, mellan upptakt och takt med ı, mellan två fraser med —.

mum, som icke är att förväxla med det ofvan nämnda för
ett »accentueradt» fonem karakteristiska, så att säga absoluta,
intensitetsmaximum). Skulle intensitetsminimum, dvs. staf-
velsegränsen, inträffa under det att artikulationen för öfrigt
är oförändrad, så blir naturligen det ljud, som just för till-
fället produceras, genom stafvelsegränsen i viss mån afklippt
i tvenne halfvor, hvilka tillsammans kallas en geminata
(dvs. dubbelljud), t. e. *ff* i *strofform, straffa, rr* i *förridare,
förre, ss* i *vissångare, vissa, oo* i *oodlad, åå* i *zoologi.* En ge-
minata är alltså ett fonem, som är fördeladt på två[1] tryck-
stafvelser, men för öfrigt alltigenom är produceradt med en
och samma slags artikulation. Skulle däremot inom ett på
för öfrigt enhetligt sätt artikuleradt fonem visa sig en helt
obetydlig, öfvergående intensitetsminskning — icke ett »ab-
solut» intensitetsminimum, ledande till uppkomsten, af en verk-
lig stafvelsegräns — så kallas det på sådant sätt först de-
crescenderande och sedan crescenderande fonemet för cir-
kumflekteradt, t. e. *fân, jô* (ofta skrifna *faan, joo*) jämte
och med något annan färg än *fan, jo.* Gränsen emellan ett
gemineradt och ett cirkumflekteradt fonem är emellertid
mycket svår att uppdraga och väl till stor del godtycklig. Se
vidare Prosodien.

Platsen för ett intensitetsminimum eller -maximum
är i viss mån afhängig af den talandes fria val. Så t. e.
afdela vi vanligen *snö-ränna,* men *snör-ända;* antingen *As-ien*
eller *A-sien* eller *A-si-en;* både *Au-gust* och *A-u-gust.* Men
det går icke för sig att uttala *Asien* enstafvigt, icke heller att
i *August* förlägga ett intensitetsmaximum på *g* och endast
med svårighet att vid ett tvåstafvigt uttal *Au-gust* låta första
stafvelsens intensitetsmaximum uppbäras af *u.* Detta allt
beror därpå, att vår valfrihet inskränkes i det stora hela till

---

[1] I svenska dialekter och i lägre riksspråksstil förekomma dock äf-
ven geminator, som äro fördelade på ända till tre stafvelser, t. e. *en ann'n'n*
en annan en, *då å' älva* det är elfva.

de grupperingar, som äro en naturlig följd af ljudens relativa »sonoritet» (se s. 344 ofvan), dvs. deras af vår fria vilja oafhängiga hörbarhetsgrad. De olika ljudens sonoritet är i hög grad olika och beror visserligen i första hand på hörselorganernas större eller mindre mottaglighet för det ena eller andra ljudet, men i andra hand dock på ljudens egen akustiska beskaffenhet. Den är t. e. större hos toner (t. e. *a*) än hos sorl (t. e. *v*) och större hos sorl än hos buller (t. e. *f*), större hos durativa ljud (t. e. *s*) än hos momentana (t. e. *t*), större hos ljud med stort resonansrum (t. e. *a, ä*) än hos sådana med litet (t. e. *i, y*) osv., detta äfven om exspirationsstyrkan hos båda ljuden är lika stor eller rentaf större hos det mindre sonora ljudet. Därför kan man ej utan en viss svårighet tvinga ett mindre sonort ljud att uppbära ett intensitetsmaximum samtidigt med att ett i dess omedelbara grannskap befintligt sonorare ljud tvingas ned till ett intensitetsminimum. Det är t. e. omöjligt eller så godt som omöjligt att uttala *tak* eller *tam* enstafvigt med intensitetsmaximum förlagt till *k* eller *m*. Detta därför att en rad af på hvarandra följande ljud äfven i fråga om sonoritet ordna sig — och detta så att säga själfmant — rytmiskt, så att sonoritetsmaxima och -minima uppstå. Ett fonem, som är beläget mellan tvenne dylika minima, kallas sonoritetsstafvelse eller ljudstafvelse. Det ljud inom en tryckstafvelse, hvilket innehar sonoritetsmaximum, kallas denna stafvelses sonant eller själfljud [1], de öfriga ljuden äro dess konsonanter eller medljud. Tryckstafvelse och ljudstafvelse sammanfalla långt ifrån alltid. Så t. e. har fonemet *solår* visserligen både två tryckstafvelser, och två ljudstafvelser, men under det att gränsen mellan de båda ljudstafvelserna alltid och oföränderligen utgöres af *l*, som representerar sonoritets-

---

[1] Sämre termer för samma sak äro de ej sällan brukade »syllabiskt ljud» eller »stafvelsebildande ljud».

minimum (och som lika väl kan sägas tillhöra båda stafvelserna som ingendera), så är gränsen mellan de båda tryckstafvelserna flyttbar, så att man kan säga vare sig *so-lår* eller *sol-år*, dvs. gränsen — här intensitetsminimum — faller antingen näst före eller näst efter *l*, allteftersom intensitetens crescendo tager sin början med *l* eller först med *å*. *Asien* utgör alltid och nödvändigtvis två ljudstafvelser, men uttalas vanligtvis som tre tryckstafvelser. *Spotskt* uttalas alltid som en tryckstafvelse, men utgör fem ljudstafvelser (*s-på-ts-k-t*), osv. [1] Se utförligare härom i Prosodien.

§ 38. De ljudbildande organernas artikulation.

Hos de ljudbildande organerna förefinnas följande möjligheter i fråga om artikulationssättet:

1. Öppen (eller »apert») bildning, då det aktiva organet har på en viss punkt närmat sig det passiva (eller ett annat aktivt organ) så föga, att genom ifrågavarande närmande intet hinder lägges i vägen för exspirationsströmmen och följaktligen intet ljud, åtminstone icke på detta artikulationsställe, bildas.

2. Sluten (eller »klusil») bildning, då det aktiva organet har på en viss punkt slutit sig alldeles intill det passiva (eller ett annat aktivt organ) och detta så pass fast, att exspirationsströmmen fullständigt afspärras och således intet ljud (på detta artikulationsställe) kan bildas, så länge »kontakten» (spärrningen) varar. Denna kan upphäfvas antingen

---

[1] Det är emellertid en ytterlig öfverdrift i riktning af att framhäfva omotsvarigheten mellan tryck- och ljudstafvelse, då Brate (Nystavaren III, 115) påstår *skilling, ångest, himmelsk* o. a. ord med akut taktform utgöra blott en tryckstafvelse och t. e. *ölbrygge-ri, elektrici-tet, ancienni-tet* ha hvardera blott två sådana. En motsatt och enligt min mening lika ohållbar ytterlighet i alldeles motsatt riktning representerar Jespersen, då han (Fonetik s. 546 f.) nekar hvarje motsatsförhållande mellan sonoritets- och expirationsstafvelse, anser det förra begreppet för grundläggande och det sednares uppställande för alldeles onödigt.

alldeles ljudlöst eller ock så, att ett momentant (se s. 343 ofvan) bullerljud, en s. k. explosiva [1] (»smäll-ljud») uppstår. Detta åter kan ske på två olika sätt (hos nasaler och medio-marginaler — se § 41 — dock blott på det sednare sättet, emedan ett för det förras åstadkommande tillräckligt exspirationstryck här på grund af spärrningens ofullständighet ej kan uppnås) alltefter den förhandenvarande graden af muskelspänning hos de kontakten bildande organerna [2]:

a) **Sprängning af kontakten** väsentligen medelst en exspirationsstöt, då de artikulerande organerna äro vid själfva artikulationsstället jämförelsevis hårdt spända och därför fastare sammanslutna. Resultatet af sprängningen blir en s. k. **tenuis** eller **sprängljud** (äfven kalladt »spänd explosiva»), t. e. *p, t, k* i *gap, mat, sak.*

b) **Lösning af kontakten** väsentligen genom organernas egen muskelverksamhet, då dessa vid själfva artikulationsstället äro jämförelsevis **slappa** (eller åtminstone icke hårt spända) och därför lösare sammanslutna. Resultatet blir en s. k. **media** eller **lösningsljud** (äfven kalladt »slapp» eller »icke spänd» explosiva) t. e. dels *b, d, g* i *tub, bod, våg*, vid hvilka ännu en svag exspirationsstöt medverkar till kontaktens upphäfvande, dels *m, n* i *mat, natt*, vid hvilka uteslutande de aktiva organernas muskelverksamhet åstadkommer kontaktens upphäfvande.

S. k. **implosiva** ljud, bildade vid och genom kontaktens

---

[1] Sämre termer för samma sak äro »klusilt ljud», »spärrljud», »knallljud», »slutet ljud», »stötljud». »Muta» (dumbe) passar naturligen ej som namn på själfva ljudet, men väl på en bokstaf, begagnad och uppfattad såsom tecken för den före en explosiva gående pausen (se vidare § 47).

[2] Se rörande denna svåra och mycket omstridda fråga företrädesvis E. Sievers, *Grundzüge der Phonetik*, 5. aufl. (1601) s. 142 f., och E. A. Meyer i The Modern Language Quarterly, Vol. VI, n:o 3 (1904), s. 139 f. Jfr den något afvikande uppfattningen hos F. Auerbach i Zeitschrift für französische Sprache und Litteratur XVI, 1, s. 168; väsentligen annorlunda åter O. Jespersen, *Fonetik*, s. 342 och 349.

— icke upphäfvande, utan — tillvägabringande, äro svårligen möjliga att med blotta örat uppfatta. Hvad man verkligen hör och hittills vanligen benämnt en »implosiva», är icke ett på nyss angifvet sätt bildadt, själfständigt ljud, utan det näst föregående ljudets afslutning, som på sitt särskilda sätt modifieras alltefter den följande kontaktens artikulationsställe [1]. Så t. e. skilja sig för örat fonemerna *knapp, knatt* och *knack*, om man afbryter deras uttalande, innan någon *p-, t-* eller *k*-explosiva hunnit äga rum, icke genom något sorts »implosivt» *p-, t-* eller *k*-ljud, utan genom den olika beskaffade afslutningen af *a*-ljudet. De s. k. implosivorna äro således en art af glid- eller öfvergångsljud, hvarom se närmare i § 46.

3. **Förträngd** (eller »stringerad») bildning, då det aktiva organet har på en viss punkt närmat sig det passiva (eller ett annat aktivt organ) så mycket, att exspirationsströmmen icke slipper igenom det på så sätt uppkomna trånga passet (eller »springan») utan att alstra ett durativt (se s. 343 ofvan) ljud, vare sig en ton eller ett buller. Är det sednare händelsen, skiljer man emellan två fall:

a) Passet är så vidt, att luften slipper igenom utan att försätta dess kanter i dallring. Men väl råkar den själf i vibration genom sin gnidning (»friktion») mot dess kanter, hvilket för örat ger till resultat en hväsning. Ljudprodukten är således hvad man kallar en **frikativa** (»gnidningsljud», »rifljud») eller — särskildt i äldre arbeten — **spirant** (»hväsljud»), t. e. *f* och *s* i *fasa.*

b) Passet är så trångt — eller rentaf ersatt af en mycket lös tillslutning af organerna — att luften för att slippa igenom måste försätta dess kanter eller åtminstone den ena, rörliga, af dem i dallring. Det hörbara resultatet blir, då vibrationerna ske så långsamt, att de kunna hvar för sig

---

[1] Se J. A. A[urén], *De klusila konsonantljuden,* Norrköping 1876; Sievers, *Grundzüge der Phonetik,* 5 aufl., s. 174 f.

urskiljas och sålunda måste uppfattas icke såsom en ton, utan som ett buller (se s. 342 f. ofvan) en s. k. tremulant (»dallerljud»), t. e. det uppsvenska *r* i *tre.*

De nu nämnda olika artikulationssätten äro visserligen gemensamma för alla ljudbildande organer, men på grund af den nedre och de öfre ljudkällornas olika konstruktion blir dock resultatet i fråga om hvartdera slaget ganska olika, hvarför vi måste närmare betrakta dessa båda slags ljudkällors artikulationssätt hvart för sig.

§ 39. Den nedre ljudkällans artikulation.

Röstbanden, som utgöra den nedre ljudkällan, artikulera på följande sätt:

A. Ljudspringan är till hela sin längd vidöppen, bildande ett smalt tomrum, ungefär i form af en likbent triangel med spetsen riktad framåt (se bild 1 å s. 372). Sådant är förhållandet vid »andning» och »pustande». Intet ljud frambringas under dylika omständigheter i själfva ljudspringan. Ljud, som i en öfre ljudkälla produceras, under det att ljudspringans artikulation är den nu nämnda, kallar jag perspirerade eller andade (äfven »pustade») [1], t. e. *f, t, s, p* i *fot, sup.*

B. Ljudspringan är till hela sin längd fast tillsluten genom att det ena röstbandets yttersta kant lagt sig öfver det andras [2]. Så länge denna kontakt fortfar, uppstår naturligtvis intet ljud alls. Upphäfves den medelst lösning (se s. 368), så är det ljud, som därvid möjligen uppstår, för svagt för att af örat uppfattas och har sålunda ingen språklig användning. Upphäfves den däremot medelst sprängning, så uppstår därvid den glottala (se s. 378) tenuis (se s. 368), som i hebreiskan kallas »aleph», som i tyskan — utan särskildt namn eller

---

[1] Andra, på grund af sin tvetydighet olämpliga, men rätt mycket använda, termer för samma sak äro »tonlösa» eller ock »klanglösa»; rent orimligt är »stumma».

[2] Se Lermoyez, *Étude expérimentale sur la phonation*, s. 81 (Paris 1886).

tecken — användes före hvarje med vokal begynnande ord, och som i danskan uppträder ovanligt utpräglad under namn af »stöt» (sämre »stötton»). Äfven i svenskt tal kan man få höra den, både omedelbart före och efter vokal; men endast rent undantagsvis äger den någon språklig betydelse, såsom då ett *ja, nå* genom denna explosiva avslutning erhåller en bismak af förargad sinnesstämning. Ofta förekommer den vid »suckande» och synnerligen kraftig vid »stånkning», som är en glottal affrikata eller aspirata (se s. 402 nedan), samt ännu mera förstärkt vid »hostning».

C. Vid förträngd artikulation, alstrande ljud — den s. k. rösten — kan, såsom ofvan § 38, 3 nämnts, två hufvudsakliga fall inträffa:

1. Ljudspringan är så pass öppen, att ett blott gnidningsljud, en glottal frikativa — röstbullret — uppstår. Alltefter springans större eller mindre vidd blir detta ljud något svagare eller starkare, så att man kan indela röstbullret i:

a) Aspiration, uppstående då springan är jämförelsevis vid. Ljud alstrade under dylika förhållanden kallas aspirerade [1] eller, efter det för dem alla gemensamma skriftecknet, h-ljud.

b) Hviskning, uppstående vid jämförelsevis trång springa. Ljud alstrade under dylika förhållanden kallar jag persifflerade eller hviskade. Sådana förekomma blott såsom en tillfällig ersättning för de tonande (se 2, a nedan), och då aldrig någon betydelseskiftning är förbunden med detta utbyte af det ena slaget af ljud mot det andra, så sakna de hviskade ljuden egentlig språklig betydelse och intresse. Språkligt betydelselösa äro därför naturligtvis ock de tre olika slag af hviskning, som man kan urskilja: *a)* »sakta hviskning», då hela ljudspringan bildar en lång, smal öppning; *β)* »vanlig hviskning», då röstspringan är tillsluten, men andningsspringan står öppen (se bild 2 å s. 372); *γ)* »hes hvisk-

---

[1] Icke att förväxla med »aspirator», om hvilka se s. 402 nedan.

ning», då ljudspringans båda delar förhålla sig som i näst föregående fall, men samtidigt den falska ljudspringan är till sin främre del sluten.

2. Ljudspringan är så pass sluten, att röstbanden råka i dallring[1]. Härvid kunna två olika fall förekomma:

a) Ske vibrationerna tillräckligt hastigt och regelbundet, uppstår en ton (jfr s. 342 och 346 f.), den s. k. rösttonen (»vox», gen. »vocis»), som kan vara af två, språkligt sedt betydelselösa, men musikaliskt viktiga, slag (se bilderna 3 och 4 här nedan): α) »brösttton», då hela ljudspringan från början ligger löst tillsluten och efter hvarje vibration återgår till detta läge; den stora sonoriteten hos brösttoner beror bland annat därpå, att härvidlag i motsats mot förhållandet annars äfven luftstrupen (nedom ljudspringan) och lungorna tjänstgöra som resonansrum; β) »falsett» eller »hufvudton», då ljudspringan icke är fullt sluten framtill, utan där alltjämt bildas en verklig springa, så pass bred att den aldrig, vare sig vid vibrationerna eller mellan dessa, fullkomligt stänges[2]. — Ljud, alstrade under det att röstton frambringas i ljudspringan, kallar jag pertonerade eller tonande[3].

1. Andning. 2. Hviskning. 3. Bröstton. 4. Falsett.
Röstbanden (efter Bremer, Deutsche Phonetik).

---

[1] Detta kan visserligen ofta inträffa äfven vid *h*-ljud, särskildt om de äro placerade mellan två tonande ljud; men den ton, som härvidlag uppstår hos ett *h*, är så svag, att den af de flesta öron icke uppmärksammas eller ens förnimmes. Se E. A. Meyer, *Stimmhaftes H* (i Die neueren Sprachen VIII, 260 ff.), Marburg 1900; Sievers, *Grundzüge der Phonetik*, 5. aufl., s. 112. — En besläktad företeelse är det nedan (s. 373) omnämnda »mumlandet».

[2] Se närmare härom Lermoyez, citerad hos Jespersen, *Fonetik*, s. 288.

[3] Andra, rätt vanliga, men tvetydiga och därför olämpliga termer för samma sak äro »klingande», »sonora», »betonade» och »stämda».

Är ljudspringans tillslutning ovanligt lös eller rentaf ofullkomlig, så uppstår ett mellanting mellan röstton och hviskning, det s. k. mumlandet, en blandning af ton och buller, alltså ett af röstbanden ensamma alstradt sorl (jfr s. 359) [1].

b) Ske vibrationerna tillräckligt långsamt, uppstår en tremulant (se § 38, 3, b). Denna är det såsom verkligt språkljud sällsynta »glottala *r*», hvilket emellertid vid missnöjdt »stönande» och »brummande» är en mycket vanlig företeelse. Synnerligen kraftigt uppträder det vid ett visst slags »harkling». Hos personer med s. k. »knarrande» röst får det ofta utgöra ersättning för rösttonen.

§ 40. De öfre ljudkällornas artikulation.

Såsom i § 36, 2, b nämnts kunna i ansatsröret språkljud bildas genom gomseglets, tungans eller underläppens aktiva användning. Vi skola här taga hvartdera af dessa organer för sig i betraktande.

1. Gomseglet i sin helhet frambringar väl inga andra språkljud än de velo-faukala (jfr s. 354 ofvan) nasala (se s. 375 nedan) explosivor, som uppstå, då det ansluter sig till bakre svalgväggen och sedan lossas därifrån, detta antingen genom sprängning (se § 38, 2, a), t. e. *p* och *t* i *köpman* och *slitna*, eller genom lösning (se § 38, 2. b), t. e. *b* och *d* i *kubmått* och *ludna*. En inspiratorisk (se § 37, 1) velar oral tremulant frambringas vid »snarkning» och en motsvarande nasal sådan — dock uppblandad med frikativa elementer — vid (inspiratorisk) »snörfling», men dessa användas, såvidt jag vet, icke såsom språkljud. Däremot alstrar en del af gomseglet, nämligen tungspenen — helst i sammanhang med höjning af tungroten — en uvular tremulant med språklig användning. Denna är det från t. e.

---

franskan (särskildt i Paris) och vissa sydsvenska nejder (särskildt i Skåne och Blekinge) bekanta starkt »skorrande» *r*-ljudet, vare sig pertoneradt (*r*) eller perspireradt (*r*). Synnerligen kraftigt frambringas det, och då företrädesvis perspireradt, vid vanlig »harkling», t. e. då man fått ett fiskben i halsen.

2. **Tungan** däremot artikulerar medelst någon af sina många olika delar såväl mot svalgväggen som mot gommens alla delar från och med tungspenen till och med tandköttet och dessutom mot tandeggen — vid *»tvi»* stundom till och med mot öfverläppen — alstrande både explosivor, frikativor och tremulanter. Exempel på dessa ljud anföras nedan i § 42, 2, b — 9, a och 10, a (»lingvala» ljud).

3. **Underläppen** artikulerar endast mot tandeggen (alltså labio-dentalt) och mot öfverläppen (alltså labio-labialt). I förra fallet kan den svårligen alstra annat än frikativor, t. e. *f* och *v* i *fåvitsk*; däremot i det sednare såväl explosivor, t. e. *b* och *p* i *bröd* och *spå*, som frikativor, t. e. engl. *w* och *wh*, spanskt *b* i *Habana*, ty. *w* i *zwei*. I passivt djurspråk förekommer äfven en labio-labial tremulant, den som tecknas med *ptr* i *ptro* (till hästar), samt labio-labial tonbildning, den s. k. hvisslingen, som användes till hundar och hästar, men i viss mån äfven ingått i gatpojkars slangspråk o. d.

§ 41. De resonansbildande organernas artikulation.

De resonansbildande organerna (se § 36, 3) kunna både i olika utsträckning och på olika sätt tagas i anspråk vid ljudbildningen. Man har härvidlag att urskilja följande möjliga artikulationer:

A. **Munhålan är stängd** medelst klaff, bestående af antingen läpparna eller tungan. Under dylika förhållanden kan ljudbildning nästan blott i nedre ljudkällan med framgång företagas (jfr särskildt 1 nedan). Två specialfall föreligga:

1, **Näshålan är afstängd** medelst klaff, bestående af gomseglet, som fast anslutit sig till bakre svalgväggen, så att exspirationsströmmen ingenstädes kan slippa ut ur ansatsröret. Alstras nu röstton i den nedre ljudkällan, så uppstår hvad man lämpligen kan kalla en **klusil** eller ett **spärrljud** (ty. »blählaut»), som naturligtvis icke kan ljuda längre än till dess att ansatsröret ända intill de båda klaffarna pressats fullt af luft från lungorna. Af denna art äro de ljud, som vi beteckna med det första *b* i *gubbe*, vid hvars bildning läpparna bilda klaff för yttre munhålan; det första *d* i *rädda*, hvarvid tungbladet mot tandköttet bildar klaff för inre munhålan; och det första *g* i *ligga*, hvarvid tungryggen mot gomtaket bildar klaff ungefär midt i inre munhålan. — Spärrljuden äro alltid tonande, emedan under pågående klusil artikulation i ansatsröret ingen annan ljudbildning i nedre ljudkällan förmår göra sig gällande för örat än rösttonen, under det att t. e. hvisknings- och aspirationsljuden blifva ohörbara liksom ock alla försök till ljudbildning i ansatsröret.

2. **Näshålan är öppen**, dvs. gomseglet hänger slappt ned, så att exspirationsströmmen kan gå ut (endast) genom näsan. Äger nu ljudbildning någonstädes rum, så erhålles en **nasal** [1] eller ett **näsljud**. Ett dylikt har i likhet med klusilerna olika resonans alltefter den till munhålan hörande klaffens belägenhet, enär detta läge afgör, huru stor del af munhålan det är, som jämte näshålan skall utgöra det ifrågavarande ljudets resonansrum. Exempel på hithörande ljud med labio-labial (se § 42, 10, c) klaffbildning äro *m* i *lampa*, *p* i *köpman*, *b* i *kubmått;* med labio-dental (se § 42, 9, b) klaffbildning *m* i *kamfert;* med dorso-gingival (se § 42, 8, a) *n* i *anda*, *t* i *slitna*, *d* i *ludna;* med dorso-kakuminal (se § 42, 6, a och b) *n* i *vinka*.

---

[1] Stundom olämpligt kallad »resonant».

B. **Munhålan är öppen,** och ljudbildning kan i följd däraf utan svårighet försiggå såväl i den nedre som i en öfre ljudkälla, ja i flera sådana samtidigt. Vi finna här samma två specialfall som under A ofvan, nämligen:

1. **Näshålan är afstängd** (på samma sätt som vid A, 1)[1], så att exspirationsströmmen endast kan gå ut genom munnen. De ljud, som under dessa förutsättningar bildas någonstädes i talapparaten, kallas **oraler** (stundom »rena oraler») eller **munljud** (stundom »rena munljud»). Sådana äro det andra *b, d, g* i *gubbe, rädda, tigga, p* i *lampa* och öfverhufvud de flesta svenska språkljud.

2. **Näshålan är öppen** (såsom vid A, 2), så att exspirationsströmmen kan gå ut dels genom munnen, dels genom näsan, eller åtminstone den sednare kan tjänstgöra som resonansrum, äfven om den — såsom vid s. k. svag nasalering är fallet — icke släpper ut någon nämnvärdt stor del af luftströmmen. De ljud, som under dylika omständigheter bildas någonstädes, kallas **naso-oraler** eller **näs-munljud** (äfven »nasalerade ljud», »munnäsljud»). Sådana äro bl. a. det första och tredje *m* i *mamma,* det första och tredje *n* i *nunna, ng* i *penningen,* vid hvilka ljud munhålan blir öppen först i och med själfva ljudets tillkomst, samt dalmålets (svagt) och franskans (starkt) nasalerade vokaler, som **kunna** bildas äfven vid på förhand öppen munhåla.

Oralerna och naso-oralerna kunna vidare alltefter tungans[2] olika förhållande till exspirationsströmmen vara af tre olika slag:

a) **Mediala** (stundom kallade »mediana» eller »midljud»), då exspirationsströmmen går fram längsefter och öfver

---

[1] Om också tillslutningen icke alltid är lika fast (t. e. betydligt fastare då man uttalar ett *i* än då man uttalar ett *a*). Se härom CZERMAKS undersökningar, refererade hos JESPERSEN, *Fonetik,* s. 261 noten.

[2] Jfr dock nästa not.

tungan, parallellt med dess midtellinje, t. e. alla ljuden i *pudras* och öfverhufvud de flesta svenska språkljud.

b) **Marginala** (sämre »laterala» — jfr s. 356, 379 och 381 — eller »sidoljud»), då exspirationsströmmen i följd af tungans för tillfället uppåtböjda ställning går på sidan om densamma, således antingen (»unilateralt») förbi dess ena kant eller (»bilateralt», engl. »divided») förbi båda dess kanter. Sådana ljud äro t. e. *l* i *välta*, *t* i *mantlar*, *d* i *odla*[1].

c) **Medio-marginala**, då exspirationsströmmen går delvis medialt, delvis marginalt, dvs. dels öfver, dels på sidan om tungan. Så är t. e. förhållandet med *l* i *läsa*, vid hvilket ljud den mediala delen af exspirationsströmmen först i och med själfva ljudets tillkomst inställer sig, samt våra dialekters s. k. tjocka *l*, vid hvars bildning den mediala strömmen är lika tidigt förhanden som den marginala, eventuellt redan före själfva ljudets uppträdande.

§ 42. Språkljudens indelning efter artikulationsstället.

Med **artikulationsbasis** eller **indifferensläge** menas den ställning, som talorganerna intaga, då de befinna sig i hvila; en ställning, som kan vara ganska olika hos olika individer eller, än mer, olika folk. Med **artikulationsställe** (eller »-läge») åter menas den punkt i talkanalen, där ett talorgan »artikulerar» genom att verka aktivt mot ett annat, vanligen passivt, talorgan. Vid en systematisk indelning af dessa lägen väljer man lämpligast det (åtminstone relativt) passiva organet till första indelningsgrund och till (eventuell)

---

[1] En marginal exspiration kan undantagsvis åstadkommas med läpparnas (i stället för tungans) tillhjälp, i det att dessa då hållas slutna midt fram, under det att ena mungipan (eller båda) släpper fram luftströmmen. Särskildt kunna *f* och *v* individuellt så bildas. Individuellt förekommer också stundom ett inspiratoriskt labio-labialt och på nyss angifvet sätt marginalt bildadt sorlljud, som användes såsom lystringsrop till hästar i stället för en lindrig smackning.

andra indelningsgrund det aktiva organet. I öfverensstämmelse härmed och för att om möjligt skapa reda och öfversiktlighet i den nästan hopplösa [1] villervalla, som på detta område åstadkommits genom det virrvarr af allehanda med hvarandra kämpande termer, på hvilka den hittillsvarande litteraturen i ämnet har att bjuda, väljer jag i det följande mina termer för artikulationslägena så, att de i regeln — nämligen så ofta en dubbel indelning behöfves — utgöras af tvåledade sammansatta ord, hvilkas förra led anger det aktiva organet, under det att den sednare leden anger det passiva. Vi erhålla då följande indelning af språkljuden från synpunkten af deras artikulationsställe.

1. Glottala (oftare, men sämre, kallade »laryngala») eller röstbandsljud, då röstbanden artikulera mot hvarandra. Hit höra alla s. k. resonanter (se om detta begrepp nedan s. 383 f.), hvilka dock i regeln äga ännu ett, någonstädes i ansatsröret beläget, artikulationsställe, som vanligen är i högre grad än det glottala bestämmande för ljudets karaktär; vidare alla pertonerade (se § 39, C, 2, a) insonanter, hvilka på grund af själfva sitt begrepp (hvarom se s. 383) med nödvändighet äga ett andra, högre upp beläget artikulationsställe. Glottala äro sålunda t. e. alla de ljud, som betecknas medelst de kursiverade bokstäfverna i *fönsterhake* eller *dragspel*.

2. Faukala (äfven »faryngala», stundom oriktigt »velara») eller svalgljud, då artikulation äger rum mot bakre svalgväggen. Dessa ljud äro af två arter:

a) Velo-faukala, då gomseglet artikulerar mot svalgväggen. Hit höra de s. k. »nässtötljuden»: de nasala explosivor, som representeras af de kursiverade bokstäfverna i t. e. kö*p*man, kar*l*nagel, sli*t*na, ku*b*mått, hår*d*na, lu*d*na.

Af de följande fallen ha de flesta — nämligen från och

---

[1] Dock väl icke, som Jespersen, a. st. s. 207 f. anser, alldeles obotliga.

med 2, b till och med 9, a samt 10, a — det gemensamt, att det aktiva organet utgöres af något parti af tungan, hvadan de hithörande ljuden från det aktivt artikulerande organets synpunkt samtliga äro lingvala ljud eller tungljud. Och då det är af största vikt att ange, hvilket det artikulerande tungpartiet är, så komma de följande termerna att såsom sitt förra led icke använda beteckningen för tungan i sin helhet (alltså »lingvo-»), utan för den för tillfället ifrågavarande delen däraf: spetsen, ytan eller kanten, alltså resp. »apiko-», »dorso-» eller »latero-».

b) **Dorso-faukala**, då tungroten artikulerar — så godt sig göra låter — mot svalgväggen. Hit hör det danska (och möjligen äfven i någon skånsk dialekt förekommande) *r*-ljudet, som dock samtidigt har uvular (se 3 nedan) artikulation, hvilken torde vara den för ljudets karaktär väsentligaste.

3. **Dorso-uvulara** eller **tungspensljud**, då tungroten artikulerar mot tungspenen. Hit hör det § 40, 1 omnämnda, i många sydsvenska dialekter förekommande starkt »skorrande» tungspens-*r*. — Då tungspenen ju är gomseglets nedersta del, så är det uvulara artikulationsläget egentligen endast ett specialfall af det velara (i vidsträckt mening; jfr 4 nedan, där »velar» tas i något mera inskränkt mening).

4. **Dorso-velara** (stundom, men olämpligt, kallade »postpalatala») eller **gomsegelsljud**, då tungroten artikulerar mot gomseglet (ofvan och framom tungspenen). Hit hör t. e. det från både sydsvenska och några medelsvenska dialekter — särskildt i Väster- och Östergötland samt Småland — bekanta frikativa »skorrande» *r* liksom ock det i franskan och tyskan kanske — åtminstone i de större städerna — vanligaste *r*-ljudet, dels pertoneradt (ʌ), dels perspireradt (ɹ). Dorso-velara vokaler äro t. e. resp. *a, o, å*.

5. **Dorso-velopalatala** (stundom »mediopalatala» eller »postpalatala», ofta — i synnerhet hos äldre författare — »gutturala», alla tre termerna olämpliga, i all synnerhet den

sistnämnda) eller midtgomljud, då tungryggen artikulerar mot gränsen mellan gomseglet och gomtaket. Hit höra t. e. de ljud som betecknas med *k, u, ng* och *g* i *kungsgård.*

6. **Kakuminala** eller gomtaksljud, då tungan artikulerar mot gomtaket. Allteftersom härvid tungans rygg, blad eller spets [1] komma till användning, erhålla vi tre olika underafdelningar;

a) **Mediodorso-kakuminala** (ofta, men olämpligt, kallade »palatala» eller »prepalatala»), då tungryggen artikulerar mot gomtaket. Hit höra t. e. de riksspråksljud, som betecknas med *k, ng, g* och *j* i *kisse, ting, vig, länj*; bland vokaler t. e. rsp. *e, ä, ö.*

b) **Predorso-kakuminala**, då tungbladet artikulerar mot gomtaket. Hit hör t. e. den om riksspråkets »tje-»ljud och, än mer, engl. *rch* i *church* påminnande ljudförbindelse *ʃʂ*, som i vissa nordsvenska dialekter uppkommit af *lk* före ursprungligen »len» vokal, t. e. det dalska (i Leksand) *mjaʃʂa* mjölken.

c) **Apiko-kakuminala** (ofta blott »kakuminala» eller, i synnerhet hos äldre författare, »cerebrala»), då tungspetsen artikulerar mot gomtaket. Det allmännast bekanta af hithörande ljud är det inom det ojämförligt största antalet af våra dialekter så vanliga s. k. tjocka *l.*

7. **Alveolara** eller tandvallsljud, då tungan med sin öfre yta (vanligen ryggen, sällan bladet, naturligtvis aldrig roten) eller spets artikulerar mot tandvallen. Vi få alltså två olika fall:

a) **Dorso-alveolara** (olämpligt kallade »dentipalatala» eller »dorsala»), då tungytan artikulerar mot tandvallen. Hit hör t. e. den (närmare bestämdt mediodorso-alveolara) ljudförbindelse (*ʃʂ*), som plägar kallas »tje-»ljud och i vårt riksspråk består af en explosiva med följande frikativa — båda perspirerade — samt tecknas *tj* eller *k* i exempelvis *tjäna* och *känna;* bland vokaler *i* och *y.*

[1] Tungroten kan härvidlag icke komma till användning.

— 381 —

b) Apiko-alveolara (ofta blott »alveolara» eller, sär-
skildt här i Sverge, »supradentala»), då tungspetsen artiku-
lerar mot tandvallen. Sådana äro t. e. vårt vanliga icke
skorrande *r* i *röd, förr* samt de enhetliga riksspråksljud,
som återges medelst teckengrupperna *rd, rt, rn, rs* i *bord,
svårt, barn, fors.*

8 Gingivala eller tandköttsljud, då tungans blad,
spets eller ena —, vänligen högra — sidokant artikulerar mot
öfre tandköttet, vare sig relativt högt upp, således mot tand-
rötterna, eller lågt ned, således mot tändernas insida, eller
däremellan. Vi få sålunda här tre olika fall:

a) Dorso-gingivala, närmare bestämdt predorso-gin-
givala (äfven kallade »postdentala» eller, i synnerhet hos
äldre författare, blott »dentala»), då tungbladet artikulerar
mot öfre framtändernas tandkött och insida. Hit höra t. e.
t, d, n, s i *tid, nyss.*

b) Apiko-gingivala, då tungspetsen artikulerar mot
öfre framtändernas tandkött och rötter. Hit hör det dalska
Älfdalsmålets pertonerade frikativa *ð* i t. e. *rɪðɪð* ridit.

c) Latero-gingivala, då tungans ena sidokant artiku-
lerar mot öfre kindtändernas insida. Härvid kan man ur-
skilja flera specialfall, alltefter den olika punkt där framtun-
gan, samtidigt med att den laterala artikulationen pågår, be-
finner sig i kontaktställning och sålunda åstadkommer en
spärrning af inre munhålan. Denna spärrning, som alltefter
det olika läget för densamma ger det ifrågavarande laterala
ljudet en ganska olika resonans, kan nämligen vara:

α) Dorso-gingival såsom vid de ljud, som betecknas
med *t* och *d* i *mantlar* och *odla.*

β) Apiko-alveolar såsom vid de enhetliga ljud, som be-
tecknas med *rt* och *rd* i *mortlar* och *gördlar.*

γ) Apiko-kakuminal såsom vid de ljud, hvilka i vissa
medel- och nordsvenska dialekter motsvara riksspråkets *rt*
och *rd* i t. e. *mortlar* och *gördlar* (jfr *β* ovan).

9. **Dentala** eller **tandeggsljud,** då ett aktivt organ artikulerar mot öfre tandeggen. Alltefter det aktiva organets beskaffenhet erhålla vi här två underarter:

a) **Dorso-dentala,** närmare bestämdt predorso-dentala (hittills vanligen kallade »interdentala») då tungbladet artikulerar mot tandeggen. Detta är ofta eller oftast (jfr dock s. 557) fallet med de isländska frikativorna *þ* och *đ*[1], som hittills icke äro med säkerhet anträffade på svenskt språkområde. Dock torde det individuellt förekommande s. k. »läspande» *s* ofta vara identiskt med *þ* (hos andra individer däremot snarast apiko-gingivalt).

b) **Labio-dentala** (stundom olämpligt kallade »denti-labiala), då underläppen artikulerar mot tandeggen. Hit höra *m* och *f* i *kamfert,* *v* i *vi.*

10. **Labiala** eller **läppljud,** då ett aktivt organ artikulerar mot öfverläppens undre kant. Alltefter det aktiva organets art få vi följande underarter:

a) **Lingvo-labiala,** då tungans blad eller spets artikulerar mot överläppen, såsom ej sällan sker vid uttalet af interjektionen *tvi,* hvarvid i så fall bokstafsgruppen *tv* är tecken för en lingvo-labial tenuis.

b) **Denti-labiala,** då undre tandeggen artikulerar mot öfverläppen, såsom individuellt är fallet vid uttalet af *f* och *v* hos personer med abnormt utskjutande underkäk.

c) **Labio-labiala** (ofta »bilabiala»), då underläpp artikulerar mot öfverläpp. Hit höra t. e. *b, p, m* i *by, på, må.*

Ljud med samma artikulationsställe kallas **homorgana,** de som ha olika sådant **heterogana**[2]. Däremot menas med **homogena,** resp. **heterogena** ljud sådana, som ha samma, resp. olika **artikulationssätt** (eller -art). Med sistnämnda

---

[1] De snarlika engelska *th*-ljuden i *path* och *father* ha mera tillbaka-dragen tunga och snarast apiko-gingival artikulation, se JESPERSEN, *Fonetik.* s. 219, och nedan § 52.

[2] En vida exaktare benämning vore **homotopa,** resp. **heterotopa,** som dock ingenstädes kommit till användning.

term förstås det särskilda sätt, hvarpå det eller de för tillfället verksamma eller åtminstone i anspråk tagna (aktiva eller passiva) organerna verka eller användas; se härom §§ 36—41 ofvan, där de för olika organer ganska olika artikulationssätten ha gjorts till föremål för ett dels mera allmänt, dels speciellare skärskådande. Ljud som äro både homorgana och homogena, kallas homomorfa, de som äro antingen heterorgana eller heterogena eller båda delarna, kallas heteromorfa. Väl att märka är att vissa — ja många — heteromorfa ljud alltförväl kunna vara homofona (likaljudande), dvs. göra samma akustiska intryck på örat. Så t. e. kan ett *a*-ljud bildas på ganska olika sätt, men ändå »låta» lika. Ljud som icke göra detta, kallas heterofona, Homomorfa ljud äro naturligtvis alltid homofona, ty af samma orsaker måste samma verkan framgå.

§ 43. Insonanter och resonanter, buckaler och vokaler.

Alla på ljudbildning (medelst de öfre ljudkällorna) i ansatsröret helt eller delvis beroende språkljud sammanfattar jag under namnet insonanter [1]. I motsättning härtill äro resonanter [2] alla de ljud, vid hvilkas bildning intet ljud

---

[1] Af lat. *insonare* »ge ljud ifrån sig». I tyska arbeten har stundom i denna betydelse användts den olämpliga termen »Geräuschlaut», som emellertid vida oftare och lämpligare motsvarar hvad jag och andra svenska författare kalla »buller(ljud)»; jfr § 30, B och § 36, 2.

[2] Bremer använder i stället termen »vokaler» (jfr s. 385 nedan), andra tyska författare säga stundom »sonorlaute». M. Rosapelly, *Analyse graphique de la consonne* (i Mémoires de la société de linguistique X). Paris 1898, har ingen gemensam term för alla resonanter, utan kallar dem »vokaler» (i samma utsträckning af denna term, som jag och de flesta andra författare begagna) och »vokaloider», dvs. alla öfriga resonanter, t. e. *m* i *lampa*, *b* i *gubbe*, *l* i *våld* osv. De flesta författare. t. e. ännu Jespersen, sakna öfverhufvud hithörande term, emedan de förbise vikten och betydelsen af ifrågavarande indelning. De låta därför t. e. *b* och *m* få gälla som tecken för »samma» ljud i *mobbpjäs* som i *ämbar* trots den grundväsentliga olikheten i bildningssätt mellan dessa ljud; ty under det att i

alstras i ansatsröret — vanligen emedan alla dess aktiva talorganer använda antingen öppet eller permanent slutet artikulationssätt — utan detta i sin helhet tjänstgör väsentligen blott såsom resonansrum och genom att antaga olika form förlänar olika egenton (se s. 349 ofvan) åt det ljud, som vid exspirationsströmmens genomgång genom ljudspringan alstras därstädes. En mellanställning intaga de aspirerade resonanterna eller de s. k. *h*-ljuden (se s. 371 ofvan), enär deras glottala frikativa väsentligen förstärkes af de svaga och diffusa — dvs. icke lokala, vid viss bestämd punkt af ansatsröret knutna — friktionsljud, som uppstå vid och genom luftströmmens beröring med ansatsrörets insida, och som blifva olika alltefter munhålans olika form för tillfället, hvilken sålunda bestämmer *h*-ljudets »timbre» [1]. Hvarje *h*-ljud anger sålunda den egenton, hvari ansatsröret för tillfället är »stämdt». Denna egenton — och sålunda *h*-ljudet — är olika alltefter den olika icke blott storleken utan i synnerhet formen hos det för tillfället på visst sätt modifierade ansatsröret. Detta kan nämligen vara högst olika icke blott till utsträckningen (se § 41), utan äfven till formen, beroende därpå, att en del — och detta den viktigaste — af detsamma, nämligen munhålan, kan antaga den mest skiftande skapnad. Detta leder oss öfver till en viktig indelning af resonanterna, nämligen efter munhålans form (se § 44), en indelning som emellertid helt naturligt knappast har någon betydelse för andra resonanter än de orala och bland dessa väsentligen blott de mediala, men för dessa sistnämnda visserligen är af genomgripande betydelse. Den är, kort sagt, af särskild vikt för s. k. vokaler.

---

det förra ordet *b* är resonant och *m* explosiv insonant, är i det sednare *m* resonant och *b* explosiv insonant.

[1] Se H. Pipping, *Zur Definition des H-lautes* (i Mémoires de la société néo-philologique à Helsingfors II) och *Zur Phonetik der finnischen Sprache* (i Mémoires de la société Finno-Ougrienne, N:o 14), Helsingfors 1896, s. 224.

Termen vokal förekommer inom den språkvetenskapliga litteraturen, i ovanligt många, mer eller mindre vidsträckta betydelser. I en ytterligt vidsträckt betydelse tas den t. e. af Keyser (Om svensk skrift, 1889) och Bremer (Deutsche Phonetik, 1893). För den förre är vokal detsamma som pertonerad oral, hvadan t. e. *l*, *r*, *j*, *v* äro »vokaler»; för den sednare är det, såsom redan (se s. 383 not 2) nämnts, detsamma som resonant öfverhufvud, hvadan t. e. *l-*, *m-*, *n-* och »*äng*»-ljuden i *såld*, *pumpa*, *binda*, *vinka* höra till vokalerna. I något inskränktare betydelse har det fattats såsom oral eller nasooral resonant, hvarigenom de nyssnämnda nasala resonanterna uteslutas från termens område, men icke *l*-ljudet i *såld*. Detta sker däremot, då man med många författare ytterligare inskränker termen till att beteckna medial oral eller nasooral resonant, men på så sätt räknas dock fortfarande *h*-ljuden [1] hit. I ännu inskränktare betydelse, hvilket ock är ordets vanligaste användning (särskildt i all elementär och populär litteratur), uppträder termen såsom liktydig med pertonerad, persifflerad, perspirerad eller glottalt tremulerad (s. § 39, C, 2, b) medial oral eller nasooral resonant, hvarigenom från dess omfång äfven de aspirerade resonanterna (»*h*-ljuden») uteslutits. I allra inskränktaste och — åtminstone om man fasthåller termens etymologi — egentligaste betydelse borde ordet ej heller afse de persifflerade (»hviskade»), de perspirerade (»andade») eller de glottalt tremulerade resonanterna, utan blott de medelst röstton (»vox») bildade; men i så inskränkt användning tyckes termen aldrig brukas. Jag begagnar därför här uttrycket vokal med dess nyss nämnda vanligaste betydelse. Alla öfriga språkljud sammanfattar jag — då och därest en sådan sam-

---

[1] Af många nyare författare, dock icke de allra nyaste, kallade »tonlösa vokaler», emedan de — oriktigt (se ofvan s. 371 och 384) — hållas för att vara perspirerade i stället för aspirerade resonanter.

manfattning behöfs — under termen **buckaler** [1] (dvs. ansatsrörs-ljud, se s. 349 f. ofvan) i stället för den hittills tämligen allmänt gängse »konsonanter», som på grund af sin tvetydighet omöjligt kan — åtminstone i en vetenskaplig framställning — bibehållas. Den har nämligen hittills användts än såsom en motsats till »vokaler» (så särskildt i elementära läroböcker), än i motsättning mot »sonanter» (se s. 366 ofvan), en terminologi som i vetenskaplig litteratur blifvit allt vanligare, och som äfven på grund af ordets bildningssätt är synnerligen lämplig. Jag indelar därför ljuden från synpunkten af deras roll i stafvelsen uti sonanter och konsonanter — termer som lyckligt uttrycka ett motsatsförhållande — men kan då icke samtidigt indela dem från synpunkten af deras bildningssätt uti vokaler och »konsonanter», utan använder äfven härvidlag termer, som i lämplig mån påminna om hvarandra: vokaler och buckaler.

Med **buckaler** menar jag alltså alla sådana språkljud, vid hvilka ansatsrörets artikulation är det mest framträdande. I motsats däremot äro **vokaler** (dvs. röstljud) de ljud, vid hvilka röstbandens artikulation (i form af röstton, mera undantagsvis hviskning) är det mest framträdande. Till vokalerna höra de pertonerade och persifflerade resonanter, som sakna klaffbildning i ansatsröret (alltså de mediala oralerna och nasooralerna); till buckalerna däremot de pertonerade och persifflerade resonanter, som hafva klaffbildning i ansatsröret (alltså de klusila, marginalt orala osh nasoorala samt de nasala), de aspirerade resonanterna och alla insonanter. En dylik indelning, som under en gemensam term sammanför så olikartade saker, är emellertid mera praktiskt än teoretiskt att rättfärdiga och innebär strängt taget endast en eftergift åt en gängse på alfabetisk slentrian, eller låtom oss säga bokstafsträldom, beroende indelning samt ett försök att termino-

---

[1] Förut använd af Keyser, men i den inskränktare betydelsen af perspirerad oral.

logiskt förbättra denna, dårest den öfverhufvud skall bibehållas. Detta synes visserligen från rent vetenskaplig synpunkt vara onödigt [1], men icke förty kommer den väl ännu länge nog att äga bestånd, och för den elementära undervisningens vidkommande torde den kanske vara praktisk.

§ 44. Vokalernas bildning.

Såsom redan nämndt beror vokalernas inbördes olikhet på det glottala ljudets (rösttonens eller hviskningens) orala modifikation genom olika resonans, hvilken i sin tur beror på munhålans olika form. Denna form åter bestämmes hufvudsakligen af följande faktorer:

A. Käkvinkelns storlek. Denna uppmätes på afståndet mellan öfre och undre framtänderna och kan vara mycket olika, alltifrån det minsta möjliga, vid slutna tänder, till det mesta möjliga, vid »gäspning», mellan hvilka båda ytterligheter ligga en godtycklig mängd olika grader af »gapande». Dessa olikheter äro emellertid, åtminstone i svenskan, af mycket ringa betydelse för vokaldifferenseringen. Alla svenska vokaler kunna nämligen, utan att nämnvärdt akustisk olikhet uppstår, uttalas såväl med alldeles tillslutna som med tämligen åtskilda tänder, om ock det normala är, att käkvinkeln är desto större, ju längre bak vokalens tungartikulation är belägen. Med vidöppen mun kunna däremot endast långt bak artikulerade vokaler uttalas utan att väsentligen förändras till sin akustiska beskaffenhet. Denna käkvinkelns ringa betydelse beror därpå, att tungan icke behöver mer än i viss mån följa underkäkens rörelser. Och då nu det för en viss

---

[1] En egendomlig ståndpunkt intas i denna fråga af Jespersen, som efter att (Fonetik s. 402) ha betonat den vetenskapliga svårigheten vid och ringa betydelsen af den gängse indelningen vokal : konsonant dock (s. 528) anser dessa termer kunna »fortræffeligt anvendes i den hævdvundne betydning» och i följd däraf naturligtvis måste anse terminologien sonant : konsonant olämplig vid indelning af ljuden efter deras roll vid stafvelsebildningen.

vokal karakteristiska resonansrummet, i den mån det utgöres af munhålan, till sin botten väsentligen har tungan, så blir detta rums form och storlek i främsta rummet afhängiga af tungans förhållande, af dess läge för tillfället.

B. **Tungans artikulation**, vid hvilken är att beakta:

1. Det för den ifrågavarande vokalen specifika artikulationsstället. Så framt icke tungan befinner sig i sitt indifferensläge (se s. 377 ofvan), i hvilket fall en obestämd (»neutral», »indifferent») vokal uppstår, så artikulerar någon punkt på densamma mot någon punkt å munhålans tak, i det att den förra punkten mer eller mindre (se 2 nedan) närmar sig den sednare, så att mellan tunga och gom uppstår ett pass, som itudelar munhålan i tvenne, genom själfva passet med hvarandra förbundna resonansrum, hvardera af-gifvande sin särskilda egenton [1]. Läget för detta pass kan naturligtvis vara hvilket som helst af de i § 42, 2 b till och med 9, a nämnda »lingvala» artikulationsställena. Så t. e. har man i svenskan möjligen på vissa håll apiko-alveolara vokaler i de s. k. Viby-*i* och -*y*, dorso-alveolara i riksspråkets *i* och *y*, dorsokakuminala i riksspråkets *e, ä, ö* och *u* i *hus*, dorso-velopalatala i rsp. *u* i *kung* och *dukat* samt de stockholmska *ä* i *här* och *ö* i *förr*, dorso-velara i rsp. *a, o, å.* Dessutom kan man ofta inom dessa artikulationsområden urskilja främre, mellre och bakre varieteter. Så t. e. på det dorso-kakuminala området ligga *e* i *hel* och *ö* i *hö* jämförelsevis långt fram, *ä* i *häl* och *ö* i *hör* däremot jämförelsevis långt bak, under det att det stockholmska *a* (i *sed* och *säd* osv.) och rsp. *e* i *gosse* inta en medelställning. Likaså är på det dorso-velopa-latala området *u* i *dukat* beläget längre fram än *u* i *kung*, och bland de dorso-velara vokalerna äro *a, o, å* i *hatt, visor, håll* främre, däremot i *hat, hot, hår* bakre sådana. Trots denna mångfald af artikulationsställen för vokalerna pläga

---

[1] Se Noreen, *Arkiv för nordisk filologi* XVII, 207 och den där citerade litteraturen.

emellertid de flesta fonetiska författare, t. e. Sweet, Sievers och Passy för att blott nämna några af de mest betydande, endast tala om tre »horisontala» tunglägen: det »främre», det »blandade» och det »bakre» — ungefär motsvarande mina kakuminala, velopalatala och velara artikulationsställen — och på sin höjd dessutom medgifva tillvaron af en »yttre» och en »inre» varietet för ett eller annat af dessa lägen. Såsom synes, är emellertid en sådan indelning åtminstone för svenskans vidkommande alldeles otillfredsställande och har icke heller af någon svensk författare utan vidare accepterats.

Den hos oss mycket brukliga indelningen af vokalerna i »lena» (eller »mjuka») och »hårda» är helt och hållet af historisk-ortoepisk natur. Med lena vokaler menar man nämligen helt enkelt sådana, framför hvilka bokstäfverna *g* och *k* i regeln äro att utläsa på samma sätt som *j*, resp. *tj*, eller som det heter: »uttalas lent». Med hårda vokaler åter menas sådana, framför hvilka bokstäfverna *g* och *k* i regeln betyda explosivor, »uttalas hårdt». Därför äro, åtminstone numera, hårda vokaler ej detsamma som jämförelsevis långt bak, liksom ej heller lena vokaler detsamma som jämförelsevis långt fram artikulerade vokaler, om ock tvifvelsutan så varit förhållandet i fornsvensk tid. Ty t. e. det i främre kanten af det kakuminala artikulationsområdet belägna *u* i *kula* gäller såsom en »hård» vokal, uuder det att å andra sidan det velopalatala, alltså rätt långt bak belägna, *a* i det stockholmska uttalet af *kär* heter en »len» vokal. En annan sak är, att häraf den intressanta språkhistoriska slutsatsen kan dragas, att det nysvenska *u*-ljudet i *kula* måste härstamma från ett fornsvenskt *u*-ljud med vida längre bak beläget artikulationsställe och det stockholmska *ä*-ljudet i *kär* från ett längre fram bildadt fornsvenskt.

2. Det vid ifrågavarande artikulationsställe förefintliga större eller mindre afståndet mellan tungan och gommen. Detta afstånd får naturligtvis icke vara reduceradt

därhän, att tungan helt eller delvis berör gommen, ty i så fall uppstår antingen ett klusilt *d-* eller *g*-ljud (så vid total afspärrning af ansatsröret) eller ett nasalt resonantiskt *n-* eller »äng»-ljud (så vid blott nasal exspiration) eller ett marginalt resonantiskt *l*-ljud (så vid blott marginalt oral, vare sig med eller utan samtidig nasal, exspiration). Icke heller får det vara så litet, att något friktionsljud uppstår i munnen. Utan det måste på samma gång vara så pass stort, att orala friktionsljud undvikas, och dock så pass litet, att en tydlig förträngning af munkanalen äger rum. Men dessa båda fordringar medgifva naturligtvis flera grader i fråga om det sålunda uppkomna passets vidd eller, hvilket är detsamma, den aktiva tungdelens höjning. Sweet, Sievers, Lundell[1] m. fl. antaga såsom för örat åtskiljbara grader eller »vertikala lägen» trenne, Passy fyra, J. V. Lindgren[2] sex, E. Grip[3] sju, Lyttkens och Wulff nio (teoretiskt t. o. m. elfva). För egen del kan jag icke med säkerhet urskilja mer än två grader, men medger gärna sannolikheten af att andra äro i stånd därtill. Att emellertid ett längre gående uppdelande icke hafver sig så alldeles lätt, framgår af forskarnas ringa enighet, så snart man går utöfver den tvågradiga skalan. Så t. e. uppföres *o* i *bo* af Lundell såsom »medelhög», af Lindgren däremot som hög, *ö* i *kött* af den förre som medelhög, af den sednare åter som låg, osv.

Jag nöjer mig därför med att indela vokalerna från ifrågavarande synpunkt uti höga, dvs. vokaler med jämförelsevis trångt pass mellan tunga och gom, och låga, dvs. sådana som ha jämförelsevis vidt pass. Exempel på det förra utgöra vokalerna i orden *vi, ny, hus, bo, hō*, på det sednare de i orden *hal, hatt, häst, godt, förr*. Då jag sålunda i anslutning till hittills allmännast gängse terminologi här an-

---

[1] *Praktisk fonetik* (1903), s. 11.
[2] Sv. landsm. XII, 1, s. 7.
[3] Sv. landsm. XVIII, 6, s. 9.

vänder termerna »hög» och »låg», så är det emellertid icke därför, att jag finner dem särskildt lämpliga för detta ändamål. Tvärtom anser jag i likhet med Jespersen [1], att de äro ganska olämpliga, emedan de lätt inbjuda till förblandning med »hög (låg) på tonskalan» och »hög (låg)» i betydelsen »högljudd (lågmält)», hvartill jag kan lägga, att de verka i någon mån förvillande äfven därför, att en låg vokal, t. e. *ä* i *häst*, alltförväl kan ha och ofta också har en absolute sedt högre tungställning, dvs. ett högre upp i munhålan beläget artikulationsställe, än en hög vokal, t. e. *i* i *vi*. Jag skulle därför mer än gärna acceptera de af Jespersen föreslagna »nær» och »fjern», om de blott kunde försvenskas. De för öfrigt så lämpliga »trång» och »vid» kunna ej heller användas, enär de redan äro tagna i anspråk på annat håll (se nedan C, 3, b, *a* och *δ*), hvilket, såsom jag i den vokaliska ljudläran får tillfälle visa, äfven är händelsen med de mot Passys »fermé» och ouvert» svarande »sluten» och »öppen». Jag bibehåller därför åtminstone tillsvidare termerna »hög» och »låg», men detta uteslutande af brist på bättre sådana. För resten synes mig hela distinktionen vara af mindre vikt för nysvenskan, enär en vokals egenskap af att vara hög eller låg väsentligen tyckes bero icke på tungans större eller mindre höjning mot gommen, utan fastmera på själfva skapnaden af gommen vid det specifika artikulationsstället, en skapnad som än närmar, än fjärmar gom och tunga i förhållande till hvarandra, alldeles oberoende af den sednares höjning. Så t. e. är det tydligt, att vid normal käkvinkel de alveolara och främre kakuminala vokalerna lättast bli höga, de bakre kakuminala och velopelatala däremot lättast låga samt endast de velara med lätthet — helst som gomseglet i händelse af behof kan höjas — såväl det ena som det andra.

---

[1] *Fonetik*, s. 255.

3. Tungans större eller mindre muskelspänning vid artikulationsstället. Från denna synpunkt skiljer man mellan spända och slappa vokaler, t. e. å ena sidan de flesta franska vokaler och nysvenskans långa vokaler, å andra sidan de flesta engelska vokaler och nysvenskans korta vokaler. Sweet, Sievers m. fl. använda i stället termerna »trånga» och »vida», hvilka — frånsedt deras användning i annan betydelse (se nedan C, 3, b, a och ᴆ) — synas mig mindre lämpliga, enär de ej antyda företeelsernas grund. Men i sak äro de icke oriktiga, enär vid spänd artikulation tungans aktiva del blir mera konvex än vid slapp artikulation, och i följd däraf naturligtvis det vid artikulationsstället befintliga passet i förra fallet blir något trängre än i det sednare. Eftersom sålunda en öfvergång från spänd till slapp artikulation leder till samma sorts resultat — blott i mindre skala — som den på helt andra faktorer beroende öfvergången från hög till låg artikulation (se 2 ofvan), så är det, åtminstone för örat, rätt svårt att från hvarandra skilja dels de spända och de höga vokalerna, dels de slappa och de låga, dels ändtligen de slappa höga och de spända låga, så snart nämligen de båda slagen ha samma artikulationsställe. För nysvenskan är emellertid äfven denna indelning af jämförelsevis ringa vikt, emedan den akustiska skillnaden för örat mellan de båda slagen af vokaler är ganska obetydlig.

C. Läpparnas (och de med dem förbundna kindernas) artikulation, som kan modifiera resonansen på ett eller flera af följande sätt:

1. Genom horisontal förskjutning af läpparna, vare sig slutna eller lindrigt öppna, från deras indifferensläge. Denna förskjutning kan vara af tvåfaldig art:

a) Förskjutning framåt (ty. »vorstülpung», då mungiporna närma sig hvarandra, hvilket innebär, att läpparnas midt aflägsnar sig från framtänderna, och att kinderna i sammanhang därmed indragas. Så bildas t. e. ofta nysvenskt *y* (och *ö*).

b) Förskjutning åt sidorna, då mungiporna aflägsna sig från hvarandra, läpparnas midt närmar sig framtänderna, och kinderna i sammanhang därmed utskjutas. Så bildas t. e. ofta nysvenskt *i* (och *e*).

Dessutom kunna naturligtvis läpparna förbli neutrala, dvs. i detta afseende — förskjutning eller icke-förskjutning — bibehålla sitt indifferensläge.

2. Genom variation af läppöppningens form, som kan vara hufvudsakligen af två slag:

a) Horisontalt aflång, t. ex. vid normalt öppnad käkvinkel och än mer utprägladt vid läpparnas förskjutning åt sidorna, om blott läpparna därvid bibehålla indifferenslägets slappa eller platta hållning. Så bildas bl. a. nysvenskt *ä* samt *a* i *hatt* och bland buckaler t. e. enligt Jespersen[1] ljudet *б*, dvs. spanskt *b* i *Habana*, sydtyskt *w* i *was* m. m.

b) Rundad, dvs. mer eller mindre rund, t. e. vid läpparnas förskjutning framåt, vid abnormt stor käkvinkel — vid gäspning rent af ledande till vertikalt aflång läppöppning — men äfven vid liten käkvinkel och neutralt läppläge, om blott läpparna artikulera aktivt genom att öfverläppens midt höjes, under det att underläppens sänkes. Så bildas bl. a. vanligen nysvenskt *u* i *hus* och *o* i *bo* samt bland buckaler t. e. enligt Jespersen[1] engl.. *w* i *we*, fr. *ou* i *oui*.

3. Genom variation af läppöppningens storlek. Detta är den för nysvenskan viktigaste synpunkten i fråga om läpparnas artikulation. Är öppningen lika med noll, dvs. äro läpparna slutna, så uppkommer antingen (vid total afspärrning af ansatsröret) en klusil eller (vid blott nasal exspiration) en nasal resonant. Förefinnes däremot en läpp-

---

[1] *Fonetik*, s. 179 f.

öppning, så kunna vokaler bildas, och vi ha då att särskilja två hufvudfall:

a) Är läppöppningen till sin bredd lika stor som afståndet mellan mungiporna vid läpparnas indifferensläge (dvs. upptar öppningen hela munnens normala bredd), eller är den, såsom fallet är vid läppförskjutning åt sidorna, ännu större, så modifieras den i inre munhålan frambragta resonansen endast mycket obetydligt genom den yttre munhålans form. Man kallar därför de på så sätt artikulerade vokalerna för delabialiserade eller rena, t. e. *i, e, ä* och *a* i *hatt*. Annorlunda beskaffadt blir däremot förhållandet, i fall öppningen reduceras till ett verkligt pass genom att läpparna delvis stängas. Denna stängning sker sällan och väl blott individuellt på så sätt, att läpparna tillslutas vid midten, men icke vid någondera eller åtminstone icke vid ena mungipan, så att alltså en marginal exspiration uppstår (jfr ofvan s. 377 not). Det vanliga är däremot, att

b) mungiporna stängas mer eller mindre långt framåt, och midten hålles öppen, med eller utan rundning eller förskjutning framåt. På så sätt bildade vokaler kallas för labialiserade eller orena. Alltefter den olika storleken (bredden) af det sålunda bildade läpp-passet får man olika labialisationsgrader. Dessa äro i nysvenskan minst fyra[1] tydligt urskiljbara, hvilka lättast uppmätas vid framskjutna läppar. Man har därför att indela nysvenskans hithörande vokaler efter stigande grad af labialisering i följande fyra klasser:

α) Vida, då öppningen är inskränkt till ungefär mellersta tredjedelen af läpparna, t. e. *a* i *hat*, *e* i *gosse*, *sitter*.

β) Halfvida, t. e. vokalerna i *folk, hö, hört, ny*.

γ) Halftrånga, t. e. vokalerna i *få, kung* och (ofta) andra stafvelsen af *gator*.

---

[1] J. V. Lindgren i Sv. landsm. XII, 1, s. 7 uppställer fem sådana.

— 395 —

ð) Trånga, då öppningen är den minsta möjliga (som vid hvissling, ungefär af ett större knappnålshufvuds storlek) och endast genom sin rundning undgår att förvandla ljudet till en frikativa [1]. Hit hör t. e. *u* i *hus* och *o* i *bo.*

Hvarje från ofvan angifna synpunkter företagen klassifikation af vokalerna i ett visst språk måste emellertid nödvändigtvis bli högst onöjaktig. Detta icke blott på grund af svårigheten att finna ens någorlunda fasta gränser mellan en mängd ljud med apert — och detta t. o. m. i många olika grader — artikulation, utan väsentligen och hufvudsakligen därför, att ingen beskrifning af någon som helst vokal kan med säkerhet göra anspråk på att vara annat än individuellt giltig eller på sin höjd gällande i fråga om det bildningssätt, som af ett flertal individer vanligen användes. Detta beror därpå, att de flesta vokaler, i motsättning till andra språkljud, äro polymorfa, dvs. att heteromorfa (se s. 383 ofvan) vokaler kunna vara, åtminstone för örats uppfattning, akustiskt identiska. Så t. e. kan jag bilda *e* genom att, tagande artikulationen af *i* till utgångspunkt, antingen flytta passet mellan tunga och gom något längre bakåt eller ock genom att, med eller utan ökning af käkvinkeln, något vidga det eller ändtligen genom att företaga båda dessa operationer samtidigt, ehuru då hvardera i mindre grad. Likaså kan *a*-ljudet i *hat* bildas med hvilken käkvinkel som helst, med hvilken läppställning som helst och med nästan hvilken tungställning som helst; detta allt emedan det moment af den för detta ljud vanligaste artikulationen, hvilket för tillfället utelämnas eller genom en abnorm användning af något organ förryckes, kan ersättas eller motvägas af någon, likaledes mer eller mindre abnorm, användning af något an-

---

[1] Jfr förhållandet mellan det engl. *w* i *we* (fra. *ou* i *oui*) och det spanska *b* i *Habana*, af hvilka ljud det förra just på grund af sin rundning gör ett vida mer vokalliknande intryck. Se vidare 2, a och b ofvan.

nat organ, så att man i alla fall erhåller ett resonansrum
med den form, som tarfvas för åstadkommande af den för
vokalen (*a* i *hat*) karakteristiska resonansen. Alltså kunna
vokalerna fullt nöjaktigt klassificeras endast från synpunkten
af det för dem väsentliga, nämligen munhålans för olika vo-
kaler olika egenton, lättast iakttagbar vid hviskning eller
ännu bättre och i sin renhet vid andning. Men en dylik
systematisering kan ännu icke på fullt tillfredsställande sätt
åstadkommas. Vi lida nämligen ännu så länge brist på dels
praktiskt lämpliga observationsinstrumenter — då nämligen
vårt öra är rätt opålitligt och vanligen också otillräckligt öf-
vadt — dels en fast och utbildad metod, såsom tydligen fram-
går däraf, att härvidlag knappast två forskare komma till
samma resultat. [1] Och svårigheten af en exakt bestämning
har blifvit än större, sedan Helmholtz, Bell, Lloyd, Bremer
och i all synnerhet Pipping uppvisat, att en vokals egenton
strängt taget är en förbindelse af två egentoner, den ena
(»munnens») hörande till det parti af ansatsröret, som är
beläget framom, den andra (»svalgets») till det parti, som
är beläget bakom det specifika artikulationsstället för den
ifrågavarande vokalen. [2]

§ 45. Sammansatta ljud.

Vi ha hittills betraktat de särskilda talorganernas arti-
kulationer hvar för sig. Men dessa organer kunna naturligt-
vis för åvägabringande af de faktiskt brukliga språkljuden
verka samtidigt, och de pläga också så göra. I denna me-
ning äro nämligen alla språkljud, genetiskt sedt, sammans-
satta ljud. Ty om man också, t. e. genom att »hålla andan»,

---

[1] Se sammanställningen hos JESPERSEN, *Fonetik*, s. 387, och jfr för
tyskans vidkommande BREMER, *Deutsche Phonetik*, s. 170, samt rörande de
nordiska språken särskildt LYTTKENS och WULFF, *Svenska språkets ljudlära*,
s. 348, samt STORM, *Englische Philologie*, 2 uppl., s. 98 f.

[2] Se NOREEN i Arkiv för nordisk filologi XVII, 207 och den där an-
förda litteraturen i frågan.

bringar de luftförande organernas artikulation ur räkningen, så måste dock för åstadkommande af t. e. ett explosivt *p* eller *b* icke blott den aktiva läppartikulationen tagas i anspråk, utan äfven andra mera passiva faktorer, som betinga den för ljudet i fråga specifika resonansen, här t. e. gomseglets anslutning till bakre svalgväggen, utan hvilken artikulation vi erhölle ett explosivt *m* i stället för *p* eller *b*. Vill man därför skilja mellan, genetiskt sedt, enkla och sammansatta språkljud, så måste man med den sednare termen — tagen i vidsträckt betydelse (jfr nedan) — afse sådana ljud, vid hvilkas bildning två eller flera olika talorganer eller ock två olika delar af samma organ samtidigt artikulera i någon högre grad aktivt. Vi kunna då särskilja flera olika fall af dylik sammansatt artikulation:

1. Resonansbildande artikulation förekommer samtidigt på två olika ställen i munhålan, hvilket med andra ord vill säga, att två resonanter bildas samtidigt. Detta är naturligtvis fallet, då dels tungan bildar ett pass mot gommen, dels läpparna bilda ett annat dylikt mot hvarandra. Sammansatta i denna mening äro alltså alla labialiserade vokaler (se § 44, C, 3, b), t. e. *y*, som är samtidigt en lingval resonant med samma tungställning som *i* och en labial resonant med samma läppställning som *ö* (eller ock som *u* i *kung*).

2. Resonansbildande artikulation hos ett organ förekommer samtidigt med ljudbildande artikulation hos ett annat. Härvid äro två olika fall att åtskilja:

a) Den resonansbildande artikulationen äger rum i en öfre, den ljudbildande artikulationen i den nedre ljudkällan. Sådant är förhållandet vid alla resonanter.

b) Båda artikulationerna äga rum i ansatsröret, hvilket med andra ord vill säga, att samtidigt alstras af en öfre ljudkälla en resonant, af en annan en insonant. Som den sednares buller ådrar sig den största uppmärksamheten, så uppfattas insonanten som det hufvudsakliga ljudet, och det resonantiska elementet betraktas som en dess modifikation. Man plägar härvid särskilja tre hufvudsakliga fall:

a) Beror den resonantiska modifikationen på labio-labial artikulation, så säges insonanten vara labialiserad (liksom man t. e. säger vokalen *y* vara ett labialiseradt *i*, eftersom den uppstår genom labial modifikation af *i*, se 1 här ofvan och jfr § 44, C, 3, b), t. e. det sydsvenska »sje-»ljudet, latinets *qu* och gotiskans *q* (båda labialiseradt *k*-ljud) m. m.

β) Beror den resonantiska modifikationen på lingvo-palatal (vare sig -kakuminal, -alveolar eller -gingival) artikulation, dvs. på att tungan närmat sig hårda gommen, så säges insonanten vara palataliserad eller, som det hittills oftare fått heta, »muljerad» (liksom man kan säga att *y* är ett palataliseradt *u*, eftersom det uppstår genom palatal modifikation af *u* i *kung*, se 1 ofvan), t. e. ryskans *m-, p-, b*-ljud näst före *i* eller nysvenskans *lj, nj* före *d, t* (såsom i *sväljde, sväljt, tänjde, tänjt*), i hvilken ställning dessa ursprungliga ljudförbindelser oftast öfvergått till palataliseradt *l, n*.[1] Palataliseringen blir mera utpräglad, ju längre fram den palataliserande artikulationen äger rum.

γ) Beror den resonantiska modifikationen på lingo-velar artikulation, så säges insonanten vara velariserad (ofta, men mycket olämpligt, »gutturaliserad»), t. e. engelskans *l*-ljud i *bell*. Velariseringen, som öfverhufvud är relativt sällsynt, blir mera utpräglad, ju längre bak den velariserande artikulationen äger rum.

3. Ljudbildande artikulation förekommer samtidigt på två ställen. Äfven härvid äro två olika fall att åtskilja: .

a) Det ena ljudet alstras i den nedre, det andra i en öfre ljudkälla. Det vanligaste fallet är då det, att en ton (rösttonen) bildas å det förra, ett buller å det sednare artikulationsstället. Så sker vid alla pertonerade insonanter, t. e.

---

[1] Se Lundell i Språk och stil I, 39 ff.

v, r, b i *verbet.* Men man kan också samtidigt frambringa två buller, t. e. två frikativor, såsom vid alla persifflerade frikativor är fallet; sällan två explosivor, dvs. ett *p, t* eller *k* samtidigt med »stöt» (se § 39, B) i ljudspringan, hvilket lätt leder till den i ansatsröret bildade explosivans förstummande, enär för dess alstring endast ett ringa luftförråd är disponibelt, då ju struphufvudsexplosivan kräfver afstängande af exspirationsströmmen (jfr t. e. det i Finland stundom förekommande uttalet *Mi·ola* för *Mikkola* o. d.). Allra svårast är att samtidigt åstadkomma två toner: röstton och hvissling, en artikulation som ej heller veterligen förekommer med språklig användning.

b) Det ena ljudet alstras af en, det andra af en annan öfre ljudkälla. Genom en dylik artikulation uppstår ett **sammansatt ljud i inskränkt betydelse.** Det vanligaste fallet är härvidlag, att två frikativor produceras samtidigt, t. e. de åtskilliga »sje-»ljud, som uppstå genom att tungan samtidigt är inställd för artikulation af *s-* och »tje-»ljud eller »ich»- och »ach-»ljud eller *s-* och »ach-»ljud, och bland hvilka det vanliga uppsvenska »sje-»ljudet är ett. Svårare är att bilda två explosivor samtidigt, enär den längre bak artikulerade gärna tar bort luften för den främre (jfr a ofvan), som därför lätteligen förstummas. Så t. e. förutsätter väl det svenska dialektuttalet *ätter* 'efter' ett sådant fornsvenskt uttal af *æpter* (i obetonad ställning), att *p* och *t* producerades samtidigt, såsom nu faktiskt mycket ofta sker i franskans *p[e]tit* och väl äfven understundom — att döma af stafningen kanske fordom oftare — i den svenska interjektionen *ptro.* Ett på sådant sätt uttaladt energiskt *ptro* ger oss äfven exempel på en sammansatt tremulant, ty på den sammansatta explosivan följer då en labio-labial tremulant samtidigt med en apiko-gingival sådan.

Från akustisk synpunkt kan man såsom »sammansatta» betrakta sorlljuden (dvs. de pertonerade insonanterna), såsom »enkla» däremot dels klangljuden (de pertonerade resonanterna), dels bullerljuden (de persifflerade, aspirerade och perspirerade ljuden).

§ 46. Öfvergångsljud.

Vi ha slutligen att skilja mellan mer eller mindre själfständiga ljud. I det föregående ha vi blott betraktat hvarje ljud såsom isoleradt, i hvilket fall det naturligtvis frambringas frivilligt och på åsyftadt sätt. Men i det verkliga lefvande talet uppträda ju de flesta ljud förenade med hvarandra till ljudförbindelser. En följd häraf är, att, så snart två på hvarandra följande ljud icke äro skilda åt af en absolut paus (se s. 362 ofvan), uppstå ofrivilligt och med en viss nödvändighet vid talorganernas öfvergång från den ena artikulationen till den andre vissa osjälfständiga eller »parasitiska» ljud, de s. k. öfvergångsljuden eller »glidljuden». Hvarje sådant är strängt taget en hel serie av ljud, alstrade under organernas kontinuerliga fjärmande från det ena och lika kontinuerliga närmande till det andra artikulationsläget, så att t. e. *i*-ljudet i *klipp*, innan det alldeles förstummas, öfvergår först, i mån af läppöppningens småningom försiggående minskning för åstadkommande af *p*-ljudet, till ett *y*-ljud af minimal tidsutdräkt och sedan, i mån af rösttonens dämpande på grund af ljudspringans småningom försiggående vidgande, till ett lika minimalt *h*-ljud med *y*-timbre, alltså ungefärligen *kliyhp*. Öfvergångsljuden bli oundvikligare, ju innerligare de båda själfständiga ljuden äro med hvarandra förbundna, sålunda i synnerhet när de tillhöra samma tryckstafvelse. De bli märkbarare, ju långsammare artikulationsändringen företages. De bli rikare på urskiljbara momenter, ju längre från hvarandra utgångspunkten och slutpunkten i serien äro belägna, dvs. ju mera heteromorfa de båda själfständiga ljuden äro. Framhäfves något moment i serien af öfvergångsljuden genom en ökning af dess intensi-

tet eller kvanlitet, så framstår detta moment såsom ett själf-
ständigt ljud; så t. e. vid utvecklingen af det fornsvenska
*stela (med velariseradt *l* på grund af det följande velara *a*)
genom *ste_ala* till *steala* [1], hvaraf *stiala* 'stjäla'. Vanligen re-
flekterar man icke på öfvergångsljudens tillvaro, men att man
dock — om ock omedvetet — uppfattar dem, framgår t. e.
däraf att, om man vid uttalet af *läpp, lätt, läck* låter den
artikulerade paus (se s. 362 ofvan och 403 ff. nedan), som
omedelbart föregår bildandet af *p-, t-* och *k*-explosivorna,
öfvergå i en absolut paus, så förväxlas ändock icke de på
sådant sätt uttalade tre stafvelserna. Detta måste bero därpå,
att öfvergångsljuden mellan *ä* och — de aldrig uttalade —
p-, t- och *k*-ljuden äro tillräckligt olika, och såsom sådana
uppfattade, för att hålla alla tre ljuden åtskils.

Af särskildt intresse äro öfvergångsljuden i fråga om
följande båda slag af ljudförbindelser:

1. Vokal + vokal i samma stafvelse, dvs. hvad man
kallar en diftong (eller stundom, men olämpligt, »tveljud»)
eller, i fall vokalerna äro tre å rad i samma stafvelse, trif-
tong. Är den första vokalen starkast (dvs. har största in-
tensiteten) så säges diftongen (triftongen) vara fallande, t. e.
ai, au i ty. *mai, haus.* Är den sista vokalen starkast, så säges
diftongen (triftongen) vara stigande, t. e. *ia* i it. *piano, oa* i
fra. *roi.* Har ingendera vokalen afgjord öfvervikt i fråga om
intensitet, så säges diftongen (triftongen) vara sväfvande,
t. e. *iue* i dalmålets *fliuega* flyga. Om ändtligen i en trif-
tong den mellersta vokalen är starkast, så har man en
stigande-fallande triftong, t. e. *iai* i da. *jeg.* Hvarje dif-
tong af ena eller andra slaget är strängt taget en af de båda
ändpunkterna begränsad serie af oändligt många minimalt
olika vokaliska öfvergångsljud, ordnade efter aftagande lik-
het med den första och tilltagande likhet med den sista vo-

---

[1] Med * utmärkas former som endast äro förutsatta, icke faktiskt
anträffade.

kalen i serien, dessa båda de enda som pläga erhålla uttryck i skrift. Så t. e. är diftongen »*ai*» egentligen, groft betecknadt, en serie *a(aæaei)i*. Genom framhäfvande af vissa af dessa öfvergångsljud kan diftongen på mångfaldigt sätt förskjutas och eventuellt slutligen kontraheras, t. e. $ai > ae > æ$, såsom skett i latinet, $ai > ae > aä > ā$, såsom skett i angelsaxiskan, $ai > æi > ei > ē$, såsom skett i fornsvenskan, osv.

2. Tenuis + vokal. Denna förbindelse leder på grund af de båda ljudens synnerligen heteromorfa beskaffenhet till uppkomst af en mängd olikartade öfvergångsljud, hvilka inställa sig, under det att dels den kontakt, som utgör en nödvändig betingelse för tillvaron af en tenuis, successivt vidgas först till den för en frikativa erforderliga springan och därpå till det för en vokals bildande nödiga passet, dels ljudspringans för andning inställda, vidöppna artikulation successivt utbytes mot en allt trängre sådan, afpassad först för aspiration och sedan för hviskning samt slutligen (i regeln) för röstton, dels möjligen ock artikulationsstället i ansatsröret förflyttas. Så t. e. kunna förbindelserna *ti*, *pe* sägas vara, groft betecknadt, ett *t(sh)i*, ett *p(φhuө)e*. Framhäfves nu det på en tenuis följande frikativa öfvergångsljudet, så att det förnimmes såsom ett själfständigt ljud vid sidan af den förra, så ha vi erhållit en förbindelse af tenuis + homogen frikativa eller en s. k. affrikata, t. e. *pf*, *ts* i ty. *pfund*, *zahl*, nysv. *tʃ* i *tjära* af fsv. *t(tʃh)iæra*. Framhäfves däremot det närmare vokalen stående *h*-ljudet, så har man fått förbindelsen tenuis + *h* eller en s. k. aspirata, t. e. de med *p*, *k*, *t* betecknade ljuden i da. *på*, *kat*, *time* (åtminstone i köpenhamnskt uttal växlande med *tsime*, alltså med affrikata i stället för aspirata), ty. *kerl*, *toll*, nysv. *på*, *karl*, *tid*. — Emellertid kunna affrikator och aspirator förekomma äfven utan att en tenuis följes af vokal. Så t. e. äro i nysvenskan *p*, *t*, *k* tecken för (tämligen svagt utpräglade) aspirator utom i midljud omedelbart efter *s* och före perspirerade och aspirerade

ljud (åtminstone frikativor och resonanter) — hvilka naturligtvis uppsluka »aspirationen» — t. e. *klo, tre, ul, upp, rock,* uttalade $k_h lo$, $t_h re$ osv.; jfr *spå, skrå, stå* o. d., där *p, k, t* icke beteckna aspirator, utan »rena» tenues [1]. Men de nysvenska aspiratorna äro icke så utpräglade som de tyska eller de ännu bjärtare framträdande danska, hvilka sednare i stark stafvelse väl föga eller intet skilja sig från de svenska ljudförbindelserna *ph, kh, th* i t. e. *gaphals, ekho, nöthår,* under det att i svenskan det är en mycket tydlig skillnad mellan *pha, kho, thå* i de nyss anförda orden och å andra sidan *pa, ko, tå* i t. e. *brudpall, älgko, mjölktår.* Aspirationen vid våra tenues beror helt naturligt därpå, att det luftförråd, som vid sprängljudets åstadkommande samlats innanför kontaktstället, är större än behöfligt; detta dels i slutljud, där intet ljud följer, för hvilket det besparade förrådet kunde förbrukas, dels i uddljudet af en stark stafvelse, emedan det här på grund af det stora exspirationstrycket själft är större än vanligt. I båda fallen afgår därför den öfverflödiga luften i form af en hörbar utandning, dvs. ett *h*-ljud uppstår. I andra ställningar än de nyssnämnda är detta *h* mindre utprägladt och beror möjligen på en rent fonetisk analogi.

§ 47. Artikulerade pauser.

Det talade språket består ju ej blott af ljud, utan äfven till någon del af pauser (se s. 339 ofvan). En »akustisk paus», dvs. ögonblick af tystnad (se s. 362 ofvan), kan, såsom i det föregående uppvisats, af talapparaten åvägabringas på mångahanda sätt: genom alla artikulationsorganernas åter-

---

[1] Att man icke, såsom stundom påståtts, i *spå, skrå, stå* o. d. har att göra med perspirerade medior (alltså resp. b, g, d), torde framgå däraf, att t. e. *snabbs, tisda(g), så dags* — där man odisputabelt har b, d g —, icke alldeles fullkomligt rimma med resp. *snaps, mista, lacks,* liksom ock däraf att, då åtskilliga af våra dialekter förlorat dei uddljudande *s* i *skorsten*, resultatet icke blifvit ett *gorsten*, eller *ǵorsten*, utan $k_h orsten$.

förande till sitt indifferensläge (»absolut paus»); genom upphäfvande af de ljudbildande organernas verksamhet med eller utan samtidigt upphäfvande af de luftförandes; ändtligen genom att några af de ljudbildande organerna tjänstgöra som klaffar och dymedelst för åtminstone ett ögonblick upphäfva resultatet af de luftförande organernas alltjämt fortgående verksamhet (eller annorlunda uttryckt: utan att afbryta exspirationsströmmen afspärrar man mun- och näshåla, men håller ljudspringan öppen — hvilket är nödvändigt, emedan annars ett »spärrljud» uppstår, s. § 41, A, 1). I sistnämnda fall uppstår hvad man lämpligen kan benämna från bildningssättets synpunkt en artikulerad paus, dvs. en i och genom själfva artikulationen åstadkommen paus, från resultatets synpunkt åter en muta (dumbe), dvs. en »stum» beståndsdel af talströmmen (i skrift betecknad med en bokstaf, som är »stum», dvs. icke äger något »uttal»). Den artikulerade pausen bildar således visserligen akustiskt, men icke fysiologiskt sedt en motsats till de artikulerade ljuden. Också är det språkhistoriskt sedt vanligen en ersättning för ett äldre ljud. Så t. e. är den artikulerade paus, som betecknas med *c* i *tacka* representant för det en gång i ordet befintliga resonantiska »äng»-ljud, som ännu kvarlefver (tecknadt *n*) i ty. *danken*, och den muta *k*, som återges medelst första *k*-typen i ordet *tak*-kant, har trädt i stället för tenuis *k* i ordet *tak*.

Akustiskt sedt finnes naturligtvis strängt taget (jfr s. 401 ofvan) endast en enda muta, men fysiologiskt sedt finnas lika många som artikulationsställen med möjlighet till klaffbildning. Spärrningens upphäfvande genom klaffens borttagande medför ju en mer eller mindre hörbar explosion, hvarför hvarje muta har sin naturliga, om ock icke absolut nödvändiga, afslutning i en homorgan explosiva. Omvändt måste hvarje tenuis nödvändigtvis föregås af en, om ock minimal, akustisk paus, betingad af själfva spärrningsögonblicket. Men då detta är ett ofrilt tillkommet och icke åsyftadt moment i talet, således att jämföra med de nyss (se § 46) behandlade öfvergångsljuden — man skulle här kunna tala om en »öfvergångspaus» — så begränsar man lämpligen termen »muta» till de fall, då pausen är afsedd och därför af en märkbar, ehuru alltid ganska begränsad, tidsutdräkt. En muta kan naturligtvis förekomma både i uddljud och slutljud, men användes icke veterligen någonsin i sådan ställning, emedan det ju vore ändamålslöst, eftersom den ej gärna därstädes kan af örat uppfattas såsom skild från den föregående, resp. efterföljande absoluta pausen, således ännu mindre uppträda såsom någon specifik motsats till angränsande ljud. Detta kan den däremot, om den anbringas i midljud, t. e. det första *p* i *lappar*, det första *t* i *skratta*, *c* i *rock* och *ck* i *rockkrage*.

AFDELNING II.
Deskriptiv ljudlära.

§ 48. Kvalitativ och prosodisk ljudlära.

Den deskriptiva ljudläran (jfr ofvan s. 48 och 50) är
att indela i: k v a l i t a t i v ljudlära eller ljudlära i inskränkt
betydelse, som redogör för fonemernas »absoluta» egenskaper
eller, om man så vill, deras »kvalitet», dvs. de egenskaper
som ljuden äga, då de betraktas utan att jämföras med hvar-
andra, alltså deras bildningssätt och förekomst (geografiskt,
stilistiskt m. m.); och prosodisk ljudlära eller p r o s o d i (k), som
redogör för fonemernas »relativa» eller s. k. prosodiska egen-
skaper (sonoritet, kvantitet, intensitet och tonalitet, se s. 344 f.
ofvan), dvs. de som hos ljuden i sammanhängande tal fram-
träda vid deras inbördes jämförelse. Hittills har termen
prosodi(k) vanligen tagits i så inskränkt bemärkelse, att den
blott afsett ljudens kvantitet, intensitet och tonalitet, ja stun-
dom endast deras kvantitet, men till en sådan begränsning
finnes ingen grundad anledning. — Man kan ock kalla —
och har stundom kallat — prosodi(k)en »läran om accenten»,
om nämligen man med den mångtydiga termen a c c e n t [1]
menar hvarje sätt, hvarpå ett fonem framhäfves framför eller
i jämförelse med ett annat, alltså det prosodiska företräde,
som tillkommer ett fonem i jämförelse med andra.

---

[1] Se om dennas användning NOREEN, i Nordisk familjebok, supple-
ment och 2 uppl. band I.

A. Kvalitativ ljudlära.

Den kvalitativa ljudläran indelas i sin ordning i läran om de enskilda språkljuden och läran om ljudförbindelserna eller den s. k. kombinationsläran.

FÖRSTA KAPITLET.

De enskilda språkljuden.

§ 49. Inledande anmärkning.

Med ett visst, kvalitativt bestämdt ljud i motsats mot ett annat dylikt mena vi vanligen — och i det följande — icke ett under alla omständigheter identiskt lika ljud. Det är nämligen en ren slump, om ens samma individ lyckas på ett fullkomligt identiskt sätt reproducera ett en gång produceradt ljud, och sällan eller aldrig torde detta fall verkligen inträffa. Utan vi mena t. e. med det nysvenska *i*-ljudet en mängd ljudvarieteter, som äro hvarandra så pass lika — akustiskt och vanligen äfven genetiskt sedt — att de af de talande och hörande antingen icke alls eller åtminstone blott med stor svårighet till sin olikhet uppfattas, och hvilkas kvalitetsdifferens, om ock den skulle vara för örat märkbar, i alla händelser icke användes i språkligt syfte, dvs. såsom bärare af någon betydelsedifferens. På grund däraf kan en dylik grupp af minimalt olika ljud lämpligen betraktas såsom varande inom sig alldeles homogen, och hvarje ljudindivid inom gruppen kan sålunda utan olägenhet få bära samma namn — t. e. »*i*-ljud(et)» — som alltså är ett artnamn, icke ett egennamn.

De nysvenska ljuden, i denna mening fattade, behandlas i det följande ett i sänder. Jag redogör då först för buckalerna (jfr s. 386 ofvan), hvarvid jag i första hand indelar dem från synpunkten af deras artikulationsställe, begynnande med de längst fram belägna af dessa (jfr s. 382 ofvan), under det att jag till indelningsgrund i andra hand väljer deras artikulationssätt. Därefter öfvergår jag till redogörelse för vokalerna och behandlar slutligen bihangsvis de »artikulerade pauserna» — mutorna — som ju i viss mån spela samma roll som språkljuden (se s. 404 ofvan).

a. Buckaler.

§ 50. Labio-labiala.

A. Explosivor, samtliga medialt (se s. 376 f. ofvan) bildade, men för öfrigt både tenues och mediæ, orala och nasoorala, pertonerade och perspirerade:

1. *p*, perspirerad oral tenuis, är ett allmänt — dvs. hela språkområdet tillhörande — och rätt ymnigt (ungefär 20 gånger per ordinär tryckt oktavsida[1]) uppträdande ljud. I vårt riksspråk förekommer det i följande ställningar:

I uddljud, dvs. omedelbart efter en absolut paus, före de flesta vokaler samt buckalerna *j, l, r*, t. e. *pjunk, plats, prat*, i främmande ord äfven före *n* och *s*[2], t. e. *pneumatisk, psykisk*[3];

i slutljud, dvs. omedelbart före en absolut paus, efter

---

[1] T. e. 122 gånger på knappa 6 sidor af Emelie Carlén (samtal mellan två lotsar); jfr på en likadan sida af A. Fryxell 21 ggr, af S. Ödmann 29 ggr, men af P. Wikner blott 12 ggr.

[2] Men icke före *f*, ty i *pfalzisk* och familjenamnen *Pfaff, Pfannenstiel, -still, Pfeiff(er)* är *p* i regeln stumt.

[3] Jfr hurusom *p* förstummats i lånordet *psalm*, under det att det är vacklande i det ännu på gränsen mellan främmande ord och lånord (se s. 23 ofvan) stående *pseudonym*.

de flesta vokaler och buckalerna *l*, resonantiskt *m*, *r*, *s*, t. e. *valp*, *kamp*, *skarp*, *asp*, samt efter muta, t. e. *lapp*;

i midljud, dvs. då absolut paus hvarken omedelbart föregår eller efterföljer, före och efter de flesta såväl vokaler som buckaler, hvarom se närmare i kombinationsläran.

Högsvenskt — men icke finländskt (se s. 95 ofvan) — *p* är i de flesta ställningar en aspirata (jfr § 46, 2), hvars *h*-aktiga element jämförelsevis bäst torde förnimmas i slutljud. Mellan *p* och ett följande pertoneradt ljud visar sig aspirationen på så sätt, att det pertonerade ljudets begynnelse mister sin röstton; jfr t. e. de till att börja med perspirerade och först efter något ögonblick pertonerade *å-*, *l-* och *j*-ljuden i *på*, *plats*, *pjunk* med de ända från första början pertonerade i resp. *må*, *glad*, *mjuk*. Blott i midljud omedelbart efter *s* samt före perspirerade och aspirerade ljud, åtminstone frikativor och resonanter, saknar *p* aspiration (jfr s. 402 f. ofvan) och öfverensstämmer då med franskans och finskans *p*-ljud; jfr t. e. det aspirationslösa *p* i *spå*, *sprida*, *split*, *spjäla*, *vispa*, *snaps*, *psykisk*, *knapphål* med aspiratan i *på*, *pris*, *plit*, *pjunk*, *visp* (där *p* visserligen står efter *s*, men icke i midljud), *knapp*. I ett fall sådant som *knappt*, där *p* står före ett perspireradt ljud, som icke är frikativa eller resonant, förekommer dubbelt uttal, med eller utan aspiration [1].

2. *b*, pertonerad oral media, är ett allmänt och ymnigt (ungefär 24 gånger per oktavsida [2]) uppträdande ljud, som i riksspråket förekommer i följande ställningar:

uddljudande före de flesta vokaler samt *j*, *l*, *r*, t. e. *bjuda*, *blåsa*, *bryta*;

slutljudande efter homorgan klusil, t. e. *näbb*, *nubb*, samt i ursprungligen utländska ord efter *l*, *r*, resonantiskt *m*

---

[1] Väsentligen annorlunda framställas hithörande förhållanden hos LYTTKENS och WULFF, *Svenska språkets ljudlära*, s. 267.

[2] I de s. 408 not 1 nämnda litteraturbitarna äro de respektive siffrorna följande: Carlén 141, Fryxell 19, Ödmann 32, Wikner 21.

och åtskilliga vokaler, t. e. *fälb, verb, bomb, glob, tub, garderob;*

midljudande i ungefär samma ställningar som *p* (se 1 ofvan).

3. *ƀ*, perspirerad oral media, förekommer, åtminstone i riksspråket, blott såsom variant till *b*, detta dels mera sällan i slutljud — exempel se ofvan under 2 — dels oftare midljudande i omedelbart grannskap af perspirerade eller aspirerade buckaler såsom *s, t, h-* och »sje-»ljud (*f* och *ʃ*), där *b* ljudlagsenligt skulle öfvergå till (aspirationslöst) *p*, men genom association eller ock inflytande från skriften antingen uppehålles såsom *b*-ljud eller ock blott såtillvida påverkas af det angränsande perspirerade eller aspirerade ljudet, att det mister sin röstton, dvs. öfvergår till *ƀ*. Förhållandet gestaltar sig härvidlag vanligtvis så, att den lägre stilen har *p*, mellanstilen *ƀ* och den högre stilen *b*. Dylika fall af *ƀ* äro bl. a.

ƀs i t. e. *stabsofficer, lybsk, dobbsko* (jämte *doppsko*), *Jakobsson, Belsebubs, absolut, substantiv, observera, absint, Absalon, absentera sig.*

sƀ i t. e. *asbest, husbondfolk* (jfr det vulgära uttalet *husponn* för *husbonden*), *refbensbjäll* (vanligen skrifvet *refbenspjäll;* jfr *fotabjälle* med *b*), *missbruk;* det främmande *sbirr* torde väl nästan alltid uttalas som *spirr;*

ƀf i t. e. *sjubbskinnspäls, obscen;*

ʃƀ i t. e. *kvartersbutelj* (jfr det vulgära *putelj* för *butelj*);

ƀt i t. e. *snabbt, subtrahera, syperbt* [1], *subtil;*

tƀ i t. e. *njutbar, utbyte* (båda sällan, oftare efter *s*, t. e.) *ostbit, hästbytare, postbud;*

ƀh i t. e. *stärbhus, fälbhatt* (jfr *fälp* jämte mera vårdadt *fälb*);

---

[1] Den lägre stilens uttal *syperpt* har t. o. m. gifvit upphof åt ett vulgärt *syperp*, nybildadt efter analogien *skarpt: skarp* o. d.

Stundom uppträder *ƀ* [1] för *b* äfven efter muta, t. e. *uppbyggd, hopbyggd, hopbunden, uppbåd, lappbönder.*

Ljudet är för örat mycket svårt att skilja från ett *p* utan aspiration (se 1 ofvan), hvarför ock t. e. J. A. A[urén] [2] uppfattar nysvenskt *sp* såsom varande *sƀ.*

4. *m*, pertonerad nasooral media, är ett allmänt och mycket ymnigt (omkring 54 gånger per sida [3]) förekommande ljud, som i riksspråket uppträder i följande ställningar:

uddljudande före de flesta vokaler samt *j*, t. e. *mjuk*, i främmande ord äfven, ehuru ytterst sällan, före *n* och *r*, t. e. *mnemonik* och familjenamnet *Mraz*;

slutljudande efter de flesta vokaler och *l, r* samt resonantiskt *m*, t. e. *halm, arm, lamm*, i lånord äfven, ehuru ytterst sällan, efter *g* och *g* (i lägre stil äfven *ŋ*, resp. *g*), t. e. *paradigm* (lägre stil äfven *-iŋm*), *dogm* (lägre stil äfven *-ŋm*);

midljudande i ungefär samma ställningar som *p* (se 1 ofvan).

5. *m̥*, perspirerad nasooral media, är ett öfverhufvud mycket sällsynt ljud. Det förekommer i riksspråket blott — och i finländsk svenska endast alternativt jämte *m* — uti ursprungligen utländska ord slutljudande efter *s* och *t*, t. e. *spasm, sarkasm, schism, fanatism* m. fl. på *-ism, rytm, logaritm*; jfr *spasmer, sarkasmen* osv. med *m*, icke *m̥*. Dialektalt uppträder *m̥* midljudande före perspirerad tenuis, t. e. Linsäll-målets i Härjedalen *jam̥t* [4] jämtlänning.

B. Frikativor:

1. *ƀ*, medial pertonerad oral (sp. *b* i *Habana*, sydty. *w* i *was*, mellanty. *b* i *haben* [5]), förekommer i riksspråket

---

[1] Men, åtminstone så vidt jag funnit, aldrig *p*, som Lundell i Språk och stil I, 35 anser vara det normala.

[2] *Bidrag till Svenska Språkets ljudlära*, s. 54 f.

[3] I de s. 408 not 1 nämnda litteraturbitarna äro de resp. siffrorna följande: Carlén 307, Fryxell 49, Ödmann 64, Wikner 60.

[4] Se Lundell i Svenska landsmålen I, 71 noten.

[5] Se Jespersen *Fonetik*, s. 179 f.

blott i interjektionerna *6s, 6z* (»vyss») och *6f, 6ʒ* (»vyssj»), om hvilka se vidare § 53, B, 1 och 2 samt § 58, B, 3 och 4. Ärfdt från urnordisk tid förefinnes ljudet i ett par dialekter: i Åsens varietet af det dalska Älfdalsmålet allmänt i mid- och slutljud [1], t. e. *o6aθ* hufvud, *do6* döf, ehuruväl numera yngre personer ersätta *6* med vanligt *v* [2].

2. *φ*, det motsvarande perspirerade ljudet (det ljud som uppstår, då man blåser ut ett ljus eller blåser på het soppa), är ej funnet i svenskan såsom själfständigt språkljud. Såsom öfvergångsljud förekommer det i förbindelserna *bf* och *pf*, t. e. *snabbfotad, hoppfull*, stundom äfven i interjektionen *p(φ)*, skrifven *puh* (jfr nedan C, 2 och D, 4).

3. *w* ett *6* med läpprundning (se s. 393 ofvan) och velarisering (se s. 398 ofvan) — fra. *ou* i *oui* och, ehuru med läppframskjutning och mindre utpräglad velarisering, engl. *w* — är ett i vårt riksspråk icke förekommande ljud. Däremot är det mycket vanligt i de flesta syd- och nordsvenska dialekter, men uppträder inom de medelsvenska blott i västkustens. Då detta ljud är mycket svårt att skilja från konsonantiskt *u* eller *o*, från hvilka vokaler det blott skiljer sig genom ett svagt friktionsljud mellan läpparna, uppskjuter jag redogörelsen för detsamma till behandlingen af nämnda vokaler, helst de förefintliga uppgifterna från våra dialekter äro för sväfvande, för att man i hvarje enskildt fall skulle kunna afgöra, när ett *w* eller ett konsonantiskt *u, o* föreligger.

4. *hʹ*, motsvarande perspirerade ljud (engl. *wh*, för så vidt detta öfverhufvud uttalas olika med *w* [3]) finnes möjligen i någon halländsk munart, t. e. i *hwem* hvem, *kwasser* hvass [4]. Dock syfta möjligen de lämnade uppgifterna på samma uttal

---

[1] Se Noreen i *Öfre Dalarna förr och nu*, s. 415.

[2] Uppgiften i Svenska landsmålen I, 22 om förekomsten af *6* i Närke lär enligt T. Ericsson vara ogrundad.

[3] Jfr Jespersen *Fonetik*, s. 328.

[4] Se Svenska landsmålen I, 78.

af gammalt *hw*, som det i Västergötland (söder om Skara) förekommande, enligt hvilket *hw* snarast motsvaras af $h +$ konsonantiskt *o*, t. e. *hoete* hvete.

C. Tremulanter:

1. En medial pertonerad oral sådan förekommer, tecknad *ptr* eller *pr*, i interjektionen *ptro* (äfven skrifven *pro, ptr, pr*). Väsentligen samma ljud, tecknadt *br*, ingår i interjektionen *brr*, uttryck för frusenhet, ruggighet, afsmak och vedervilja, vid hvars bildning dock vanligtvis äfven en apiko-gingival tremulant samtidigt åstadkommes. Jfr s. 399.

2. Ett motsvarande perspireradt ljud **kan** alternativt användas i *ptro*. Åtminstone en ansats därtill kan äfven stundom förekomma såsom öfvergångsljud mellan *p* och *h* (se D, 4 nedan) i ett mycket energiskt frambragt *puh*.

D. Resonanter, både klusila, nasala och orala:

1. b_b [1], klusil (se s. 375 ofvan), är ett allmänt, men mycket sällan förekommande [2] ljud. I riksspråket uppträder det blott midljudande mellan en föregående vokal (vanligen kort) eller *l*, *r*, m_m och ett följande *b*, b_m eller *p*, t. e. *snabb, klibbig, gubbe, stybb, snobb, bjäbba, dykdalbboj, verbbildning, bombbatteri; klubbmästare, näbbmus; nubbpaket, gubbpäls, klubbprotokoll, snobbpoesi, skabbpatient, kubpar, verbpar, jambpar.*

2. m_m, resonantiskt *m*, dvs. hithörande pertonerad nasal, är ett allmänt, men icke just ymnigt (omkring 9 gånger per sida [3]) ljud. Det förekommer i riksspråket så godt som uteslutande i midljud mellan en föregående vokal eller *l*, *r* (i lånord äfven, ehuru ytterst sällan, *g*

---

[1] Med b_b, d_n, l_l osv. afser jag — i sådana fall då landsmålsalfabetet saknar särskilda typer för de ifrågavarande ljuden — det ljudvärde, som i vanlig svensk skrift tillkommer *b*, *d*, *t* osv. före resp. *b*, *n*, *l* osv.

[2] Säkerligen icke en gång per sida. I de s. 408 not 1 nämnda litteraturbitarna anträffas det hos Carlén 8, hos Fryxell, Ödmann och Wikner däremot ingen gång.

[3] I de s. 408 not 1 nämnda styckena resp. 52, 13, 9 och 10 gånger.

och *g*) och ett följande *m*, b_b, b_m, *p*, p_m, t. e. *lamm, timme, timmra* (skrifvet *timra*), *gummse* (skr. *gumse*), *volymmått, halmmadrass, armmuskel; dumbe, ormbiten, paradigmbelamrad, dogmbunden; bombbatteri; bombmaskin; lampa, rampris, halmpapper, stormplugga; lampmodell.* Slutljudande förekommer m_m blott i interjektionen *hm*, som vanligen uttalas hm_m, sällan *hmm* (dvs. med $m_m + m$). Dialektalt uppträder emellertid m_m äfven annars såsom slutljud; så åtminstone, efter hvad jag själf iakttagit, i munarten uti Sjugdnäsets by af Frostvikens socken i Jämtland, där t. e. 'dem' uttalas $dæm_m$, dvs. det slutljudande explosiva *m* har förstummats, så att ordet slutar på det därförut gående (för öfrigt föga hörbara) resonantiska *m*.

3. Resonantiskt *m*, dvs. hithörande aspirerad nasal, förekommer väl blott i den nyssnämnda interjektionen *hm*, alltså uddljudande före m_m.

4. En medial aspirerad oral resonant med förträngda läppar och med tungan i indifferensläge uppträder i ett par interjektioner. Den ena af dessa består af blott det ifrågavarande ljudet, betecknas i skrift med *hu, huh, uh, uhu* [1] eller, därest ljudet skall anges såsom särskildt långvarigt, *huu* och afser att återge »flämtning» och »flåsande» af andtfåddhet, trötthet, köld, hetta o. d.; alltså icke att förblanda med en annan interjektion, som äfvenledes plägar skrifvas *hu*, men detta uttaladt $h + u$ och uttryckande fasa. Den andra af de båda antydda interjektionerna består af ifrågavarande ljud, föregånget af *p*, betecknas i skrift med *puh* och afser att återge »pustande» af matthet, ansträngning, värme o. d.

En serie öfvergångsljud från nämnda resonant till hvissling (dvs. labio-labial ton) användes som interjektion för att

---

[1] Möjligen döljer sig samma ljud någon gång äfven bakom skrifningen *uff*.

utmärka hast och torde vara ' yttersta upphofvet till det väsentligen väl från lågtyskan lånade *huj* i »gå som en huj» och »i ett huj», ett ord som numera alltid — liksom interjektionen ofta — på grund af skriftens inflytande uttalas alldeles som det skrifves. Jämför utvecklingen af det läte, som uppstår vid föraktfullt spottande, till en interjektion, bestående af en serie öfvergångsljud från dorso-labial tenuis till ett *h* med *i*- eller *y*-timbre och vidare, såsom jag förmodar, till *tvi* (*vale*), *tvy* eller — väl under tysk påverkan (jfr *pfui* m. m.) — *fy* (*vale*), numera sedan mycket länge uttaladt i noggrann öfverensstämmelse med det skrifna ordets beteckningssätt.

Labio-labialt bildade äro äfven vissa sugljud (se s. 361 ofvan), som användas såsom kompulsiva interjektioner (se V, 103), riktade till hästar för att pådrifva dem. Dessa s. k. smackningar äro åtminstone af två tämligen olika slag, det ena — och vanligaste — af en mera explosiv karaktär och bildadt med indragna läppar, det andra mera frikativt och bildadt med åtminstone någon grad af läppframskjutning.

§ 51. Labio-dentala.

A. Explosivor (såsom *p* i ty. *pfui*) saknas eller förekomma på sin höjd individuellt i stället för labio-labiala sådana.

B. Frikativor finnas tvenne, båda medialt orala, den ena pertonerad, den andra perspirerad:

1. *v*, pertonerad, är ett allmänt och mycket ymnigt (omkring 44 gånger per sida [1]) förekommande ljud, som dock alldeles saknas åtminstone inom en svensk munart: Åsens

---

[1] I de s. 408 not 1 nämnda styckena resp. 236, 59, 58 och 40 gånger.

varietet af Dalarnas Älfdalsmål, där rikssprâkets *v*-ljud mot-
svaras af *w* i uddljud och *b* i mid- och slutljud. I rikssprå-
ket förekommer *v* uddljudande före vokaler och *r*, t. e. *vi,
vrida* (i hvilken sistnämnda ställning det dock i några dialekter
saknas), samt rent undantagsvis före *l* de sällsynta främ-
mande namnen *Vladimir* och *Wladislawowsky;* slutljudande
efter vokaler och *l*, *r*, t. e. *kalv, arv* (skrifna *kalf, arf*);
midljudande före och efter såväl vokaler som de flesta buc-
kaler. Före ett perspireradt ljud, företrädesvis *f, s* och *t,*
kan det antingen ljudlagsenligt öfvergå till *f* (så i synnerhet
i lägre stil) eller genom association bevaras (så i synnerhet
i högre stil), eller ock inträder *f* såsom öfvergångsljud mel-
lan *v* och det följande perspirerade ljudet (så i synnerhet i
mellanstilen); t. e. *styvfader* (skrifvet *styffader*) jämte *styffar,
behöfs, Olofsson* (jfr uttalet *Olåf* jämte *Olåv*), *Elofsson* (jfr uttalet
Elåf jämte *Elåv*), *groft* m. m. Likaså inställer sig *f* som öfver-
gångsljud mellan *k*, *s*, *t* och ett till samma stafvelse hörande *v,*
dvs. det med bokstafven *v* betecknade ljudet är till att börja med
perspireradt (»*f*») och blir först småningom pertoneradt (»*v*»),
t. e. *kvist, svin, tvinna* (af barn ofta uttalade *fin, finna* med enbart
framhäfvande af öfvergångsljudet). Då nu omvändt ett *f*-ljud
mellan ett till samma stafvelse hörande — hvad man kallar
»tautosyllabiskt» — *s* och en vokal vanligen efter en kortare
perspirerad begynnelse (verkligt »*f*») antar (dock icke i fin-
ländsk svenska [1]) röstton, alltså blir pertoneradt (dvs. »*v*»),
så sammanfalla i uttalet *svär* och *sfär*. Ett ord som *hunds-
fott* uttalas i följd af förskjutning af den ursprungliga stafvelse-
gränsen vanligen som *hund-svott*, sällan *hunds-fott*. Vacklar
stafvelsegränsen, så erhålles dubbelt uttal, t. e. *atmo-, hemi-
svär* jämte *atmos-, hemis-fär*. Däremot heter det nästan alltid
as-fall. Jfr IV, 26 f.

---

[1] Se PIPPING i Nystavaren IV, 123.

2. *f*, perspirerad, är ett allmänt och ymnigt (omkring 34 gånger per sida [1]) förekommande ljud. I riksspråket uppträder det uddljudande före vokal, *j*, *l*, *r* och (sällan) *n*, t. e. *fnysa*, *fnissa*; före *t* blott i det främmande *flisis*. Slutljudande förekommer *f* nästan blott i lånord och främmande ord samt några interjektioner. Det föregås då af vokal, t. e. *telegraf*, *klaff*, *kalif*, *biff*, *uff*, *strof*, *stoff*, *chef*, *träff*, eller någon af buckalerna *j*, *l*, *w* (se D nedan), *r*, t. e. *slejf*, *Pfeiff*, *alf*, *Adolf*, *trumf*, *skymf*, *polymorf*, *Bodorff*. Midljudande förekommer *f* både före och efter vokaler och de flesta buckaler.

C. Tremulanter saknas. Dock förekommer individuellt såsom substitut för vanligt *r*-ljud en hithörande medial pertonerad tremulant med mycket få vibrationer. Det akustiska intryck, den gör, är snarlikt *v*, hvarför den ock i tryck plägar återges med *v* eller *w*, t. e. »sew du bwow, jag behöfvew bawa 800 kwonow» (Strix).

D. Af hithörande resonanter äger svenskan blott en: *w*, pertonerad nasal, ett allmänt, men mycket sparsamt (icke 1 gång per sida) förekommande ljud. Riksspråket äger det endast i midljud före *f* och *v*. Konstant *wf* — i finländsk svenska dock stundom ersatt af *mf* [2] — träffas blott i sådana fall, då förbindelsen icke uppstått på svensk botten genom sammansättning, alltså i lånord och främmande ord såsom *trumf*, *triumf*, *nymf*, *skymf*, *kamfer*, *lymfa*. Annars är *wf* liksom alltid *wv*, blott en alternativ variant till *mf*, resp. *mv*, t. e. i *omfatta*, *samvete*, som väl endast i lägre stil uttalas med *wf*, *wv*, under det att de högre stilarterna i följd af association (med *om*, *sam*-) ha *mf*, *mv*. Detta förhållande är väl genomgående i alla de fall — och dessa äro de flesta — där resonanten såsom i de anförda exemplen tillhör en stark stafvelse. Tillhör den däremot en svag stafvelse så torde *wf* i alla stilarter vara det normala, t. e. *frawfö'r*, *jäwvä'l* (men *fram'för*, *jäm'väl*). I öfverens-

---

[1] I de s. 408 not 1 nämnda styckena resp. 184, 46, 41 och 33 gånger.
[2] Se Pippino, a. st.

stämmelse därmed råkas i lägre stil *wf* äfven för *nf* efter hel-
eller halfsvag vokal, t. e. *kowfe'kt, kowfy's, kowfirme'ra, kowvo-
lu't* o. d. jämte det väl väsentligen på inflytande från skriften
beroende uttalet *konfek't, konfy's, konfirme'ra, konvolu't.*

§ 52. Apiko-gingivala.

Hit föra Lyttkens och Wulff (Svenska språkets ljudlära)
de flesta af de ljud, jag i § 53 upptar såsom dorso-gingivala.
Enligt min mening äger nämligen vårt riksspråk icke med
säkerhet något hithörande ljud (se dock s. 557 och V, 690).
Äfven från våra dialekter känner jag med full säkerhet endast
ett sådant, nämligen det dalska Älfdalsmålets *ð*, hvilket upp-
träder som representant för dels fornnordiskt *đ*, dels slutlju-
dande *t* efter vokal i svag stafvelse, t. e. *raıða* rida, *rıðıð*
ridit. I Våmhus-varieteten af denna dialekt är detta *ð*, åt-
minstone i slutljud, en tydlig apiko-gingival medial pertone-
rad oral frikativa (liksom oftast engl. *th* i *father*), således
olika både isländskt *đ*, som ofta eller oftast (jfr dock s. 557)
är dorsodentalt, och danskt *d* efter vokal, som är en medio-
marginal dorso-gingival och därför tenderar att öfvergå både
till *j* (t. e. i *vejr* väder), *z* (»lent *s*») och *l* [1]. Däremot i Älf-
dalsmålet för öfrigt står *ð* på öfvergång till homorgan pertone-
rad media, men torde ännu vara att räkna såsom väsentligen
frikativt. I Östnor-Öna-varieteten af Moramålet återigen står
det på öfvergång till en, troligen homorgan, medial pertone-
rad oral tremulant med få vibrationer [2], dock tillräckliga för
att få ljudet att snarast förefalla som ett *r*-ljud, hvilket så-
ledes äfven hör till denna paragraf. — För öfrigt förekommer
ð äfven inom hela den estsvenska dialektgruppen med undan-
tag af Nargö- och Nuckö-målen [3] och har uppgifvits finnas i

---

[1] Se Jespersen, *Fonetik*, s. 246 f.

[2] Om likartade företeelser i franska dialekter se J. Storm, *Englische
Philologie*, 2 aufl., s. 64.

[3] Se O. Hultman i Finländska bidrag, s. 275 och 272, Danell I, 53.

Ströms-målet m. fl. (i Jämtland) samt i västra Skåne [1], men mycket ovisst är, om dessa orters *ð*-ljud bildas på alldeles samma sätt som det dalska; för Skåne väntar man sig snarast något liknande danskans (hvarom se här strax ofvan).

Motsvarande perspirerade ljud är det »läspande» *s*, som individuellt förekommer i stället för vanligt dorso-gingivalt *s* (jfr s. 382).

Om hithörande *l*- och *r*-ljud se § 53, A, 4 och C, 2, resp. § 54, C, 1.

§ 53. Dorso-gingivala.

Hit höra både explosivor, frikativor och resonanter — men icke tremulanter — af snart sagdt alla möjliga slag. Vid deras artikulation ligger visserligen tungspetsen mot öfre framtändernas insida och rot, men det är icke, såsom Lyttkens och Wulff mena (se § 52 ofvan), där, som själfva artikulationsstället är beläget, utan något längre bak, mellan tungbladets främre del och tandköttet [2].

A. Explosivor, både mediala och mediomarginala, tenues och mediæ, orala och nasoorala, perspirerade och pertonerade:

1. *t*, perspirerad medialt oral tenuis [3], är ett allmänt och alldeles ovanligt ymnigt (omkring 124 gånger per sida [4]) förekommande ljud. I riksspråket uppträder det i följande ställningar:

Uddljudande finnes *t* före vokaler, *r* och *v*; i främmande

---

[1] Se Svenska landsmålen I, 25, WESTIN, ib. XV, 3, s. 24 ff.

[2] Väsentligen riktigt framställes förhållandet af J. V. LINDGREN, i Svenska landsmålen XII, 1, s. 10.

[3] Enligt Lyttkens och Wulff skall *t* vara apiko-dentalt och sålunda bildadt längre fram än öfriga här nedan under § 53 upptagna ljud. Det förefaller mig emellertid troligt, att ett dylikt bildningssätt är en mer eller mindre individuell egenhet, som dock i finländsk svenska torde vara det normala (se PIPPING, Nystavaren IV, 121).

[4] I de ofvan s. 408 not 1 nämnda styckena resp. 721, 120, 132 och 141 gånger.

ord dessutom stundom före *s* i *tsar* (och familjenamnet *Tsappos*) samt före »sje»-ljud i *tschakå* (vanligen *schakå*), *tscheckisk*, *tscherkessisk*, *tschudisk* (jämte *tjeckisk* osv.) och familjenamnet *Tscherning*. I finländsk svenska brukas uddljudande *ts* äfven i många om icke de flesta af de ord, som pläga stafvas med begynnande *z*, ehuru uppgifterna om denna företeelses utbredning icke fullt öfverensstämma. Så t. e. uppge Lindström[1] och Vasenius[1] utan all inskränkning, att *zoologi* uttalas med *ts-*, under det att K. J. Hagfors och J. A. Heikel[2] anser *s-* vara »ojämförligt vanligare», resp. att *ts* är »bra främmande»; *Zakarias* uttalas enligt Lindström med *ts-*, enligt Hagfors däremot är detta »aldrig» fallet.

Slutljudande träffas *t* efter nästan alla vokaler, efter muta (t. e. *hatt*) och en mängd buckaler, alltså i ovanligt många ställningar, hvilket till väsentlig del är att tillskrifva dess rikliga användning som böjningsändelse. Se vidare i kombinationsläran.

Midljudande uppträder *t* i nästan alla möjliga omgifningar.

Efter svagt vibreradt *r* användes mid- och slutljudande *t* allmänneligen endast i finländsk svenska, i Sverges riksspråk däremot blott vid vårdad sång (t. e. *svart*, *svarta* med tydligt $r + t$, icke *t*) och affekteradt högtidligt föredrag. Annars ersättes det nämligen genomgående af *t* (se vidare § 54, A, 1), dock med större eller mindre vacklan i sådana fall, då *r* och *t* träffa hvarandra genom sammansättning och stark association med det på *t-* börjande enkla ordet gör sig gällande, t. e. *svårtydd*, *stortalig*. Däremot efter starkt vibreradt *r* användes konstant *t*, t. e. *orrtupp*, *dörrtröskel*. Likaså förekommer *t* ymnigt efter det »skorrande» *r*, som i en mycket stor del af Sverge ersätter *r*, och då både i mid- och slutljud.

---

[1] I det ofvan s. 94 noten anförda arbetet.

[2] I Hufvudstadsbladet för den 30 maj 1903, resp. Tidskr. utg. af Pedag. fören. i Finland 1906, s. 326 f.

— 421 —

I fråga om aspiration förhåller sig *t* alldeles som *p* (se s. 409 ofvan). Det är alltså t. e. aspireradt i *tå, platt, tre, tvinna*, oaspireradt i *stå, plats, platthet, stred*, vacklande mellan båda uttalen i sådana fall som *matk, kibitka*.

2. *d*, pertonerad medialt oral media, är ett åtminstone i Sverge (jfr strax nedan) allmänt och nästan lika ymnigt som *t* (nämligen ungefär 95 gånger per sida [1]) förekommande ljud. Emellertid skall enligt Hagfors [2] och Pipping [3] i finländsk svenska (med undantag af Ålands) *d* aldrig förekomma annat än i ställningen omedelbart efter muta (tecknad *t*), t. e. *utdö*, och i alla andra ställningar vara ersatt af *ḍ* (se § 54, A, 2); en uppfattning som dock enligt Hultman [4] »icke torde öfverensstämma med verkliga förhållandet». Enligt min uppfattning, som, efter hvad jag inhämtat, öfverensstämmer med Nordenstrengs, är det finländska »d» ett mellanljud mellan *d* och *ḍ*: det bildas något längre fram än *ḍ* och i följd däraf icke rent apikalt som *ḍ*, utan väsentligen dorsalt som *d*. Det akustiska intrycket påminner därför minst lika mycket om *d* som om *ḍ*.

I högsvenskt riksspråk förekommer *d* uddljudande före vokaler och *r* samt sällan *v*, t. e. *dvala;* således i alldeles samma ställningar som *t*. Slutljudande träffas det efter nästan alla vokaler och många buckaler, t. e. *snodd, bragd, följd, eld, värmd, kund, stängd, hvälfd*. I midljud uppträder det i en mängd olika ställningar. Efter *r* (och *ɹ*) är förhållandet med *d* alldeles detsamma som med *t* (se 1 ofvan).

3. *d*, perspirerad medialt oral media, förekommer i vårt riksspråk blott såsom variant till *d*, detta dels mera sällan i slutljud — exempel se ofvan under 2 — dels oftare midljudande i omedelbart grannskap af perspirerade eller aspire-

---

[1] I de ofvan s. 408 not 1 nämnda styckena resp. 537, 96, 110 och 103 gånger.

[2] Svenska landsmålen XII, 2, s. 12.

[3] Nystavaren IV, 121 och 123 f.

[4] Finländska bidrag, s. 126 noten.

rade buckaler såsom *f, k, s, t, h-* och »sje»-ljud, i hvilken ställning *d* ljudlagsenligt skulle öfvergå till (oaspireradt) *t,* men ofta genom association eller ock inflytande från skriften antingen uppehålles såsom *d*-ljud eller ock på vägen hänemot *t* stannar vid mellanstadiet *đ.* Vanligtvis är det härvidlag så fördeladt, att uttalet med *t* tillhör den lägre stilen, där t. o. m. en fortsatt utveckling af *ts* till *ss* mycket ofta förekommer; *đ* däremot tillhör mellanstilen och *d* företrädesvis den högre stilen (jfr *p : ƀ : b* § 50, A, 3). Såsom exempel på dylikt alternativt *đ* (vid sidan af *d,* men nästan aldrig *t*) må anföras: *eldfast, gudfruktig* (jfr *t* i i den vulgära svordomen »är du så *gutförban'nad*»); *blidka, idka, sjukdom; nattduksbord; godhetsfull; rödskinn.* Synnerligen vanligt är *đ* (vid sidan af både *d* och *t*) invid *s,* t. e. *ledsaga,* till *freds, tids* nog, *häradshöfding, leds, födsel, gödsel* — där uttalet med *d* knappast förekommer, enär ordet sällan eller aldrig förekommer i högre stil — *ödsla, städse, Guds* (aldrig ens i högre stil uttaladt med *d,* under det att däremot *guds* alltid uttalas med *d,* emedan denna form på grund af sin sällsynthet ständigt är nära associerad med formen *gud,* som ju är vida vanligare), *landskap, fridsfurste* — där ett uttal med *ts* väl aldrig och med *ss* säkert aldrig förekommer, enär ordet icke gärna användes i lägre stil — *skyddsling, gods* (vanligen, äfven i högre stil, uttaladt med *ts,* emedan association med *god* icke längre är möjlig och ett uttal med *d* eller *đ* sålunda blott har stöd i skriften); *tisdag, onsdag, torsdag, riksdag* (i lägre stil väl alltid *tista* osv.), *visdom, riksdaler,* hvilket sistnämnda ord vanligen äfven i högre stil uttalas med *st,* emedan association med det numera så godt som utdöda *daler* endast med möda kan äga rum.

Angående svårigheten för örat att strängt skilja mellan *đ* och ett aspirationslöst *t* gäller hvad ofvan s. 411 sagts om förhållandet *ƀ : p.* Af denna svårighet förklaras en sådan stafning som t. e. det å Generalstabens karta upptagna sjönamnet *Liksdammen* (i Södermanland) i stället för det äldre och etymologiskt riktiga *Likstammen*.

4. *l*, pertonerad mediomarginalt oral media, är ett allmänt och synnerligen ymnigt (omkring 63 gånger per sida [1]) förekommande ljud, som i riksspråket uppträder uddljudande blott före vokaler; slutljudande blott efter vokaler, resonantiskt *l* (t. e. *fall*) och *r* i orden *jarl, sorl, kärl, Karl* (som emellertid äfven, om ock sällan i högre stil, uttalas *jaḷ* osv., de två sista, i synnerhet *Karl*, äfven *käḷ, Kaḷ*); midljudande åter såväl före som efter de flesta både vokaler och buckaler, dock att äfven i denna ställning *rl* växlar med *l* och (särskildt ofta i orden *ärla, märla, pärla* [2]) med *ḷ;* jfr s. 434 nedan.

Ehuru jag för min del producerar *l* apiko-gingivalt och sålunda kunde ha anledning att uppföra det under § 52, så har jag dock ansett mig böra föra det hit, emedan jag tills vidare betviflar, att mitt uttal i denna punkt representerar det allmänna, eftersom ingen annan svensk fonetiker iakttagit någon olikhet mellan *l* och t. e. *d* eller *n* i fråga om artikulationsstället.

5. *ḷ*, perspirerad mediomarginalt oral media (franskans *l* i t. e. *peuple*), saknas i riksspråket annat än som en undantagsvis uppträdande variant till *l* i slutljud, t. e. *gaffeḷ, ulḷ* för *gaffel, ull*. Däremot finnes *ḷ* i de flesta nordsvenska dialekter ända från Siljan till Runö, dock blott slutljudande efter ett till lateral frikativa (se § 59, B) öfvergånget *s*, t. e. *bejḷ* betsel, *näjḷ* nässla, *hängjḷ* hängsle, *vajḷ* vassle, *lijḷ* (af *lisle*) lille, *kjojḷ* (af *kjorsle*) kjortel [3].

6. *n*, pertonerad nasooral media, är ett allmänt och ytterst ymnigt (omkring 82 gånger per sida [4]) förekommande ljud. I riksspråket uppträder det uddljudande blott före vo-

---

[1] I de ofvan s. 408 not 1 nämnda styckena resp. 372, 78, 59 och 60 gånger.

[2] Jfr HESSELMAN i Språk och stil IV, 97 noten.

[3] Jfr Svenska landsmålen I, 29 f.

[4] I de s. 408 not 1 nämnda styckena resp. 461, 85, 89 och 104 gånger.

kaler och (sällan) *j*, t. e. *njuta, njure* (oftare uttalade antingen *niuta, niure* med konsonantiskt *i* eller *yjuta, yjure* med dorso-alveolart *n*). Slutljudande står det efter vokaler, *m* och »*ng*»-ljud, t. e. *ben, sömn, vagn, dygn*, resonantiskt *l* och *n*, t. e. *moln, fjäriln, sann*, i ursprungligen utländska namn äfven efter *j* (eller snarast konsonantiskt *i*), t. e. *Klein, Wadstein*, samt dessutom i oratorisk stil efter starkt vibreradt *r*, t. e. *förrn, narrn, dörrn* (jämte *dörren*, i de lägre stilarterna däremot alltid *dönŋ*), hvaremot efter svagt vibreradt *r* förhållandet mellan *rn* och *ŋ* (se § 54, A, 5) är alldeles motsvarande det mellan *rt* och *t* samt *rd* och *ɖ* (se 1 och 2 ofvan), dvs. *rn* brukas blott i vårdad sång, i affekteradt högtidligt tal, vid ovanligt stark association med former på -*r*, t. e. *urnordisk, vårnatt*, i finländsk svenska samt naturligtvis då *r*-ljudet är »skorrande» (ɹ). Midljudande förekommer *n* före och efter de flesta såväl vokaler som buckaler.

7. *n*, perspirerad nasooral media, förekommer, åtminstone i riksspråket, blott såsom en tillfällig variant till *n* i slutljud efter heterorgan perspirerad buckal med eller utan en mellanstående reducerad perspirerad vokal, t. e. *vap(e)n, topp(e)n, bäck(e)n, klaff(e)n* [1].

B. Frikativor finnas tvenne, båda medialt orala:

1. *z*, pertonerad (fra., engl. *z*, ty. *s* i t. e. *rose*), finnes i riksspråket blott i interjektionen *(b)z*, som skall härma

---

[1] Att så var förhållandet äfven med slutljudande fornsvenskt -*n* efter *m*, torde med säkerhet framgå af skrifningarna *nampn, sömpn* o. d. vid sidan af dat. *namne* (analogiskt sedan äfven *nampne*, se OTTELIN, *Studier öfver Codex Bureanus* I, 109), en växling som äfven iakttagits inom äldre nysvenska (se Kock, Arkiv XVI, 258 ff.). *Nampn* har tydligen uppkommit af äldre *nammn*, där *m* blifvit *ƀ* (skrifvet *p*), dvs. den perspirerade nasoorala explosivan har helt enkelt mistat sin nasalitet, blifvit rent oral; något »inskott» af ljud har sålunda icke ägt rum, lika litet som vid de analoga fallen *sampt* (med verkligt p-ljud, uppkommet af *m* före *t*), *gamble* (af *gammle* med öfvergång af pertonerad nasooral explosiva till oral sådan), *andre* (af *annre* med samma öfvergång), *aldra* (af *allra* med utbyte af mediomarginal explosiva mot medial sådan).

brömsens läte och användes för att bringa kor till att kesa, samt i den vid »vyssning» förekommande interjektionen *öz*, där dock *z* oftast är labialiseradt (vanligen med *y*-timbre) och ej sällan apikalt i stället för dorsalt bildadt. Äfven i dialekterna är detta ljud mycket sällsynt. I förbindelsen *dz* förekommer det enligt mina egna iakttagelser uti Östnor-, Garsås- och Sollerö-varieteterna af Mora-målet samt Skattunge-byns Orsa-mål, t. e. *dzärd* göra, *dzäst* gäst, *byddza* bygga, dock väl oftast icke rent gingivalt bildadt, utan med större eller mindre dragning åt alveolart läge; vidare i Pedersöre härad (trakten kring Gamla Karleby och Jakobstad) af Österbotten, t. e. *dzivi* gifvit, *dzur* djur [1]. Utom denna förbindelse är det med säkerhet kändt endast från sydöstligaste Skåne, nämligen häraderna Järrestad (omkring Simrishamn), Ingelstad, Herrestad (omkring Ystad) samt delvis Ljunit och — dock blott hos äldre personer — Vemmenhög, t. e. *hozza* strumpa, *mozze* mosse [2].

2. *s*, perspirerad, är ett allmänt och ytterst ymnigt (omkring 96 gånger per sida [3]) förekommande ljud. Udd-ljudande uppträder det uti riksspråket före vokaler, *l*, *m*, *n*, *v* och (oaspirerade, se § 50, A, 1, § 53, A, 1, § 58, A, 1 och § 60, A, 1) *p*, *t*, *lj*, *k*: dessutom sällan före *f* i orden *sfinx* och *sfär* (vanligen uttalade *svings*, *svär*, se s. 416). Slutljudande förekommer det i flera ställningar än något annat svenskt ljud, nämligen efter så godt som alla vokaler och en massa buckaler; detta beroende dels på den stora lättheten att uttala det i de mest olikartade förbindelser — hvarom se närmare i kombinationsläran — dels på dess vidsträckta användning som böjningsändelse. Efter de apiko-alveolara ljuden *t*, *d*, *d̦*

---

[1] Se HULTMAN i Finländska bidrag, s. 224 f.

[2] Se Svenska landsmålen I, 29 och VI, s. LVI, samt KOCK, *De senaste årens undersökningar af skånska bygdemål*, s. 20 (sep. ur Historisk tidskrift för Skåneland, 1904).

[3] I de s. 408 not 1 nämnda styckena resp. 550, 83, 140 och 89 gånger.

och *η* förekommer det dock blott alternativt jämte *s,* så att *s* i synnerhet tillhör de högre, *s* de lägre stilarterna, t. e. *harts, bords, barns.* Efter *r*-ljud uppträder *s* allmänt, ifall *r* är starkt vibreradt, t. e. *dörrs, cigarrs,* annars (t. e. i *mors, fars, hörs*) blott i samma utsträckning som *n* efter *r* (se A, 6 ofvan). Efter »sje»-ljud låter *s* sig endast ytterst sällan och med svårighet iakttagas. Såsom exempel på -*fs* skulle man väl kunna anföra genitiver sådana som *Paschs, Fischs, Buschs*[1], om dessa uttalas med synnerlig omsorg. Något vanligare är väl den af Lyttkens och Wulff förnekade slutkombinationen -*ss,* som icke sällan torde anträffas i genitiv af namn på -*rs,* dvs. -*s,* t. e. *Andess, Lass,* ofta skrifna (och stundom väl ock uttalade) *Anderses, Larses.* — Midljudande träffas *s* i de flesta förbindelser.

Labialiseradt, vanligen med *y*-timbre, förekommer *s* såsom sonant i interjektionerna *6s* »vyss» (jfr § 50, B, 1) och (*t*)*s* (*st, tst*), den sednare väl uppkommen genom reduktion af eller åtminstone påverkad af '*tyst!*' (jfr den danska skrifningen *tys,* hvaraf verbet *tysse*); med *u*-timbre i interjektionen *ps,* skrifven och stundom väl äfven uttalad (jfr fra. *pousse*) *puss* t. e. »puss på'n!» i passivt hundspråk. Jämför det icke labialiserade sonantiska *s* i interjektionen (*p*)*s*(*t*), dvs. »hör hit (kypare)!»

C. Resonanter:

1. *d*ᵈₗ, klusil, är ett allmänt, men mycket sällan[2] förekommande ljud. Det träffas blott midljudande mellan en, vanligen kort, vokal och *d, d, d*ₗ, *d*ₘ, *t* eller *t,* t. e. *gadd, skyddsängel, paddla, räddning, nödtorft, blodkärl,* tecknadt *dd* i *roddtur, groddtråd,* alternativt förstummadt i sådana fall som *faddt* (äfven uttaladt *fatt*), *solidt* (vulgärt uttaladt *solitt*), *nitidt, stupidt*; i högre stil dessutom mellan ett *l*ₗ, *n*ₙ, *g, m* eller *g* och ett *d* eller *t,*

---

[1] De af Lʏᴛᴛᴋᴇɴs och Wᴜʟꜰꜰ, *Ljudlära,* s. 251 anförda *nischs* och *broschs* torde däremot tills dato aldrig hafva kommit till användning i svenskt tal.

[2] Troligen högst ett par gånger per sida. I de s. 408 not 1 nämnda styckena träffas det resp. 23, ingen, 5 och ingen gång.

t. e. *elddop, eldtång, hunddagar, handtag, vagabonddagar, vagabondtid, hämnddrift, hämndtörstande, smaragddiadem, bragdtörstande,* i hvilka ställningar det i lägre stil förstummas.

2. l_1, marginal pertonerad oral, är ett allmänt och ymnigt (omkring 30 gånger per sida [1]) förekommande ljud. I riksspråket uppträder det slutljudande såsom sonant (tecknad *el*), dock växlande med förbindelsen *-əl*, i följande ställningar: efter d_1 och t_1, i hvilka båda fall uttalet med *-əl* väl blott tillhör högre stil och finländsk svenska, t. e. *handel, bödel, sedel, skyttel, apostel, mantel*; efter *s*, i hvilken ställning dock äfven i Sverge och i alla stilarter *-əl* är det vanligaste uttalet, när stafvelsen har biton, så att t. e. *hassel, gissel* vanligen ha l_1, men *pensel, kisel* vanligen *-əl;* undantagsvis äfven efter andra buckaler, t. e. *buffel, flygel* o. d., där dock *-əl* är det ojämförligt vanligaste uttalet. Midljudande förekommer l_1 mellan en vokal eller — sällan och blott i oratorisk stil — *r* (t. e. *jarldöme, Karldagen*) och ett *l, n, r, d, đ, t, s* (sällan med l såsom öfvergångsljud [2]), d_1, t_1, n_n, d_n, t_n eller *j,* t. e. *all, aln, dallra, eld(s), palt, hals, bildlig, saltlake, molnlös, eldning, svultna, stiltje,* liksom för öfrigt i mellanstil och lägre stil öfverhufvud mellan vokal och buckal, i det att ett mellan l_1 och buckalen stående explosivt *l* i regeln uteslutes, t. e. *kal*[*l*]*prat, ful*[*l*]*komlig* osv. I alla dessa fall tjänstgör midljudande l_1 som konsonant, men det kan äfven uppträda som sonant (tecknadt *el*), nämligen mellan d_1, t_1 eller — dock med samma inskränkning som i fråga om slutljudande l_1 (se strax ofvan) — *s* och de flesta andra ljud, om ock växlande med *-əl₁-* (eller *-əl-*) efter samma regler, som ofvan angifvits rörande slutljudet, t. e. *handeln, ädelt, medelbar, födelse, manteln, tisteltagg, rättelse, hasselkäpp, kiselsyra, penselföring,* men *kiseln, penseln* oftare med *-əl₁-*.

---

[1] I de s. 408 not 1 nämnda styckena resp. 168, 36, 36 och 31 gånger.

[2] Jfr fsv. *gulz, falz* o. d., där explosivan l övergått till *t* och detta sednare således ej »inskjutits».

3. Resonantiskt *ṛ*, dvs. det mot *l₁* svarande aspirerade ljudet (isländskt *h* i t. e. *hlaupa*), kan icke alltid med ledning af de i litteraturen lämnade uppgifterna säkert skiljas från den nedan i § 59, B behandlade laterala frikativan, hvarför möjligen åtskilligt af hvad där upptages rätteligen hör hit och tvärtom. Säkrast föreligger det resonantiska *ṛ* dels i riksspråket (tecknadt *el*) såsom en tillfällig variant till sonanten *l₁* (se 2 ofvan) utan biton näst efter *t₁* och (mindre ofta) *s*, t. e. *apostel, rättelse, hassel, hasselkäpp*, dels i många nordsvenska dialektuppgifters »tonlösa *l*» före *t*, t. e. i *fällt, halt* o. d., anfördt från nordöstra Uppland, Hälsingland, Härjedalen, Jämtland, Multrå i Ångermanland, Degerfors och Burträsk i Västerbotten, trakterna öster om Jakobstad och om Vasa i Österbotten, Nagu i Åbo skärgård, Åland och Runö, men troligen förekommande på ännu flere håll inom samma dialektgrupp. Då Multrå-målet uppges ha samma ljud stundom före äfven *k* och *p* [1], så är det väl snarare *ṛ* (se ofvan A, 5) som åsyftas.

4. *n_n*, pertonerad nasal, är ett allmänt och synnerligen ymnigt (ungefär 58 gånger per sida [2]) förekommande ljud. I riksspråket uppträder det slutljudande såsom sonant (tecknadt *en*), dock växlande med förbindelsen *-ən*, i följande ställningar: efter *d_n* och *t_n*, i hvilka båda fall uttalet med *-ən* väl i Sverge knappast träffas annat än i vårdad sång och affekteradt tal, i finländsk svenska däremot ofta hos den yngre generationen [3], t. e. *handen, öden, sådden, kanten, bruten, vatten*; efter *s*, i hvilken ställning dock äfven i Sverge *-ən* ofta användes, i synnerhet när stafvelsen har biton, så att t. e. *isen, ryssen* vanligen ha *n_n*, *frusen, gossen* kanske oftast *-ən*; stundom efter *l₁*, t. e. *pallen*, som dock vanligen uttalas med *-en*; mera tillfälligtvis äfven efter andra buckaler, t. e.

---

[1] Se Lundell i Svenska landsmålen I, 30.
[2] I de s. 408 not 1 nämnda styckena resp. 341, 55, 58 och 63 gånger.
[3] Se Vasenius, *Den första undervisningen i språk*, s. 91.

fröken, krogen, där dock *-ən* är det normala; ändtligen i vulgär stil någon gång efter ett annat n_n, t. e. *pinnen, månen,* i så fall uttalade *pin$_n$'n$_n$, mån$_n$'n$_n$*.

Midljudande förekommer n_n såsom sonant — växlande med förbindelsen *-ən$_n$-* (eller *-ən-*) i samma utsträckning, som nyss angifvits i fråga om slutljudet — mellan samma ljud, efter hvilka det kan stå slutljudande (se nyss ofvan), och de flesta andra, t. e. *judendom, äktenskap* (*attentat, bottenfrusen, vattensjuk*), *rosenkrans, pollenkorn, frökentitel.* Såsom konsonant åter uppträder n_n midljudande i en mängd ställningar: mellan vokal och *n, d, đ, d$_d$, d$_n$, d$_l$, t, t$_n$, t$_l$, r, s* (sällan med *n* såsom öfvergångsljud [1]), *l* (stundom med lateral explosiva n_l såsom öfvergångsljud [2]), t. e. *sann, hand(s), handduk, bundna, handla, pränta, präntning, fryntlig, inre, hans* (*finns*), *enligt* (*tunnlar*); mellan *l$_l$* och *d, t, s* (alternativt äfven *ʃ*) eller *l,* t. e. *molndiger, molntapp, molns, molnsky* (än uttaladt med *n* än med n_n), *molnlös*; mellan *m* och *l*, t. e. *sömnlös*, där dock n_n i vulgär stil plägar förstummas (liksom äfven i högre stil nästan alltid i *jäm*[*n*]*like*); mellan *m* och *s* väl blott i högre stil, t. e. *nämns, namnsdag* (annars *näms, namsdag*), samt då n_n och *s* höra till olika stafvelser, t. e. *namnsedel, famnstake* (vulgärt *nams-, fams-*); mellan *m* och *d* eller *t* väl blott i fall de sistnämnda ljuden börja en ny stafvelse, t. e. *sömndryck, famntag* (vulgärt dock *sömd-, famt-*), under det att i motsatt fall, t. e. *nämnd, hämnd, nämnt, jämnt*, numera uti alla stilarter n_n förstummats [3]; likaså mellan »äng»-ljud och *d* eller *t*, t. e. *regndiger, regntid* (vulgärt *räng-*), men *lugnt* alltid uttaladt som *lungt*, alltså utan n_n [3]; ändtligen mellan

---

[1] Jfr. fsv. *munz, finz* o. d., där explosivan *n* öfvergått till *t*, som således ej utan vidare »inskjutits».

[2] Jfr nysv. *spindel* (fsv. *spinnil*) och *rändel* (Bellman) jämte *rännil* efter pl. *spindlar, rändlar*, där explosivan n_l öfvergått till d_l, som således ej »inskjutits».

[3] TEGNÉR, *Natur och onatur*, s. 126, anser emellertid, att *n* här kan få höras, LYTTKENS och WULFF, *Ljudlära*, s. 185, att »dess uttal icke är

»äng»-ljud och *l*, t. e. *gagnlös*, där n_n väl blott i lägre stil kan saknas, eller *s*, t. e. *vagnshjul, regnskur, ugnssoppa*, där n_n knappast annat än i högre stil uttalas. För öfrigt kan n_n i lägre och mellanstil förekomma mellan vokal och nästan hvilken buckal som helst, därigenom att en mellan n_n och buckalen stående explosivt *n* förstummats, t. e. *kän[n]bar, kvin[n]folk* osv. Dylika former utgöra äfven närmaste förstadiet till sådana vulgära former som *impå'* 'inpå', där det är det resonantiska n_n i *inn* 'in' och icke det explosiva *n* som öfvergått till resonanten m_m.

5. Resonantiskt *n*, dvs. det mot n_n svarande aspirerade ljudet (isländskt *h* i t. e. *hniga*), förekommer i riksspråket (tecknadt *en*) blott såsom en tillfällig variant till sonanten n_n (se ofvan) utan biton näst efter t_n och (mindre ofta) *s*, t. e. *vatten, vattenkonst, ryssen*. I våra dialekter uppträder det dels uddljudande, t. e. i norra Ångermanland [1] *nniv* knif, *nnapp* knapp, i norra och mellersta Österbotten (ända till något söder om Vasa [2]) *nniv* knif, *nne* knä, *nnaga* gnaga, Ale och Flundre härader af Västergötland (se s. 558), där det alltså motsvarar äldre — ursprungligt eller af *g* uppkommet — *k* före *n* [3]; dels midljudande, t. e. i Linsällmålet (Härjedalen) *int* 'inte' [4], alltså motsvarande äldre *n* före *t*, och i delar af norra Österbotten (Gamla Karleby och några socknar söder därom [5]) *marnna* marknad, *lönn* löpna, *bånn* botten, alltså motsvarande äldre *k, p, t* före *n*.

§ 54. Apiko-alveolara.

Hithörande ljud saknas, så vidt man vet, alldeles i de sydsvenska dialekterna, så när som på nordöstra Skånes. I

omöjligt». Låt vara att saken är möjlig, så betviflar jag dock lifligen, att den någonsin praktiseras.

[1] Se LUNDELL i Svenska landsmålen I, 31.

[2] Se HULTMAN i Finländska bidrag, s. 216.

[3] Jfr engl. *knife* (dvs. *naif*), som närmast förutsätter det *nn-*, som föreligger i nyisl. *hnifur* och sv. dial. *nniv*.

[4] Se LUNDELL, a. st. I, 71 noten.

[5] Se HULTMAN, a. st. s. 217.

Ölandsmålet, vissa varieteter af Dalmålet, några finländska dialekter [1] och väl oftast finländskt svenskt riksspråk [2] saknas alla utom *r*. I öfriga svenska dialekter samt i riksspråket förekomma däremot ifrågavarande ljud — i gutniskan bildade jämförelsevis långt fram — i stort antal och utgöra både explosivor, frikativor, tremulanter och resonanter af åtskilliga slag. Intet hithörande ljud utom *r* (samt i vissa dialekter *ḍ* och *ṣ*) förekommer uddljudande. I riksspråket kunna alla (utom *r*) efter vokal ersättas i vårdad sång och (affekteradt) högtidligt föredrag af förbindelser af *r* med respektiva dorso-gingivala ljud (*t*, *d* osv.), såsom i finländskt svenskt riksspråk normalt är fallet (jfr strax ofvan). Emellertid kunna äfven motsvarande förbindelser af *r* med apiko-alveolara ljud (*ṭ*, *ḍ* osv.) användas, åtminstone i högre stil och stundom i finländsk svenska — liksom alltid i gutniska munarter — ehuruväl i så fall *r* ofta i Sverge är så reduceradt, att det snarast torde vara att uppfatta som ett blott öfvergångsljud mellan den föregående vokalen och det apiko-alveolara ljudet, liksom förhållandet obestridligen är i många finländska dialekter [3]. Efter buckaler åter träffas hithörande ljud öfverhufvud icke gärna i högre stil, som i denna ställning har dorso-gingivala ljud såsom motsvarigheter till den lägre och mellanstilens apiko-alveolarer; se vidare nedan.

A. Explosivor, både mediala och mediomarginala, tenues och mediæ, orala och nasoorala, perspirerade och pertonerade:

1. *ṭ*, perspirerad medialt oral tenuis, är ett allmänt (i ofvan angifven utsträckning), men jämförelsevis sällan (endast

---

[1] Se HULTMAN, a. st. s. 126.

[2] Se Pippino i Nystavaren IV, 124 f.

[3] Se HULTMAN, a. st. s. 171. Enligt J. STORM, *Englische Philologie*, 2. aufl., s. 4 not 2 skall svenskan i de flesta fall ha i ställningen efter vokal icke enhetliga *ḍ*, *ṭ* osv., utan förbindelser af reduceradt *r* och *ḍ*, *ṭ* osv., en uppfattning som Lundell, Lyttkens, Wulff, jag och väl de flesta andra svenska fonetici icke kunna dela.

omkring 6 gånger per sida [1]) förekommande ljud, i riksspråket tecknadt *rt* efter vokal, *t* efter buckal. Det uppträder därstädes slutljudande efter vokal, t. e. *surt, styrt, fagert*, efter *ş* (se nedan B, 2), t. e. *först, borst, öfverst*, i lägre stil äfven *Ernst* (dvs. *änşt*, i högre stil alltid *änst*), samt sällan efter resonantiskt *η* (se nedan D, 4), nämligen i orden *fornt, modernt* och några ursprungligen utländska namn såsom *Arndt, Berndt;* dessutom efter muta, t. e. *kvart* (dvs. *kvaţt*), *bort, ärt, ört.* Midljudande förekommer *ţ* i samma förbindelser, t. e. *vårta, furste, järntråd* (*barnteater, stjärntydare* osv., *bortre* (*harts, sorts*), men dessutom efter resonantiskt *ḍ*, t. e. *jordtorfva, vårdtorn.* Dock förekommer alternativt, särskildt i högre stil, *t* i sådana fall, där stark association med former, som uppvisa *t*, kan göra sig gällande; alltså t. e. *förtid, korståg, torntupp, skjorttyg, ordtvist* med *-t-* (jämte *-ţ-*) i anslutning till *tid, tåg, tupp, tyg, tvist.* — Om *borţ, vårţa* osv. såsom alternativ vid sidan af *boţt, våţa* osv. se strax ofvan (s. 431).

2. *ḍ*, pertonerad medialt oral media, är ett allmänt (i ofvan s. 430 f. angifven utsträckning), men ganska sällan (endast omkring 4 gånger per sida [2]) förekommande ljud, i riksspråket tecknadt *rd* efter vokal, *d* efter buckal. I dialekterna är det betydligt sällsyntare än i riksspråket på grund af den så allmänna dialektala öfvergången af *rd* (*ḍ*) till »tjockt» *l* (* l̬*). I riksspråket förekommer det slutljudande efter de flesta vokaler, t. e. *bord, gård, börd, Edvard*, samt dessutom efter resonantiskt *ḍ* i det enda (lån)ordet *gard* (fäkt- och spelterm). Midljudande förekommer det icke blott efter vokal, t. e. *vårda, lördag*, i högre stil *fordra* (annars vanligen *fodra*), utan äfven efter *ş*, resonantiskt *ḍ*, resonantiskt *η* och muta, t. e. *korsdrag, gårdsdräng, världsdel* (dvs. *väḍşḍel*); *borddans, bordduk,*

---

[1] I de s. 408 not 1 nämnda styckena resp. 34, 4, 10 och 9 gånger.
[2] I de s. 408 not 1 nämnda styckena resp. 25, 6, 3 och 5 gånger.

— 433 —

jorddrott, garde (*gaḍḍe* jämte väl vanligare *gaḍe*), *varda* (*vaḍḍa*
jämte vanligare *vaḍa*); *barndop, järndörr, fjärndel, bortdunsta,
hjortdödare.* Dock brukas i nästan alla dylika fall alternativt,
i synnerhet i högre stil, *d,* så ofta stark association med for-
mer, som hafva *d,* kan göra sig gällande; alltså t. e. *korsdrag*
osv. med -*d*- (jämte -*ḍ*-) i anslutning till *drag* osv. — Efter
r förekommer *ḍ* i samma utsträckning som *ṭ* (se 1 ofvan).

3. *ḍ,* perspirerad medialt oral media, förekommer blott
som variant till *ḍ,* detta dels mera sällan i slutljud — exem-
pel se ofvan under 2 — dels oftare midljudande näst efter
eller före *ş,* i hvilken ställning *ḍ* ljudlagsenligt skulle öfvergå
till (oaspireradt) *ṭ,* men ofta genom association eller ock in-
flytande från skriften antingen uppehålles som *ḍ* eller ock på
vägen hänemot *ṭ* stannar på mellanstadiet *ḍ.* Vanligen tillhör
då uttalet med *ḍ* (eller *d* enligt 2 ofvan) företrädesvis den
högre stilen, *ḍ* mellanstilen och *ṭ* den lägre stilen, där dock ofta
en fortsatt utveckling af *ṭş* till *şş* förekommer (jfr *b* : *ƀ* : *p*
§ 50, A, 3 och *d* : *đ* : *t* § 53, A, 3). Såsom exempel på dylikt
alternativt *ḍ* må anföras: *torsdag* (lägre stil *loşṭa*); *samfärdsel,
vårdshus* (lägre stil *väşşus*) — men t. e. *värdskap* alltid med
ḍ eller *ḍ,* aldrig *ṭ* — *världs-del, -åsikt, -historia* (vulgärt *väşş-,*
men icke så i t. e. *världs-klok, -man, -ordning*), *gårds-dräng,
-fogde, gärdsgård* (vanligen *jäşş-*), *vårdslös* (ofta *våşş-* äfven
i mellanstil), *bordsbön* (men *bordsgranne* aldrig med *ṭ*), *svärds-
orden* (men *svärdsegg* aldrig med *ṭ*). Dessutom uppträder
midljudande *ḍ* jämte *ḍ* (och *d* enligt 2 ofvan) näst efter muta,
t. e. *hjortdödare* o. d.; mera tillfälligtvis och kanske blott som
öfvergångsljud före *h, f, k* o. a. perspirerade eller aspirerade
ljud, t. e. i *hårdhet, värdfolk, vårdkas.*

4. *l,* pertonerad mediomarginal media (velariserad i
engelskans *l*-ljud, t. e. *well*; tyskens *l*-ljud tycks ligga mellan
l och *ļ* i fråga om artikulationsställe), är ett icke synnerligen
allmänt — i de flesta dialekter nämligen ersatt af dorso-

gingivalt *l* — och än mindre ymnigt [1] förekommande ljud. I
riksspråket, där det som nämndt väsentligen hör hemma [2], är
det, såsom särskildt Hesselman [3] framhållit, i sitt förhållande
till förbindelsen *rl* icke likställdt med *ḷ* : *rṭ*, *ḍ* : *rd* osv., i det
att *rl* i högre och mellanstil är vanligt och äfven förekommer
i lägre stil utan att förefalla stötande, hvartill kommer att
den lägre stilen dessutom mycket ofta använder *l* i stället
för *ḷ* eller *rl*, åtminstone i ett flertal hithörande ord. Med
nu nämnda inskränkningar uppträder *ḷ*, tecknadt *rl*, slutlju-
dande efter vokal, men blott i ett fåtal ord, nämligen *jarl*,
sorl (sällan med *l*), *kärl* (ofta med *l*), *Karl* (i lägre stil alltid
med *l* i Sverge, men icke i Finland [4]), *karl* (med *ḷ* blott i
oratorisk stil — jämte *rl*, se strax ofvan — annars alltid ut-
taladt *kar*). Midljudande förekommer *ḷ*, växlande med *rl* och
l i ofvan angifven utsträckning, mellan vokal och annan
vokal, sällan buckal, t. e. *farlig, ärla, märla, pärla* (alla
ofta med *l* i lägre stil), *porla* (sällan med *l*), *härlig, Karla-
vagnen, karlakarl* (i mellanstil *kaḷakar*, jämte det i lägre stil
uteslutande brukliga *karakar*), *storlek, jarls, Karlstad*; vidare
tecknadt *l*, mellan *ṣ*, lateralt *ḷ* eller *ḍ* (se § 59, A), resonan-
tiskt *ŋ* eller (sällan) *ḷ* och en följande vokal, t. e. *forsla,
körslor, porslin, barnslig, vårdslös* (såvida sistnämnda ord ut-
talas med *ṣ*, se B, 2 nedan); *mortlar, körtlar, hjärtlös; gördlar,
nordlig; värnlös; kärllös*. Dock kan i härledda ord på grund
af stark association detta *ḷ* efter buckal växla med *l* (men
naturligtvis icke med *rl*), t. e. *korslagd, verslära, svärdslilja; fort-*

---

[1] Kanske omkring en gång per sida. I de s. 408 not 1 nämnda
styckena träffas det resp. 6, 3, 2 och ingen gång.

[2] I motsats till AURÉN, LUNDELL, NOREEN, SWEET, OTTELIN, HESSELMAN
och troligen alla andra fonetici, som yttrat sig i frågan, anse LYTTKENS och
WULFF, *Ljudlära* s. 142, att ljudet saknas i riksspråket och uteslutande
tillhör dialekterna. Oriktigheten af denna uppfattning har i detalj upp-
visats af HESSELMAN i Språk och stil IV, 97 f.

[3] A. st., s. 96 noten.

[4] Se PIPPING, Nystavaren IV, 124.

— 435 —

löpande, skjortlinning, portlider, kortlifvad; ordlista, mordlysten, jordlott, bordlägga; hornlykta, järnlod; pärllager o. d.

Motsvarande perspirerade ljud (*ļ*) torde förekomma i våra dialekter, men är ännu icke med säkerhet konstateradt mer än i Aspö socken, Södermanland (se s. 558).

5. *ŋ*, pertonerad nasooral media, är ett (i ofvan s. 430 f. angifven utsträckning) allmänt, men icke just ymnigt (omkring 8 gånger per sida [1]) förekommande ljud. I riksspråket uppträder det — tecknadt *rn* efter vokal, *n* efter buckal — slutljudande efter vokal, t. e. *barn, horn, järn, björn, negern,* i lägre och mellanstil äfven (sällan) efter resonantiskt *ŋ* (se D, 4 nedan), t. e. *dörrn, förrn, herrn,* dvs. *döŋŋ* osv. (men i högre stil *dörrn* osv.). Midljudande uppträder det mellan vokal, *s̨*, resonantiskt *ŋ* eller (sällan) *ļ*, velo-faukalt *ţ* eller *ḑ* (se § 42, 2, a) och en följande vokal, t. e. *varna, surna, härnad, hårnål; varsna; garnnystan; pärlnät; svartna; hårdna, ordning.* I härledda ord växlar dock i fall af stark association *ŋ* med *n*, t. e. *korsnäbb; örnnäsa, järnnagel; jarlnamn; portnyckel, kartnagel; jordnatur.* — Efter *r*-ljud förekommer *ŋ* i samma utsträckning som *ţ* (se 1 ofvan).

Motsvarande perspirerade ljud tycks saknas.

B. Af (medialt orala) frikativor är med säkerhet uppvisad endast en perspirerad (se 2 nedan), under det att dess pertonerade motsvarighet (se 1 nedan) är till sin existens i svenskan ganska tvifvelaktig.

1. En hithörande pertonerad frikativa (engl. *r* i t. e. *dry*) anses af Lyttkens och Wulff [2] föreligga i det — i synnerhet uti Stockholm — rätt vanliga ovibrerade substitutet för tremulerande apiko-alveolart *r* i t. e. *röd, ruter.* Rätta förhållandet torde väl emellertid vara det, att vi här ha ett mellanting mellan tremulant och frikativa, dvs. ett *r* med ytterst få och små vibrationer; ty något verkligt friktionsljud

---

[1] I de s. 408 not 1 nämnda styckena resp. 51, 7, 9 och 6 gånger.

[2] *Ljudlära,* s. 149 f., *Metodiska ljudöfningar,* s. 42.

torde i förevarande fall knappast någonsin kunna upptäckas. Utan tvifvel är det just detta »*r*»-ljud, som i gutniskan och alternativt i finländskt samt — ehuru här väl reduceradt till ett blott öfvergångsljud — svenskt riksspråk ingår i förbindelserna *rṭ, rḍ, (rḷ?), rṇ, rṣ* (se s. 431 ofvan).

2. *ṣ*, perspirerad, är ett (i ofvan s. 430 f. angifven utsträckning) allmänt, men mångenstädes och särskildt i riksspråket sällsynt (ungefär 5 gånger per sida [1]) förekommande ljud. I riksspråket uppträder det — tecknadt *rs* efter vokal, *s* efter buckal — slutljudande efter vokal, t. e. *fars, Ers (nåd), hinders, bankirs, kors, äfventyrs, törs*; i lägre stil äfven efter *ṭ, ḍ* och resonantiskt *ṇ*, under det att de högre stilarterna här i stället ha *s*, t. e. *harts, blyerts, sorts, gjorts, hörts, bords, gårds, värds, herrns, barns, faderns, ägarns*. Midljudande står det mellan vokal och de flesta andra ljud, t. e. *barsk, borst, person, orsak* (sällan *per-son, or-sak* med *r* + *s*); i lägre stil också efter *ṭ, ḍ* och resonantiskt *ṇ*, under det att de högre stilarterna ha *s*, t. e. *fortsätta, bortse, ärtsoppa, vördsam, ordspråk, tornspira, barnslig*. — Efter *r* förekommer *ṣ* i samma utsträckning som *ṭ* (se A, 1 ofvan).

Dialektiskt förekommer *ṣ* äfven uddljudande, motsvarande riksspråkets »sje»-ljud (*ʃ*). Så kanske (se s. 472 not 4) i Närke och i många nordsvenska dialekter, t. e. i nordligaste Uppland, södra Ångermanland, Jämtland (Ragunda, Offerdal, Frostviken) och Västerbotten (Degerfors, Haparanda [2]); likaså i »fin» stockholmska, t. e. *ṣu, ṣinn* för *sju, skinn*.

C. Tremulanter (medialt orala) finnas tvenne:

1. *r*, pertonerad, är ett i högre grad än andra apikoalveolarer allmänt spridt ljud, enär det förekommer äfven i de s. 431 ofvan nämnda medel- och nordsvenska dialekter (t. e. Ölandsmålet samt vissa dalska och finländska mål),

---

[1] I de s. 408 not 1 nämnda styckena resp. 29, 2, 5 och 8 gånger.

[2] Se Lundell, Sv. landsmålen I, 43 och 75 not, Åström ib. VI, 6, s. 100 och 120, Waltman ib. XIII, 1.

som sakna öfriga apiko-alveolarer. Det är äfven ett alldeles ovanligt ymnigt (omkring 104 gånger per sida [1]) förekommande ljud. I fråga om vibrationernas antal och styrka har det en ovanligt stor latitud. Det är ojämförligt mest vibrerande näst efter kort tryckstark vokal, i all synnerhet därest ordet har eller skall förskaffas en ljudmålande (jfr V, 96 ff.) karaktär, hvilket synnerligen ofta är fallet just med ord som innehålla *r*-ljud, t. e. *darra, knarra, klirra, pirra, svirra, virrig, virrvarr, knorra, morra, skorra, fnurra, hurra, kurra, snurra, surra,* eller därest ordet skall tas i särskildt pregnant (innehållsdiger) betydelse, t. e. stundom (*en rolig*) *kurre,* (*det går*) *värre.* Minst framträdande äro vibrationerna i uddljud och trycksvagt slutljud (jfr B, 1 ofvan och det fullständiga förstummandet af *r* i lägre och mellanstil hos de oftast trycksvaga hjälpverben *är, var, har,* se s. 30 ofvan) samt före homorgana buckaler, om det i dylik ställning öfverhufvud alls höres (jfr s. 431 ofvan) [2].

I riksspråket förekommer *r* uddljudande blott före vokal, t. e. *rak, röd.* Slutljudande uppträder det vanligen som konsonant och då blott näst efter vokal, vanligen lång eller trycksvag kort, t. e. *bar, öser,* mera sällan tryckstark kort, t. e. *barr, borr, surr, ärr, dörr.* Sällan och då blott alternativt jämte *-ər* uppträder det — tecknadt *-er* — helst i helsvag stafvelse såsom slutljudande sonant efter *ţ* och *ḍ,* t. e. *po'rter, ma'rter, pa'rter, hjärt'er, o'rder, va'rder, ba'rder, gard'er, koka'rder,* men *sort'er, ört'er, fä'rder* o. d. ojämförligt oftast med *-ər;* möjligtvis också efter *ŋ,* t. e. *Mö'rner,* men knappast efter *ʂ,* t. e. *pers'er.* Mera tillfälligtvis kan slutljudande sonantiskt *r* anträffas efter heterorgan buckal, t. e. i kommandospråkets *vän'str', hö'gr'* med starkt framträdande vibrationer. Midljudande förekommer *r* vanligen såsom konsonant och då i allehanda ställningar, men dock alltid med en vokal an-

---

[1] I de s. 408 not 1 nämnda styckena resp. 575, 138, 118 och 108 gånger.
[2] Jfr ock behandlingen af trycksvagt *r* i fornsvenskan.

tingen näst före eller näst efter eller på båda sidor, t. e. *stirra orm, yrka, gro, ström, oro, föra*. Sällan och då blott såsom alternativ vid sidan af *-ər-* förekommer midljudande *r* som sonant näst efter *ṭ* och *ḍ*, t. e. *porterpris, orderbok*. — Om *r* före *ṭ* (*ṭ*), *d* (*ḍ*) osv. se s. 431 ofvan och A, 1, 2, 4, 5 samt B, 2.

Näst efter *ṭ* och *d* bildas *r* längre fram än annars och torde snarast vara att betrakta såsom apiko-gingivalt (se s. 418 f. ofvan) [1].

2. *ṛ*, perspirerad, är ett i det hela föga brukligt ljud. I riksspråket kan tillfälligtvis ett slutljudande *r* helt eller delvis — så att det börjar pertoneradt (såom *r*) och slutar perspireradt (såsom *ṛ*) — öfvergå till *ṛ*, t. e. *stor, bar, barr, narr, ruter* o. d. Än oftare förekommer *ṛ* såsom alternativ växelform vid sidan af slutljudande helsvagt *-ər* efter tenuis, oftast *ṭ*, t. e. *portṛ, hjärtṛ*, stundom äfven andra, t. e. *fönstṛ, mönstṛ, sockṛ*; så särskildt ofta i kommandoordet *vänstṛ*, i öfverensstämmelse hvarmed äfven *högṛ* ej sällan förekommer (båda entaktigt uttalade; jfr de tvåtaktiga *vän'stṛ'*, *hö'gṛ'* under 1 ofvan). I vissa nordsvenska dialekter finnes *ṛ* midljudande före tenues, t. e. Multrå (Ångermanland) *järpe, burk, burṭṣen* burken, eller med *r* som föregående öfvergångsljud, t. e. Kökar (Åland) *bårk* burk, *mörṭ* mörkt och likartade former i Burträsk och Degerfors (Västerbotten) [2]. Väl med orätt anse Lyttkens och Wulff [3], att äfven riksspråket »ofta» har *ṛ* i stället för *r* framför *k, p, t, f* samt dessutom före frikativorna *s* och *f*, t. e. *ark, torp, arkiv, mars, marsch*.

D. Resonanter (klusil, marginalt och medialt orala samt nasala):

1. Klusilt *ḍ* är ett visserligen tämligen allmänt spridt, men mycket sällan [4] användt ljud. Det förekommer, tecknadt

---

[1] Jfr STORM, *Englische Philologie*, 2 aufl., s. 64.
[2] Se Sv. landsmålen I, 44; VI, 6, s. 117; XII, 1, s. 10, och 3, s. 38.
[3] *Ljudlära* s. 150, *Uttalsordbok* s. 24*.
[4] I de s. 408 not 1 nämnda styckena ingen enda gång förekommande.

rd, i riksspråket blott midljudande mellan vokal (vanligen lång) och *ḍ, ṭ* eller *ʄ* (se s. 442 f.), t. e. *borddans, bordduk, gard, garde, varda* (dvs. *gaḍḍe, vaḍḍa*, hvarjämte *gaḍe, vaḍa*, se A, 2 ofvan), *jordtorfva, vårdtorn, bordkärl, Nordkärr*; ytterst sällan mellan kort vokal och latero-gingivalt (se s. 381 ofvan) eller velo-faukalt (se s. 378 ofvan) *ḍ*, t. e. *gardläge, Dardel* (dvs. *daḍḍl* med sonantiskt *l*), *garden* (dvs. *gaḍḍn* med sonantiskt *n*), bestämd form af *gard*.

2. Resonantiskt *l*, dvs. hithörande marginal pertonerad oral, är ett både mindre allmänt spridt och mindre ofta [1] användt ljud. Det förekommer i riksspråket såsom konsonant — tecknadt *rl* — blott midljudande mellan lång vokal och *r* eller homorgan explosiva (dvs. *ṭ, ḍ, l, n*, dock växlande med vanligare *t, d, l, n* se A ofvan), t. e. *kärlrik, pärlrad, pärltänder, pärldrufva, Karldagen, jarldöme, kärllös, pärllager, pärlnät*. Såsom sonant förekommer det — tecknadt *el* — alternativt jämte förbindelsen *əl* (eller *əl₁*), både slut- och midljudande efter latero-gingivalt (se s. 381 ofvan) *ṭ* eller *ḍ* samt, ehuru mindre konsekvent (jfr § 53, C, 2), efter *ṣ*, t. e. *mortel(n), kjortel(n), kjortelsäck, körtel(n), sportel(taxa), Bartelsson, gördel(n), gördelmakare, varsel, hörsel(n), körsel, tillförsel(n), yrsel(n), styrsel* (men *gärdsel, samfärdsel* blott i lägre stil med *l*, emedan de högre stilarterna efter *ḍ* icke hafva *ṣ*, utan *s*, se B, 2 ofvan).

3. Resonantiskt *l*, dvs. hithörande marginal aspirerad oral, är ett ytterst sällan uppträdande ljud. I riksspråket träffas det blott som en tillfällig variant till det resonantiska *l* i dess användning som sonant i slutljud eller i midljud före perspireradt ljud, t. e. *mortel, Bartelsson* o. d. (se 2 ofvan). Dessutom förekommer det väl i de dialekter, som eventuellt äga explosivt *l* (se s. 435 ofvan).

4. Resonantiskt *n*, dvs. hithörande pertonerad nasal, är

---

[1] I de s. 408 not 1 nämnda styckena ingen enda gång förekommande.

ett visserligen tämligen allmänt, men mycket sällan (icke 1 gång per sida [1]) förekommande ljud. I riksspråket uppträder det såsom konsonant — tecknadt *rn* — blott midljudande mellan vokal (vanligen lång) och *r* eller homorgan explosiva (dvs. *t̪, d̪, l, n̪,* dock ej sällan växlande med *t, d, l, n,* se A ofvan), eller — detta dock blott i lägre stil — *s̭* (i hvars ställe de högre stilarterna ha *s* med föregående explosivt *n̪,* se B, 2 ofvan), t. e. *järnram, barnröst, modernt, järnten, järndörr, barndop, värnlös, järnlås, järnnagel, herrn, barnslig, järnsax.* Såsom sonant förekommer det — tecknadt *en* — alternativt jämte förbindelsen *ən* (eller *ən*ₙ), både slut- och midljudande efter velo-faukalt (se s. 378 ofvan) *t̪* eller *d̪,* stundom (jfr § 53, C, 4) äfven *s̭,* i vulgär stil till och med någon gång *l̩* eller *n̪*ₙ, t. e. *myrten, myrtenkrans, behjärtenhet, svärten, snärten, borsten, furstendöme, orden(stecken), jorden, mörden, forsen(s), värsen, börsen* — alla tre ofta med *ən* — vulgärt *jarlen, kvarnen* (dvs. *kvan̪'n̪*).

5. Motsvarande aspirerade ljud är ytterst sällsynt och träffas i riksspråket blott som en tillfällig variant till föregående ljud i dess användning som sonant i slutljud eller i midljud före perspireradt ljud, t. e. *myrten, ordenstecken* o. d. (se 4 ofvan). Dessutom torde det väl förekomma i en och annan nordsvensk dialekt [2] i stället för resonantiskt *n̪* före *t,* t. e. i *van̪t* varmt (jfr om förbindelsen *nt* § 53, C, 5).

6. Hithörande aspirerade mediala oraler, dvs. *h*-ljud med *ɪ*- eller, därest ljudet är labialiseradt, *ɥ*-timbre, saknas i riksspråket — liksom själfva vokalerna *ɪ* och *ɥ* — men finnas i de åtskilliga dialekter, som äga nämnda vokaler (hvarom se nedan i vokalläran), och uppträda där blott omedelbart före den vokal, med hvilken respektive *h*-ljud öfverensstämmer i fråga om klangfärg, t. e. *hɪlla, hɥlla.*

---

[1] I de s. 408 not 1 nämnda styckena resp. 2, 1, ingen och ingen gång.
[2] Snarast härjedalskan, se Westin i Sv. landsmålen XV, 3, s. 48.

§ 55. Dorso-alveolara.

Hithörande ljud, som i vissa dialekter äro delvis mycket vanliga, äro i vårt riksspråk samtliga mer eller mindre sällsynta. De utgöras af explosivor, frikativor och resonanter, under det att tremulanter alldeles saknas (äfven i dialekterna). Individuellt torde en sådan förekomma hos »j-skorrande» personer, t. e. *vajföj dä, tjäja häjje* hvarför det, kära herre.

A. Explosivor:

1. *ʃ*, perspirerad medialt oral tenuis, förekommer i riksspråket aldrig, i dialekterna mycket sällan i slutljud och äfven annars nästan uteslutande såsom första beståndsdel af affrikatan *tʃ* (i dialekterna äfven *tʃ* med något längre bak bildad explosiva och mediodorso-kakuminal frikativa), det — oegentligt — s. k. tje-ljudet. Denna affrikata förekommer både i riksspråket och de flesta dialekter i Sverge (mindre i Finland och aldrig i Estland och Livland), men hör, särskildt i riksspråket, till de mera sparsamt (omkring 3 gånger per sida [1]) uppträdande ljuden. Den har inom ett stort och viktigt medelsvenskt dialektområde, bestående af Östergötland, nordöstra Småland, Västergötland (utom Kind), norra Bohuslän, Dalsland, Värmland (utom allra nordligaste delen) och Närke, öfvergått till blott frikativa (*ʃ* eller *ç*), och den stora utbredningen af denna företeelse inom delvis mycket centralt belägna dialekter har gjort, att äfven riksspråkstalande individer i så stort antal använda frikativa i stället för affrikata, att äfven den förra torde kunna erkännas såsom ett, alternativt förekommande och relativt berättigadt, riksspråksuttal af »tje»; detta i synnerhet i midljud före tryckstark vokal, t. e. i *arkiv, betjänt*, där frikativa torde användas äfven af mången, som uttalar affrikata i t. e. *kif, tjäna.*

— 442 —

ʃ, i nyssnämnda utsträckning växlande med *ʒ* (eller *j*),
förekommer i riksspråket såväl udd- som midljudande, men
i båda fallen endast omedelbart före vokal, t. e. *chance, kemi,
kitt, kjortel, tjur, kyla, tjog, tjära (kära), kök, katekes, arkitekt, underkjol, hästljuf, bekymmer, jämntjock, förkättra, spottkörtel.* I de trycksvaga slutstafvelserna *-tja* och *-tje* växlar
tʃ (så ofta i de lägre stilarterna, sällan i de högre) med *tj*,
som i det hela väl är det vanligare [1], t. e. *gyttja, kättja, lättja,
nyttja, vittja, kultje, stiltje.* Sammanstöta däremot *t* och *j*
genom sammansättning, så är uttalet med *tj* så godt som
undantagslöst i bruk, t. e. *utgöra, råttjakt, blötdjur.*

I dialekterna, i synnerhet de nordsvenska, är *ʃ* mycket
vanligare än i riksspråket, detta dels därigenom att *tʃ* (*tʃ*)
i stor utsträckning förekommer motsvarande riksspråkets *k*-
ljud, t. e. i Hälsingland *tyʃʃa* tycka, *äntʃa* änka, *säʃʃen*
säcken, i Skåne *feʃʃ* fick, *feʃʃeli* skicklig o. d., dels därigenom
att *ʃ* äfven förekommer i andra ställningar än såsom beståndsdel af affrikata, t. e. i Burträsk (Västerbotten) *byʃʃ*
bytta, *eʃʃ* inte, i Brändö-målet (Åland) *leʃʃ* ledt [2], i södra
Härjedalen *ʃwå* (jämte *tʃwå*) två.

Då *t* och *ʃ* genom sammansättning träffa tillsammans,
blir resultatet antingen det, att *ʃ* bortfaller, eller ock — och
detta väl oftare — att båda ljuden sammansmälta till ett *ʃ*,
som är bildadt något längre bak än *ʃ*, i det att tungbladet
artikulerar mot alveolernas baksida (och tungspetsen således
är belägen vid kontaktstället för *t* och *ʃ*), till hvilket artikulationsställe då också den följande frikativan förflyttas,
t. e. *bortkörd* (dvs. *båʃʃöḍ* eller oftare *båʃʃöḍ*), *hjortkött* o. d.
Likaså uppstår *tʃ* vid sammanträffande af *ḍ* (som då öfvergår till klusil resonant, se § 54, D, 1) och *tʃ*, t. e. *bordkärl*

---

[1] Emellertid tycks FLODSTRÖM, *Svensk rättskrifningslära* (1882), s. 30,
och *Förslag till lärobok i svensk rättskrifning* (1886), s. 22, blott känna
till uttalet med *tʃ*.

[2] Se HULTMAN i Finländska bidrag, s. 256.

(dvs. *bodʒsärl*), *Nordkärr, gårdköp* o. d. Sällan inträffar samma förskjutning, då *r* och *j* sammanträffa, t. e. *förʒäna*, vanligen dock *förʒäna* eller (se s. 441 ofvan) *förʒäna*. Vulgärt kan till och med samma förhållande inträda då *t* och *j* stöta samman, t. e. i *bortjaga* (*båʒʒaga*, men i alla högre stilarter *båʒʒaga*) o. d. Affrikatan *ʒs* är väl väsentligen identisk med det ljud som betecknas med *ch* i engl. *child* o. d.

2. *ḍ*, pertonerad medialt oral media, förekommer nästan uteslutande såsom beståndsdel af affrikatan *ḍʒ* (i vissa dialekter *ḍj* med något längre bak bildad explosiva ock frikativa). I högsvenskt riksspråk förekommer *ḍʒ* (it. *gi* i t. e. *giorno*) numera icke uddljudande annat än vid emfatiskt uttal af ordet *djäfvul*, stundom i det ovanliga och därför af skriften starkt påverkade *djäkne* samt vulgärt i *ja, jojo* och interjektionen *jösses*. Däremot i finländskt svenskt riksspråk (liksom i de flesta finländska dialekter samt möjligen några norrländska) höres den äfven, liksom ännu i äldre nysvenska mera allmänt, i orden *djup, djur, djärf* och deras härledningar (jfr dock s. 558). I midljud förekommer *ḍʒ* jämte vanligare *dj* i *adjö* (i de lägre stilarterna oftast uttaladt *ajö*) och *budget* samt i de trycksvaga slutstafvelserna *-dja* och *-dje*, t. e. *kedja, midja, smedja, städja, stödja, svedja, vidja, vädja, glädje, tredje*. Förhållandet är i sistnämnda fall med *dj* alldeles detsamma som med *tj* i *-tja* och *-tje* (se 1 ofvan), dvs. *dj* är mycket vanligare än *ḍʒ* och tillhör i all synnerhet de högre stilarterna. Då *d* och *j* sammanträffa i och genom sammansättning, är *dj* det ojämförligt vanligaste i alla stilarter, t. e. *nedgöra, uddljud, vilddjur* (uttaladt *vildjur*, i lägre stilarter ofta *villjur*, sällan *vilḍʒur*). I slutljud saknas *ḍʒ* alldeles i riksspråket.

I dialekterna, i synnerhet de nordsvenska, är *ḍʒ* (eller *ḍj*) tämligen vanligt. Detta minst i uddljud, t. ex. i Kalix *ḍʒaisp* gäspa, i Nysätra (Västerbotten) *ḍʒiv* gifva, i Åsen och Våmhus (Dalarna) *ḍʒävd* gifva; oftare i slutljud och i synnerhet i midljud, där det uppträder i en mängd nordsvenska dialekter samt i Skåne, t. e. Nysätra *ŋgɟ(en)* äng(en), Degerfors (Västerbotten) *bryggɟa* brygga, Åland och Houtskär (Egentliga Finland) *flygɟi* flugit, *briggɟå* brygga, Färs (Skåne) *leggɟa* ligga o. d., hvarvid det alltid representerar fornsvenskt -*gi*- (icke -*ghi*-) före vokal. Stundom är detta *gɟ* så långt fram artikuleradt, att man kan vara oviss om, huruvida icke man har att göra med *dz* (se s. 425 ofvan). I annan ställning än såsom beståndsdel af affrikata förekommer *ɟ* åtminstone i Burträsk (Västerbotten), t. e. *kryɟgɟ* krydda, *fyɟgɟ* skydd, och i Brändö-målet (Åland) [1] både mid- och slutljudande.

Då *ɟ* och *j* råkas i och genom sammansättning kan en med *ɟ̣* (se s. 442 ofvan) analog pertonerad affrikata i vulgär stil uppstå, t. e. *svärdgehäng, mordjärn*. Denna affrikata är väl väsentligen identisk med den, som betecknas medelst *j, dg, g* i engl. *judge, giant* o. d.

En mot *ɟ* svarande perspirerad media tycks saknas. Möjligen förekommer den såsom ett mindre vanligt alternativ jämte slutljudande *ɟ* i Burträsk-målet (se strax ofvan).

3. *ʎ*, pertonerad mediomarginal media (it. *gl* i *egli*, portugisiskt *lh* i *Magelhaens*, spanskt *ll* [2] i *llanos, Sevilla*), saknas numera i riksspråket, såvida det icke individuellt förekommer i stället för det palataliserade *l*, som tecknas *lj* i t. e. *sväljde, svält* (se s. 398 ofvan). Äfven i dialekterna är det sällsynt, i det att det endast förekommer i de nordsvenska och då blott mid- eller slutljudande efter homorgan resonant. Hittills är det med säkerhet uppvisadt från sydvästra Härjedalen, Jämtland [3], Burträsk, Särna och Idre [4] samt på åtskilliga håll inom mellersta och södra Österbotten, Ålands och

---

[1] Se föregående not.

[2] Enligt JESPERSEN, *Fonetik*, s. 410, är dock detta snarast palataliseradt *l* (sålunda identiskt med sv. *lj* i *sväljde*, se s. 398 ofvan).

[3] Se H. WESTIN i Sv. landsmålen XV, 3, s. 41 f., LUNDELL ib. I, 67.

[4] Enligt hvad jag själf iakttagit.

Egentliga Finlands skärgård ¹, t. e. Burträsk *fyɔ̣ʝ* fylla, *syɔ̣ʝ* syll, Kökar (Åland) *faʝʝa* falla, *troʝʝ* troll.

4. *ʝ*, perspirerad mediomarginal media, saknas i riksspråket och är sällsynt i dialekterna. Det förekommer blott i de nordsvenska och endast slutljudande efter homorgan resonant (eller kanske lateral frikativa; jfr § 53, A, 5), alltid motsvarande äldre *l* efter *s*. Det är uppvisadt åtminstone från Burträsk (södra Västerbotten), sydöstra Härjedalen och nordligaste Jämtland ², t. e. Linsäll (Härjedalen) *liʝʝ* (eller *liȝʝ*) liten, *beʝʝ* (eller *beȝʝ*) betsel.

5. *ŋ*, pertonerad nasooral media (it. *gn* i *signore*, portugisiskt *nh* i *Minho*, spanskt *ñ* ³ i *señor*), förekommer i riksspråket endast som alternativ vid sidan af annat ljud: dels väl individuellt i stället för det palataliserade *n*, som tecknas *nj* i t. e. *vänjde, vänjt* (se s. 398 ofvan); dels såsom variant till *n*, då detta står omedelbart före *j* ⁴ (eller *ʒ*, se B, 1 nedan) eller efter konsonantiskt *i* (eller *j*, se § 58, B, 1). Helst inställer sig detta *ŋ* i uddljud, t. e. *njugg, njuta, njure, nja* (ett tveksamt *ja*); mindre gärna i mid- och slutljud, t. e. *ungefär, ingenjör, kompanjon, chiffonjé, linje, mojna, Aina, Beijnoff, Weinberg* (vulgärt *Väiŋbärj* med förskjutning af *ŋ* till *ŋ*, se § 58, A, 4; dialektiskt *Väŋbärj*), *Heintz* (vulg. *Häiŋs*, dial. *Häŋs*), *Klein*; särskildt sällan då näst före *nj* går en kort tryckstark vokal, t. e. *brynja, konjak, kastanje*. — För övrigt förekommer ljudet *ŋ* endast (och sparsamt) i samma nordsvenska dialekter, som äga *ʝ* (se 3 ofvan), men blott mid- eller slutljudande, t. e. Kökar *fiŋŋa* finna, *miŋŋ* min, *bågåŋ* bågen.

---

¹ Se Hultman, a. st. s. 235.
² Se de s. 444 not 3 anförda arbetena.
³ Enligt Jespersen *Fonetik*, s. 409, är emellertid detta »vistnok» palataliseradt *n* (jfr ofvan s. 444 not 2).
⁴ Jämte *nj* och *ʝj* förekommer enligt Lundell, Språk och stil I, 39 f., ett tredje uttal, i det att *nj* i uddljud och i trycksvag stafvelse ofta reduceras till ett palataliseradt *n*.

En mot *y* svarande perspirerad media tycks saknas.

B. Frikativor (medialt orala) finnas tvenne:

1. *ʒ*, pertonerad (fra. *ll* i *fille*[1]), förekommer väsentligen blott såsom beståndsdel i affrikatan *dʒ*, om hvars utbredning och förekomst se A, 2 ofvan. Annars uppträder ljudet endast såsom variant till *j*, speciellt ofta slutljudande efter *l, m, n* (*y*, se A, 5 ofvan), *r*, t. e. *familj, tämj, champagne, korg*, hvarvid afslutningen stundom blir perspirerad, dvs. *ʒ* öfvergår i *ʃ* (se 2 nedan).

2. *ʃ*, perspirerad (bildas något längre fram än ty. *ch* i *ich*), förekommer dels i affrikatan *tʃ*, hvarom se A, 1 ofvan, dels ensam såsom representant för »tje»-ljudet i de flesta af de dialekter (samt af dem färgadt riksspråk), där »tje» icke är en affrikata, nämligen i Östergötland, nordöstra Småland, Västergötland (utom Kind) och Närke, om ock i sistnämnda landskap samt väl äfven nordligaste Västergötland växlande med *j* (se § 58, B, 2). Dessutom uppträder *ʃ* eller ett mellanljud mellan detta och *f* eller *ʃ* såsom representant för »sje»-ljudet (äldre *sj, skj, stj*, stundom äfven *sk*) i största delen av södra Halland mellan Lagan och Viskan (eller åtminstone till norr om Falkenberg) t. e. *ʃu* sju, *ʃiva* skifva, *ʃoʃta* skjorta, *ʃœla* stjäla[2]; likaså i åtskilliga finländska dialekter — t. e. Gamla-Karleby- och Pargas-målen, där det dock tycks vara palataliseradt — men endast såsom motsvarighet till äldre *sj* (icke *sk, skj, stj*)[3].

C. Resonanter:

1. Klusilt *ɠ* saknas i riksspråket och förekommer blott midljudande före explosivt *ɠ* i de dialekter, som äga detta ljud, t. e. Burträsk *byɟdʒ* bygga, *ʃyɟɟ* skydd o. d.; se A, 2 ofvan.

---

[1] Men icke *ill* i *paille*, hvilket representerar ett längre bak beläget *j* (jfr JESPERSEN, *The articulations of speech sounds*, s. 66).

[2] Se E. WIGFORSS i Svenska landsmål, B. 13, s. 417 ff.

[3] Se HULTMAN. a. st. s. 164; HAGFORS, Sv. landsmålen XII, 2, s. 12 och 70; THURMAN, ib. XI, 4, s. 10.

2. Resonantiskt *J*, dvs. hithörande marginal pertonerad oral, saknas i riksspråket och förekommer blott midljudande före explosivt *J* i de dialekter, som äga detta ljud; exempel se A, 3 ofvan. Dock hafva några få munarter samma ljud i en och annan ställning dessutom. Så förekommer det före *ḑ* i Burträsk t. e. *fyᵻJḑ* fyllde; före *J* i Jämtland och Härjedalen, men detta endast i ordet *saJJʂa*, resp. *sᵻJJʂa* silke; före *d* i Kökarsmålet, t. e. *bjᵮJdro* bjällra.

3. Resonantiskt *J*, dvs. motsvarande aspirerade ljud (kymriskans *ǀ*) i t. e. *Llewellyn*) saknas i riksspråket och är hittills med säkerhet uppvisadt endast från några nordsvenska dialekter och då blott i ställningen före *J* eller (oftare) *t* — möjligen ock före slutljudande *J* — t. e. Norra Härjedalen (Hede och Vemdalen) *sᵻJJʂa* silke (enda exemplet), Burträsk *syᵻJt* sylt, Kökar (där dock ljudets början är pertonerad) *boJta* bulta.

4. Resonantiskt *ŋ*, dvs. hithörande pertonerad nasal, saknas i riksspråket — frånsedt det stundom uppdykande *ŋŋja* jämte *nnja* (ett mycket tveksamt *ja*) — och förekommer endast i de nordsvenska dialekter, som äga explosivt *ŋ* (se A, 5 ofvan), framför hvilket det allmänneligen uppträder. I vissa af dessa dialekter träffas det emellertid äfven i andra ställningar, såsom före *J*, *ʝ*, *s*, t. e. Burträsk *kᶥᶜaᵻŋʝ* klint, *tᵮyŋʝ* tynga, *preᵻŋs* prins, Jämtland *baŋʝʂan* bänken, *drœyŋʝan* (Härjedalen *draŋḑʂan*) drängen. I Härjedalen förekommer det äfven såsom sonant, slutljudande efter *J*, t. e. *vaɔJŋ* vatten, *boɔJŋ* botten [1].

5. Motsvarande aspirerade ljud är anträffadt i norra Härjedalen (Hede och Vemdalen) före *J*, t. e. i *œɔŋJʂa* änka [2].

6. Hithörande aspirerade mediala oraler, dvs. *h*-ljud med *i*- eller, därest ljudet är labialiseradt, *y*-timbre, förekomma

---

[1] Med ɔ betecknas, att vokalens afslutning är perspirerad; se vidare vokalläran.

[2] Se Westin, Sv. landsmålen XV, 3, s. 48.

— frånsedt de trakter, där öfverhufvud hvarje *h*-ljud saknas (förnämligast i norra Dalarna, Upplands och Södermanlands skärgård samt västra Nyland) — lika allmänt som vokalerna *i* och *y*, enär ifrågavarande *h*-ljud aldrig uppträda annat än omedelbart före nämnda vokaler, t. e. *hit, hinna, hyra, hynda*. I alldeles samma förhållande står ett äfvenledes hithörande dialektiskt *h* med ɿ- eller, därest det är labialiseradt, *y*-timbre till de dialektiska vokalerna ɿ och *y*.

Om eventuellt *h* i stället för perspirerad vokal i vissa nordsvenska dialekter se vokalläran.

§ 56. Apiko-kakuminala.

Hithörande ljud saknas alldeles i riksspråket liksom i sydsvenska och gutniska mål, men finnas — i synnerhet det »tjocka» *l*, dvs. ɿ — mycket ymnigt i alla medelsvenska och de allra flesta nordsvenska dialekter, dock t. e. icke i Nargö-målet, nyländskan, Gamla-Karleby-målet [1] samt vissa varieteter af Mora-målet (Garsås', Nusnäs' och Norets) och Orsa-målet (Skattungebyns). Intet hithörande ljud — utom undantagsvis *d, s* och ɿ — förekommer i uddljud. Detta beror därpå, att, liksom de apiko-alveolara ljuden (utom *r*) i allmänhet äro af ett omedelbart föregående, sedan oftast försvunnet, *r* föranledda modifikationer af de dorso-gingivala ljuden, så äro äfven dessa apiko-kakuminala ljud (utom ɿ) i allmänhet modifikationer af samma dorso-gingivala ljud, men föranledda af ett omedelbart föregående, redan oftast försvunnet, ɿ eller *v* (jfr C, 1 nedan). Därför motsvara dialekternas apiko-kakuminaler vanligen riksspråkets förbindelser af *l* — dock blott i sådana ställningar, där det enligt dialekternas ljudlagar skulle vara »tjockt» — med följande dorso-gingivalt ljud. I vissa dialekter, t. e. värmländskan, svara apiko-kakuminalerna dessutom mot riksspråkets apiko-alveolarer (således ursprungliga förbindelser af *r* och dorso-

---

[1] Se HULTMAN i Finländska bidrag, s. 174.

gingivaler), under det att förmodligen åtskilliga andra dialekter ha apiko-alveolarer såsom representanter för både ursprungliga *r*- och *l*-förbindelser [1]. Emellertid tyckas de flesta dialekter — t. e. i norra Bohuslän, norra Kalmar län (Döderhult), Uppland (Vätö, Fasterna, Skattunge), Västerbotten (Burträsk, Degerfors) m. fl. — ha vid sidan om hvarandra dels apiko-alveolarer, motsvarande antingen riksspråkets apiko-alveolarer i allmänhet eller åtminstone sådana som representera *r*-förbindelser af ungt datum, dels apiko-kakuminaler, motsvarande riksspråkets *l*-förbindelser, stundom äfven dess apiko-alveolarer, såvidt de representera *r*-förbindelser af gammalt datum. Mera sällan motsvara apiko-kakuminalerna riksspråkets dorso-gingivaler, utan att dessa föregås af vare sig *l* eller *r*.

Apiko-kakuminaler finnas af alla slag: explosivor, frikativor, tremulanter och resonanter.

A. Explosivorna äro af lika många slag som vid de apiko-alveolara ljuden, alltså:

1. *t*, perspirerad medialt oral tenuis, är ett i medel- och nordsvenska dialekter ganska allmänt och ymnigt förekommande ljud, ehuruväl såsom redan antydt den absoluta utbredningen såväl i fråga om detta som flera af de följande ljuden är oviss, enär dialekterna hittills sällan undersökts så noggrant, att det blifvit tydligt utredt, huruvida de äga apiko-kakuminaler eller apiko-alveolarer eller båda delarna jämsides. Säkra exempel äro bl. a.: från Fryksdalen, Värmlands Älfdal och Bergslag *styt* styrt, *gammet* gammalt, Dalarnas Älfdal *muentopp* molntopp, norra Kalmar län *het* helt, Burträsk och Degerfors *lott* lort, *fut* fult, Kökar *dyt* dyrt, *fut* fult; med bibehållet, men starkt reduceradt *l* (eller väl snarare *r*, se C, 1 nedan), före *t* Vätö och Öland *svalt* svalt.

2. *d*, pertonerad medialt oral media, förekommer i

---

[1] Lundell i Sv. landsm. I, 39 anser detta »säkert» vara förhållandet i »många» dialekter, men har inga säkert undersökta fall att anföra.

ungefär samma utsträckning som *t* (se 1 ofvan), om ock något mindre ymnigt, emedan *r + d* oftare gifvit upphof åt *ʋ* än åt *d*. Exempel: Värmland *styd* styrd, *vad* vald, norra Kalmar län *made* malde, Degerfors *vád* valde, Kökar *jod* gjorde, *vad* vald; Vätö *sválde* (*svävde*, se C, 1 nedan) sväljde. Ett af *ʋ* utveckladt *d* med mycket lätt kontaktbildning förekommer i Åsen- och i viss mån äfven Våmhus-varieteten af dalska älfdalsmålet samt uppträder där icke blott midljudande mellan vokaler och slutljudande efter vokal, utan äfven uddljudande före vokal; se vidare C, 3 nedan.

3. *d̦*, perspirerad medialt oral media, förekommer blott såsom variant till *d* i de dialekter, som äga detta ljud, och under alldeles samma förhållanden som framkalla *ɗ* i stället för *ɖ* (se s. 433 ofvan), t. e. värml. *tosda* torsdag.

4. *l̦*, pertonerad mediomarginal media, förekommer i ungefär samma dialekter som *t* och *d*, men blott midljudande mellan vokal, *s*, resonantiskt *n*, lateralt *t* eller *d* och en följande vokal, t. e. Burträsk *skolärar* skollärare, *vanli* vanlig, värmländska bergslagsmålet *slog* slog, *binsle* bindsle, *jotlər* kjortlar, *mädlass* lass mäld. Ljudet är först omnämndt och rätt klassificeradt af J. V. Lindgren [1]; förut förblandades det med *l* (väl äfven med *l* och *ʋ*), och typen *l* användes i det ursprungliga landsmålsalfabetet från 1879 till 1890 i stället för det senare *ʋ*.

5. *l̦*, motsvarande perspirerade ljud, är icke med säkerhet uppvisadt. Möjligen förekommer det som variant till *l* efter *t* och *s* [2].

6. *n*, pertonerad nasooral media, är ett af de oftast uppträdande bland hithörande ljud, t. e. Värmland (Fryksdalen) *bun* buren, *ston* stolen, (Bergslagen) *åning* ordning, *möner* mjölnare, *svatna* svartnade, Dalarna (Älfdalen) *muen*

---

[1] I Sv. landsm. XII, 1, s. 9 f. (1890).
[2] Jfr Kallstenius, Sv. landsm. XXI, 1, s. 18.

moln, *an*, *aɽn* (*avn*, se C, 1 nedan) aln, Kökar *hon* horn, *an*,
Degerfors *van* van, *hon*, *an*, Öland, Vätö *aɽn* (*avn*), osv.

Motsvarande perspirerade ljud saknas.

B. Frikativor:

1. Om ett möjligen hithörande pertoneradt ljud se C,
1 nedan.

2. *s*, perspirerad, är ett i dialekterna vanligt ljud, t. e.
Fryksdalen *Las* Lars, *mas* males, *usle* usel, Kökar *tåsk* torsk,
faskå falaska, Vätö *maɽs* (*mavs*, se C, 1 nedan) males. I
värmländskan (liksom i några sydöstnorska dialekter) kan *s*
äfven förekomma uddljudande, och motsvarar då antingen
riksspråkets »sje»-ljud, t. e. Fryksdalen *su* sju, *sär* skär, *satt*
stjärt, eller *s* före *l*, t. e. Bergslagen *slag* slag.

C. Tremulanter finnas tvenne eller, om man så vill, fyra:

1. *v*, pertonerad, föga vibrerande, förekommer näst
efter annan apiko-kakuminal såsom motsvarighet till riks-
språkets *r*, detta både som sonant och konsonant, t. e. Fryks-
dalen *jattv* hjärter, *Jattvu* Gertrud, *janving* järnring, *Nodv*
Norder (familjenamn), *gåsdväng* gårdsdräng. För öfrigt lider
det väl intet tvifvel, att det är *v* — möjligen liksom i det
värmländska bergslagsmålets *ju(l)ving* hjulring o. d.[1] redu-
ceradt ända till fullkomlig vibrationslöshet, dvs. öfvergående
till en homorgan pertonerad frikativa, jfr B, 1 ofvan — som
i verkligheten föreligger, då det uppges, att i vissa dialekter
ett reduceradt *ɽ* förekommer framför de af detsamma fram-
kallade kakuminala ljuden *t*, *d*, *n*, *s*, t. e. i de ofvan (A, 1, 2, 6
och B, 2) från Vätö-målet och öländskan anförda formerna;
jfr 3 nedan rörande bildningen af *ɽ* samt för öfrigt J. Storms
uppfattning af motsvarande företeelse i norska dialekter[2].

3. Motsvarande perspirerade ljud förekommer åtmin-
stone i värmländskan såsom variant till *v* näst efter *t*[1], i
synnerhet i slutljud; på andra håll kanske äfven näst före *t*.

---

[1] Se Kallstenius, a. st. s. 19.
[2] Norvegia, I, 102.

3. ł, pertoneradt s. k. »tjockt *l*», betecknades i landsmålsalfabetet ursprungligen med *l* (jfr A, 4 ofvan), emedan Lundell då ännu uppfattade ljudet såsom varande »väsentligen» ett *l*-ljud. Denna uppfattning kan emellertid icke fasthållas och torde väl numera vara tämligen allmänt öfvergifven. Snarare är då ł- »väsentligen» ett *r*-ljud, såsom det ock uppfattas af utlänningar, då dessa få höra detta för de nordiska dialekterna egendomliga ljud. Jag uppför det därför här, ehuruväl äfven denna placering är strängt taget något oegentlig. Bäst är ljudet beskrifvet af J. Storm [1]. Tungspetsen är först riktad uppåt och bakåt utan att vidröra gommen vare sig upptill eller på sidorna — alltså mediomarginal artikulation — och faller sedan oafbrutet framåt, tills den hamnar i indifferensläget i munhålans botten, hvadan ljudet kan sägas vara en tremulant med en enda vibration. Emellertid plägar tungspetsen på sin väg framåt och nedåt ett ögonblick lätt vidröra alveolernas bakkant — men kan också, utan nämnvärd akustisk skillnad i fråga om resultatet, underlåta att göra det — hvadan ljudet sålunda i detta ögonblick kan sägas vara en explosiva med artikulationsstället beläget ungefär midt emellan de för *l* och ł karakteristiska. Under hela »ljudets» uttalstid ändras sålunda artikulationsstället oafbrutet — hvadan ljudet i sin helhet naturligtvis icke kan förlängas — dvs. ł är strängt taget icke ett ljud, utan en hel serie af öfvergångsljud (jfr s. 400 ofvan), börjande med ett ofullständigt bildadt *r* och slutande med den indifferenta vokalen (se s. 388 ofvan). Denna så sammansatta natur hos ł förklarar dess språkhistoriska sammanhang med en mängd andra ljud: med *r*, t. e. dial. *kłita* af *krita*, *kło* af *krog*; med *v*, t. e. dial. *vałt* af *valt* 'valt' genom fixering af begynnelsemomentet; med *rð* (*vð*), t. e. dial. *boł* af fornsvenskt *borþ* genom framhäfvande af den serie af öfvergångsljud, som ligger mellan *r* och *ð* (eller *v* och *ð*); med *l*,

---

[1] A. st., s. 105 f.

t. e. rsp. *dal* af äldre (*dal* och ännu äldre) *dał* genom fixering af den tillfälliga kontakten med alveolerna; med *d*, t. e. i Åsen-varietetens af det dalska älfdalsmålet *dag* lag, *säda* sälja, *laged* tagel (jfr A, 2 ofvan) af äldre *łag* osv. (så i öfrigt älfdalsmål, dock icke i Våmhus efter vokal) [1].

ł är det allmännast förekommande af alla hithörande ljud. Det saknas visserligen numera i riksspråket — frånsedt starkt dialektfärgadt sådant — men ansågs för icke så längesedan såsom hörande dit. Så t. e. af Columbus, Aurivillius och Lagerlööf, ehuruväl redan på Columbus' tid gällde, att »Hof-folke ha tungan weekare .. mäd tunnt *l*». Däremot är det nu liksom fordom ytterst vanligt i medel- och nordsvenska dialekter, uppträdande i alla sådana, därest de öfverhufvud äga något hithörande ljud (se närmare s. 448 ofvan), och förekommande ymnigt — oftare än *l* — i de dialekter, där det finnes.

I uddljud träffas det (eller möjligen *ł*), motsvarande riksspråkets *l*, blott uti det egentliga dalmålet (öfre Österdal-målet, se s. 116 ofvan), alltså i Älfdals-målet (såvidt ej *d* i dess ställe inträdt, se strax ofvan), Mora-målet (utom östligaste delen af språkområdet: Garsås', Nusnäs' och Norets byar) och delvis Orsa-målet (åtminstone i Stackmora och, växlande med *l*, i Holen). I stället för *ł* förekommer inom nu nämnda dialektområde uddljudande *l* endast i mycket få ord (t. e. *laks* lax, *lier* ler, *lil'n* liten, *lilå* färga, *låya* ekorrbo, *lukka* lycka, *lära* lära, de två sistnämnda väl lånord), men denna dubbelhet i fråga om dialektens sätt att representera riksspråkets *l*-ljud synes dock med nödvändighet kräfva det antagandet, att det urnordiska språket ägt tvenne *l*-ljud (*l* och *ł*) icke blott, såsom redan allmänt antages, i mid- och slutljud, utan äfven i uddljud. Det är emellertid tydligt, att i så fall de flesta fornsvenska dialekter redan omkring år 1300 utbytt uddljudande *ł* mot *l*, hvilket framgår däraf, att fsv. *liu-* aldrig blir *ly-*, då vid

---

[1] Jfr sicilianskt *cavaddu* för it. *cavallo* o. d.

nämnda tid fsv. *fliu-*, *kliu-*, *bliu-* o. d. (dvs. *fłiu-* osv.) öfvergå till *fly-* osv. [1].

I mid- och slutljud förekommer *ł* allmänt såsom motsvarighet till riksspråkets explosiva *l* — aldrig dess resonantiska *l* eller dess *ll* — så ofta detta icke i urnordisk tid stod i omedelbar förbindelse med gingivala eller alveolara buckaler, liksom ej heller gärna näst efter alveolara vokaler (dvs. *i-* och *y-*ljud), ja mångenstädes icke ens efter den dessa mycket närstående kakuminala vokalen *e*. Alltså ha vi allmänneligen i våra dialekter »tjockt» *l* (*ł*) t. e. i *tal, väl, stol, gul, öl, kalfva, välja, halm, valp, folk* (bestämd form *foltje, folke*), *blå, flå, klå, plog, glas, stappla, bubbla, skramla, krafla, häckla, ögla, krångla, skakel* (icke motsvarande den forna nominativen *skakull*, utan dels — med grav taktform — ackusativen *skakul*, dels — med akut taktform — nybildning till pluralen *skaklar* efter mönstret *få'gel : få'glar* o. d.), mera sällan i sådana fall som Ydre *viła* hvila, *şił* kil, Fryksdalen *vægseł* (fsv. *væghaskil*) vägskäl, Lungsund (Värmlands bergslag) *nyłı* nyligen; däremot icke t. e. i *slå, hassel* (ty fsv. *hasl*), *odla, sorl, elfva* (ty fsv. *ællivu*), *tröskel* (ty fsv. *þriskulle* af äldre *þriskulde*) eller — då *l* är resonantiskt — *sålde, salt, hälsa, skyltel* (dvs. *fyłt'l*) o. d. Framför gingivala eller alveolara buckaler förekommer *ł* numera icke, emedan det försvunnit — eller åtminstone reducerats till *r* (se 1 ofvan) — framför de kakuminala ljud (*t, d, n, s*), hvartill det förvandlat de en gång efter detsamma följande gingivala eller alveolara ljuden. Men det måste sålunda, eftersom det utöfvat nyssnämnda inflytande, i äldre nysvenska eller åtminstone i fornsvenskan ha förefunnits i sådan ställning, ehuru, såsom nyss nämnt, detta aldrig kan ha varit fallet, då förbindelsen är ursprunglig, dvs. befintlig såsom sådan redan i tidig urnordisk tid, utan blott då den genom ett mellan de båda buckalerna stående ljuds bortfall uppstått under sen urnor-

---

[1] Se Kock, Sv. landsm. II, 12, s. 1 ff.

disk tid eller ännu senare. Det är därför att så skett, som
våra dialekter stundom uppvisa *t, d, n, s* såsom motsvarigheter till riksspråkets resp. *lt, ld, ln, ls*, exempelvis [1] i *fult*
(jfr ty. *faules*, got. *fulata*), *hal(f)t, hjäl(p)t, valde* (förr *valde*
af urnord. ˉ*walide*; däremot icke i *sålde*, ty fsv. och urnord.
salde), *mäld* (af *mala*; men icke i *gäld*, hörande till *gälla*),
stöld (till *stjäla*), *köld* (till *kulen*), *bolde* (till *bulna*), *ålder* al
(till *al*; men icke i *våld* till *vålla*), *däld* (till *dal*), *aln* (fsv.
alin), *moln* (fsv. *molin*), *kölna* (af lat. *culina*), *al(ma)nacka*,
Nils (fsv. *Nigels* af *Niklas*), *Olsson* (af *Olofsson*), *dolsk* (till
dölja; men icke i *ilsken* till *illa*), *falske* falaska; jfr att isländskan aldrig har förlängning af *a, o, u* före *ln* och *ls*
annat än då våra dialekter i motsvarande ord uppvisa kakuminal, t. e. isl. *áln, bólstr* (sv. dial. *bostv*) bolster [2]. Man
kan därför af dialekternas och isländskans förhållande i denna
punkt draga viktiga etymologiska och språkhistoriska slutsatser, t. e. att förbindelsen *ls* icke är ursprunglig i *falsk*
(Kökar *faskær*) — som således icke kommer af lat. *falsus*,
såsom allmänt antages — *älska* (Kökar *uska*), isl. *háls* (Kökar *huss*, Degerfors *huss* osv.) vid sidan af *hals* med ursprungligt *ls* [2]; eller att *skilde* trots isl. *skilde* torde åtminstone
alternativt ha varit bildadt som *sålde* (jfr motsatsen äfven
inom själva riksspråket mellan *skilde, sålde* med kort vokal
och *valde, dolde* m. fl. med lång vokal; jfr dock om *skilde*
IV, 40).

Vidare förekommer *t* i dialekterna såsom regelbunden
motsvarighet till riksspråkets af *rd* uppkomna *ḍ* (se s. 432
ofvan), åtminstone så snart *rd* återgår på urnordiskt *rd*, t. e.
bord, hård, gärde, mera sällan i preteritala former sådana

---

[1] Naturligtvis ha icke alla dessa exempel i alla dialekter kakuminalt ljud, eftersom detta uttal ofta undanträngts af riksspråkets.

[2] Se Noreen, Indogermanische Forschungen IV, 320 ff. Delvis annorlunda, men för mig icke fullt öfvertygande, S. Landtmanson, *Studier öfver
Västgötamålens l- och r-ljud*, s. 61 f.

som *gjorde*, *gjord*, där *l* ofta genom analogibildning ersatts af *d* eller *d* [1]. Ett *l* af dylik upprinnelse träffas i nästan alla dialekter, som öfverhufvud äga detta ljud, dock icke i det egentliga dalmålet, de flesta sydfinländska och alla baltiska dialekter (se närmare s. 123 ff. ofvan) — samt — enligt flera uppgifter [2] — dialekterna i trakten af Strängnäs och Mariefred, hvilka sistnämnda mål således i denna punkt torde jämte skriften vara det nutida riksspråksuttalets grundval.

4. *l*, motsvarande perspirerade ljud, saknas i riksspråket och de flesta dialekter, men finnes i några nordsvenska, t. e. Multrå (Ångermanland), Ragunda (Jämtland), Degerfors och Burträsk (Västerbotten), Kökar (Åland). Det uppträder då antingen i stället för *l* mellan kort vokal och *p*, *k* (kanske äfven *j*, se § 57), t. e. Degerfors *balk*, balk, *stalk* stjälpa, eller — såsom åtminstone i Burträsk och Kökar är fallet — såsom blott öfvergångsljud mellan *l* och den följande perspirerade explosivan.

D. Resonanter finnas af lika många slag som de apiko-alveolara och uppträda i alldeles analoga ställningar.

1. Klusilt *d* är sällsynt, t. e. Fryksdalen *judd* köld, *mædd* mäld.

2. Resonantiskt *l* är tämligen sällsynt. Exempel från Fryksdalen äro: i sonantisk användning *mott'l* mortel, i konsonantisk *skollærər* skollärare. Motsvarande aspirerade ljud förekommer blott såsom variant till det resonantiska *l* i dess användning som slutljudande sonant.

3. Resonantiskt *n* är jämförelsevis vanligt i dialekter, som äga hithörande ljud. Exempel från Fryksdalen äro: i sonantisk användning *svatt'n* svartna, *bost'n* borsten, i konsonantisk *jandorr* järndörr, *bantøs* barnflicka, *garnøsl* garn-

---

[1] Se närmare t. c. KALLSTENIUS, Sv. landsm. XXI, 1, s. 84.

[2] Se LUNDELL, Sv. landsm. I, 51; för Strängnäs-traktens språk (c. 1880) kan jag äfven åberopa muntliga meddelanden af docenten G. Rydberg, för Mariefred-traktens (1905) af godsägaren W. Kumlin och kyrkoherden A. Flentzberg.

nystan. Motsvarande aspirerade ljud förekommer blott som variant till det resonantiska *n* i dess användning som slutljudande sonant.

§ 57. Predorso-kakuminala.

Hithörande ljud, hvilka bildas med tungbladet mot främre gomtaket, hvarvid tungspetsen ligger mot alveolernas bakkant (jfr § 58), äro öfverhufvud sällsynta och saknas alldeles i riksspråket. Från dialekterna är hittills endast uppvisad affrikatan *ʃʂ* (jfr s. 380 ofvan), som i några nordsvenska mål, t. e. Multrå, Ragunda, Leksands och Venjans, uppträder som representant för *ɽ* (eller *ɽ*, se § 56, C, 4) + *ʃʂ*, t. e. Leksand *mjøʃʂa* mjölken, eller för blott *ʃʂ* i ställningen näst efter ett *ɽ* (eller *ɽ*) eller möjligen ett genom reduktion af *ɽ* (*ɽ*) uppkommet *v* (eller motsvarande perspirerade ljud; se § 56, C, 1 och 2), t. e. Multrå *fåɽʃʂe* (*fåvʃʂe?*) folket [1].

Motsvarande pertonerade affrikata (ungefär engl. *-rg-* i t. e. *barge*, *purge*) är ännu icke hos oss anträffad, ehuru kanske förefintlig.

§ 58. Mediodorso-kakuminala.

Hithörande ljud bildas med tungryggen antingen (t. e. *ʝ* och *g*) mot bakre eller (t. e. *ʝ* och *j*) mot främre gomtaket, hvarvid i båda fallen tungspetsen är nedböjd, så att den ej vidrör gommen (jfr § 57). De utgöras af explosivor, frikativor och resonanter, individuellt kanske äfven en tremulant, ett slags »j-skorrande *r*» (jfr s. 441 ofvan), som jag dock här förbigår, helst som det sällan torde uppvisa några verkliga vibrationer, utan väsentligen vara en frikativa, bildad något bakom *j* (se B, 1 nedan).

A. Explosivor:

1. *ʝ*, perspirerad oral tenuis (ty. *k* i *kirche*, fra. *qu* i *qui*), är ett allmänt och ymnigt (omkring 23 gånger per

---

[1] Se närmare Lundell, Sv. landsm. I, 56.

sida [1]) förekommande ljud, hvars akustiska intryck emellertid för svenska öron är så föga skiljaktigt från det, som erhålles af *k* (se § 60, A, 1), att man från den rent svenska ljudlärans synpunkt alltförväl kan uppfatta och vid ljudens klassificering uppställa *ʄ* och *k* - - liksom då också *g* och *g* — såsom blotta varieteler af ett och samma ljud; detta så mycket hellre, som ingen betydelsedifferens är knuten vid användningen af det ena eller andra. I likhet med flera andra forskare i svensk fonetik och ljudlära föredrar jag emellertid af systematiska skäl att här upptaga dem som två skilda ljud.

Uddljudande uppträder *ʄ* i riksspråket: före dorso-alveolara och dorso-kakuminala vokaler, alltså *i*, *y*, resp. *e* (*e* och *ɛ*), *ä* (*œ* och *u*), *ö* (*ø* och *e*) och »slutet» *u* (*u*) — exempel se nedan — hvarvid *ʄ* själft visar en viss latitud, så att det före *i* och *y* bildas något längre fram, före *ä* och »öppet» *ö* (*ø*) däremot något längre bak än före de typiskt kakuminala *e* och »slutet» *ö* (*ø*); vidare före *l*, *n*, *r* och *v*, följda af någon bland nyssnämnda vokaler, t. e. *klippa*, *knep*, *krypa*, *krök*, *kvist*, hvarvid samma latitud hos *ʄ* förefinnes som omedelbart före vokalerna; ändtligen före konsonantiskt *s* i det främmande ordet *xylograf* (som dock ofta i Sverge — men aldrig i Finland — uttalas *sylograf*; jfr de mera gängse *Xenofon* och *Xantippa*, som alltid uttalas med uddljudande *s*) samt före sonantiskt *s* uti den i afseende på artikulationsställe väl ett typiskt *ʄ* uppvisande interjektionen *ʄss* (lockrop till kattor; bildas med läppförskjutning åt sidorna — se s. 393 ofvan -- hvarför *s* får en starkt utpräglad *i*-timbre, som af skriften anges genom stafningen *kiss*, väl ofta ledande till ett skriftenligt uttal med verkligt vokaliskt *i*). Exempel på uddljudande *ʄ* före någon annan vokal än *u* är knappast att tillgå

---

i något ursprungligen inhemskt ord och ej ens lätteligen i
verkliga låneord, enär i dessa — på grund däraf att skriftens
k-typ före »len» vokal (se s. 389 ofvan) har ljudvärdet *tʃ* —
ljudet *ʄ* utbytes mot *tʃ*, så snart orden hinna bli rätt folk-
liga; detta dock naturligtvis icke före *u*, i hvilken ställning
ju svenskt *k* aldrig betyder *tʃ*. Emellertid anträffas *ʄi-* kon-
stant i det möjligen inhemska *kisse*, där väl *ʄ* uppehålles genom
anslutning till (synonymet *katt* och) den nyssnämnda inter-
jektionen *ʄss* (*kiss*), som kanske ligger till grund för *kisse*,
såvida ej det etymologiska förhållandet är det omvända, så
att *ʄss* är en sekundär interjektion (se V, 93), som uppstått
af *kisse*, i hvilket fall detta måste vara lånord (ty. *kietze*);
vidare i de ursprungligen utländska *Kigge* (kortnamn, väl af·
Kristian), *kirgis*, *Kirre* (Kristian), *Kiruna*, *kismet*, *Kisse* (Kristian),
kits (ett slags jakt), växlande med *tʃ* i *kibitka*, *kille*, *kilo*, *ki-
nematograf*, *kiosk*, *kiromanti*, *Kitta* (Kristin, Kerstin), med *s*
i *Kimbrer* (*Cimbrer*). Sällsyntare är *ʄe-* såsom i *kediv*, *kefa-
lometer*, *keniter*, *kenotaf*, *keratin* (hornämne), *Keventer*, växlande
med *tʃ* i *keramik*; *ʄä-* i *kelp* (hafslångsaska), *Kempe*, *Kempff*,
Kennedy, *kenthorn*, *keppi* (militärisk huvudbonad), *kermes*
(färgämne), *Key*, *Keyland*, *quinze* (hasardspel), växlande med *tʃ*
i *känguru*, *käx* (*cakes*) med *s* i *kell* (*cell*); *ʄy-* i *curaçao*, *Küsel*,
kyrassiär, *kyrie* (*eleison*); *ʄö-* i *kö*, *Kökeritz*, *König*, *kör*, *Köster*
(*Cöster*). Däremot finnes *ʄu-* icke blott i en hop ursprungligen
utländska ord såsom *kub*, *kufisk*, *kula*, *Kuno*, *kupa*, *kur*, *kuria*,
utan äfven i många inhemska såsom *kufva*, *kulen*, *kura*, *kuse*,
kuslig, *kutig*, hvaraf framgår: dels att ingen »ljudlagsenlig»
(dvs. på ljudets eller ljudförbindelsens egen beskaffenhet be-
roende [1]) öfvergång af *ʄ* till *tʃ* före (och på grund af) en
följande »främre» vokal existerar i nysvenskan, utan att uttalet
tʃilo för äldre *ʄilo* o. d. är af ortoepisk natur, beroende på
analogisk utläsning af det skrifna ordet; dels att ljudet *u*
icke fanns i fornsvenskan (åtminstone icke den äldre), enär

---

[1] Se närmare härom i den etymologiska ljudlärans inledning, kap. 4.

man annars af fsv. *kulin* (dvs. i så fall *ƀukın*) måste ha fått
nysv. *ɟʃulən* (jfr s. 389 ofvan). — I många dialekter, t. e.
de gutniska och baltiska, mellersta Nylands, Egentliga Fin-
lands (utom längst i öster [1]), vissa dalmål och roslagsmål
finnas däremot förbindelserna *ƀi-, ƀe-, ƀö-* osv. (stundom, t. e.
i Vätö-målet i Roslagen, *ƀj* o. d. i stället för *ƀ*) ymnigt äfven
i rent inhemska ord, hvadan således dessa dialekter aldrig
deltagit i den fornsvenska utvecklingen af *ƀ* till *ɟʃ* före »len» vo-
kal. Ja i norra Västerbotten, t. e. Neder-Lule och Neder-Kalix,
förekommer *ƀ*, resp. *ƀ* + konsonantiskt *i*, före *a, å* o. d. vokaler[2].

Slutljudande står *ƀ* i riksspråket ymnigt dels efter nå-
gon af de ofvannämnda, för tillvaron af uddljudande *ƀ* er-
forderliga vokalerna *i, e, y, ö, ä*, och slutet *u*, dels efter *j, l,
r, s, ʃ*, resonantiskt *ŋ* (se nedan C, 2) eller muta, om blott
stafvelsens sonant utgöres af någon bland de nyssnämnda
vokalerna eller ock af resonantiskt *l* eller *n*, t. e. *lik, fänrik,
pirk* (liskedon), *fisk, fink, fick; ek, besk, romersk, beck; kräk,
strejk, stjälk, värk, fläsk, färsk, bänk, bäck; byk, fyrk, rysk,
dryck; ök, mjölk, mörk, sjönk; sjuk; Sandelsk; von Qvantensk.*

Midljudande är *ƀ* i riksspråket äfvenledes afhängigt af
nämnda främre vokalers grannskap. Före sådan vokal upp-
träder det, frånsedt några fall med förbindelsen *ƀu* (och så-
dana då *ƀ* samtidigt står efter främre vokal, hvarom se strax
nedan), endast i ursprungligen utländska ord, t. e. *anarki,
baldakin, bankir, ekipage, fakir, markis, monarki, paskill, skiss,
trankil, turkinna*, växlande med *ɟʃ arkiater, arkitekt, arkiv,
trikin; asket, krakel, lackera, moské, piké, staket*, växlande
med *ɟʃ kateket*, växlande med (sällsynt) *f skelett; bukett, la-
kej, orkester, skylight*, växlande med *f kaskett, skeptisk, skep-
ticism* (men alltid *skepsis* med *sƀ*); *kalkyl, molekyl, rekyl,
retikyl, ridikyl, valkyria*, växlande med *f skyt; likör* m. fl. på
-ör; akut, lakun, de inhemska *skulor, skur, skura, skuta* — —

---

[1] Se HULTMAN, Finländska bidrag, s. 187.
[2] Se Sv. landsm. II, LXXX och III, 36.

hvaremot *lokig, bråkig* o. d. inhemska ord med trycksvag främre vokal ha *k*, icke *ƒ* (annat än då främre vokal äfven går före, t. e. *skrikig*). Efter samma vokaler uppträder däremot *ƒ* ymnigt äfven i rent svenska ord och, därest den omedelbart föregående främre vokalen är tryckstark, utan hänsyn till följande ljud, t. e. *lika, lycka, växt* likaväl som *skrikig* osv. Är däremot den främre vokalen trycksvag, följes den af ett *ƒ* endast i händelse icke därpå i sin tur följer en bakre vokal (dvs. *a, o, å* eller »öppet» *u*), ty i så fall uppträder dorso-velopalatalt *k* i stället för *ƒ*. Alltså ha vi t. e. *ƒ* i *snickeri, fiskeri, gäckeri, spökeri, likvidera, antikvitet* o. d., men *k* i *chikan, cikoria, mekanisk, mekanik*. Så ock i allmänhet därest den främre vokalen visserligen är tryckstark, men icke alldeles omedelbart föregående, t. e. *strejka, vinka* vanligen med *k*, sällan med *ƒ* (såsom alltid *strejken*).

I fråga om aspiration förhåller sig *ƒ* alldeles som *p* och *t* (se s. 409 och 421 ofvan), dvs. det är alltid en aspirata utom i midljud dels efter *s*, dels före perspirerad frikativa eller aspirerad resonant samt alternativt före annat perspireradt eller aspireradt ljud; jfr t. e. *kisse, lik, blick* med *skiss, likfärd, blixt, likhet* och med *dikt*.

Lyttkens' och Wulffs uppfattning [1] af *ƒ*-ljudets förekomst i riksspråket synes mig vara i två afseenden oriktig. De anse nämligen utan all inskränkning, att »kommer *k* emellan en främre och en bakre vokal, så är det den framför stående, som blir bestämmande», så att *ƒ* står efter främre, *k* efter bakre vokal; hvaraf naturligtvis skulle följa, att t. e. *slaket* har *k* och *cikoria ƒ*, under det att ju odisputabelt det alldeles omvända förhållandet är det faktiská. Vidare anse de, äfvenledes utan all inskränkning, att *ƒ* »användes intill . . medljuden *l, n* och tungspets-*r*», hvilket ju innebär, att vi skulle ha *ƒ* ej blott i det af förff. (enligt min mening med orätt) anförda *klass*, utan äfven i t. e. *ankomma, vackra*. Det

---

[1] *Svenska språkets ljudlära,* s. 266.

verkliga förhållandet härvidlag är efter min mening det, att (velopalatalt) *k* kan i förbindelse med hvilken buckal som helst, så framt ej en bakre vokal eller annat homorgant ljud (i. e. *ꝗ*) går före eller efter, ersättas af *ʒ*, detta såvida ljudet af någon tillfällig anledning produceras med något mer än normal tryckstyrka; detta tydligen beroende därpå, att det abnormt starka utandningstrycket flyttar det för *k* normala kontaktstället längre fram än vanligt, ja så långt som öfverhufvud är möjligt utan att förrycka ljudets allmänna karaktär. Under sådana förhållanden ha vi alltså *ʒ* icke blott — såsom normalt — i *kli, knif, krut* o. d., utan äfven i *klass, knall, kras, folk, ark,* ja *kvast, skam, fusk* osv. Ett dylikt emfatiskt uttal af en under normala förhållanden »kort lenis» (jfr s. 344 ofvan) är emellertid ett rent undantagsfall, som dock äger sitt särskilda intresse därigenom, att det belyser frågan, hvarför i svenskt riksspråk *ʒ* blifvit *fʒ* — hvilket innebär en ytterligare förskjutning framåt — före tryckstark, men icke före trycksvag vokal, t. e. *fʒil,* men *nyckel* af äldre *kil,* resp. *nykil* [1].

2. *g,* pertonerad oral media (ty. *g* i *giebt,* fra. *gu* i *guide*), är ett allmänt och tämligen ymnigt (omkring 16 gånger per sida [2]) förekommande ljud. För svenska öron i allmänhet är det lika litet skildt från *g* (se § 60, A, 2) som *ʒ* från *k* (jfr s. 458 ofvan). I riksspråket och dialekterna uppträder i det stora hela *g* i alldeles samma ställningar som *ʒ* (se 1 ofvan). Uddljudande träffas det sålunda före sonantiskt *s,* men endast i interjektionen *gss,* ofta med labialiseradt *s* och därför stundom skrifven och uttalad *gyss,* annars *giss,* detta troligen uppkommet genom reduktion af ordet *gris.* För öfrigt uppträder uddljudande *g* före vokalerna *i, e* (*e* och *ɛ*), *ä* (*œ* och *ɑ*), *y,*

---

[1] Jfr dock nu HESSELMAN, *Sveamålen,* s. 65 not 2.

[2] I de s. 408 not 1 nämnda styckena resp. 76, 29, 12, och 23 gånger. För *g* och *g* betraktade som ett och samma ljud äro de motsvarande siffrorna 193, 61, 34 och 59 (medeltal per sida 39).

ö (ø och ɵ) och »slutet» u (u), men — frånsedt de få orden på gu- — uteslutande i låneord eller främmande ord, som, i den mån de bli verkligt folkliga, utbyta g mot j i följd af analogisk utläsning af skriftens g-typ (jfr s. 459 ofvan). Sådana fall äro: gi- i *ghibellin, giljolin, gipyr, guide, guillochera* (fläta), *guiné,* växlande med ji- i *giffel, girland, gitarr;* ge- i *geber* (eldsdyrkare), *gerilla, geschworner, gueridon,* växlande med je- i *gebit, gedakt, geheimeråd, gehenna, gemytlig, gerad, geschäft, gevaldiger* (nästan alltid med je-), *gevall;* gä- i *gecko, geirsodd, geist, gelbholts, gemm, gems, geyser, ghetto, guerre,* växlande med vanligare jä- i *Gerhard;* gy- i *gynekologi,* växlande med jy- i *gynandria;* gö- i *gunrum;* gu- i de inhemska *gud (Gud), gul, gutar.* Skildt från den följande främre vokalen finnes uddljudande g i en mängd inhemska ord, t. e. *gripa, gles, gny, glöd, gräs, grus.* Exempel på slutljudande g i mot ɟ svarande ställningar äro *vig, vigg, afvig, Solveig, seg, väg, vägg, blyg, skygg, trög, slug* osv. I midljud före en af de ofvannämnda främre vokalerna träffas, frånsedt fall med gu- såsom *augur* och *figur,* nästan aldrig konstant g — möjligen i *legymer, rotgel* och ännu något enstaka ord — utan detta växlar med j, t. e. i *agent, agera, egid, elegisk, energisk, Helge* (vanligen med g), *herliginna, intelligent, legend, legion, logik* (men *logisk* blott med g), *magi* (men *magisk* blott med g), *marginal, original, portugis, sigill* (vanligen med j), *tangent, tangera, teologi* m. fl. på -*logi, vegeterian, vegetation* (båda vanligen med g); jfr *allmoge, bageri* osv. liksom ock *dragig, logisk* o. d. med g, icke g (jfr 1 ofvan). Däremot efter dylik vokal uppträder ett konstant g ymnigt både i inhemska och ursprungligen utländska ord, t. e. *bedrägeri, bryggeri, dygd, flegma, fögderi, skygga, tigrinna, liggeri, viga* osv.; jfr *indigo, lediga, rigorös* osv. med g (jfr 1 ofvan).

Lyttkens' och Wulffs uppfattning [1] af g-ljudets förekomst i riksspråket är alldeles analog med den de hysa i

---

[1] A. st., s. 199.

— 464 —

fråga om ɟ (se s. 461 ofvan). Min kritik däraf blir därför
ock alldeles analog med den jag ofvan lämnat rörande deras
uppfattning af ɟ-ljudets förekomst.

3. ǥ, perspirerad oral media, förekommer i riksspråket
blott såsom variant till g, detta dels mera sällan i slutljud
— exempel se ofvan under 2 — dels oftare midljudande i
omedelbart grannskap af perspirerade eller aspirerade buc-
kaler såsom *f, k, s, t* och *h*-ljud, i hvilken ställning *g* ljud-
lagsenligt skulle bli (oaspireradt) ɟ, men ofta genom asso-
ciation eller skriftens inflytande antingen uppehålles som
g-ljud eller ock stannar på mellanstadiet ǥ. Vanligtvis till-
hör uttalet med ɟ den lägre stilen, ǥ mellanstilen och *g*
företrädesvis den högre stilen. Exempel på dylikt alterna-
tivt ǥ (vid sidan af ɟ, men sällan eller aldrig ɟ) äro bl. a.
högfärd (lägre stil *höckfärd*); *lackgul*; *husgud, ljusgul; svårig-
het, vighet*; *hvitgul, rotgel* (ofta uttaladt *rottkel*, jfr ty. *rot-
kehlchen* och strax här nedan). Synnerligen vanligt är ǥ (vid
sidan af både *g* och ɟ) näst före *s* och *t*, t. e, *liggs, byggs,
läggs, blygs, sägs, herligs, krigs-man, -makt* m. m. (ofta med
ɟ), *Ludvigs, Hedvigs* [1], *halfvägs, högst* (vanligen uttaladt *höckst*),
lägst, nådigst, underdånigst, blygsel, vigsel (nästan alltid ut-
taladt *vicksel*), *aflägsen; vägt, vigt, ledigt, tryggt, högtid* (i
lägre stil alltid *höcktid*).

Angående svårigheten att skilja mellan ǥ och ett aspi-
rationslöst ɟ gäller hvad ofvan s. 411 yttrats om förhållandet
mellan *b* och *p* (jfr s. 422 om *d* och *t*). Af denna osäkerhet
i uppfattningen förklaras väl stafningen *rotgel* i stället för
rotkel, som man väntar sig, enär ordet väl är lånadt från ett
ty. *rotkehle* (nu *rotkehlchen*, se strax ofvan); jfr *Liksdammen*
för -*stammen* (s. 423 ofvan) och omvändt *refbenspjäll* för -*bjäll*

---

[1] Till *Ludviks, Hedviks* ha nybildats de vulgära *Ludvik, Hedvik,*
som dock i någon mån kunna bero på utländskt inflytande; jfr lat. *Ludo-
vicus* och ty. -*ik* för -*ig* i vissa dialekter.

(s. 410 ofvan), *Aspeland* för äldre *Asboland, hvitplister* för
-*blister* (analogiskt äfven simplex *plister* [1]).

4. *ŋ*, pertonerad nasooral media, är ett allmänt, men ej
just ymnigt (omkring 8 gånger per sida [2]) förekommande
ljud, som för öfrigt i allmänhet för svenska öron förefaller
lika litet skildt från *g̑* (se § 60, A, 4) som *ɟ* från *k* eller *g*
från *g* (jfr 1 och 2 ofvan). Lyttkens och Wulff [3] förneka
uttryckligen dess tillvaro (äfven för det öfvade örat) i riks-
språket, för hvilket de blott medgifva *g̑* såsom »äng»-ljud.
Jag anser emellertid, att man har lika stor — eller, om man
så vill, liten — anledning att uppställa *ŋ* vid sidan af *g̑* som
g och *ɟ* vid sidan af *g* och *k*, såsom ju dock allmänt sker i
fonetiska arbeten, de där afse noggrannare distinktioner, och
enligt min mening uppträder *g̑* väsentligen i samma ställningar
som de befryndade ljuden *g* och *ɟ*. Uddljudande saknas det
emellertid i riksspråket och har i denna ställning blott an-
träffats i några, mest nordsvenska, dialekter [4], t. e. Hålanda
(öster om Lödöse) *ŋista* gnista, Degerfors (Västerbotten) *ŋeɟa*
gnaga, *ŋul* njuta, Gamla Karleby (och ett par socknar öster
därom) *ŋiv* knif [5]. Slutljudande förekommer det i riksspråket
efter trycksvagt *i*, t. e. *välling* och en massa andra dylika
ord, samt efter homorgan resonant (se C, 2 nedan) före-
gången af *i, y, ä* eller *ö*, t. e. *ting, styng, äng, sjöng*, dvs.
tiŋŋ osv. Midljudande står det mellan nyss nämnda ljud och

---

[1] Se Hellquist, Arkiv för nord. filologi XIV, 9 not 4, och Tegnér i
Sv. studier till Cederschiöld, s. 430 ff.

[2] I de s. 408 not 1 nämnda styckena resp. 42, 9, 17 och 6 gånger.
För *ŋ* och *g̑* betraktade som ett och samma ljud äro motsvarande siffror
59, 16, 17 och 13 (medeltal per sida 12).

[3] *Ljudlära,* s. 173.

[4] Som mina tryckta källor härvidlag emellertid icke skilt mellan *ŋ*
och *g̑*, kan jag naturligtvis ej ansvara för att dessa dialekters *ŋ* fullt stäm-
mer med riksspråkets (enligt mitt uttal af detta) och icke t. e. möjligtvis
är ett verkligt *g̑*.

[5] Se Sv. landsmålen I, 72, VI, 6, s. 115 f., 125 och Hultman, Fin-
ländska bidrag, s. 228.

en vokal (åtminstone en främre sådan), t. e. *välliyen, liyyet, afhäyyig*.

Något längre fram beläget än riksspråkets *y* — sålunda snarast homorgant med rsp. *j*, se B, 1 nedan — och troligen identiskt med det populära uttalet af fra. *gn* i t. e. *signer* är det *y*-ljud, som jag själf iakttagit i Dalby (Värmland) såsom representant för fornsvenskt *g* mellan »*ng*»-ljud och *i*, t. e. *läyyi* länge, *äyya* ängen, och väl äfven det som Lundell [1] antecknat dels, med samma ursprung, från Leksand samt Offerdal och Ragunda (båda i Jämtland), t. e. *dräyyen* drängen, dels dessutom såsom representant för äldre *n* efter homorgan resonant föregången af främre vokal från Färs härad (Skåne), t. e. *läyye* länge, *iyy* in, *kviyya* kvinna.

Motsvarande perspirerade ljud tycks saknas.

B. Frikativor finnas till ett antal af fyra, af hvilka åtminstone de två första ha sitt artikulationsställe beläget något framom det för hithörande explosivor (med undantag af Dalby-*y*, hvarom se strax ofvan) normala:

1. *j*, pertonerad, vanligen bildad ett godt stycke framom explosivorna [2] — ja stundom öfvergående i *;* (se s. 446 ofvan) — är ett allmänt och ymnigt (omkring 32 gånger per sida [3]) förekommande ljud. I riksspråket uppträder det uddljudande blott före vokaler, t. e. *ja, get, gif, jo, ljus, gynna, joller, hjälle, djäfvul, göra*. Slutljudande förekommer det ymnigt efter de korta vokalerna *a, u, å, ä, ö*, t. e. *aj, huj, skoj, nej, dröj*, samt *l* och *r*, t. e. *talg, familj, älg, dölj, arg, torg, färg, smörj*, sällan efter *n*, t. e. *champagne, kastanj* (hvar-

---

[1] Se Sv. landsmålen I, 68.

[2] I det såsom svensk dialekt unga, först omkring 1750 från Norge inkomna (se Sv. landsm. XIII, 1, s. 5) Lid-målet i Jämtland har WALFMAN funnit en frikativa, som verkligen är fullt homorgan med *ʃ* och *g* (se Sv. landsm. XV, 3, s. 65) och sålunda identisk med *g* i da. *rige*, ty. *liegen* och väl äfven (se OTTELIN, *Studier öfver Codex Bureanus* 1, s. 82 f.) med fornsvenskt *gh* före *i, e*. Se vidare nedan s. 484 not 1.

[3] I de s. 408 not 1 nämnda styckena resp. 208, 22, 26 och 31 gånger.

till blott komma *kampanj, tänj, vänj* och det väl knappast brukliga *skönj*) och slutligen efter *m* i det enda ordet -*tämj*. Midljudande står det både före och efter de flesta andra ljud.

Efter långt, tryckstarkt, mid- eller slutljudande *i* och *y* inställer sig ofta — liksom förhållandet regelbundet är i engelskan — *j* som ett öfvergångsljud, ofta med perspirerad afslutning (alltså *ɟ*, se 2 nedan), t. e. *klija, nyja, nij, tvij, vij. fyj* [1]. Vid mycket emfatiskt tal håller detta öfvergångsljud på att öfvergå till en homorgan affrikata, än pertonerad, än (dialektalt) perspirerad, än åter med pertonerad början och perspirerad afslutning, således ett mellanting mellan *gj* [2] och *gɟ* (*ɟɟ*) eller, som det på grund af *j*:s artikulationsställe (se s. 466) lika väl — eller lika illa — kan tecknas, *ɟj* och *ɟɟ* (*ɟɟ*.) Men det är att väl observera, det en verklig affrikata icke kommer till stånd, ty en fullständig kontakt bildas aldrig (i riksspråket, men väl i vissa dialekter), utan blott en ytterligt långt gången förträngning af *j*:s gompass mot slutet af ljudets uttalstid. Detta gör på örat närmast intrycket af att vokalen afklippes, och att vid passets senare inträdande återutvidgande en sorts explosion inställer sig. Samma rudimentära affrikationsfenomen gör sig gällande vid emfatiskt uttal af *j* efter kort tryckstark vokal, t. e. *lejon, skojig, aj, oj* och i all synnerhet *nej* [3], och är utan tvifvel förklaringsgrunden till den bekanta utvecklingen af urgermanskt *jj* till fornnordiskt *ggj* och gotiskt *ddj*, t. e. fsv. *twæggia*, got. *twaddje* af urgerm. *twajj*- två. Här har således bildats en verklig affrikata, hvars explosiva beståndsdel ursprungligen väl haft sitt artikulationsställe mellan *ɟ* och *g*, men sedan förskjutits, i gotiskan något

---

[1] Samma uppfattning uttalas äfven af LUNDELL i Språk och stil I, 33.

[2] Jfr hurusom i färöiskan, enligt HAMMERSHAIMB, *Færøsk anthologi*, I, LXVII, långt *i* och *y* före vokal få ett efterslag af »hvislende *ggj*», dvs. ungefär *ɟɟʒ* (se JAKOBSEN, ib. s. 439), t. e. *niggju* nio, *spyggja* spy.

[4] Jfr färöiskans *hoyggj* hö, *deiggj* deg o. d.

framåt, så att *ǵǵj.* uppstått, i fornnordiskan däremot något bakåt, så att man erhållit *ggj*. En parallell till sistnämnda förskjutning ha vi i vissa svenska dialekters utveckling af *nyttja* till *nöjjja* och vidare till *nöʝʝja* (samt slutligen till *nöʝʝa* på samma sätt som fornsvenskt *slæggia* blifvit nysvenskt *slägga*).

Om således vid emfatiskt uttal *j* i följd af abnorm förträngning tenderar att öfvergå till affrikata, så tenderar det tvärtom vid slappt tal och i allmänhet vid ringa tryckstyrka att ·i följd af abnorm utvidgning af gompasset öfvergå till vokalen *i* eller *e*. Jämför t. e. med ett mycket energiskt *nä[ǵ]j* ett lojt *näe* (eller rentaf *nää, nä*). Då i t. e. *igen* det mellan vokalerna stående *j* på grund af ordets intensitetsfördelning (*ijän'n*) ofta nedsjunker till ett *e*-artadt öfvergångsljud, och då å andra sidan ett alldeles likartadt öfvergångsljud ofta på grund af sakens natur (se s. 400 ofvan) inställer sig mellan vokalerna i t. e. *atenienn*, så blir följden den, att dessa båda ord fullständigt rimma; likaså åtskilliga andra dylika ordpar. I normal affektlös mellanstil torde *j* vara som oftast vokaliskt (dvs. tecken för konsonantiskt *i*) näst efter vokal, helst en till samma stavelse hörande, t. e. *majs, nejlika, höjd, pojke*, i hvilket fall således diftong föreligger. Därnäst oftast torde sådan uppträda, då *j* står antingen mellan buckal och vokal, t. e. *mjuk, linje, linjal, spanjor, miljon*, eller uddljudande före vokal, t. e. *ja, jo, ju*. Öfverhufvud torde man kunna iakttaga, att frikativt *j* desto hellre ersättes af konsonantiskt *i*, ju längre bak den vokal är belägen, framför hvilken ljudet är placeradt. Så t. e. har *gifva* nästan alltid och *geting* vanligen uddljudande frikativa, däremot *gärna* ofta och *jaga* vanligen uddljudande konsonantisk vokal. ·I det hela är uttalet af *j* i svenskan — liksom i danskan [1] — mycket vacklande i nu berörda afseende, detta både olika dialekter emellan och inom själfva riksspråket, ja till och med hos en och samma individ.

---

[1] Se Jespersen, *Fonetik* s. 248, *Articulations of speech sounds*, s. 66.

2. *ɉ*, perspirerad, med samma artikulationsställe som *ɉ*, är identisk med norskt *kj* i *kjole* och homorgan med det »sje»-ljuds-artade italienska *c* i t. e. *Beatrice* [1], men däremot bildad något längre fram än ty. *ch* i *nächte* (som är homorgant med vårt *ɉ* och *g*) och något längre bak än *ch* i ty. *ich*. I riksspråket förekommer detta ljud kanske blott såsom variant till *ɉ* näst efter uddljudande, mindre utpräglad efter midljudande *p*, t. e. *pjunk, pjosk, pjoller, pjäxor, pjäs, pjåk, pjaskig, läppja*, detta beroende på att *p* i denna ställning från början är en aspirata (se s. 409 ofvan); jfr hurusom däremot i *spjut, spjäll* o. d. med aspirationslöst *p* nästan rent pertoneradt *ɉ* förekommer. Det vanligaste uttalet af *pjunk* osv. torde dock vara icke *pɉ*, utan *p* + öfvergångsljudet *ɉ* + *ɉ* (jfr s. 400 och 409 ofvan) liksom i förbindelsen *ɉɉ*, där *ɉ* alltid stannar vid att utgöra ett blott öfvergångsljud mellan *f* och *ɉ*, t. e. *ɉjun* o. d. Ett verkligt *pɉ* framkommer nämligen egentligen endast vid emfatiskt uttal, och att detta uttal så ofta, som fallet verkligen är, uppträder vid uddljudande *pj*, beror väl därpå, att de flesta med *pj*-begynnande ord äro mer eller mindre att betrakta som okvädinsord.

I våra dialekter åter förekommer *ɉ* såsom representant för s. k. tje-ljud, detta antingen såsom beståndsdel af affrikatan *ɉɉ*, t. e. i det värmländska Dalby-målet och i gutniskan, eller ock ensamt för sig, t. e. i Värmland (med undantag af landskapets nordspets) och Dalsland, alltså exempelvis värmländskt *(ɉ)ɉur* tjur, *(ɉ)ɉör* kör, gutniskt *ɉɉåck* tjock, i Dalby-målet *diɉɉi* dike. Emellertid torde ett dylikt uttal, af ena eller andra slaget, icke vara så ovanligt äfven i rikspsråk, särskildt inom det västligare mellersta Sverge (jfr s. 441 ofvan).

3. *ɉ* är ett sammansatt ljud — i inskränkt betydelse (se s. 399 ofvan) — i det att det uppstår genom samtidigt

---

[1] Se Lyttkens och Wulff, *Metodiska ljudöfningar*, s. 41.

producerande af *s* och *ʃ* eller af *ʒ* och *x* eller, och detta väl oftast, af *ʒ* och *ʃ*, hvarvid båda frikativorna ha ett i någon mån vidare pass än det annars för dem vanliga, men särskildt *ʒ*-passet är abnormt vidt, om också icke i så hög grad som i tyskans *sch*-ljud, där detta främre pass nästan försvinner [1]. Då alltså bildandet af *ʃ*-passet får anses utgöra detta ljuds hufvudsakliga artikulation, uppför jag detsamma här (och icke under § 55, B).

För den nu framställda uppfattningen af det ifrågavarande ljudets natur [2] — en uppfattning som öfverensstämmer med Lundells [3] (och väsentligen med Brückes, Techmers och Bremers rörande ty. *sch*), men strider mot Lyttkens-Wulffs, hvilka uppfatta ljudet såsom »enkelt» och väsentligen endast utgörande ett »vidgadt» *ʃ* — talar den historiska uppkomsten af vårt *f*-ljud ur förbindelserna *s + j* och *s + t + j* (dvs. *stj*, vare sig ursprungligt eller uppkommet af *skj*, resp. *sk* före *i-*, *e-*, *ä-*, *y-* och *ö*-ljud). Den förra förbindelsen har väl öfver mellanstadiet *sʃ* (bevaradt i danskans *sjæl* o. d., dock växlande med mer eller mindre *f*-liknande ljud, särskildt ett som skiljer sig från det svenska blott genom att äga ett *ʒ*-pass af normal vidd [4]), den sednare öfver *stʃ*, hvaraf senare *sʃ*, utvecklats till *f* [5] genom att de båda i förbindelsen ingående ljuden *s* — eventuellt förskjutet till *ʒ* (se ofvan) — och *ʃ* samtidigt producerats; jfr uppkomsten af tyskans *f*-ljud i t. e. *schiff* o. d., där skriften ännu antyder, liksom

---

[1] I skarp motsats härtill står engelskans *sh*-ljud, vid hvars bildning det bakre passet är nära att försvinna.

[2] Om åtskilliga andra åsikter rörande det öfverhufvud mycket omtvistade bildningssättet hos *sch*-ljud se särskildt Jespersen, *Fonetik* s. 236 ff., och senast Torbiörnsson i Svenska landsmål 1904, s. 104 ff.

[3] T. e. Sv. landsm. I, 75.

[4] Jfr Jespersen, a. st. s. 244 f.

[5] I någon mån annorlunda framställes nu förloppet af Torbiörnsson, a. st. s. 97 ff.

det nederländska uttalet af *schep* o. d. ännu bevarar förbindelsen *s + ch* (dvs. *ʃ*).

Vårt *ʃ*-ljud är stundom någon smula labialiseradt — något som särskildt för Kökars-målets vidkommande framhålles — dock icke så mycket som tyskans *sch*, af hvars starkt labialiserade natur väl öfvergången från *i* till *y* förklaras i våra lånord från tyskan, sådana som *skylt*, *skymf*, *skymmel* (af ty. *schild* osv.) i deras motsats till det väl inhemska *skimmer*, det ursvenska *enskildt* o. a. Starkt labialiseradt (med *y*-timbre) är vårt *ʃ* blott då det förekommer såsom sonant i interjektionerna *ʃ* (ett mera energiskt »tyst!» än *s*, *st*, *ts*, *sts*, hvarom se s. 426 ofvan) och *6ʃ* (med varianten *6ʒ*, se 4 nedan; ett mera energiskt »sof!» än *6s*, resp. *6ᶻ*, hvarom se s. 426, resp. 425). Därför betecknas ock i skrift den förra af dessa interjektioner icke blott med *sch!*, utan äfven med *schy!* och *hyssj!*, en skrifning som framkallat ett uttal *hyʃʃ*, hvilket ligger till grund för ordet *hyssja* (jfr hurusom interjektionen *s!* äfven skrifves — och sekundärt någon gång uttalas — *hyss*, hvilket ligger till grund för ordet *hyssa*). Den sednare interjektionen åter skrifves *vyssj* och utläses i följd däraf ofta — icke *6yʃʃ*, utan — *vyʃʃ*, hvaraf sedan härledts ordet *vyssja* (jfr hurusom interjektionen *6s* skrifves — och sekundärt äfven uttalas — *vyss*, hvaraf sedan härledts ordet *vyssa*). Icke labialiseradt *ʃ* ha vi däremot i passivt djurspråk, nämligen i interjektionen *sch!*, riktad till höns och med betydelsen »bort med er!» Förmodligen ligger denna sistnämnda interjektion till grund för det särskildt hönsen afseende ordet *schasa* (och den sekundära interjektionen *schas!*), möjligen under medverkan af det franska *chasser* (jfr *kass!* till kattor? Eller är denna interjektion ursprungligen ett lån från det tyska *katze* 'katt'?).

ʃ är icke något synnerligen allmänt spridt ljud. Först och främst hör det — tecknadt *sj*, *sk*, *skj*, *stj* osv. på tillsammans några och tjugo olika sätt — hemma i riksspråket, där dock mycken vacklan råder i fråga om uttalet af »sje-ljudet», detta på grund af inflytande på riksspråket från de många och delvis rätt inflytelserika dialekter, som äga ett annat slags »sje-ljud» (förnämligast $ʃ$, $ʂ$ och $ɕ$) såsom motsvarighet till riksspråkets $ʃ$; ja Lyttkens–Wulff vilja icke ens erkänna $ʃ$ såsom det normala eller åtminstone icke såsom det allmännast brukliga »sje-ljudet» i svenskt riksspråk, utan de tilldela denna roll åt det sydsvenska $ʃ$ (se nedan § 60, B, 3). I dialekterna åter träffas $ʃ$ dels å ett större sammanhängande område, bestående af större delen af Uppland (jfr § 54, B, 2 och § 60, B, 3), Stockholm (jfr dock s. 436 ofvan), Södermanland, Östergötland (jfr dock s. 106 ofvan [1]), åtminstone delvis norra Småland (norr om en ungefärlig linje Oskarshamn—Hultsfred—Nässjö—Jönköping; jfr s. 105 f. ofvan [2]), enstaka punkter inom Västergötland (där dock i allmänhet $ʃ$ råder, se s. 106 ofvan) samt förmodligen i det stora hela norra Halland [3], Bohuslän [3] och Dalsland [4]; dels å spridda

---

[1] Enligt af Lyttkens-Wulff (se *Svenska språkets ljudlära*, s. 426 not 1) »särskildt gjorda undersökningar» skall hela Östergötland ha »Götalands-$ʃ$», dvs. $ʃ$. Detta påstående strider emellertid mot både Lundells (se Sv. landsm I, 75 och *De svenska folkmålens frändskaper*, s. 36 f.) och östgöten Hoppes (se *Judbeteckning för östgötskan*, s. 4 och 5) iakttagelser samt stärkes ej däraf, att samma »undersökningar» ledt till påståendet, att äfven Värmland (i sin helhet) har $ʃ$, något som jag i min egenskap af infödd värmlänning måste bestämdt bestrida (jfr äfven särskildt Kallstenius i Sv. landsm. XXI, 1, s. 109), se bl. a. not 4 nedan.

[2] Så enligt Lundell i Sv. landsm. I, 75 och *Ljudbeteckning för småländskan*, s. 5. Däremot uppger samme förf. i *De svenska folkmålens frändskaper*, s. 37 — tryckt året efter de båda nyss citerade skrifterna — att hela Kalmar län har $ʃ$. Förf. är själf från Kalmar län.

[3] Så enligt Lundell, *De svenska folkmålens frändskaper*, s. 36 f.; enligt Lyttkens-Wulff, a. st. s. 246, däremot hörande till $ʃ$-området. Möjligen föreligger här det af Torbiörnsson, a. st. s. 76, i mellersta Halland iakttagna mellanljudet mellan $ʃ$ och $ʃ$.

[4] Enligt Lyttkens-Wulff a. st. skall äfven Närke tillhöra $ʃ$-området. Se däremot Lundell a. st. och Sv. landsm. I, 43; jfr äfven s. 109 och 436 ofvan jämte den å det förra stället not 1 citerade litteraturen. Enligt fil.

punkter inom språkområdet såsom Kökar i åländska skärgården och Burträsk i Västerbotten, hvarjämte det uppges — dock utan närmare analys af ljudet — förekomma äfven å Runö i Livland och i Vörå uti Österbotten [1]. I vissa trakter af mellersta Halland motsvarar det riksspråkets »tje-ljud», t. e. i Falkenbergs-trakten *fykk* tjock [2]; i stora delar af Jämtland och Härjedalen däremot riksspråkets *s* före *l*, i södra Härjedalen äfven före *v* (eller dialektens *w*), t. e. *flit(e)* slita, *fvara* (resp. *fwere*) svara [3]. I Kökars-målet motsvarar det både *s*- och »sje»-ljud, t. e. *fammå* samma, *frifa* frysa, *fuda* sjuda, *fula* skjuta [4].

Där *f* förekommer, är det — frånsedt Kökar, hvarest det af nyss nämnd anledning naturligtvis är ytterst vanligt — ett sällsynt, i riksspråket blott omkring 5 gånger per sida [5] uppträdande ljud och väsentligen inskränkt till att utgöra ett ords uddljud. I riksspråket förekommer det i denna ställning nästan uteslutande före vokal, t. e. *schack* (*champinjon, jalusi* m. fl. på *fa-*, alla ursprungligen utländska ord utom möjligen *schasa* [6] och *sjaskig*), *sked, skina, skjorta, sju, sjunga, sjåare* (*sjåp, chock, jonglera, schoddy* m. fl. på *få-*, alla ursprungligen utländska), *stjäla, sjö.* Sällan och då blott i ursprungligen utländska, vanligen ännu såsom ganska främmande kända, ord står *f* uddljudande före *l, m, n, r* eller *v*, t. e. *schlisskvadrat* (en boktryckeriterm), *schlick* (en sorts slam), *Schlaraffenland, Schlyter, Schlegel, Schmidt, Schmitt, schnitzel-*

kand. J. Sahlgren (närking) skall dock Närkes »sje-ljud» vara snarare *&* än *ſ*; jfr att det angränsande landskapet Värmland har *&* (jämte *ſ* i Bergslagen).

[1] Jfr att Gamla-Karleby-målet i Österbotten — liksom ock Pargasmålet i Egentliga Finland — med säkerhet ha (palataliseradt) *ſ* såsom motsvarighet till riksspråkets »sje-ljud»; jfr s. 446 ofvan.

[2] Se Torbiörnsson, a. st. s. 76 f.

[3] Se Westin, Sv. landsm. XV, 3, s. 54 ff.

[4] Se A. Karsten, Sv. landsm. XII, 3, s. 45 f.

[5] I de s. 408 not 1 nämnda styckena resp. 29, 3, 4 och 10 gånger.

[6] Jfr s. 471 ofvan.

jakt, Schnell, Schneider, schraffera draga *(skugg)streck, Schram* [1], *Schreiber, schveizeri, schveifsåg, schvabachstil, Schwartz, Schwerin, Schweder, Schwan, Schwalbe, schvung.* I den mån dessa från att vara »främmande ord» öfvergå till »lånord» (jfr s. 23 ofvan), utbytes i följd af ljudsubstitution (se III, 21) deras *f*-ljud mot *s,* såsom redan skett i *snilj* och *Schmilerlöw* samt ofta sker i *s(ch)lick, Schmidt, Schmitt, schveizeri, Schwan, Schwartz* (jfr III, 22, nederst å sidan). Detta dock icke före *r,* eftersom *sr*- icke är någon i svenskan förekommande uddljudsförbindelse; utan i stället substitueras här [2] förbindelsen *sk*-, såsom skett i t. e. *skrank, skrot, skrubb, skräck, skräda, skräddare, Schrevelius, Schröder* (jfr *fr*- i danskan) och stundom sker i *Schram.*

Slutljudande förekommer *f* i riksspråket utom i några interjektioner (*asch, isch, usch, husch, vyssj, äsch* och väl flere) blott i lånord och främmande ord: dels efter vokalerna *a, i, y, å, ä* samt kort *u* t. e. *bagage, mischmasch, prestige, affisch, plysch, rysch, loge, galosch, depẽsch, dusch;* dels, och detta än mera sällan, efter *j, n, ʒ, r* och *t,* t. e. *Cysch* (läs *säjf*), *punsch, plansch, marsch, klatsch.* Midljudande uppträder det i en mängd olika ställningar. Om dess förekomst såsom sonant (udd- och slutljudande) se s. 471 ofvan.

4. *ʒ,* det motsvarande pertonerade ljudet, är ungefär det samma som det möjligen med något trängre pass framtill bildade ljud, som betecknas med *s* i engl. *measure* o. d., och det möjligen något längre bak bildade ljud, som betecknas med *j* och med *g* i fra. *jugement* o. d. I svenskan förekommer det väl blott, såsom sonant, i interjektionen *6ʒ,* en variant till det s. 471 ofvan nämnda *6f.*

C. Resonanter:

1. *gg* , klusil, är ett allmänt, men mycket sällan (icke

---

[1] Äfven uttaladt — såsom i danskan — med *Sk-;* jfr strax nedan.
[2] Af språkhistoriska skäl, hvarom se närmare i den etymologiska ljudläran.

1 gång per sida [1]) förekommande ljud. Det uppträder blott i midljud mellan en föregående främre vokal och ett efterföljande *g, ǧ, ɉ* eller *g, k*, t. e. *ägg, äggula, tryggt, läggs, degkula, stugknut, tröggångare, äggkaka, bryggkarl, vägkant.*

2. Resonantiskt *ŋ*, dvs. hithörande pertonerade nasal, är ett allmänt, men ej just ymnigt (i rsp. omkring 8 gånger per sida [2]) förekommande ljud. Det uppträder blott i midljud mellan en föregående främre vokal och en efterföljande buckal, t. e. *kring* (dvs. *ɉrɯŋŋ*), *dygn, segna* (uttaladt med kort *e* eller *ä*), *signal, singularis, rings, pingvin, skynke, strängt, vingla, tyngd, ringmur.*

3. Motsvarande aspirerade ljud, här i brist på särskild typ betecknadt medelst *ŋ^h*, saknas i riksspråket. I de jämförelsevis få, mest nordsvenska, dialekter, som äga det [3], uppträder det dels uddljudande i stället för *k* framför *n* (detta själft i dialekten öfvergånget till *ŋ*), t. e. Hålanda (öster om Lödöse) *ŋ^hŋiv* knif, *ŋ^hŋä* knä, *ŋ^hŋyta* knyta, Jämtland *ŋ^hŋiv, ŋ^hŋä*, Degerfors (Västerbotten) *ŋ^hŋėpp* knäppa, *ŋ^hŋut* knut, Petalaks och Korsnäs (båda orterna i Österbotten, något söder om Vasa) *ŋ^hŋiv* [4], *ŋ^hŋid* [4] (närmast af ett *knida* och detta af *gnida*); dels midljudande före *ɉ* och *t*, i hvilken ställning det dock hittills anträffats blott inom nordöstra Härjedalen, t. e. *viɔŋ^hɉ* vink, *tæɔŋ^hɉa* tänka, *tæɔŋ^hta* tänkte.

4. Hithörande aspirerade mediala oraler, dvs. *h*-ljud

---

[1] I de s. 408 not 1 nämnda styckena resp. 6, 1, ingen och ingen gång. För *gǧ* och *ɉg* betraktade som ett och samma ljud äro motsvarande siffror resp. 14, 1, 0, 0 (medeltal något öfver 1 per sida).

[2] I de s. 408 not 1 nämnda styckena resp. 36, 7, 15 och 11 gånger. För resonantiskt *ŋ* och resonantiskt *ɉ* betraktade som ett och samma ljud äro motsvarande siffror 70, 11, 18 och 17 (medeltal per sida nära 13).

[3] Se Sv. landsm. I, 71 och 86, VI, 6, s. 115 och 125, XV, 3, s. 47 och 49 samt Hultman i Finländska bidrag, s. 215 ff.

[4] Hultman, a. st., uppger visserligen *ŋ^hn*-, men rimligtvis kan väl intet annat än *ŋ^hŋ*- härmed vara afsedt.

med *e-*, *ɑ-* eller *œ-*, resp., därest ljudet är labialiseradt, *ø-*, *ɵ-*, *ɵ-* eller (med mycket starkt labialisering) *u-* timbre, förekomma i de trakter, som öfverhufvud äga *h*-ljud (jfr s. 447 f. ofvan), lika allmänt, ehuru naturligtvis icke lika ymnigt, som vokalerna *e*, *ɑ*, *œ*, *ø*, *ɵ*, *ɵ* och *u*, enär ifrågavarande *h*-ljud aldrig uppträda annat än omedelbart före nämnda vokaler, t. e. *het*, *häst* (dvs. *hæst*, dialektiskt *hast*), *hö* (dvs. *hø*), *höna* (dvs. *høna*), *höra* (dvs. *høra*), *hus*.

§ 59. Latero-gingivala.

Hithörande ljud, alla oralt och marginalt bildade, förekomma samtliga [1] endast omedelbart före marginala eller mediomarginala ljud och utgöra en af dessa sednare framkallad modifikation af dorsala och apikala ljud med ganska skiftande läge af tungspets eller tungrygg. Alla bildas de med tungblads- eller tungspetskontakt å det ursprungliga artikulationsstället, hvarifrån själfva den aktiva artikulationen flyttats till tungkantens midt, hvilken måste frigöras, för att det följande (marginala eller mediomarginala) ljudet må kunna frambringas. De med tungkantens tillhjälp bildade ljuden få emellertid helt naturligt en ganska olika timbre alltefter platsen för den ofvannämnda tungblads- eller tungspetskontakten, så att vi hos hithörande ljud kunna urskilja tre olika arter, allteftersom den ifrågavarande kontakten är dorso-gingival, apiko-alveolar (resp. dorso-alveolar?, se nedan s. 477 f. not 5) eller apiko-kakuminal (jfr s. 381 ofvan).

A. Explosivor, dels tenues, dels pertonerade medior. Ingen af dem kan i svenskan förekomma vare sig uddljudande (frånsedt några rent främmande ord såsom den från grekiskan hämtade medicinska termen *thlipsis*, det mexikanska *Tlascala*, det algieriska *Tlemsen* o. d.) eller slutljudande.

---

[1] Dock med undantag af de eventuellt hithörande resonanterna, hvarom se C nedan.

a) Med dorso-gingival tungkontakt:

1. Tenuis t_l är ett allmänt spridt, men åtminstone i riksspråket mycket sällsynt (omkring 2 gånger per sida [1]) förekommande ljud. Det träffas där dels före *l*, t. e. *atlantisk, sprattla, nattlig, rotlös*, dels före sonantiskt (med *el* tecknadt, se s. 427 ofvan) l_l, t. e. *skyttel, apostel, mantel, rättelse*.

2. Den orala median d_l är äfvenledes ett allmänt spridt, men åtminstone i riksspråket mycket sällan (omkring 1 gång per sida [2]) förekommande ljud. Det träffas där dels före *l*, t. e. *odla, ädling, bildlig, ändlös*, dels före sonantiskt l_l, t. e. *bindel, bödel, ädelt, födelse*.

3. Den nasoorala median n_l kan vid mycket distinkt tal uppträda mellan n_n och *l*, t. e. i *tunnlar, vinnlägga*, men vanligtvis förstummas den, så att *l* får följa omedelbart på n_n.

b) Med apiko-alveolar tungkontakt:

1. Lateralt l har alldeles samma utbredning som vanligt (apikalt) t, men uppträder, där det finnes, vida mindre ymnigt [3]. I riksspråket träffas det dels före konsonantiskt l (explosivan), t. e. *mortlar, hjärtlös, bortlagd*, dels före sonantiskt l (resonanten, tecknad *el*, se s. 439 ofvan), t. e. *mortel, kjortel, Bartelson;* alternativt äfven före ett med l växlande *l*, se s. 434 f. ofvan.

2. Lateralt d har samma utbredning som vanligt (apikalt) d, men icke på långt när samma ymnighet [4]. Det träffas i riksspråket dels framför konsonantiskt, dels framför sonantiskt l, t. e. *nordlig, bordlägga, gördlar*, resp. *gördel, förhärdelse;* eventuellt äfven före ett med l växlande *l*, se s. 434 f. ofvan [5].

---

[1] I de s. 408 not 1 nämnda styckena resp. 11, 1, 3 och 3 gånger.

[2] I de s. 408 not 1 nämnda styckena resp. 4, 1, 1 och 3 gånger.

[3] I de s. 408 not 1 nämnda styckena blott en enda gång på alla nio sidorna.

[4] I de s. 408 not 1 nämnda styckena förekommer det ingen enda gång.

[5] Möjligen finnes både lateralt l och d (med dorso-alveolar tung-

c) Med apiko-kakuminal tungkontakt:

1. Lateralt *ŧ* är ett blott i dialekter förekommande ljud med alldeles samma utbredning som vanligt (apikalt) *ł*; se s. 449 ofvan. Det träffas före konsonantiskt eller sonantiskt *l*, t. e. Burträsk *ȿotłǝr* kjortlar, resp. Fryksdalen *mott'ł* mortel.

2. Lateralt *đ* är ett blott dialektalt ljud med samma utbredning som vanligt (apikalt) *đ*; se s. 449 f. ofvan. Det förekommer väl blott näst före konsonantiskt *l*, t. e. Burträsk *mäđłass* lass mäld.

B. Frikativorna äro hittills otillräckligt undersökta. Pertonerade sådana torde alls icke förekomma, om icke möjligen ett lateralt *z* träffas såsom individuell variant till det vanliga (dorsala) *z* i det passiva djurspråkets interjektion (*b*)*z*, hvarom se ofvan s. 424 f. Motsvarande perspirerade ljud — lateralt *s* — åter förekommer i vårt riksspråk endast såsom öfvergångsljud mellan *t* eller *s* och *l*, t. e. i *kittla, trasslig*. I dialekterna däremot torde det vara rätt vanligt äfven såsom själfständigt ljud. Men det är mycket svårt att med ledning af förefintliga beskrifningar skilja detta ljud från resonantiskt *ᴌ* (hvarom se s. 428 ofvan), dvs. afgöra hvar inom våra dialekter det ena eller andra ljudet föreligger. Detta så mycket mera som båda hittills betecknats på samma sätt, medelst landsmålstypen *ᴌ*, beroende därpå att man öfverhufvud icke observerat de båda — för örat i viss mån snarlika — ljudens väsentliga olikhet i fråga om bildningssätt. Då sålunda landsmålsalfabetet saknar egen typ för lateralt *s*, som dock i hög grad tarfvar en sådan, har jag beslutit mig för att här beteckna detsamma medelst den för mig tillgängliga typen *ȝ*, ehuruväl jag är fullt medveten om att den icke är den från alla synpunkter lämpligaste i fråga om form.

kontakt) i de dialekter som äga vanligt (dorsalt) *ʃ* och *ǯ* i annan ställning än såsom beståndsdel af affrikata (se s. 442 och 444 ofvan).

j har man särskildt skäl att misstänka föreligga i de fall, där det tvifvelaktiga ljudet motsvarar riksspråkets *s* [1] före *l* eller *l*, vare sig denna förbindelse *sl* (*sl*) är ursprunglig eller uppkommen af äldre *tl* därigenom, att det nyss ofvan omnämnda öfvergångsljudet mellan *t* och *l* utvecklats till ett (i riksspråket senare mot *s* utbytt) själfständigt *j*-ljud, framför hvilket sedermera *t* vanligen försvunnit. Exempel äro *jlå, jläppa, mäjling, hängjle, bejl* betsel, *lijl* (fsv. *litle, litsle*) lille o. d., former som särskildt allmänt och ymnigt förekomma inom det nordsvenska dialektområdet, för hvilket de äro i hög grad karakteristiska. Uddljudande är *jl* [2] hittills anträffadt inom hela det baltiska dialektområdet (utom på Nargö), östra Nyland (t. e. i Borgå, Pyttis, Lappträsk och Strömfors), förmodligen hela Österbotten [3], Multrå i Ångermanland, Arbrå i Hälsingland, det egentliga dalmålet (utom i några byar inom Mora och Orsa), nordöstra Västmanland (Kumla, Norberg, Skinnskatteberg [4]), större delen af, om icke hela, Uppland [5], någon del af norra Södermanland [6] och södra Vadsbo i Västergötland [6]. Midljudande förekommer *jl* och slutljudande *jl* — ofta reduceradt till *j* — i de flesta nordsvenska dialekter (inklusive delar af Uppland). Sannolikt föreligger inom detta vidsträckta område tre eller fyra

---

[1] Liksom man omvändt bör förmoda resonantiskt *l* i de fall, där ljudet representerar ett äldre *ll*; jfr s. 428 ofvan.

[2] Eventuellt reduceradt till *j*. Åtminstone uppger DANELL, *Nuckömålet* I, 188 f. *jå* slå, *leje* »lättligt» o. d. samt anser ib. I, 53 Freudenthal-Vendells beteckning *jl* sakna »giltig anledning»; likaså anför KALLSTENIUS i Sv. landsm. XXI, 1, s. 13 från Värmlands bergslag *l* i t. e. *jul* såsom »individuell variant till *sl*». Emellertid förefaller en utveckling af *jl* till *j* före vokal a priori osannolik — under det att den i slutljud är mycket vanlig och fonetiskt sedt lätt begriplig — och jag betviflar tillsvidare, att den låter sig a posteriori bekräfta.

[3] Se HULTMAN i Finländska bidrag, s. 147.

[4] Jfr Sv. landsm. I, 29.

[5] Se HESSELMAN, *Sveamålen*, s. 9 f. och 16.

[6] Se LAMPA, *Ljudbeteckning för västgötamålen*, s. 9.

varieteter af *ȝ*, motsvarande de olika slag af explosivor, för hvilka ofvan under A redogjorts, således exempelvis *ȝ* med dorso-gingival, apiko-alveolar, dorso-alveolar (se s. 477 f. not 5 ofvan) och apiko-kakuminal (så i Norberg och Skinnskatteberg?) tungkontakt; men förhållandet är ännu otillräckligt undersökt. Säkert är, att enligt mina egna iakttagelser Åsenvarieteten af Dalarnas Älfdals-mål har närmast dorso-alveolar kontakt.

C. Såsom hithörande resonanter kunna — beroende på synpunkten för resonanters gruppering öfverhufvud — betraktas de redan ofvan i § 53, C, 2 och 3, § 54, C, 2 och 3, § 55, C, 2 och 3 samt § 56, D, 2 behandlade ljuden.

§ 60. Dorso-velopalatala.

Hithörande ljud bildas med tungryggen mot gränsen mellan gomtaket och gomseglet, hvarvid en viss latitud både i fråga om tungans och gommens — se t. e. B 3 nedan — artikulationsställe gör sig gällande. Dock förekommer icke rent predorsal tungartikulation, väl på grund af detta bildningssätts ytterliga svårighet. Både explosivor, frikativor och resonanter finnas, hvaremot tremulanter synas alldeles saknas. Äfven saknas här — liksom vid de i § 58 behandlade mediodorso-kakuminalerna — alla marginala och mediomarginala ljud (»*l*-ljud») [1].

A. Explosivor:

1. *k*, perspirerad oral tenuis, är ett allmänt och ymnigt (omkring 35 gånger per sida [2]) förekommande ljud, rörande hvars, rent språkligt sedt, oväsentliga skillnad från *ȝ* se s. 458 ofvan. I riksspråket uppträder det uddljudande framför de dorso-velara eller dorso-velopalatala vokalerna *a*

---

[1] T. e. ryskans hithörande mediomarginala ljud i *palka* käpp o. d.

[2] I de s. 408 not 1 nämnda styckena resp. 176, 51, 51 och 36 gånger. Jfr s. 458 noten.

— 481 —

(*a* och *a*), *o* (*o*), *å* (*a* och *o*), resp. »öppet» *u* (*u*), t. e. *kar,
kall, ko, kål, kotte, kung;* vidare före *l, n, r* och *v,* följda af
någon bland nyssnämnda vokaler, t. e. *klaga, klappa, knoge,
krås, kropp, kvast;* ändtligen före *t* i det främmande ordet
ktonisk. Slutljudande förekommer det dels efter någon af
ofvannämnda vokaler, dels efter *l, r, s, ş,* resonantiskt *g* eller
muta, om blott stafvelsens sonant utgöres af någon bland
nyssnämnda vokaler eller *ə* och *æ,* t. e. *tak, Isak, bok, kaut-
sjuk, båk, Enok, folk, stark, ask, barsk, romersk, lunk, suck;*
dels ändtligen efter *t* i det arkaiserande *matk* och efter *v* i
det främmande *tomahavk.* Midljudande förekommer det i
de flesta ställningar, blott med de inskränkningar som af
redogörelsen för *ş*:s förekomst i midljud (se s. 460 f. ofvan)
framgå, således t. e. i *make, tokig, mekanisk, cikoria, strejka,
vinka* o. d.

I fråga om aspiration förhåller sig *k* alldeles som *p, t*
och *ş* (se s. 409, 421 och 461 ofvan). Jfr således t. e. *katt,
tak, klok, lock* med aspireradt, *skatt, takʹfot, klokhet, lax* med
oaspireradt och *makt* med än aspireradt, än oaspireradt *k.*

2. *g,* pertonerad oral media, är ett allmänt och ymnigt
(i rsp. omkring 23 gånger per sida [1]) förekommande ljud, rö-
rande hvars, rent språkligt sedt, oväsentliga skillnad från *g*
se s. 462 ofvan. I riksspråket uppträder det uddljudande
framför samma vokaler som *k* (se strax ofvan) samt före *l, n,
r* under samma förutsättningar som *k,* t. e. *gata, galler, god,
gåta, gosse, guld, glad, gno, grå;* dialektalt äfven före *v*
(och *w*), t. e. *gvass* hvass o. d. i nordsvenska dialekter. Slut-
ljudande står det efter samma vokaler och homorgan klusil,
t. e. *tag, dog, gissug, tåg, tagg, dogg, hugg;* dessutom —
växlande med *j* — efter *l* i *alg* och efter *r* i lånord och
främmande ord på *-urg,* t. e. *kirurg, dramaturg, demiurg,* i
hvilka alla ord *-lg* och *-rg* så småningom vika för *-lj, -rj,*

---

[1] I de s. 408 not 1 nämnda styckena resp. 117, 32, 22 och 36 gånger.
Jfr s. 462 noten.

i den mån orden införlifvas med hvardagligt riksspråk. I gutniska och vissa nordsvenska dialekter brukas däremot *-lg* och *-rg* äfven i ord af inhemsk börd [1]. Midljudande åter förekommer *g* i de flesta ställningar, endast med de inskränkningar som framgå af redogörelsen för *g*:s förekomst i midljud (se s. 463 ofvan), således t. e. i *magisk, logisk, allmoge, bageri, indigo, cigarr, entlediga, organ* m. m.

3. *ǵ*. perspirerad oral media, förekommer i riksspråket blott såsom variant till *g*, detta under alldeles samma förutsättningar som då *ǵ* växlar med *g* (se s. 464 ofvan). Exempel på dylikt alternativt *ǵ* (vid sidan af *g*, men sällan eller aldrig med därur ljudlagsenligt utveckladt *k*) äro bl. a. *afgan, lagfart, slagfärdig, -fält, svaghet, bakgata, folkgunst, missgrepp, passgång, portgång, kattguld.* Särskildt vanligt är *ǵ* (vid sidan af både *k* och *g*) näst före *s* och *t.* t. e. *tilllagsen, tvehågsen, bogsera, hugsva'la* (sällan *hu'gsvala*), *matdags, riksdagsman* (men *dägs* aldrig med *k*), »*tre slagss*», *slagsmål* (men *slägs* aldrig med *k*), »*till skogs*» (men *skögs* aldrig med *k*), *örlogsflotta, bolagsstämma* (men *lägs* aldrig med *k*), en *taggs* (aldrig med *k*), *slogs* (af *slåss*, men *slögs* af *slå* aldrig med *k*), *togs* (med *k* endast i mycket vulgär stil), *drogs; njuggt* (aldrig med *k*), *lågt* (sällan *k* [2]), *hagtorn, lagt, sagt,* de tre sistnämnda vanligen med *k*, enär de alltför svagt — för att kunna på associativ väg uppehålla sitt *g*-ljud — associera sig med resp. *hage, lägga* (men *lade*), *säga* (men äfven *säja* och *sade*).

Angående svårigheten att skilja mellan *ǵ* och ett aspirationslöst *k* gäller hvad ofvan s. 411 yttrats om förhållandet mellan *b* och *p* (jfr s. 422 och 464).

4. *ɢ*, pertonerad nasooral media, är ett allmänt, men

---

[1] Se Sv. landsm. I, 69.

[2] Jfr däremot *högt* oftare än *högt*, emedan formen på *-t* är, särskildt på grund af sin adverbiella användning, brukligare än *hög*, under det att *låg* brukas minst lika ofta som *lågt* och därför kan påverka detta.

ganska sällan (omkring 4 gånger per sida [1]) förekommande
ljud, om hvars i rent språkligt afseende oväsentliga skillnad
från *ŋ* se s. 465 ofvan. Uddljudande saknas det (liksom *ŋ*)
i riksspråket och har anträffats blott i en eller annan dialekt
såsom Hålanda-målet i Västergötland och Gamla-Karleby-,
Nedervetil-, Teerijärvi-målen i Österbotten [2], t. e. *ɣapp* knapp [3].
Slutljudande förekommer det i riksspråket efter homorgan
resonant, t. e. *sprang* (dvs. *spraɣɣ*), *gång, tung,* samt efter
trycksvagt *a* och *u* i *pisang* (jämte *-aɣ'ɣ*), *orangutang* (jämte
vanligare *-taɣ'ɣ*), *honung, konung, ledung;* dessutom efter *r* i
det något vulgära *kärrɣ* (jämte *kärriɲ* och *käriɲ*). Midljudande
står det mellan homorgan resonant och en vokal, t. e. *långa,
tungor,* samt mellan trycksvag vokal och en annan vokal i
följande fall: om båda äro bakre sådana, t. e. *sprang‿op'p;*
om den förra är en bakre och den sednare en främre, t. e.
konungen; om den förra är en främre och den sednare en
tryckstark bakre, t. e. *spring‿a'f, släng‿un'dan, sjöng‿om'.*

Motsvarande perspirerade ljud tycks saknas.

B. Frikativor finnas tvenne, ofta bildade något framom
läget för *k* och *g;*

1. *ɣ*, pertonerad, är det ljud som betecknas med *g* i
da. *bager, læge* [4] och ty. *lage, läge.* Det har i fråga om arti-
kulationsläge en ganska stor latitud, så att det exempelvis i
de nyssnämnda danska och tyska orden bildas efter *a* van-
ligen mot gomseglet, efter *ä* åter mot gomtaket och detta
stundom så långt framemot *ʃ-, g*-läget, att ljudet lika väl —
eller snarare — kan hänföras till dorso-kakuminalerna och

---

[1] I de s. 408 not 1 nämnda styckena resp. 17, 7, 0 och 7 gånger.
Jfr s. 465 not 2,

[2] Se den ofvan s. 465 not 5 anförda litteraturen.

[3] Jfr det afrikanska sjönamnet *Ngami* o. d.

[4] Efter *o, u* är ljudet labialiseradt, t. e. pl. *snoge,* eller — i mera
vanliga ord — numera förstummadt, t. e. *nogen, uge, fugl;* se JESPERSEN,
The articulations of speech sounds, s. 67.

starkt närmar sig den ofvan s. 466 not 2 omnämnda, med *ʒ* och *g* fullt homorgana frikativan [1].

y, saknas numera i svenskt riksspråk, men fanns där — skrifvet *gh* — ännu i äldre nysvensk tid och finnes fortfarande i åtskilliga dialekter. Det träffas där väsentligen i samma ställningar som i fornsvenskan (skrifvet *gh*) [2], således blott mid- och slutljudande, t. e. *säya* säga, *skoy* skog o. d. Sådana former uppträda t. e. i många nordsvenska dialekter (i all synnerhet de ursprungligen norska): på Runö, i Västerbotten (åtminstone i Burträsk och Degerfors), nästan öfverallt i Jämtland och Härjedalen samt — enligt mina egna iakttagelser — i Särna, Idre och byn Rot i Älfdalen (Dalarna). Dessutom har *y* hittills anträffats åtminstone i Uppland (Skuttunge och kanske Fasterna), Dalsland (åtminstone i Nordals och Vedbo härader) samt sporadiskt i Västergötland (särskildt i Kinne, Skånings och Vilske härader) och Värmlands bergslag.

2. *x*, perspirerad, är ungefär det ljud som betecknas med *ch* i ty. *ach, auch*, med *g* i da. *magt, bugt* (enligt många, men icke alla danskars uttal) och med *j* (förr *x*) i spanskans *Quijote, Jeres* o. d. Dock torde vårt *x* icke vara bildadt fullt så långt bak som det tyska osv. ljudet, hvilket afgjordt har sitt artikulationsläge vid (främre delen af) gomseglet — icke vid gränsen mellan detta och gomtaket — samt sålunda bör hänföras till de dorso-velara ljuden (se § 61).

x saknas numera i vårt riksspråk, men fanns där möjligen i äldre nysvensk tid [3] — åtminstone alternativt — i

---

[1] Utom från det å a. st. nämnda Lid-målet är detta ljud äfven uppvisadt från Skuttunge, nordväst om (och möjligen Fasterna, sydöst om) Uppsala; se GRIP i Sv. landsm. XVIII, 6, s. 12 och 155 (samt TISELIUS, ib. 5, s. 98 f.). Kanske det ock sporadiskt förekommer i Värmlands bergslag; se KALLSTENIUS i Sv. landsm. XXI, s. 24 (jämförd med s. 28).

[2] Se NOREEN, *Altschwedische grammatik*, § 35, a, 2.

[3] Se härom senast HAGFORS i Sv. landsm. XII, 2, s. 76 och BECKMAN, Arkiv XI, 165 samt den af dessa båda författare citerade litteraturen.

t. e. *macht, rychte* o. d. I samma ställning, dvs. motsvarande riksspråkets *k* före *t*, uppges det såsom nu förekommande i Finnby kapell (söder om Åbo), t. e. *maxt, fuxt* [1]. Om det finnes äfven i andra öst-nordsvenska dialekter, är ovisst, men det förefaller mig (liksom Hultman [2]) icke osannolikt, att det *ht*, som i åtskilliga af dessa dialekter — i norra Österbotten och Wichterpal samt på Nargö och Runö [3] — uppges motsvara rsp. *kt*, i verkligheten är att, åtminstone för någon eller några af dessa dialekters vidkommande, mera fonetiskt återge med *xt*. Utvecklat genom mellanstadiet *h* (se C, 4 här nedan) ur en hithörande vokals perspirerade afslutning (jfr s. 400 ofvan) har jag själf funnit x — resp. y efter främre vokaler — i Lillhärdal (sydligaste Härjedalen) [4], t. e. *gåxt* gått, *ruxt* rödt, och i Idre (nordligaste Dalarna), t. e. *spraxk* sprack, *axt* (jfr da. *atter*) åter, kvar; utvecklat ur slutljudande *y* åter i byn Rot i Älfdalen (Dalarna), t. e. *skuəx* skog, *dax* dag o. d. Ändtligen skall enligt Lyttkens-Wulff [5] det i Skåne vara »mycket vanligt», att x får företräda »sje-ljudet».

3. *ʃ*, det sydsvenska »sje-ljudet», är i motsats till det »uppsvenska» *f* icke ett i egentlig och inskränkt betydelse sammansatt ljud, utan endast såtillvida som det är labialiseradt. Det är snarast att föra hit trots sitt jämförelsevis långt fram belägna artikulationsställe. *ʃ* är nämligen ett mot bakersta partiet af gomtaket bildadt x med labialisering i samma grad som halföppet *ö* (*ɵ*) eller något mindre. Det på-

---

[1] Då det motsvarar rsp. *ʃ*, t. e. *sixt*, är det väl bildadt längre fram, kanske rentaf identiskt med *y*, ehuruväl uppgiften hos VENDELL, *Ordlista öfver det svenska allmogemålet i Finnby kapell*, s. 2, anger »tyskt *ach*-ljud» äfven för detta fall.

[2] *Finländska bidrag*, s. 217 och 262.

[3] Se HAGFORS, a. st. s. 12 och 76 och HULTMAN. a. st. s. 226, 271 f. och 291.

[4] Jfr WESTINS uttalande i Sv. landsm. XV, 3, s. 32 om att perspirerad vokal(afslutning) i Tännäs (nordvästra Härjedalen) »i vissa ställningar höres nästan som x».

[5] *Metodiska ljudöfningar*, s. 41.

Noreen, Vårt språk, Bd I.   32

minner sålunda om den velariserade labio-labiala frikativan
hv, från hvilken det skiljer sig genom vidare läpp-pass och
trängre gom-pass [1]. Enligt min och Lundells gemensamma
mening tillhör ifrågavarande ljud icke riksspråket — såsom
Lyttkens-Wulff [2] hålla före — men är däremot ytterst spridt
i våra dialekter såsom representant för »sje-ljud» (rsp. *ʃ*),
detta synnerligast i södra Sverge, hvari anledningen ligger till
det ofvan nämnda populära namnet »sydsvenskt sje-ljud».

ʃ förekommer öfverallt inom det gutniska och sydsvenska dialektområdet samt flerestädes inom det medelsvenska,
nämligen i återstoden af Småland [3], på Öland, i sydvästra
Östergötland (särskildt utefter Vättern) [4], Västergötland (jämte
sällsynt *ʃ*), Värmlands bergslag och vissa trakter inom Uppland (såsom Vätö utanför Norrtälje och Alunda nordöst om
Uppsala); dessutom möjligen delvis i norra Halland och Bohuslän (jfr s. 472 not 3 ofvan).

Inom den sydsvenska dialektgruppen kan *ʃ* bildas lika
långt bak som *x*, hvari väl är att söka förklaringen till det
ofvan under 2 (s. 485) omnämnda förhållandet, att i Skåne
ʃ ofta lär utbytas mot *x*.

C. Resonanter:

1. *g*g, klusil, är ett allmänt, men mycket sällan (icke
1 gång per sida [5]) förekommande ljud. Det uppträder blott
i midljud mellan bakre vokal och *g*, *ğ*, *k* eller *g*, *ɧ*, t. e.
*dagg, skugga, maggrop, huggs, njuggt, krogkund, huggkubb,
skugg-gud, degkula.*

---

[1] Jfr det alldeles analoga förhållandet mellan *w* och det labialiserade *ɥ* i da. *snoge* o. d., hvarom se ofvan s. 483 not 4.

[2] *Svenska språkets ljudlära*, s. 244. I *Metodiska ljudöfningar*, s. 41,
tyckas de dock tillerkänna riksspråksnatur blott åt en främre varietet af
ʃ, i det de kalla ett typiskt sådant för »vulg[ärt]».

[3] Här dock i regeln icke norr om linjen Oskarshamn-Hultsfred;
se s. 105 ofvan och jfr s. 472.

[4] Jfr s. 106 ofvan.

[5] I de s. 408 not 1 nämnda styckena resp. 8, 0, 0 och 0 gånger. Jfr
s. 475 not 1.

2. Resonantiskt *ŋ*, dvs. hithörande pertonerade nasal, är ett allmänt, men sällsynt (omkring 5 gånger per sida [1]) ljud. Det uppträder blott i midljud mellan en föregående bakre vokal och en efterföljande buckal, t. e. *talang* (dvs. *talaŋŋ*), *ung, sång, magnet, bankir, fungera, vanka, långs, trångt, mangla, hungra, fond, långmodig*.

3. Motsvarande aspirerade ljud, här i brist på särskild typ betecknadt medelst *ŋ^h*, saknas i riksspråket. Det är hittills anträffadt i alldeles samma dialekter som *ŋ^h* (se s. 475 ofvan), dels uddljudande, t. e. Jämtland *ŋ^hŋall* knall, Degerfors *ŋ^hŋapp* (en) knapp, *ŋ^hŋåda* knåda, Petalaks *ŋ^hŋapp* knapp, *ŋ^hŋaga* gnaga, dels midljudande, t. e. nordöstra Härjedalen *vaɔŋ^hƙa* vanka, *saɔŋ^hƙa* samka.

4. Hithörande aspirerade mediala oraler, dvs. *h*-ljud med *a*-, resp., därest ljudet är labialiseradt, *ɵ*-, *ɵ*-, *u*- eller (med mycket stark labialisering) *w*-timbre, förekomma i de trakter, som öfverhufvud äga *h*-ljud (jfr s. 447 f. ofvan), lika allmänt, ehuru naturligtvis icke lika ymnigt, som de nämnda vokalerna, enär ifrågavarande *h*-ljud aldrig uppträda annat än omedelbart före dessa, t. e. *hunger, husar*, stockholmskt *här* (dvs. *har*) och *hör* (dvs. *hɵr*).

§ 61. Dorso-velara.

Explosivor med detta artikulationsställe — som t. e. det grönländska к i какак berg eller de semitiska språkens *q* — torde saknas i indoeuropeiska språk öfverhufvud. Vanliga äro däremot frikativor och resonanter. Hvad mot dem svarande tremulanter beträffar, så bildas dylika medelst vibration af tungspenen och föras därför (jfr s. 373 och 379 ofvan) till en särskild paragraf (§ 62) i det följande.

A. Frikativorna äro i svenskan följande två, bildade,

---

[1] I de s. 408 not 1 nämnda styckena resp. 34, 4, 3 och 6 gånger Jfr s. 475 not 2.

enligt hvad nyss nämnts, något framom de i nästa paragraf behandlade tremulanterna, alltså mot själfva gomseglet framom tungspenen:

1. ʀ, pertonerad, är ett långt bak bildadt *j*, således föga skildt från *g* i da. *bager*, ty. *lage* (men betydligt från *g* i da. *læge*, ty. *läge*, se s. 483 f. ofvan). Också förväxlas t. e. af västgötar lätt *j* och ʀ, liksom förhållandet är mångenstädes i norra Tyskland, t. e. Berlin, med *wagen* och *waren* o. d. [1]. I Berlin är nämligen — liksom för öfrigt äfven i Paris — ʀ det vanligast förekommande »*r*-ljudet». I svenskt riksspråk saknas detta ljud, men är i en stor mängd af våra dialekter antingen ensamt eller jämte *r* (jfr s. 104 ofvan) representant för riksspråkets *r*. Det förra är förhållandet i hela det sydsvenska dialektområdet med undantag af Kristianstads län ända ned till Degeberga, där *r* af äldre personer och inom Göingemålets område äfven af många yngre (jfr s. 101 ofvan) brukas [2]. Det sednare åter är förhållandet i alla de egentliga götamålen (se s. 104 ff. ofvan), utom öländskan och Handbörds-målet (jfr s. 105 ofvan) liksom ock några munarter i västligaste Västergötland [3], samt i Värmlands bergslag (i allmänhet, i synnerhet hos yngre personer [4]), i hvilka samtliga dialekter ʀ brukas uddljudande samt, då ljudet är långt, i slutljud och framför vokal, t. e. *ʀöd*, *suʀʀ*, *muʀʀa*, under det att de flesta öfriga ställningar [5] fordra *r*, t. e. *fara*, *när*, *vacker*, *magra*, *skarp*. Dessutom uppges ʀ förekomma (jämte både *r* och ʀ, fördelade efter vissa regler) i Runö-målet, möjligen ock (jämte *r*) i någon eller några estsvenska dialekter (Rågö-Wichterpal-

---

[1] Se JESPERSEN, *Fonetik*, s. 251.

[2] Se KOCK, *De senaste årens undersökningar af skånska bygdemål*, s. 19 (sep. ur Historisk tidskrift för Skåneland, 1904).

[3] Rörande hithörande detaljer se S. LANDTMANSON, *Studier öfver Västgötamålets l- och r-ljud*, s. 77.

[4] Se KALLSTENIUS, Sv. landsm. XXI, 1, s. 107 f.

[5] Se närmare S. LANDTMANSON, a. st. s. 77 ff.

målet?) [1]. För öfrigt förekommer det individuellt äfven på många andra trakter inom det nysvenska språkområdet än de nu uppgifna, för hvilka det är mera genomgående karakteristiskt.

2. ꭓ, perspirerad, är ett långt bak bildadt x och sålunda ungefär att likställa med ty. *ch* i *ach* och da. *g* i *magt* (jfr s. 484 ofvan) samt identiskt med det i Paris och Berlin efter perspirerade buckaler mest gängse »*r*-ljudet», t. e. fra. *prier*, ty. *kriegen* [2]. Liksom dess nyss behandlade pertonerade motsvarighet saknas detta ljud i nysvenskt riksspråk, men förekommer såsom variant till ʌ i de dialekter, som äga detta. Det kan då uppträda dels i slutljud, dels midljudande före perspirerade buckaler, t. e. skånskt *staꭓk, skaꭓp, foꭓt.*

B. Resonanterna utgöras här blott af aspirerade mediala oraler, dvs. *h*-ljud, med någon latitud i fråga om artikulationsstället. De äro nämligen bildade dels mot främre delen af gomseglet och ha då α- eller, därest ljudet är labialiseradt, o-, o- eller (vid mycket stark labialisering) u-timbre; dels mot en något längre bak belägen del af gomseglet och ha då — samtliga med mindre eller större grad af labialisering — a-, ꭢ-, α- eller o-timbre. Dessa *h*-ljud förekomma i de trakter, som öfverhufvud äga något *h* (jfr s. 447 f. ofvan), lika allmänt, men naturligtvis icke lika ymnigt, som de nämnda vokalerna, eftersom ifrågavarande *h*-ljud aldrig uppträda annat än omedelbart före dessa. I riksspråket förekomma af hithörande ljud endast *h* med α-, a-, o-, a- och o-timbre, t. e. *hatt, hat, aha, hålla, hål, åhå, hos, eho.* Den relativa frekvensen dem emellan framgår naturligtvis af förhållandet i samma afseende mellan de med dem korresponderande vokalerna (hvarom se vokalläran i det följande). Betrakta vi åter, såsom det populära uppfatt-

---

[1] Att det icke, såsom uppgifvits, finnes i Nuckö-målet, intygar Danell, *Nuckömålet*, I, 53.

[2] Se Jespersen, *The articulations of speech sounds*, s. 67.

ningssättet ju gör, alla de olika *h*-ljuden som ett och samma ljud, så är detta ett ymnigt (omkring 29 gånger per sida [1]) uppträdande sådant.

§ 62. Dorso-uvulara.

Hithörande explosivor torde ingenstädes förekomma, helst sådana endast med största svårighet kunna bildas. I svenskan saknas äfven frikativor sådana som t. e. den pertonerade, som i nederländskan betecknas med *g* i *Groningen* o. d., eller den perspirerade, som i samma språk tecknas *ch* i *Scheveningen* o. d. Såsom hithörande resonanter åter kan man, om man så vill, betrakta de i § 61, B nämnda, mot bakre partierna af gomseglet (dvs. just tungspenen och dess omgifning) bildade *h*-ljuden med *a*-, *ω*-, *ɑ*-. och *ο*-timbre. Men strängt taget är det här endast tremulanter som vi ha att göra med. Dessa, hvilka bildas genom vibrationer hos tungspenen, under det att tungroten endast genom sin böjning upp emot tungspenen bidrager till ljudets bildning, äro två, stående i intimt samband med hvar sin af de i § 61, A nämnda frikativorna:

1. *ʀ*, pertonerad, är det i tyskan och franskan — växlande med det särskildt i hvardaglig stil vanligare [2] *ɹ* — företrädesvis i högre stil (och passioneradt tal) [2] brukliga »*r*-ljudet», t. e. ty. *murren*, fra. *guerre*. Det saknas i svenskt riksspråk, men uppträder i alla de dialekter som äga *ɹ* (se § 61, A, 1), såsom en i synnerhet vid mera distinkt och vårdadt tal bruklig variant till detta ljud. Särskildt synes det vara hemmastadt i Skåne och Blekinge, t. e. *käʀʀlek* kärlek, *kvaʀʀn* kvarn. I Torsås (sydligast i Kalmar län) är det det uteslutande använda *r*-ljudet, något som äfven på andra håll, t. e. södra Luggude härad (söder om Ramlösa—Billes-

---

[1] I de s. 408 not 1 nämnda styckena resp. 172, 34, 25 och 29 gånger.

[2] Se JESPERSEN, a. st. s. 71 och 67, samt *Fonetik*, s. 427 f.; annorlunda LYTTKENS-WULFF, *Melodiska ljudöfningar*, s. 42 (och 55).

holm), uppges kunna individuellt vara fallet. Om dess förekomst under särskilda förutsättningar, vid sidan af både *r* och ʌ, i Runö-målet se § 61, A, 1 (slutet).

2. *ꝏ*, perspirerad (franskans *r* i t. e. *maître;* jfr dock § 61, A, 2), saknas liksom *ꝏ* i svenskt riksspråk, men förekommer i de dialekter, som äga sistnämnda ljud (se 1 ofvan), såsom variant till detta i slutljud och före perspirerade buckaler.

§ 63. Velo-faukala.

Hithörande ljud, som alla utgöras af nasala explosivor (se s. 373 och 378 ofvan), förekomma samtliga endast omedelbart före nasala eller nasoorala ljud och utgöra en af dessa sednare framkallad genomgripande omgestaltning af labiala och lingvala explosivor med allehanda artikulationsställen. Alla bildas de fortfarande med läpp- eller tungkontakt å det ursprungliga artikulationsstället, men själfva den aktiva artikulationen — explosionen — har flyttats till svalget, där en af gomseglet mot svalgväggen bildad kontakt måste upphäfvas, för att det följande (nasala eller nasoorala) ljudet må kunna frambringas. De härvid bildade explosivorna få emellertid helt naturligt en ganska olika timbre alltefter platsen] för den ofvannämnda läpp- eller tungkontakten, så att vi hos hithörande ljud kunna urskilja icke mindre än sju olika arter, allteftersom den ifrågavarande kontakten är labio-labial, dorso-gingival, apiko-alveolar, dorso-alveolar, apiko-kakuminal, mediodorso-kakuminal eller dorso-velopalatal.

Dessa explosivor, dels tenues, dels pertonerade medior, förekomma i svenskan uteslutande i midljud — uddljudande blott i rent främmande ord såsom de slaviska *Dnjepr, Dnjestr* och det grekiska *thnetopsychit* — och äro följande:

a) Med labio-labial kontakt:

1. Tenuis p_m är ett allmänt spridt, men mycket sällan [1]

---

[1] I de s. 408 not 1 nämnda styckena ingen enda gång.

användt ljud. Det förekommer blott framför *m*, t. e. *köpman, lappman, uppmana, lampmatta, trampmaskin.*

2. Median b_m är äfvenledes ett allmänt spridt, men mycket sällsynt [1], blott före *m* uppträdande ljud, t. e. *kubmått, kerubmin, näbbmus, klubbmästare, bombmaskin, submarin.*

   b) Med dorso-gingival kontakt:

1. Tenuis t_n är ett allmänt, men ganska sällsynt (omkring 3 gånger per sida [2]) ljud, som blott uppträder före *n* och (med -*en* betecknadt) n_n, t. e. *vattna, knutna, flyttning, mullna, fastna, aftnar, centner, präntning, plattnäsa, utnämna,* resp. *vatten, knuten, äktenskap.*

2. Median d_n är äfvenså ett allmänt, men mycket sällsynt (omkring 2 gånger per sida [3]) ljud, som likaledes blott uppträder före *n* och n_n, t. e. *hednisk, bundna, laddning, kryddnejlika, gäddnät, andnöd, slädnät,* resp. *heden, handen, sådden, siden.*

   c) Med apiko-alveolar kontakt:

1. Velo-faukalt t har samma utbredning som vanligt (apiko-alveolart) *t*, men icke på långt när samma grad af frekvens [1]. I riksspråket träffas det dels före explosivt η (eventuellt växlande med *n*, se s. 435 ofvan), t. e. *svartna, beslörtning, kartnagel, hjärtnupen,* dels före resonantiskt (med -*en* betecknadt) η, t. e. *porten, myrten, behjärtenhet.*

2. Velo-faukalt d har samma utbredning som vanligt (apiko-alveolart) *d*, men vida mindre ymnighet (icke 1 gång per sida [4]). I riksspråket träffas det i alldeles samma ställningar som föregående ljud, t. e. *ordning, hårdna, vördnad, jordnatur,* resp. *orden, jorden.*

---

[1] I de s. 408 not 1 nämnda styckena förekommer det ingen enda gång.

[2] I de s. 408 not 1 nämnda styckena resp. 14, 3, 6 och 2 gånger.

[3] I de s. 408 not 1 nämnda styckena resp. 8, 3, 3 och 6 gånger.

[4] I de s. 408 not 1 nämnda styckena resp. 3, 1, 1 och 0 gånger.

d) Med dorso-alveolar kontakt:

1. Velo-faukalt *j* finnes före *ŋ* (vare sig explosivt eller resonantiskt) i de dialekter, som äga vanligt (dorso-alveolart) *j* i annan ställning än såsom beståndsdel af affrikata (se s. 442 ofvan), t. e. Linsäll och Lillhärdal (i södra Härjedalen) *vaɔjŋa* vattna, *vaɔj'ŋ* vatten, Burträsk (Västerbotten) *traɪj'ŋ* tröttna.

2. Velo-faukalt *ɟ* finnes före *ŋ* (explosivt eller resonantiskt) i de dialekter, som äga vanligt (dorso-alveolart) *ɟ* i annan ställning än såsom beståndsdel af affrikata (se s. 444 ofvan), t. e. sannolikt [1] i Linsäll *haŋɟ'ŋ* handen o. d.

e) Med apiko-kakuminal kontakt:

1. Velo-faukalt *ɽ* är ett äfvenledes blott i dialekter förekommande ljud med alldeles samma utbredning som vanligt (apiko-kakuminalt) *ɽ;* se s. 449 ofvan. Det uppträder i alldeles samma ställningar som det ofvan under c, 1 behandlade velo-faukala *ɽ*. Såsom exempel äro därför användbara de i nämnda dialekter förefintliga etymologiska motsvarigheterna till de ofvan under c, 1 anförda orden.

2. Velo-faukalt *ɖ* förhåller sig till vanligt (apiko-kakuminalt) *ɖ* och till det ofvan under c, 2 behandlade velo-faukala *ɖ* fullständigt på samma sätt som velo-faukalt *ɽ* till vanligt *ɽ* och till velo-faukalt *ɽ;* se det näst föregående.

f) Med mediodorso-kakuminal kontakt:

1. Velo-faukalt *ʄ* måste antagas förekomma före *ŋ* i de dialekter, som äga uddljudande *ŋ* eller *ŋʰŋ* (se s. 465 och 475 ofvan), så snart genom sammansättning dessa sednare ljud komma att sammanträffa med ett föregående *ʄ* (eller *k*), t. e. i *pojkgnäll, rakknif* o. d. För öfrigt må anmärkas, att ett dylikt nasalt *ʄ* utgör ett nödvändigt mellanstadium i utvecklingen från vanligt *ʄ* till *ŋʰ* (som sedan somligstädes förstummats [2]) i de nämnda dialekterna, som

---

[1] Se Westin i Sv. landsm. XV, 3, s. 26.
[2] Jfr s. 430 not 3 ofvan.

alltså en gång måste ha ägt velo-faukalt *ɟ* före *ŋ* äfven i enkla ord.

2. Velo-faukalt *g* måste af alldeles samma skäl antagas tillhöra nämnda dialekter i sådana fall som *piggnäll, magknip* o. d. Dessutom är att märka, det dylikt *g* utgör en nödvändig historisk förutsättning för öfvergången från *gn*- till *ŋ*- i dessa dialekter, som härvid måste ha passerat ett mellanstadium *gŋ*- med nasalt *g* (jfr det näst föregående).

g) Med dorso-velopalatal kontakt:

1. , Velo-faukalt *k* måste af de ofvan under f, 1 anförda skälen antagas förefinnas näst framför *g* i de dialekter, som äga uddljudande *g* eller *gʰg* (se s. 482 f. och 487 ofvan), i sammansatta ord af typerna *flickgnabb* och *rockknapp*. För öfrigt har dylikt *k* utgjort ett mellanstadium i utvecklingen af vanligt *k* till *gʰ* (sedan somligstädes förstummadt) i de nämnda dialekterna.

2. Velo-faukalt *g* måste likaså (se f, 2 ofvan) i de under g, 1 anförda dialekterna antagas förefinnas i sammansatta ord af typerna *piggnat* och *rågknarr*, liksom det utgör en historisk förutsättning för öfvergången från *gn*- till *ŋ*- i samma dialekter, som måste ha en gång stått på mellanstadiet *gŋ*- med nasalt *g*.

§ 64. Tabellarisk öfversikt öfver buckalerna.

I den här nedan (å s. 496 och 497) följande tabellen har jag medelst ( ) betecknat de ljud, som äro speciellt dialektala, medelst [ ] åter de ljud, hvilkas tillvaro inom nysvenskan öfverhufvud är mer eller mindre tvifvelaktig.

b. Vokaler.

§ 65. Apiko-alveolara.

De hithörande vokalerna äro blott tvenne, hvilka båda saknas i riksspråket, frånsedt deras förekomst hos enstaka individer, företrädesvis sådana med mer eller mindre dialektfärgadt tal.

1. ŋ, delabialiserad, hög och spänd, är det populärt s. k. Viby-*i*, hvilket emellertid ingalunda är inskränkt till Viby socken (i trakten af Vretstorps station), utan förekommer än här, än där i de mest skilda delar af vårt land [1]. Så t. e. träffas det i Medelpad (Sundsvalls-trakten), Hälsingland (Ofvanåker väster om Bollnäs), Östergötland längst i öster (Vikbolandet mellan Bråviken och Slätbaken samt dithörande skärgård) och norr (östra delen af Finspångaläns härad), Närke i öster (Stora Mellösa) och centralt (Viby och Hardemo), östra Dalsland (söder om Mellerud), södra Bohuslän (Orust och Tjörn), Halland (Halmstads-trakten) och sydspetsen af Kalmar län (Torsås). Det representerar i det stora hela riksspråkets *i*-ljud.

2. ᴜ, halfvidt (möjligen halftrångt) labialiserad, hög och spänd, uppträder väsentligen i samma dialekter som föregående vokal och representerar där i det hela riksspråkets *y*-ljud.

§ 66. Dorso-alveolara.

1. *ɩ*, delabialiserad, hög och spänd, är väsentligen samma ljud som danskans och tyskans långa *i*, af hvilka dock åtminstone det sednare är något lägre samt något längre bak bildadt. Läpparna äro vanligen förskjutna åt sidorna, om ock icke i så hög grad eller så konstant som vid bildningen af t. e. franskans *i*.

Frånsedt de dialekter, som i dess ställe ha *ŋ* (se § 65,

---

[1] Se särskildt Lundell i Sv. landsm. I, 91.

			Labio-		Lingvo-					
					apiko-			predorso-		medio-dorso-
			labiala	dentala	gingivala	alveolara	kakuminala	gingivala	kakuminala	alveolara
Tenues — orala — mediala		persp.[1]	*p*	—	—	*l*	*(t)*	*l*	*(ʃ)*	*ʃ, ʃ*[7]
Tenues — orala — marginala		persp.	—	—	—	—	—	—	—	—
Tenues — nasala		persp.	—	—	—	—	—	—	—	—
Mediæ — orala — mediala		pert.[2]	*b*	—	—	*q'*	*(d)*	*d*	—	*g*[8]
Mediæ — orala — mediala		persp.	*ƀ*	—	—	*đ*	*(đ)*	*đ*	—	—
Mediæ — orala — marginala		pert.	—	—	—	—	—	—	—	—
Mediæ — orala — medio-marginala		pert.	—	—	*l*[5]	*l*	*(l)*	*l*	—	*(ʃ)*
Mediæ — orala — medio-marginala		persp.	—	—	—	*(ʃ)*	*(ʃ)*	*ʃ*	—	*(ʃ)*
Mediæ — nasala		pert.	—	—	—	—	—	—	—	—
Mediæ — nasoorala mediala		pert.	*m*	—	—	*ɳ*	*(n)*	*n*	—	*ɳ*
Mediæ — nasoorala mediala		persp.	*m̃*	—	—	—	—	*ɳ*	—	—
Frikativor — orala — mediala		pert.	*ƀ,(w)*[4]	*v*	*(ð)*	—	—	*z̃*	—	*z̃*[5]
Frikativor — orala — mediala		persp.	*—[ʜ]*[4]	*f*	—	*ʃ*	*(ʃ)*	*s*	*(ʃ)*	*ʃ, ʃ*[7]
Frikativor — orala — marginala		persp.	—	—	—	—	—	—	—	—
Tremulanter — orala mediala		pert.	»ptro»	—	—	*r*	*(v, ɻ)*	—	—	—
Tremulanter — orala mediala		persp.	—	—	—	$\left(h_{\underset{l}{\,r}}\right)$	*(v*[6]*, x)*	—	—	—
Resonanter — orala — mediala		asp.[3]	»huh»	—	—	$\left(h_l\right)$	—	—	—	*h* ,osv.
Resonanter — orala — marginala		pert.	—	—	—	l_l	(l_l)	l_l	—	$(\mathfrak{f}_l)$
Resonanter — orala — marginala		asp.	—	—	—	l^h	(l^h)	l^h	—	$(\mathfrak{f}^h)$
Resonanter — nasala		pert.	m_m	*ᴎ*	—	$ɳ_n$	(n_n)	n_n	—	$(ɳ_n)$
Resonanter — nasala		asp.	m^h	—	—	$ɳ^h$	(n^h)	n^h	—	$(ɳ^h)$
Resonanter — klusila		pert.	b_b	—	—	d_d	(d_d)	d_d	—	$(\mathfrak{d}_d)$

[1] Dvs. perspirerade.

[2] Dvs. pertonerade.

[3] Dvs. aspirerade.

[4] Velariserad.

[5] Se s. 423 ofvan.

[6] För hithörande ljud saknar jag särskild, från v skild typ.

Lingvo-								Velo-						
mediodorso-		postdorso-		latero-gingivala med				faukala med						
kakuminala	velopalatala	velara	uvulara	apiko-alveolar kontakt	apiko-kakuminal kontakt	dorso-gingival kontakt	dorso-alveolar kontakt	labio-labial kontakt	apiko-alveolar kontakt	apiko-kakuminal kontakt	dorso-gingival kontakt	dorso-alveolar kontakt	dorso-kakuminal kontakt	dorso-velopalatal kontakt
ƀ	k	—	—	—	—	—	—	—	—	—	—	—	—	—
—	—	—	—	t_l	(t_l)	t_l	$(ʃ_l)$	p_m	l_n	t_n	l_n	$(ʃ_n)$	$(ƀ_ŋ)$	$(k_ŋ)$
g	g	—	—	—	—	—	—	—	—	—	—	—	—	—
ǧ	ǧ	—	—	—	—	—	—	—	—	—	—	—	—	—
—	—	—	—	d_l	(d_l)	d_l	$(ɟ_l)$	b_m	d_n	(d_n)	(d_n)	$(ɟ_n)$	$(g_ŋ)$	$(g_ŋ)$
ŋ	ʀ	—	—	—	—	—	—	—	—	—	—	—	—	—
, ð	ð′	·	—	—	—	—	—	—	—	—	—	—	—	—
, ʃ	x, ʃ[9]	ɣ	—	—	—	—	—	—	—	—	—	—	—	—
—	—	—	—	[ʒ][10]	[ʒ][10]	ʒ	ʒ[10]	—	—	—	—	—	—	—
—	—	—	ʀ	—	—	—	—	—	—	—	—	—	—	—
—	—	—	ʀ	—	—	—	—	—	—	—	—	—	—	—
hₐ osv.	hₐ osv.	—	—	—	—	—	—	—	—	—	—	—	—	—
$ŋ_n$	$ʒ_n$	—	—	—	—	—	—	—	—	—	—	—	—	—
$ŋ^h)$	$(ʒ^h)$	—	—	—	—	—	—	—	—	—	—	—	—	—
gg	gg	—	—	—	—	—	—	—	—	—	—	—	—	—

[7] Se s. 442 ofvan.

[8] För de mot ʃ och ʂ svarande bakre varieteterna af ɟ och ʐ (se s. 444 ofvan) saknar jag särskilda typer.

[9] Labialiserad.

[10] För hithörande ljud (se s 479 f. ofvan) saknar jag särskild från ʒ skild typ.

1), är *ı* ett allmänt spridt och ytterst ymnigt (omkring 91 gånger per sida [1] förekommande ljud. Det uppträder i riksspråket både udd-, mid- och slutljudande, både långt och kort, både tryckstarkt och trycksvagt, både sonantiskt och (alternativt, se s. 468 ofvan) konsonantiskt, t. e. *is, vin, förbi, illa, binda, idé, filur, juli, nej, jaga*. Såsom kort torde det i riksspråk vara i någon mån slappare bildadt än såsom långt, detta dock icke i tillräckligt hög grad för att någon vidare märkbar akustisk skillnad skulle kunna sägas uppstå. Annorlunda i dialekterna, af hvilka många sakna kort *i* (ersatt af *ı*, se 2 nedan).

2. *ı*, delabialiserad, hög — dock väl icke fullt så hög som *ı* — och slapp, är väsentligen samma ljud som tyskt och engelskt kort *i*, hvilket dock väl bildas något längre bak. Troligtvis har *ı* vanligen ett något längre bak beläget artikulationsställe än *ı*, hvilket förhållande möjliggör användandet af ett mera spändt artikulationssätt med bevarande af samma akustiska intryck — ofta populärt så återgifvet, att man säger *ı* vara »ett mellanljud mellan *i* och *e*» — som om det bildats något längre fram och på samma gång mera slappt. Läppförskjutningen är af samma art som hos *ı* (se 1 ofvan), om den också ofta icke äger rum i lika hög grad.

Ljudet saknas i riksspråket, men förekommer — vanligen blott såsom kort — normalt motsvarande riksspråkets korta *i* (ofta äfven dess korta *y*; se 4 nedan) i en mängd dialekter, företrädesvis nordsvenska sådana (under det att medel- och sydsvenska i stället vanligen ha *e*). Jämförelsevis sydligt är det anträffat på Fårön (Gottland) och Öland, i norra Småland, här och där i Östergötland, Västergötland och Dalsland samt i Fasterna och Vätö (resp. väster och öster om Norrtälje).

---

[1] I de s. 408 not 1 nämnda styckena resp. 513, 103, 97 och 110 gånger, siffror som dock blott afse sonantiskt *i* och icke obetydligt förhöjas, därest man medräknar de fall, där konsonantiskt *i* alternativt användes (i stället för *j*, t. e. i *jag, pojke* o. d.; se s. 468 ofvan).

3. *y*, vidt labialiserad och hög [1] är ett otillräckligt undersökt ljud — »ett eget mellanljud af *i* och *y*» — som anträffats i några få dialekter. Bestämdast är det angifvet från Skuttunge, Björklinge och Viksta i mellersta Uppland [2], t. e. *spyra* spira, *vyra* vira, men lär ock finnas i Södertörn samt i Västerbotten (Luleå och Råneå norr därom) [3]. Möjligen förekommer det ock i Östnors by i Mora, där jag själf iakttagit ett dylikt eller snarlikt ljud [4], t. e. i *bygå* båge, *myså* mosse, *mykå* skotta.

4. *y*, halfvidt eller ock — utan nämnvärd akustisk skillnad — halfträngt labialiserad, hög och spänd, är sålunda ett jämförelsevis starkt labialiseradt *i*, men har dessutom ofta läpparna förskjutna (icke åt sidorna, såsom vid *i*, utan) framåt. Detta vårt *y* är ganska olikt det danska i t. e. *lys*, det franska i t. e. *lune*, *pur* och det långa tyska i t. e. *über*, hvilka alla äro trångt labialiserade och väl — det tyska säkert — äfven bildade något längre bak än vårt. Dessa främmande *y*-ljud förefalla därför svenska öron såsom mellanljud mellan *y* och *u* eller *ø*, under det att vårt *y* naturligtvis förefaller utlänningen som ett mellanljud mellan *y* och *i*.

y är ett tämligen allmänt spridt, men icke just ymnigt (omkring 8 gånger per sida [5]) förekommande ljud. Det uppträder i riksspråket både udd-, mid- och slutljudande, både långt och kort, både tryckstarkt och trycksvagt, t. e. *yta, dyr, ny, ylle, nytta, tryckeri, Torgny*. Frånsedt sistnämnda exempel växlar det såsom trycksvagt slutljud genomgående med *i*, t. e. *kurry* (kryddan), *mahogny, ponny, scherry, schoddy, toddy, tory* eller namn sådana som *Betty, Curry, Emmy, Jenny, Letty, Nancy, Nanny, Nelly, Polly, Sally, Tommy, Tony,*

---

[1] Om spänd eller slapp framgår ej af tillgängliga uppgifter och iakttagelser.

[2] Se E. Grip i Sv. landsm. XVIII, 6, s. 9 och 47.

[3] Se Lundell i Sv. landsm. I, 91.

[4] I min 'Ordlista öfver dalmålet' betecknadt med *u*.

[5] I de s. 408 not 1 nämnda styckena resp. 43, 8, 4 och 16 gånger.

Villy, hvilka ord samtliga uttalas än med *y*, än med *i*, detta väl dels i följd af en ljudlagsenlig benägenhet för en öfvergång af *y* till *i* uti denna ställning, dels på grund af inflytande från det främmande språk, hvarifrån det ifrågavarande ordet stammar. Såsom kort torde *y* i riksspråk vara i någon mån slappare bildadt än såsom långt, detta dock icke i tillräckligt hög grad för att framkalla någon nämnvärd skillnad för örat. Annorlunda i dialekterna, af hvilka många, i synnerhet nordsvenska sådana [1], helt och hållet sakna *y*-ljud, som då ersatts af ett *i*- eller mera sällan (såsom t. e. i västgötskan, se s. 106 f.) *u*-ljud, under det att de flesta andra sakna kort *y*, som då ersatts i nordsvenska dialekter af *ɥ* (se 5 här nedan), i medel- och sydsvenska dialekter däremot af ett *ö*-ljud (se § 67, 6—8).

5. *ɥ*, halfvidt eller ock — utan nämnvärd akustisk skillnad — halfträngt labialiserad, hög (om ock icke fullt så hög som *y*) och slapp, är sålunda ett jämförelsevis starkt labialiseradt *ɿ*, men har dessutom ofta läpparna förskjutna framåt. Möjligen är ock artikulationsstället befintligt något längre bak än vid *y*, hvilket väl är orsaken till att det ofta populärt beskrifvits såsom varande ett »mellanljud mellan *y* och *ö*». I det hela förhåller det sig till *ɿ* såsom *y* till *ɪ*, och det förhåller sig till tyskt kort *ü* såsom *y* till tyskt långt *ü* (se 4 ofvan). Ljudet saknas i riksspråket, men förekommer — dock vanligen blott såsom kort, normalt motsvarande riksspråkets korta *y* — i många (företrädesvis nordsvenska) dialekter, i allmänhet de samma som äga *ɿ* (se 2 ofvan).

§ 67. Mediodorso-kakuminala.

1. *e*, delabialiserad, hög och spänd (jfr dock strax nedan) samt vanligen bildad med åt sidorna förskjutna läppar, är samma ljud som danskt *e* i t. e. *red*, tyskans långa *e* i t. e.

---

[1] Se Lundell i Sv. landsm. I, 87.

see och franskans *é* i t. e. *été.* Det är ett mycket allmänt spridt och mycket ymnigt (i riksspråket omkring 46 gånger per sida [1]) förekommande ljud. Det uppträder i riksspråket både udd-, mid- och slutljudande (det sistnämnda dock blott såsom långt och på samma gång tryckstarkt) och både såsom långt och kort, men vanligen blott såsom tryckstarkt, t. e. *ek, mer, se, eld, vett.* I trycksvag ställning inträder nämligen oftast en mer eller mindre slapp artikulation — eller rentaf *ɛ* (se 2 nedan) — i stället för den annars konstanta spända artikulationen, t. e. *ehuru, bevis, se̮på'*; men detta för förstafvelser karakteristiska ljud (danskans korta *e* i t. e. *hedt, fik, finde)* afviker icke för örat tillräckligt från det normala spända *e* för att tarfva särskildt tecken. Däremot skiljer det sig tydligt från vårt »*e*»-ljud i ändelser, t. e. *gosse* [2], *sitter* (se 4 och 5 nedan), med hvilket det icke får — och af en uppmärksam iakttagare icke heller kan — förväxlas. Vida mera påminner det om följande ljud, som också stundom träder i dess ställe.

2. *ɛ*, delabialiserad (dock utan att läpparna förskjutas åt sidorna), hög (dock ej fullt så hög som *e)* och spänd eller — utan nämnvärd akustisk skillnad — slapp, med artikulationsställe något längre bak än *e,* hvilken sistnämnda omständighet utgör det viktigaste momentet i dess artikulation, är samma ljud som norskans och engelskans korta *e* i t. e. *men* eller franskans *ai* i t. e. *aimer,* för öfrigt också detsamma som första beståndsdelen i den diftong som engelskan betecknar med *a* i t. e. *fate.* Det är ett i svenska dialekter synnerligen spridt och, där det förekommer, ymnigt uppträdande ljud, särskildt karakteristiskt för det nordsvenska dialektområdet, hvars flesta munarter äga det, ända ned till och

---

[1] I de s. 408 not 1 nämnda styckena resp. 253, 58, 53 och 53 gånger, hvarvid dock det i trycksvaga stafvelser slappt artikulerade *e*-ljudet (hvarom se ofvan i texten) medräknats. Fränräknas fallen af dylikt *e*-ljud, så reduceras nyss angifna siffror rätt väsentligt.

[2] Jfr det olika uttalet af stafvelsen *se* i t. e. *se̮på'* och *ett lass med en gosse på'.*

med Upplands-målet (inklusive Stockholm och Södertörn). Inom detta stora område uppträder det normalt som representant för än riksspråkets *e*, än dess *ä* (detta dock ofta icke före *r*), än båda delarna, hvilket sistnämnda särskildt är fallet i Stockholm, Uppsala och delar af dessa städers omgifning, så att här t. e. *vela* och *väla*, *ref* och *räf*, *sett* och *sätt*, *bredd* och *brädd* m. m. i ljud sammanfallit och samtliga förete detta »mellanljud mellan *e* och *ä*», såsom det populärt heter. Utanför nämnda område är *a* mindre vanligt. Dock förekommer det i medelsvenska dialekter åtminstone inom vissa trakter af Närke, Västergötland, Bohuslän och Dalsland, i sydsvenska dialekter åter åtminstone på vissa håll inom Småland och Blekinge. Ändtligen tillhör det äfven gutniskan [1].

Att *a* i riksspråket ofta eller kanske i regeln ersätter *e* uti trycksvaga förstafvelser, t. e. *bevisa, gemen* o. d. (jfr s. 501 ofvan), har påpekats af Kallstenius [2]. Om det äfven i andra ställningar tillhör riksspråket, är omtvistadt. Enligt min och de flesta andra författares mening gör det det icke hvad det högsvenska riksspråket i Sverge (men väl hvad dess finländska afart i Finland) beträffar. Visserligen är det gifvet, att ett ljud, som tillhör omkring en fjärdedel af Sverges och Finlands dialekttalande befolkning — hvaribland den i hufvudstaden (såväl Sverges som Finlands) naturligtvis spelar en särskildt viktig roll — nödvändigtvis ofta måste komma att, om också blott i följd af oaktsamhet, höras även då denna befolkning talar eller söker tala riksspråk. Men häraf kan och får icke ens den slutsatsen dragas, att dessa talande

---

[1] Jfr vidare Lundell, *Om rättstafningsfrågan*, s. 118 ff., och i Sv. landsm. I, 93 ff.

[2] Sv. landsm. XXI, s. 32, där *a* anses vara riksspråkets enda uttal i detta fall. Lyttkens-Wulff, *Ljudlära* s. 60, *Uttals-ordbok* s. 29* och *Metodiska ljudöfningar* s. 19, anse däremot här ett särskildt slags »e-ljud» förefinnas, hvilket skulle skilja sig från vanligt *e* genom att ha »mungiporna mindre utvikna».

själfva göra anspråk på att i denna punkt få anses tala riksspråk, än mindre den, att de verkligen så göra. Och om äfven onekligen numera icke få poeter och äfven några skalder, t. e. framför allt Heidenstam och Levertin[1], medvetet och afsiktligt använda s. k. stockholmsrim (eller »upplandsrim»), t. e. *veta : väta, sett : lätt* o. d., så torde dock endast få af dem göra detta på grund af någon medveten sträfvan att häfda dylikt uttals riksspråksmässighet. Fastmera anser sig nog flertalet — och särskildt Heidenstam[2] — i ty fall profitera af en, enligt deras förmenande visserligen högst berättigad, enligt andras däremot högst klandervärd[3], »licentia poetica». Att i alla händelser dylika anspråk, därest de verkligen förefinnas, icke af den allmänna opinionen godkännas, synes af den enhälliga förkastelsedom, hvarmed »stockholmsrimmen» af litteraturkritiken och språkforskningen[4] mottagas. Alltså tillhör a-ljudet i tryckstark stafvelse, särskildt i dess stockholmska utsträckning, åtminstone ännu icke Sverges riksspråk, om man nämligen i likhet med mig (jfr s. 26 ofvan) med riksspråk förstår det språk, som allmänneligen eftersträfvas eller åtminstone såsom eftersträfvansvärdt erkännes. Om man åter går så långt, att man icke ens för det finländskt svenska riksspråkets vidkommande vill godkänna det i Finland

---

[1] Se den utförliga exempelsamlingen af H. SÖDERBERGH i *Från filologiska föreningen i Lund* (1897), s. 158 f.

[2] Se särskildt hans uttalande i *Om svenskarnas lynne*, s. 24 f., citeradt af SÖDERBERGH, a. st. s. 160.

[3] Se t. e. SÖDERBERGH, a. st. s. 161: »vi uppresa oss mot ett mod, som på oss värkar frånstötande, som enligt vår mening öfverträder gränserna för det sunda och naturliga, som, med ett ord, måttar ett hugg mot vår nationella uppfattning af den poetiska formens betydelse» och WULFFS kraftord i *Svenska rim och svenskt uttal*, s. 31: »denna stockholmska osed griper på senare tider mer och mer in i vårt folks traditionella och fasta rimvanor, i det att nymodiga versmakare med detta uttal falskeligen tro sig ha en stor och betydande allmänhet till publik, i stället för ett ganska inskränkt fåtal».

[4] Se företrädesvis den utförliga kritiken hos SÖDERBERGH, a. st. s. 160 ff., och WULFF, a. st. s. 35 ff.

dock obestridligen allmänna ɑ, så beror detta naturligtvis på den till sin riktighet åtminstone omtvistliga åsikten, att Sverges riksspråk bör allt fortfarande utgöra normen för den finländska svenskan.

En särskild och egendomlig ställning inta Lyttkens och Wulff i fråga om ɑ:s riksspråksnatur. De tillskrifva [1] nämligen riksspråket ɑ-ljud (i tryckstark stafvelse) i ett tiotal ord: *deras* (och *endera* m. fl. på -*dera*), *det*, *er* (men *eder* med *e*-ljud!), *ked(ja)*, *med*, *(e)medan*, *neka*, *tjena* och *betjent* (men *tjänst* med ä-ljud) samt »möjligen» några till. Frånsedt det a priori osannolika i att ett språk skulle äga ett visst ljud i ett tiotal af sina allra vanligaste ord, men därförutom alls icke, så nekar jag emellertid äfven a posteriori härtill. Lyttkens och Wulff medge ju själfva, att de nämnda orden »i Götaland. vanligen uttalas med ä». Att de i Finland, Norrland och viktiga delar af Svealand samt äfven här och där inom Götaland vid dialektuttal ha ɑ-ljud, ha vi ofvan sett, och det är ju själffallet, att dylikt dialektuttal skall, äfven vid verklig afsikt att tala riksspråk, oftast kunna ertappas just i fråga om sådana ord, hvilka i likhet med de förevarande synnerligen ofta användas. Bevisande för riktigheten af Lyttkens-Wulffs uppfattning vore alltså blott den omständigheten — om den förelåge — att sådana trakter af Svealand, där ɑ för öfrigt icke förekommer, exempelvis Värmland, dock i dessa ord brukade detta ljud. Men så är, åtminstone i Värmland efter hvad jag själf kan intyga, icke fallet. Enligt min mening ha de ifrågavarande orden uti svenskt riksspråk i sin tryckstarka stavelse dels *e*, t. e. *dera(s)*, *er*, *neka*, dels ä, t. e. *det* [2], *med* [2], *betjänt*, dels ändtligen båda delarna (dvs. vacklande uttal), t. e. *ked(ja)*, *(e)medan*, *tjäna*. Emellertid kan

---

[1] *Svenska språkets ljudlära*, s. 56 f., och flerestädes i andra deras skrifter.

[2] I proklitisk ställning däremot vanligen uttaladt med ɑ eller *e*; jfr ofvan s. 501 och 502.

— 505 —

naturligtvis i mer eller mindre dialektfärgadt riksspråk *ä*
påträffas i stället för normalt *e*, t. e. *däras* [1], *är* (sällsynt),
näka [1], eller omvändt *e* för normalt *ä*, t. e. *med* [1], *betjent* [1],
eller ock *a* för vare sig *e* eller *ä* eller bådadera.

3. *œ*, delabialiserad (och stundom med något åt sidorna
förskjutna läppar , låg och .spänd, med artikulationsstället
något längre bak än *a* och betydligt längre bak än *e* (såle-
des på gränsen till det velopalatala artikulationsområdet, se
§ 68), är i det närmaste samma ljud som franskans, möj-
ligen något längre fram bildade, *ä*-ljud i t. e. *aime, père* o. d.
eller danskans, engelskans och — ofta — tyskans, troligen
någon smula längre bak bildade, långa *ä*-ljud i t. e. da.
læse [2], engl. *air*, ty. (växlande med *a*) *schwer, ähnlich* o. d.
samt norskans långa *ä*-ljud före *r*, t. e. i *være*.

œ är ett ganska allmänt spridt och, där det förekommer,
ytterst ymnigt (i riksspråket omkring 89 gånger per sida [3]) upp-
trädande ljud. I dialekterna är dess förekomst ofta inskränkt
genom tillvaron af ersättningsljuden *a* (se 2 ofvan) och *a*
(se § 68, 1). Det är sålunda mindre spridt inom de nord-
svenska dialekterna, af hvilka dock många äga det, vare sig
med eller utan *a* och *a* vid dess sida, än inom de medel- och
sydsvenska dialekterna, där det har sitt egentliga stamhåll. I
högsvenskt riksspråk [4] förekommer det både udd-, mid- och
— detta dock blott såsom långt och tryckstarkt [5] — slut-
ljudande, både långt och kort, både tryckstarkt och tryck-

---

[1] Af Lyttkens-Wulff, a. st. samt *Svensk uttals-ordbok*, erkändt så-
som alternativt riksspråksuttal!

[2] Da. *læsse* har däremot slapp artikulation hos *œ*.

[3] I de s. 408 not 1 nämnda styckena resp. 550, 81, 70 och 100 gån-
ger. Fränräknas nu medtagna fall af trycksvagt *det, med* o. d. (jfr s. 504
not 2 ofvan), så sänkas de anförda siffrorna icke så alldeles obetydligt.

[4] Om förhållandet i det finländska se dels s. 502 ofvan, dels § 68,
1 här nedan.

[5] Kort och trycksvagt torde slutljudande *œ* kunna förekomma i
ordet *vedträ*, åtminstone i vulgär stil. Annars har *œ* i dylik ställning
ljudlagsenligt öfvergått till *æ* (se 4 nedan), t. e. i *huckle* af *hufvudkläde*.

svagt, t. e. *ãla, mãta, knã, älska, präst. prästinna, examen* (dvs. *äksa'men*), *kan'sler* (jämte *kanslä'r*). Såsom kort och på samma gång trycksvagt torde *œ* vanligen artikuleras slappt [1], men den akustiska skillnaden mellan detta ljud och normalt *œ* är alldeles för obetydlig för att kräfva särskildt uttryck i den här använda fonetiska beteckningen. I den mån detta slappa *œ* för örat skiljer sig från normalt, påminner det om *e*, icke, såsom man möjligen kunde förmoda, om *ə* (se 5 nedan) [2]; jfr förhållandet med trycksvagt *e*, hvarom se s. 501 ofvan.

4. *æ*, vidt labialiserad [3] (och med neutrala — se s. 393 ofvan — läppar), hög eller låg alltefter de omgifvande ljudens beskaffenhet (men utan att någon större akustisk olikhet häraf vållas) och slapp, med samma artikulationsställe som *e*, är för den populära uppfattningen, akustiskt sedt, ett »mellanljud mellan *e* och *ö*». Väsentligen är det samma ljud som franskans »stumma *e*», sådant det höres i sång, t. e. *une chose*, och nästan dess korta »*ö*» i trycksvaga förstafvelser, t. e. *devant*, dock att detta väl är i något högre grad labialiseradt än vårt ljud. För örat skiljer sig detta sednare föga från *ə* (se 5 nedan), hvarför ock i vår språkvetenskapliga litteratur de båda ljuden icke plägat i den fonetiska beteckningen särhållas, utan har för dem båda hittills vanligen användts och användes ännu den gemensamma typen *ə*, mera sällan typen *æ*; ja de flesta författare åtskilja ej ens vid sin sakliga analys de båda ljuden eller nöja sig åtminstone med att betrakta dem såsom två oväsentligt skilda

---

[1] Således som *œ* i da. *læsse* o. d., se s. 505 not 2 ofvan.

[2] Jfr t. e. det olika uttalet af stafvelserna *klä* och *kle* i »*klä på'* dej ditt huck*kle på* stunden!» Jfr s. 505 not 5 och s. 501 not 1.

[3] Dock i fråga om läppöppningens vidd något varierande, detta vanligen beroende på beskaffenheten af den närmast föregående stafvelsens vokal. Jfr den fornsvenska »svarabhakti»-vokalens afhängighet af angränsande stafvelses vokal samt andra vokalharmoniska företeelser i fornsvenskan, hvarom se NOREEN, *Altschwedische grammatik* § 160—162 och 134—139 samt Arkiv för nordisk filologi XVII, 207 f.

varieteter af samma ljud, ett åskådningssätt hvaremot intet väsentligt är att invända. Vår hittills utförligaste behandling af den deskriptiva ljudläran, Lyttkens-Wulffs, särskiljer visserligen de båda ljuden [1]), men i ett senare arbete [2] sammanföra dessa författare dem bägge till ett enda, som »kan variera något litet».

Ljudet är såsom tryckstarkt (och då möjligen frambragt med spänd artikulation) mycket sällsynt, detta både som långt och kort. Hittills är det i dylik ställning säkert anträffadt endast i Dalby-målet (i Värmlands Älfdal) [3] och väl äfven i några socknar uti mellersta Jämtland samt södra Härjedalen [4], på alla dessa ställen såsom representant för riksspråkets *ö*, på det förstnämnda äfven för *ä*, i vissa ställningar. Såsom kort och trycksvagt däremot torde det vara mycket allmänt spridt och uppträder, där det förekommer, mycket ymnigt (i riksspråket omkring 68 gånger per sida [5]), dock aldrig i uddljud. Däremot är det vanligt i mid- och slutljud, men står åtminstone i riksspråket aldrig framför apiko-alveolara buckaler (jfr 5 nedan). Exempel äro *tröskel(n)*, *engelsk(t)*, *dryckenskap*, *ångest*, *fiende*, *fuffens*, *saken* (med abnormt lågt läge på grund af det föregående *a*), *taket(s)*, *inhyses* (med abnormt högt läge på grund af det föregående *y*), *bete*, *rike* (med abnorm delabialisering på grund af det föregående *i* [6]), *byte*, *ute* (med abnorm labialisering på grund af det föregående *u* [6])

---

[1] Se *Svenska språkets ljudlära*, s. 64 ff.

[2] *Metodiska ljudöfningar*, s. 23 f.

[3] Se Noreen i Sv. landsm. I, 163 f. och 174 f.

[4] Se Westin i Sv. landsm. XV, 3, s. 72 f. Om andra mera tvifvelaktiga fall se Lundell i Sv. landsm. I, 104.

[5] I de s. 408 not 1 nämnda styckena resp. 350, 83, 98 och 85 gånger. Betraktas *æ* och *ə* som ett och samma ljud (jfr ofvan s. 506 f.), så bli i samma stycken de resp. siffrorna 458, 118, 119 och 103 samt medeltalet per sida 89.

[6] Jfr s. 506 not 3 ofvan samt Kallstenius i Sv. landsm. XXI, 1, s. 35 och 32.

o. d., där genomgående äfven ə torde kunna användas, utan att man därför kan anses tala mindre riksspråksmässigt.

5. ə, vidt labialiserad [1] (och med neutrala läppar), låg och slapp, med samma artikulationsställe som œ, är för den populära uppfattningen ett »mellanljud mellan å och ö». Det är närmast att jämföra med norskt, danskt, tyskt och engelskt »e» i ändelser, t. e. no., da. *blive*, ty. *gabe* (men icke t. e. i *aber*, se § 69, A, 3), engl. *sister* (likaså i förstafvelser såsom t. e. *about*), ehuruväl i dessa språk artikulationsstället vanligen är något längre bak beläget än i svenskan och ljudet ofta (i synnerhet i engelskan) är alldeles delabialiseradt, detta särskildt i händelse föregående stafvelse innehåller delabialiserad vokal.

Såsom tryckstarkt är detta ljud hittills icke uppvisadt och sålunda icke heller såsom långt. Såsom kort och trycksvagt däremot torde det vara allmänt spridt och uppträder, där det förekommer, rätt ymnigt (i riksspråket omkring 20 gånger per sida [2]), dock aldrig i vare sig uddljud eller slutljud. Däremot är det vanligt i midljud, men står åtminstone i riksspråket då alltid framför apiko-alveolar buckal, t. e. *sitter, myteri, kofferdi, ypperlig, hungern, fäderne* (dvs. *fædəŋæ*), *öfverst, prästerskap, kokerska, blyerts, vackert, uvertyr* o. d., där genomgående äfven æ torde utan förfång för uttalets riksspråksmässighet kunna användas, enär differensen mellan ə och æ är, åtminstone för den icke fonetiskt skolade, obetydlig och ofta eller kanske oftast väl icke medveten (jfr 4 ofvan).

6. ʊ, halfvidt eller möjligen (åtminstone alternativt, utan nämnvärd akustisk olikhet) halfträngt [3] labialiserad, hög

---

[1] Äfven här gäller dock det ofvan s. 506 not 3 anmärkta.

[2] I de s. 408 not 1 nämnda styckena resp. 108, 35, 21 och 18 gånger. Jfr s. 507 not 5 ofvan.

[3] Så Lyttkens-Wulff, *Svenska språkets ljudlära*, s. 71, och *Melodiska ljudöfningar*, s. 12, hvilka äfven tala om stark »utrundning», något som jag för min del tror vara tämligen oväsentligt för detta ljud.

och spänd, med samma artikulationsställe som *e*, är väsentligen samma ljud som franskans *ō*-ljud i t. e. *peu* samt danskans och norskans långa *ō* i t. e. *dø, søl* [1]. I svenskan är detta ljud mycket allmänt spridt, men i fråga om ymnig förekomst mycket olika ställdt inom olika dialekter. Ymnigast uppträder det i syd- och medelsvenska dialekter, där det ej sällan får representera ej blott riksspråkligt *ō*-, utan äfven kort *y*-ljud. Sällsyntast är det i nordsvenska dialekter, hvilka i dess ställe ofta ha en från fornspråket bevarad diftong eller ock ett ur *ō* utveckladt *å*-, *e*- eller något annat ljud. En mellanställning intar riksspråket, där det är rätt sällsynt (omkring 6 gånger per sida [2]), men dock förekommer både udd-, mid- och slutljudande, ehuru i regeln endast såsom långt — under det att dialekterna mycket ofta äga det äfven såsom kort — och tryckstarkt, t. e. *ōk, mōta, dö.* Såsom kort och då alltid trycksvagt förekommer det nämligen blott vid tillfällig förkortning af ett vanligen långvokaliskt ord, t. e. *dö⏜bort'*, eller i afledda ord, som synnerligen starkt associera sig med sina (långvokaliska) grundord med *ø*, t. e. *hökeri'* (: *hö'kare*), *möble'ra* (: *mö'bler*); dock att i båda dessa fall äfven (ett ljudlagsenligt tillkommet) *ø* — se 8 nedan — kan alternativt användas. Äfven såsom långt och tryckstarkt inskränkes förekomsten af *ø* därigenom, att det före *n, m* och apiko-alveolara buckaler samt alternativt äfven efter *r* ersättes af *ø* (se 8 nedan); dock förekommer det alternativt — jämte ljudlagsenligt *ø* — i böjningsformer på -*n* och -*r*, hvilka intimt associera sig med grundformer på -*ø*, t. e. best. form *ön, mōn,* pl. *spön,* 2 pl. *dön,* pres. sg. *dör,* pl. *mör* [3].

---

[1] Danskans korta *ō* i t. e. *lyst, søster* o. d. har däremot slapp artikulation. Om norskans korta *ō* se nedan s. 510 not 1.

[2] I de s. 408 not 1 nämnda styckena resp. 25, 14, 8 och 7 gånger.

[3] Enligt Lyttkens-Wulff, *Svenska språkets ljudlära* s. 72 har man i denna och dylika pluralformer uteslutande *ø*; men då enligt dessa förff. *ø*

7. ө, halfvidt labialiserad, hög och spänd, med samma artikulationsställe som ɞ, motsvarar ungefär tyskans långa ö i t. e. *höhe* [1]. Ljudet är särskildt uppmärksammadt för två dialekters vidkommande: för Pargas-målet i Egentliga Finland (i motsättning mot ɵ) af Thurman [2] och för Bergslags-målet i Värmland (i motsättning mot ɵ) af Kallstenius [3]; men förmodligen kan det anträffas å flera andra håll, ehuru det hittills icke uppmärksammats. Lyttkens-Wulff [4] anse ljudet förekomma i riksspråket, men endast i ett dussin ord, nämligen före *n* i *bön, böna, bönhas, drön, dön, döna, grön, höna, lön, löna, skön, försköna, söner* [5] och dessutom i *gröt, -a* samt såsom variant till »långt ө, när detta åtföljes af ett medljud». För min del anser jag det normala förhållandet i fråga om riksspråkets uttal i förevarande fall vara det, att *bön* osv. [6] ha ө (se 8 nedan), *gröt* har ɵ, och att för öfrigt ɵ visserligen kan i rätt stor utsträckning förekomma såsom variant till ө, men att detta förhållande för de allra flesta talande icke är medvetet, hvadan det för den svenska ljudläran är skäligen betydelselöst.

8. ɵ, halfvidt labialiserad, låg och spänd (eller slapp), med samma artikulationsställe som œ, är samma ljud som danskans ö (icke dess ø) i t. e. *höne, göre* och väl väsentligen detsamma som franskans ö-ljud i t. e. *seul, meuble*, som dock kanske är bildadt en smula längre fram. Det är ett ganska allmänt — dock för flera dialekter, t. e. värmländskan,

---

icke förekommer »framför annat *r* än pluraländelse», så anse de väl däremot presensformer af typen *dör* ha uteslutande ө (eller i »Stockholm och öfre Sverge» ɵ).

[1] Det korta ö-ljudet i ty. *götter* och no. *sødt* har något lägre och möjligen slappare tungartikulation.

[2] Se Sv. landsm. XV, 4, s. 11.

[3] Se Sv. landsm. XXI, 1, s. 34.

[4] A. st. s. 71.

[5] Däremot anse .de, att *dröna, krön, kröna, krönika, kön, rön* och *slöna* »vanligare uttalas med ө»!

[6] Liksom ock de i föreg. not nämnda orden.

främmande — och rätt ymnigt (i riksspråket omkr. 20 gånger per sida [1]) förekommande ljud. Det uppträder i riksspråket nästan blott i udd- och midljud, t. e. *öppen, örter, ört, böja, fögderi, hvarför*, hvaremot det i slutljud blott visar sig i några ortnamn, t. e. *Växjö, Nässjö*, och familjenamn, t. e. *Rösiö, Samsioe, Wensjoe*, och äfven detta blott i händelse ifrågavarande ort- och familjenamn uttalas med kort (icke med långt) ö-ljud [2]. Det finnes nämligen visserligen både såsom tryckstarkt och trycksvagt samt både såsom kort — exempel se ofvan — och långt, men det sistnämnda (naturligtvis förbundet med tryckstyrka) endast i följande ställningar: 1) före *m* och *n*, t. e. *bömisk, föredöme, furstendöme* osv. [3], *bön, stöna* osv. [4]; 2) före apiko-alveolara buckaler, t. e. *smör, vörda, örlig, björn, förs, stört* [5]; 3) efter *r*, växlande med *ø*, som till och med torde vara det vanligaste uttalet, t. e. *gröt, bröd, röse, gröfre* osv. [6].

---

[1] I de s. 408 not 1 nämnda styckena resp. 105, 33, 24 och 18 gånger.

[2] Jfr ljudlagsenligt utvecklade former såsom ortnamnen *Hemse* (för äldre *Hemsö*) och *Tösse*, så uttaladt äfven då det ännu skrifves *Tössö*.

[3] Enligt LYTTKENS-WULFF, a. st. s. 70 och i *Svensk uttals-ordbok*, skola dylika ord ha *ø*.

[4] Om LYTTKENS-WULFFS uppfattning af ö-ljudet i dylika fall se s. 510 ofvan med not 5. Enligt SVENSKA AKADEMIENS ordbok förekommer här *ø*, växlande med *ø*.

[5] Enligt LYTTKENS-WULFF, *Ljudlära* s. 69 f., och SVENSKA AKADEMIENS ordbok förekommer i detta fall framför *r* både *ø* och *ø*, framför öfriga apiko-alveolarer däremot konstant *ø*, en uppfattning som jag alls icke kan dela (se nedan § 68, 3). I finländskt svenskt riksspråk skall enligt VASENIUS, *Den första undervisningen i språk* s. 91, det vara rätt vanligt att före *r* ha (icke blott »öppet ö» utan äfven) »slutet ö» (månne detta äfven då vokalljudet är kort?) Om härmed menas *ø*, så skulle man alltså här ha ett vacklande uttal *smør: smør* o. d. Då emellertid enligt andra författare den finländska svenskans (öppna) ö-ljud före *r* icke är *ø*, utan *ø*, och då en vacklan mellan *smør* och *smør* på grund af den stora olikheten mellan de då ifrågavarande vokalljuden icke är sannolik, så afser Vasenius möjligen en växling *smør* (= högsvenskt riksspråk enligt min uppfattning); *smør* (= Stockholms-dialekten och många andra svenska munarter).

[6] Enligt LYTTKENS-WULFF, a. st. s. 71 f., ha dylika ord alltid *ø* med undantag af *gröt* och *gröta*, som skola ha *ø*; jfr s. 510 ofvan.

9. *u*, trångt — och med rundade (se s. 393 ofvan) läppar, som icke få framskjutas utan snarare något indragas [1] — labialiserad, hög och spänd, med normalt samma artikulationsställe som *e*, men utan nämnvård akustisk olikhet varierande åt såväl *e*- som *œ*-läge, är ett specifikt svenskt ljud, som har sin närmaste motsvarighet i franskans konsonantiska *u* i t. e. (med *e*-läge) *lui*, (med *e*-läge) *luer* och (med *œ*-läge) *nuage*, ljud som emellertid ha framskjutna läppar utan rundning, hvilken sistnämnda omständighet väl föranleder någon friktion mellan läpparna. En dylik frikativ afslutning af vokalljudet är emellertid äfven i svenskan mycket vanlig, i synnerhet i slutljud, t. e. *du*, nästan uttaladt som *duб(φ)* [2], och *dua*, starkt påminnande om *duбa*.

u är ett, i synnerhet i södra och mellersta Sverge, ganska allmänt, men icke just ymnigt (i riksspråket omkring 11 gånger per sida [3]) förekommande ljud. I högsvenskt riksspråk — men icke i finländskt (se § 68, 5 här nedan) — uppträder det både i udd-, mid- och slutljud, men nästan blott [4] såsom långt och tryckstarkt, t. e. *ut, bur, sju*. Såsom kort och tryckstarkt förekommer det nämligen icke alls och såsom kort och trycksvagt endast i sådana afledda eller sammansatta ord, som ovanligt starkt associera sig med sina grundord (med *u*), t. e. *gjuteri'* (: *gju'tare*), *jubile'ra* (: *ju'bel*), *supu't* (: *sup*), *harpune'ra* (: *harpu'n*), *uti'* (: *ut*), men icke i t. e. *gudin`na* (som har *u* eller *u* trots *gud*, hvars attraherande kraft icke varit så stark som den repellerande hos *Gud*); dessutom väl stundom vid tillfällig förkortning af ett

---

[1] Således »inrundade» enligt Lyttkens-Wulffs (*Ljudlära*, s. 73; jfr s. 34) terminologi. Alldeles oriktigt efter min mening säger Lundell, Nordisk familjebok, *U*, sp. 1240, att läpparna äro »starkt framskjutna.»

[2] Jfr s. 411 f. ofvan samt Lundell i Språk och stil I, 33.

[3] I de s. 408 not 1 nämnda styckena resp. 53, 14, 24 och 8 gånger.

[4] Enligt Lundell, Nordisk familjebok, *U*, sp. 1240, utan all reservation »blott», hvilket synes mig innebära en öfverdrift; jfr Lyttkens-Wulffs åt motsatt håll öfverdrifna ståndpunkt (hvarom se nedan s. 513).

vanligen långvokaliskt ord, t. e. *hur‿ofta, sju‿tu'san.* Enligt Lyttkens-Wulff [1] åter skall kort *u* kunna uti riksspråket uppträda i trycksvaga stafvelser öfverhufvud och i alla händelser åtminstone i sådana ord (och väl deras gelikar) som de af dem anförda *duell, druid, »kuvär»,* allt fall där jag anser samma slags *u*-ljud föreligga som i de af Lyttkens-Wulff uti deras båda senare arbeten (se not 1 nedan) uttryckligen från de förra orden skilda *ulan, dukat, sutur, salubod, illusion, futurum;* se härom närmare i § 68, 5 nedan. Däremot äga flera dialekter, t. e. värmländskan, Kalmar- och Göteborgsmålen, *u* både såsom långt och kort och i det sednare fallet både såsom tryckstarkt och trycksvagt, så att det t. e. är i påfallande grad karakteristiskt för en värmländning, att han säger — stundom äfven vid försök att tala riksspråk — *gull, gunatt* o. d. i stället för *gull, go(d)natt* osv.

§ 68. Dorso-velopalatala.

1. *a*, delabialiserad (stundom med något åt sidorna förskjutna läppar), låg och spänd eller — utan nämnvärd akustisk olikhet — slapp, har liksom velopalatala ljud i allmänhet att uppvisa en viss icke alldeles obetydlig latitud i fråga om artikulationsställe. Så kan det dels vara bildadt mot det bakersta partiet af gomtaket, sålunda motsvara danskans korta *ä*-ljud efter och före *r*, t. e. *græsk, ærgre,* och det kanske dock en smula längre fram belägna engelska ljudet i t. e. *man, bad* (som ej synnerligen mycket skiljer sig från sv. *män, bädd*); dels ock vara bildadt mot det främsta partiet af gomseglet, sålunda motsvarande danskans långa *»a»*- (rättare *»ä»*-ljud i t. e. *gade, mave.* För öfrigt är vårt *a* — frånsedt nasaleringen — väsentligen identiskt med franskans nasalerade *ä* i t. e. *faim, vin,* som dock bildas något längre fram. Lyttkens-Wulff [2] göra

---

[1] *Ljudlära* s. 73, *Uttals-ordbok* s. 26 * och *Metodiska ljudöfningar* s. 25.
[2] A. st. s. 50 ff., resp. 28 * samt 4 och 29 f.

af de två nyssnämnda små och i mitt tycke oväsentliga varieteterna af *a* tvenne särskilda ljud och anse dem båda tillhöra riksspråket. Det främre belägna skall förekomma, blott såsom kort, före *j*, t. e. i *ej, mejeri*, det bakre åter såsom kort (i tryckstark stafvelse) före alla apiko-alveolara buckaler, t. e. *ärr, vers, hjärta, värdera, cernera, berlock*, såsom långt framför alla dessa utom *r* (dock äfven i detta fall såsom alternativ), t. e. *ärla, järn, svärd, begärt, bärs* (*här*). Svenska Akademiens ordbok räknar ljudet i *ej* osv. till vanligt *æ*, men anser för öfrigt *a* tillhöra riksspråket i samma utsträckning som Lyttkens-Wulff. Jag för min del förnekar i likhet med Lundell (i alla hans arbeten) detta — eller om man ställer sig på Lyttkens-Wulffs ståndpunkt, dessa — ljuds riksspråksnatur hvad högsvenskan beträffar, men icke i fråga om den finländska, där det är det normala *a*-ljudet framför apiko-alveolarer, detta äfven — i motsättning till förhållandet i högsvenskan enligt alla författares enhälliga mening (se § 67, 5, s. 508 ofvan) — i trycksvaga stafvelser; och jag anser, likaledes i öfverensstämmelse med Lundell, att riksspråkets *ä*-ljud både i typen *ej* och i typen *ärr* är det vanliga, dvs. *æ*. Däremot är *a* ett i våra dialekter synnerligen allmänt och ymnigt uppträdande ljud, och det torde äfven inom riksspråket ha en vacker framtid att motse på grund af särskildt Stockholms-målets förkärlek för detsamma. Det uppträder i våra dialekter vanligast såsom motsvarighet till riksspråkets *æ* eller *a* — eller bådadera — före apiko-alveolara och apiko-kakuminala buckaler, t. e. såsom *æ*-substitut i Stockholm, där det heter »se *har, kara svarmor!*» o. d., såsom *a*-substitut åter i Skåne, där man får höra, att »*sparfven* hackar på *barken* i *parken*» o. d.

Om man, utgående från *a*, som ju har någon, om ock stundom ej synnerligen stor, dorso-velopalatal höjning af tungan, sänker tungryggen ytterligare och låter den afslappas, därest den var spänd, så kommer man till ett ljud, som strängt taget skulle uppföras uti en särskild paragraf, men som må här behandlas såsom en blott afart af *a*. Den ifrågavarande vokalen, som i språkvetenskaplig litteratur hittills plägat inrymmas under det fonetiska tecknet *ə* — något som icke längre kan lämpligen ske, sedan *ə* alltmera konsekvent fixerats till att ha den valör, som ofvan i § 67, 5 angifvits (eventuellt med därunder subsumeradt *æ*, se s. 506 ofvan) [1] — är alltså en delabialiserad, låg och slapp vokal, bildad utan att tungan på någon som helst punkt höjes ur sitt indifferensläge. Det är så att säga den neutrala vokalen, hvilken bildad med abnormt stor käkvinkel ofta låter höra sig vid gäspning samt vid ett stojande och rått skratt. Det är förmodligen icke något synnerligen sällsynt språkljud, t. e. säkerligen rätt ofta förekommande vid reduceradt uttal af åtskilliga dorsovelopalatala vokaler, men det omnämnes i allmänhet icke i fonetiska arbeten. Det torde vara så tämligen identiskt med förra delen af den diftong som förekommer i t. e. engl. *how* eller no. *taus* och ej synnerligen skildt från engelskans mycket oegentligt s. k. »ö»-ljud före *r*, t. e. i *bird, church*, som dock alltid är spändt och stundom labialiseradt [2]. — I svenskt riksspråk äga vi denna vokal väl endast i två interjektioner [3]: den ena, som plägar tecknas *äh*, uttrycker förakt, utledsenhet o. d. och har väl ursprungligen afsett att återge det ljud, som ofta frambringas vid gäspning; den andra, som brukar tecknas *hä* eller, därest den redupliceras, *hähä*, uttrycker en förolämpande eller retsam stämning och torde ursprungligen vara ett reduceradt hånskratt. I våra dialekter

---

[1] Jag använder därför i det följande typen *ɐ* (dvs. upp-och-nedvändt *a*).

[2] Se Jespersen, *Fonetik*, s. 468.

[3] Då nämligen Lundell, Nordisk familjebok, *Landsmålsalfabetel*, säger *ə* — som han i Sv. landsm. I, 99 uppför såsom tecken för nu ifrågavarande ljud — vara tecken för ändelsevokalen i rsp. *himmel*, så torde väl detta snarast vara att uppfatta som ett förslag att använda den enklare typen *ə* i stället för *æ* (se § 67, 4, s. 506 ofvan).

är denna vokals tillvaro hittills ej tillräckligt noggrant konstaterad, men troligen är den mångenstädes icke sällsynt i ändelser såsom fallet är i t. e. Dalby-målets *kammvr* kammare, *spelv* spelar, *vænnv* vänner, *stugv* stugor [1]. I tryckstark ställning tror jag mig ha funnit den både såsom kort och som lång i Dalby-målet, motsvarande dels rsp. *ä*, t. e. *tvvr*, *svrk*, *jvn* järn, *vlan* årlig, *vvs*. vers, dels rsp. *a*, t. e. *skvrp*, *vvt* varmt [1]. Möjligen förekommer den ock i dylik ställning uti Härjedalen och Jämtland här och där [2].

2. *o*, vidt labialiserad, låg och slapp, med samma artikulationsställe som *a* (eller dess nyssnämnda abnormt låga afart), är sålunda ungefär samma ljud som det franskan betecknar med *o* i t. e. *encore*, *énorme*, dock att det franska ljudet troligen är bildadt en smula längre bak och därför litet mera påminner om »*å*-ljud». Väsentligen öfverensstämmande med vårt *o* är också ofta norskans korta *å*-ljud före *r*, t. e. i *Norge*, *torsk*, och detsamma gäller ofta förra delen af den tyska diftongen i t. e. *neu*, *säule*. Ljudet saknas i vårt riksspråk, men är i dialekterna ganska allmänt och ymnigt förekommande samt representerar då vanligen riksspråkets *å*-ljud, såväl det slutna (*a*) som ännu oftare det öppna (*o*), t. e. *lov* lof, *folk* folk osv. Förväxling af *o* och det närliggande *ø* (se 3 nedan) torde icke vara sällsynt i hittills utgifven dialektlitteratur.

3. *ø*, halfvidt labialiserad, låg och slapp, med samma artikulationsställe som *a*, är alltså — frånsedt den felande nasaleringen — franskans nasalerade »*ö*»-ljud i t. e. *un*, *parfum*, och väl alldeles identisk med norskans *ö* före *rl*, *rn*, *rs*, *rt*, t. e. *hørlig*, *bjørn*, *børs*, *tørt*. Detta populärt s. k. »mellanljud mellan *ö* och *å*» motsvarar äfven i det väsentliga danskans *ö* efter *r*, t. e. i *grøn*, som kan betraktas som en

---

[1] Se NOREEN, Sv. landsm. I, 179 f.
[2] Se WESTIN, Sv. landsm. XV, 3, s. 29

främre varietet, under det att franskans *o* i t. e. *école, bonne* representerar en bakre varietet af ljudet.

Enligt min och Lundells samstämmiga mening saknas detta ljud i högsvenskt riksspråk [1], men icke i det finländska, där det tvärtom är det nórmala ö-ljudet före apiko-alveolarer. Lyttkens-Wulff, till hvilka Svenska Akademiens ordbok slutit sig, anse däremot ifrågavarande ljud tillhöra äfven det högsvenska riksspråket och vara dess normala ö-ljud före apiko-alveolarer (dock såsom långt växlande med *ɵ* framför *r*, då detta icke följes af annan buckal), t. e. *mörk, först, mört, örn, mörda, örlig, förs, förstört* (*göra, skör*), dvs. *mɵrk* osv. Detta allt anser jag vara dialektuttal. I våra dialekter är nämligen *ɵ* ganska allmänt — i synnerhet inom det nordsvenska området — och ymnigt, vanligen uppträdande såsom representant dels framför apiko-alveolarer och apiko-kakuminaler för rsp. *ɵ*, såsom särskildt är fallet i den viktiga Stockholmsdialekten, t. e. *mörk* osv. (se strax ofvan); dels för rsp. *ɑ* eller *o*, t. e. i norrländska dialekter *sɵva* sofva, *sɵrj* sorg o. d. I förstnämnda funktion torde *ɵ* med tiden komma att blifva fullt och obestridt riksspråksmässigt i följd af hufvudstadsdialektens alltmer dominerande inflytande på riksspråket.

4. *u*, halftrångt labialiserad, hög och slapp, med samma artikulationsställe som *ɑ* eller möjligen något längre bakåt belägen, är ett för svenskan egendomligt ljud, som till och med saknas icke blott i danskan och norskan, utan äfven i den finländska svenskan, och som för utlänningen ter sig som ett mellanljud mellan *u* och *ö*. Sin närmaste motsvarighet har det i engelskans trycksvaga *u* i t. e. *value* o. d., med hvilket det torde vara så godt som identiskt. Äfven i svenskan är det icke synnerligen allmänt, men uppträder mer eller mindre ymnigt (i riksspråket omkring 13 gånger per

---

[1] Möjligen förekommer det dock i den vid imitation af skratt stundom använda interjektionen *hö*.

sida [1]), där det öfverhufvud finnes. Detta är först och främst
fallet i högsvenskt — men icke finländskt (se 5 nedan samt
§ 69, A, 5) — riksspråk, där det förekommer både udd-, mid-
och (växlande med *w*, se 5 nedan) slutljudande, både tryck-
starkt och trycksvagt, men blott [2] kort, t. e. *ung, gumma,
hustru, bulvan, opium*. Inom dialekterna har det sitt egent-
liga stamhåll uti den medelsvenska dialektgruppen, under det
att den nordsvenska ofta har att uppvisa *w* (se 5 nedan),
den sydsvenska och den gutniska vanligen *u* (se § 69, A, 5),
ändtligen flera såväl nord- som medel- och sydsvenska mun-
arter *o* (t. e. *togg* tung, *hogga* hugga, *pokkəl* puckel) såsom
representant för riksspråkets *u*. I de dialekter, som äga detta
sistnämnda, förekommer det icke blott — såsom i riksspråket
— som kort, utan ofta äfven som långt och representerar då
ej sällan, i synnerhet uti nordsvenska dialekter, riksspråkets
ø, t. e. Härjedalen och Jämtland *sup* söp, Särna *øgə* öga o. d.

5. *w*, trångt — och med något framskjutna läppar,
hvilket gör läppöppningen ej fullt så trång som för vårt *u*
— labialiserad, hög och spänd eller (utan större akustisk
olikhet) slapp, med samma artikulationsställe som *u* eller
något längre fram, är ett särskildt för norskan karakteristiskt
ljud, som där uppträder dels långt och då spändt, t. e. i *hus*,
dels kort och då slappt, t. e. i *huske* [3]. Enligt Lundells [4] och

---

[1] I de s. 408 not 1 nämnda styckena resp. 75, 13, 20 och 13 gånger.
För den, som använder *u* äfven i stället för *w* (se 5 ofvan i texten), bli i
samma stycken de resp. siffrorna 168, 20, 25 och 26 samt medeltalet per
sida 27.

[2] Åtminstone om vi bortse från interjektionerna *buh, hu, muh, uh*
och *uhu*, i hvilka den långa vokalen — i motsats mot förhållandet vid
normalt *u* — bildas med framskjutna läppar.

[3] Upphäfver man labialiseringen och låter i stället läpparna förskju-
tas åt sidorna, så erhåller man det rysk-polska *y* i t. e. *syn*, som således
skiljer sig från vårt *u* väsentligen genom sitt mycket höga tungläge, både
vid själfva artikulationsstället och i följd däraf också ett stycke framom
detta. Jfr Lundell i Nordisk familjebok, *U*.

[4] A. st. (samt i flera tidigare och senare arbeten

Lyttkens-Wulffs [1] tidigare uppfattning saknas detta ljud i svenskt — enligt Lundell dock blott i högsvenskt — riksspråk. Däremot enligt Lyttkens-Wulffs senare [2] framställda åsikt skulle högsvenskt riksspråk äga *u* dels i sång såsom substitut för *u* — en otvifvelaktigt riktig iakttagelse — dels äfven i tal och då företrädesvis i trycksvag stafvelse, t. e. *dukat, alludera, salu, Magnus,* men äfven (växlande med vanligare *u*) i tryckstark, t. e. *just, Justus.* Då ett sådant uttal i samtliga fallen är mig personligen främmande, i det att jag talande »riksspråk» här öfverallt använder *u* (och talande min dialekt, värmländska från Fryksdalen, lika undantagslöst *u*) — detta i skarp motsättning mot Lyttkens-Wulff, som snarare medge *u* såsom alternativt riksspråksuttal (se s. 513 ofvan) — så har jag funnit nödvändigt att åtspörja en del kolleger och fackmän om deras uttal i denna punkt. Det har då befunnits, att, under det stockholmaren H. Psilander delade mitt uttal, använde södermanlänningen F. A. Tamm, västmanlänningen R. Arpi, västgöten N. Beckman och stockholmaren J. Reinius *u* i trycksvag öppen stafvelse, t. e. *ulan, dukat, duell, illusion, halleluja, salu, farstu* o. d. (men för öfrigt *u*, t. e. *Magnus, just* osv., så ofta *u*-ljudet är kort). I denna ställning måste man sålunda, i motsats till hvad jag förr antagit [3] erkänna *u* såsom ett alternativt, ja förmodligen öfvervägande vanligt riksspråksuttal vid sidan af *u*. Det förekommer, i deras språk som öfverhufvud begagna det, tämligen ymnigt (omkring 13 gånger per sida [4]). Emellertid upptar Svenska Akademiens ordbok blott (samma uttal som i *ut*, dvs.) *u* i ord af ofvan angifna slag — sålunda t. e. icke blott

---

[1] *Ljudlära,* s. 74 noten, jämförd med s. 73 och vokaltabellen i bokens slut.

[2] Ännu icke, åtminstone icke tydligt, i *Uttals-ordbok.* s. 26 * och 29 *, men fullt bestämdt i *Melodiska ljudöfningar,* s. 28 samt s. 19 och 25.

[3] Se Nystavaren I, 78.

[4] I de s. 408 not 1 nämnda styckena resp. 93, 7, 5 och 13 gånger. Jfr s. 518 not 1.

i *duell*[1], *altruism* o. d. där äfven Lyttkens-Wulff anta *u* (se s. 513 ofvan), utan äfven i *alludera, aluminium, amulett* o. d., där Lyttkens-Wulff tvifvelsutan finna *ʉ* — utan någon antydan om tillvaron af uttalen med vare sig *u* eller *ʉ*[2].

Vidare är *ʉ* i finländskt svenskt riksspråk den normala representanten för långt *u*-ljud[3] och i vårdad finländsk svenska äfven för kort sådant[4] (jfr § 69, A, 5). Inom våra dialekter åter, där dess tillvaro vid uppgörandet af landsmålsalfabetet (år 1878) ännu icke var observerad, är det numera iakttaget förnämligast i öst-nordsvenska dialekter, t. e. Gamla-Karleby-, Kökars- och Nukkö-målen, men äfven dessutom, t. e. i Värmlands bergslagsmål[5], Lid-målet i Frostviken (Jämtland) och härjedalskan[6].

§ 69. Dorso-velara.

Detta artikulationsgebit är så pass stort, och en differens mellan ett jämförelsevis långt fram och ett jämförelsevis långt bak beläget artikulationsställe medför här så pass stor akustisk olikhet äfven för ett fonetiskt mindre skoladt öra, att man måste skilja på två härstädes bildade vokalserier: främre velarer, bildade vid främre delen af gomseglet, och bakre velarer, bildade vid bakre delen af detsamma.

A. Främre velarer:

1. *a*, delabialiserad och bildad med åt sidorna förskjutna läppar samt låg och (åtminstone i riksspråket) slapp,

---

[1] Se ordbokens band I, s. XXVIII.

[2] Därest Svenska Akademiens ordbok med sin beteckning blott afser att sammanfatta de båda befryndade ljuden *u* och *ʉ* under en gemensam typ, så är dock äfven detta förfaringssätt olämpligt, enär *ʉ* är närmare besläktat med *ʉ* än med *u* och därför snarare borde ha gemensam beteckning med det förra af dessa.

[3] Se Freudenthal, *Vöråmålet*, s. 5.

[4] Enligt muntligt meddelande af Pipping.

[5] Se Kallstenius, Sv. landsm. XXI, 1, s. 40 f.

[6] Se Westin, Sv. landsm. XV, 3, s. 61 och 63, och jfr Waltman, Sv. landsm. XIII, 1.

är således samma ljud som tyskans korta *a*-ljud i t. e. *hast,
mann*. Det är ej heller mycket olikt franskans korta *a*-ljud
i t. e. *travail, madame, garder*, som dock är spändt och, i
synnerhet framför skorrande *r*, starkt tenderar åt *a*, något
som kanske äfven i viss mån gäller om danskans korta *a* i
t. e. *hat, mand, mad*. Det svenska *a* är ett af våra allra all-
männast spridda vokalljud och, där det förekommer, i regeln
det som uppträder ymnigast af alla (i riksspråket omkring 130
gånger per sida [1], oftare än något annat svenskt språkljud).
I högsvenskt riksspråk — om finländskt se strax nedan —
förekommer det både udd-, mid- och slutljudande, både tryck-
starkt och trycksvagt, men blott kort [2], t. e. *all, mark, april,
matros, utan, flicka*; på samma gång slutljudande och tryck-
starkt dock sällan och vanligen blott i några af en viss stäm-
ning färgade interjektioner o. d., t. e. *a! ba! (ha)ha! ja! hva!
hvaba!* I· dialekterna förekommer det däremot ytterst ofta
äfven såsom långt, t. e. i Fryksdals-målet (Värmland) *gata*
gatan, *bra, barn* m. m. med *a*, icke som i riksspråket med *a*.

Underlåtes den ofvannämnda förskjutningen af läpparna
åt sidorna, så erhålles i stället ett populärt s. k. mellanljud
mellan öppet och slutet *a* (dvs. *a* och *a*), nämligen

a, det normala »allmän-europeiska» långa *a*-ljudet i t. e.
ty. *vater*, engl. *father*, ital. *padre*, fra. *condamner* [3]. Detta är
finländskt svenskt riksspråks normala *a*-ljud både som kort
och långt, t. e. *hatt, hat*. Men dessutom skall det förekom-
ma — ensamt eller jämte *a*, resp. *a* — i många dialekter, t.
e. inom Uppland (Skuttunge, Björklinge, Fasterna), Dalarna [4],

---

[1] I de s. 408 not 1 nämnda styckena resp. 738, 148, 144 och 141 gånger.

[2] Fränsedt nämligen interjektionerna *ah, aha* och *haha* — som
äfven uttalas *ah, aha, haha*, resp. *ah, aha, haha* — samt provinsialis-
mer och vulgarismer sådana som *hva, sku, kar* i stället för *hvad* (eller
hva), *skall* (eller *sku*), *kar(l)*.

[3] Om jämförelsevis oväsentliga differenser mellan dessa *a*-ljud se J.
Storm, *Englische Philologie*, 2. aufl., s. 57 f., 102, 105 och 128 ff.

[4] I Sv. landsm. IV, 2 har jag af brist på *a* användt *u*.

Norrland (Ångermanland?) och Egentliga Finland (Pargas) samt på Gottland; det jämtländska Lid-målet (i Frostvikens socken) torde däremot snart ha »norskt *a*» (se B, 1 nedan). Slutligen förekommer *a* enligt min mening äfven, åtminstone alternativt (jämte *a*), i högsvenskt riksspråk före *ŋ*(*ŋ*), t. e. *talang, skavank, vagnar.* Det är väl samma iakttagelse som ligger till grund för O. Svahns [1] yttrande: »a [2] [dvs. *a*] uttaladt med näsljud [!] får ofta ett ljud mellan a [3] [dvs. *a*] och a [2]. T. e. klang, krank, vagn». För öfrigt hade redan Rydqvist [2] observerat förhållandet, men med orätt identifierat detta *a* med *a*, yttrande att *klang, hank, agn* o. d. »vanligen uttalas med det mera slutna ljudet af a2» [dvs. *a*] [3].

2. *v*, vidt (men utan vare sig rundning eller förskjutning framåt af läpparna) labialiserad, låg — dock ej fullt så låg som *a* — och spänd, är det ljud, som engelskan tecknar med *u* i t. e. *but, gun,* och som således skiljer sig från *a* i *father* väsentligen blott genom något trängre såväl läpp- som tungpass [4]. Detta i det hela sällsynta ljud saknas i allt svenskt riksspråk, men synes finnas i åtskilliga dialekter. Med bestämdhet uppges detta rörande Lid-målet i Jämtland, där ljudet skall ingå såsom förra beståndsdelen i diftongen *vu* [5]. Att döma af beskrifningarna är det väl alldeles, eller åtminstone i allt väsentligt, samma ljud [6] — »ett *a*-ljud, som

---

[1] *Språkljud och qvantitativ betoning,* s. 38.

[2] *Svenska språkets lagar* IV, 195.

[3] Då Lyttkens-Wulff, *Ljudlära,* s. 46 not 1 säga, att denna Rydqvists uppgift »måste bero på något misstag». ha de sålunda väl formellt rätt, men reellt orätt, och då de anse, att i förevarande fall alltid *a* användes (alltså att *klang* o. d. har precis samma *a*-ljud som *all* o. d.), så innebär detta en minst lika stor öfverdrift som Rydqvists, men i motsatt riktning.

[4] Något annorlunda Jespersen, *Fonetik,* s. 176 med not 1, där Sweets m. fl. uppfattning, att *father* har slapp och *but* spänd vokal, utbytts mot den stick motsatta.

[5] Se Walfman, Sv. landsm. XIII, 1, s. 3, och Westin, ib. XV, 3, s. 21.

[6] Af författarna betecknadt med typen a. Jfr s. 529 nedan.

ligger mellan *a* och *θ*» (med hvilket sednare det engelska *u*
i *but* ju ofta jämförts) — som anträffats i södra Jämtland
och östra Härjedalen[1] samt i Ångermanland[2], och som jag
själf tror mig ha iakttagit i nordligaste Östergötland (Regna
socken); rimligtvis äfven det som observerats i vissa trakter
af Närke (Kumla, nära det nyss nämnda Regna), Söderman-
land (Rekarna) och Västerbotten[2]. I alla dessa nejder upp-
träder det ifrågavarande ljudet alldeles öfvervägande i sådana
ord som motsvara rsp. *folk, stolt, kors, torp, sorg, kol, son* o. d.

3. *o*, halfvidt — med högst obetydlig, om ens någon,
läppframskjutning — labialiserad, låg och slapp, är väsent-
ligen samma ljud som »*å*-ljudet» i no. *godt, sove*, ty. *aber*
(i *volk* är däremot ljudet spändt), engl. *boy* (och *more* enligt
ett numera något gammalmodigt uttal). Det danska ljudet i
gå, tåre, bog o. d. är någon smula vidare och såsom kort, t. e.
i *godt, folk*, ännu vidare, så att det torde kunna lika gärna
uppföras såsom en varietet till *o* (se 2 ofvan)[3]. Det franska
ljudet i t. e. *on* däremot är — utom att det är nasaleradt,
äfven — någon smula trängre, så att det kanske snarast är
att betrakta som en varietet af *o* (se 4 nedan).

o är ett synnerligen allmänt och mycket ymnigt (i riks-
språket omkring 56 gånger per sida[4]) förekommande ljud.
Det uppträder i riksspråket företrädesvis udd- och midlju-
dande samt i båda fallen såväl tryckstarkt som trycksvagt,
t. e. *ofta, åska, officer, åstad, skott, skålla, boll, hålla, rock,
kommun, korpral, något, afton, lagom, pastor*. Slutljudande
åter är det mycket sällsynt både såsom tryckstarkt, t. e. i in-

[1] Se Westin, a. st. s. 21 ff.

[2] Se Lundell, Sv. landsm. I, 99.

[3] Lyttkens-Wulff, *Uttals-ordbok*, »Vokaltabell», och *Melodiska ljud-
öfningar*, s. 7, identifiera det däremot oriktigt — se särskildt Jespersen,
Fonetik, s. 476 — med ljudet i engl. *not* (se B, 3 nedan), ja anse det alter-
nativt kunna vara *a* (borde snarare heta *ɒ*, se Jespersen, a. st. s. 475),
om också icke ett »typiskt» sådant.

[4] I de s. 408 not 1 nämnda styckena resp. 341, 68, 61 och 38 gånger.

terjektionerna *nå, så, hå* (uttalade *nŏ, sŏ, hŏ,* hvarjämte dock, ock väl oftare, *na, sa, ha* med lång vokal förekomma), och såsom trycksvagt, t. e. *gorå* (dvs. *goro,* hvarjämte mera sällan *gora*). Att det förekommer såsom kort och detta i alla ställningar, synes af de redan anförda exemplen. Om det äfven finnes såsom långt i riksspråket, är mycket omtvistadt [1]. Det antas t. e. af Sundevall (för summa 13 ords vidkommande, hvaraf dock 7 vackla mellan *o* och *a*), af Rydqvist (i 30 ord) och af Svahn (i 17 ord, hvaraf de flesta vackla) samt antogs (förr) af Lyttkens-Wulff i deras Ljudlära (1885), där *sorl, sorla, porla, morla, morna* sig, *hord, order* och *orden* (summa 8 ord) sägas »nästan alltid» ha långt *o,* under det att en mängd andra ord, t. e. *sofva, son, kol, boren* osv. (summa 53), mer eller mindre ofta eller sällan kunna, i synnerhet i sydvästra Sverge, så uttalas; ja Lundell ansåg (år 1886) sig ha iaktagit detta uttal i omkring 85 fall, hvaraf dock öfver 20 äro sådana, som af ingen bland de andra författarna tillskrifvits ifrågavarande ljud. Ehuru sålunda tillsammans omkring 100 olika ord uppgifvits ha långt *o* i riksspråkstal, äro dock endast 3 (*kol, lofva* och *porla*) desamma hos alla de nämnda författarna. Å andra sidan har tillvaron af långt *o* i riksspråk helt och hållet förnekats af mig (1881) [2] och väsentligen af Schagerström. Af den sistnämndes undersökningar 1886 framgick nämligen, att långt *o* då saknades i riksspråket, sådant det talades — och väl ännu talas — i Stockholm, Uppland, Gästrikland, Hälsingland, Ångermanland, Dalarna, Västmanland, Södermanland, på Gottland och delvis i Värmland, Västergötland och Östergötland. En egen ståndpunkt inta Lyttkens-Wulff i sina senare arbeten [3], i det de anse de ord, där de förr antagit långt *o,* samt åtskilliga

---

[1] Se Lyttkens-Wulff, *Ljudlära,* s. 81 f., och den utförligare redogörelsen för frågan hos Schagerström, Pedagogisk tidskrift. 1886, s. 60 ff.

[2] I *Svensk språklära,* utg. af E. Schwartz och A. Noreen.

[3] Från och med *Svenska språkets beteckningslära* (1885), s. 22.

dessutom (summa 76) ha ett särskildt mellanljud mellan *o* och *α*, som de kalla »halföppet *å*», och som skall uppträda mest konsekvent i Bohuslän, Västergötland, Småland och delar af Östergötland. Det rätta i denna särskildt på 1880-talet mycket omdebatterade fråga torde väl vara hvad Lundell 1888 yttrat [1], nämligen att långt *o* visserligen ännu finnes kvar inom riksspråket, i synnerhet Götalands, men visar en stark tendens att ersättas af *α*, särskildt i Svealand och i all synnerhet i Uppland och Stockholm. Vi kunna alltså med skäl anse långt *o* såsom riksspråksuttal vara stadt i utdöende.

I en mängd dialekter däremot florerar *o* — eller dess nära släktingar och rätt vanliga ställföreträdare *ο, θ* och *υ* — äfven såsom långt. Det uppträder då vanligen i de flesta af de ord, där man i svensk skrift nu plägar teckna *å*-ljud med typen *o* (omkring 50 stycken), men äfven i omkring lika många där nu tecknet *å* plägar användas — ehuru fornsvenskan hade *o* — t. e. *råg, mån, tåla, påse, bråte, spår, stråke.*

4. *ο*, halftrångt (och med något framskjutna läppar) labialiserad, tämligen hög och spänd eller — såsom i svenskt riksspråk uteslutande är fallet — slapp, är samma »allmäneuropeiska» ljud (hos oss populärt kalladt »mellanljud mellan *o* och *å*») som tyskans långa *å*-ljud i t. e. *so, sohn* [2] eller det, som utgör början af den diftong, som engelskan betecknar med *o* i t. e. *no.* Väsentligen öfverensstämmande är det franska vokalljudet i *sot, beau* o. d. [3], som dock bildas med

---

[1] I Nordisk familjebok, O.

[2] LYTTKENS-WULFF, *Melodiska ljudöfningar,* s. 9, identifiera oriktigt detta ljud med vårt *α*. Det är ju dock uppenbart, att uttalet af t. e. ty. *so, sohn, ton* är väsentligen olika det af sv. *så, sån* (best. form af *så*), *tån* (af *tå*); jfr B, 4 nedan. De båda ljudens olikhet betonas också af LUNDELL, Nordisk familjebok, O, sp. 50, och JESPERSEN, *Fonetik*, s. 473, hvilken sednare dock icke riktigt analyserar vårt *α*.

[3] LYTTKENS-WULFF, a. st. och flerestädes, identifiera oriktigt äfven detta ljud med vårt *α*, som har sin tungartikulation längre bak än det franska ljudet.

mera framskjutna läppar. Ungefär identiskt med det franska (eller möjligen något litet trängre labialiseradt) är det danska ljudet i t. e. (med spänd artikulation) *bo*, (med slapp artikulation) *bonden, bunden, suk.*

ɵ är det finländskt svenska riksspråkets normala o-ljud både såsom långt och såsom kort, t. e. *jo, trodde.* I högsvenskt riksspråk uppträder det, såsom Lyttkens-Wulff påpekat [1] ofta i sång såsom ställföreträdare för o (se B, 5 nedan), men annars blott såsom kort, trycksvagt och midljudande, åtminstone före *r* i vissa fall. Det ojämförligt viktigaste af dessa utgöres af pluraländelserna *-or(s), -orna(s)*, t. e. *flickor(s), gatorna(s)*, där dock ɵ växlar med o (så i Stockholm) och o (så i Göteborg och finländsk svenska) [2]. Vidare finnes ɵ (växlande med o och o) i *annor, annorledes, annorlunda, annorstädes, någorledes, någorlunda, någorstädes* och väl äfven det mycket arkaiska *edor* (hjärtan o. d.) för *edra;* allt fall där Lyttkens-Wulff, såsom mig synes med orätt, anta [3] uteslutande o vara det gängse uttalet. Å andra sidan anser Lundell [4], säkerligen mycket oriktigt, att ɵ förekommer i allmänhet »i ändelser», där vår skrift använder typen o, och anför som exempel (utom det riktiga *visor* äfven) »*bådo* o. s. v.», där enligt min och Lyttkens-Wulffs gemensamma mening uteslutande o föreligger [5]. I efterstafvelser synes nämligen ɵ aldrig förekomma annat än före *r*, och äfven då endast när vokalljudet härstammar från ett i äldre fornsvenska förefintligt *u*. Den inlånade ändelsen *-or* uppvisar nämligen, hur

---

[1] *Uttals-ordbok*, »Vokaltabell», dock att författarna här icke erkänna ett typiskt ɵ, utan ett mellanljud mellan detta och o.

[2] Dialektiskt äfven ɔ, som Lyttkens-Wulffs synas erkänna såsom vulgärt riksspråksuttal.

[3] Se t. e. *Ljudlära*, s. 84.

[4] A. st., sp. 50.

[5] Liksom ock i sådana fall som *afvog. fordom* m. m., om hvilka Lundell visserligen icke speciellt uttalar sig, men där man på grund af hans uttryck snarast skulle förmoda, att han äfvenledes vill finna ɵ.

gammalt lånet än är, alltid *o* eller *o*, t. e. *marmor* (så redan i fornsvenskan) med *o* eller *o*, *doktor* med *o* (men pl. *doktorer*), *humor*, *fosfor* m. m. med blott *o* (men vanligen *humorist*). Däremot håller jag icke för otroligt, att *o* kan förekomma i trycksvag förstafvelse såsom variant till vanligare *o* eller *o*, t. e. *fotograf*, *kokard*, o. d. fall, där mycken vacklan råder. Snarast torde man i dylik ställning kunna påträffa *o* framför *r*, åtminstone om detta hör till följande stafvelse, t. e. *aorist*, *lektorat*. I alla händelser är *o* i svenskt riksspråk ett mycket sällan (omkring 1 gång per sida [1]) förekommande ljud.

I våra dialekter har *o* tidigast anträffats af mig i Dalarnas Älfdals-mål, där det uppträder både långt och kort, men blott såsom tryckstarkt, och representerar fornnordiskt *au* och *p* samt *a* framför vissa konsonantiska förbindelser, t. e. *oga* öga, *ovud* hufvud, *olda* hålla, *folla* falla, *solt* salt, *koppas* kappas, *bott* band (preteritum), *drokk* drack [2]. Senare har det iakttagits i Gamla-Karleby-målet i Österbotten och Pargas-målet i Egentliga Finland samt såsom beståndsdel af diftongen *oo* i Frostvikens Lid-mål i Jämtland (individuellt äfven i andra medeljämtska mål [3], men förekommer troligtvis i åtskilliga andra dialekter, ehuru detta ännu icke observerats.

5. *u*, trångt (och med något framskjutna läppar) labialiserad, hög och (såsom lång) spänd eller (såsom kort) slapp, är det s. k. allmän-europeiska *u*-ljud, som danskan äger i t. e. *due*, *hund* och tyskan ofta i t. e. *kuh*, *und* (som dock ofta uttalas på annat sätt, se B, 5 nedan). Engelskans *u* i t. e. *loose*, *good*, *put* har däremot läpparna icke alls framskjutna och tungartikulationen alltid slapp eller åtminstone plattare. Franskans *u* åter i t. e. *sou*, *prouver* — och konsonantiskt i *louer* o. d. — har läpparna mycket starkt framskjutna, tungartikulationen alltid (då ljudet är sonantiskt)

---

[1] I de s. 408 not 1 nämnda styckena resp. 6, 0, 3 och 0 gånger.
[2] Se Noreen i Sv. landsm. IV, 2.
[3] Se Westin i Sv. landsm. XV, 3, s. 79.

spänd och tungryggen framåt högre belägen, hvarför detta ljud tenderar åt *u* (se § 68, 5).

u saknas i högsvenskt riksspråk, men är i det finländska det normala korta *u*-ljudet, åtminstone vid ett i någon mån vulgärt uttal (jfr s. 520 ofvan), t. e. i *kung, under* osv. Dessutom förekommer det i många dialekter, i synnerhet de mest periferiskt liggande, således t. e. i många öst-nordsvenska (Pargas, Gamla-Karleby m. m.), på Gottland, i nordligaste Västerbotten (Råneå m. m.), öfre Dalarna, norra Västmanland samt delar af Halland, Skåne och Blekinge, på sistnämnda orter motsvarande både rsp. *u* och *o*, så att t. e. *hund* och *hon, dum* och *dom* uttalas lika [1]. Särskildt ofta uppträder *u* såsom den konsonantiska beståndsdelen af en diftong, och detta äfven i dialekter som för öfrigt icke känna till ljudet, t. e. jämtländskt *gaug, gaug* gång, *laus* lös, *gou* gå, härjedalskt *snup* söp [2]. Såsom redan ofvan (s. 412) framhållits, är emellertid detta konsonantiska *u* (resp. i vissa dialekter *o*) mycket svårt att särhålla från *w*, särskildt då diftongen är stigande, i hvilket fall tidigare forskare i allmänhet tecknat *w*, utan att det därför är alls gifvet, att ljudet är mindre vokaliskt än i de fallande diftongerna, där hittills undantagslöst vokaltecken (*u, o, u, w* o. d.) användts. Dylika stigande diftonger förekomma talrikt i åtskilliga sydsvenska mål, i några få medelsvenska (t. e. i södra Bohuslän samt i Kind och Mark) och i en mängd nordsvenska, ända från Dalarna till Runö [3], t. e. dalmålets *unna* (*onna*) vinna, *tunga* (*tonga*) tvinga, *suard* (*soard*) svål o. d. [4].

B. Bakre velarer:

Dessa igenkännas alla på sin tillbakadragna tungspets, som icke vidrör undre framtänderna, detta beroende därpå att

[1] Se LUNDELL, Sv. landsm. I, 121.
[2] Se WESTIN, a. st. s. 75 f.
[3] Se LUNDELL, a. st. s. 79 f.
[4] Se NOREEN, Sv. landsm. IV, 2.

— 529 —

tungrotens närmande mot bakre delen af gomseglet helt naturligt icke så mycket sker genom tungans höjning som icke vida mera genom dess tillbakadragande. Denna bakre serie af velara vokaler är — åtminstone i mera bekanta språk — egentligen blott i svenskan, norskan och engelskan representerad.

1. a, delabialiserad och låg, är det »norska a-ljudet» i t. e. *tale, mand* liksom ock danskans korta *a* näst före eller efter *r*, t. e. *mark, rap*, och i diftongen *au* (skrifven *av*), t. e. *hav* (subst.), samt dess långa *a* näst före *v*-ljud, t. e. *hav* (verb), *lav* (adj.). En svensk åstadkommer lättast ett någotsånär nöjaktigt a genom att tagande sitt *a* (se 2 nedan) till utgångspunkt förskjuta läpparna åt sidorna [1], dvs. söka producera ett *a* med läppställningen för *a* (se A, 1 ofvan). Också uppfattas det norska *a* af oss svenskar såsom en varietet af vårt *a*. Akustiskt sedt skiljer det sig mycket obetydligt från *a* (se s. 521 f. ofvan), hvarför ock t. e. Lyttkens-Wulff [2] kommit att identifiera norskans och danskans korta a med den finländska svenskans *a* [3].

a är hittills icke anträffadt vare sig i svenskt riksspråk eller i någon ursprungligen svensk dialekt. Däremot förefinnes det efter all sannolikhet (jfr s. 522 ofvan) i det ursprungligen norska Lid-målet i Frostvikens socken (Jämtland), hvars a-ljud enligt Waltman [4] »är neutralt (står mellan de båda svenska a-ljuden)», en beskrifning som i och för sig visserligen lika gärna kunde afse *a*.

2. *a*, vidt (och med något framskjutna samt äfven något rundade läppar) labialiserad, låg och spänd, är fran-

---

[1] En förskjutning som visserligen vid en norrmans producerande af ljudet är oväsentlig, dvs. kan förekomma eller icke förekomma.

[2] *Uttals-ordbok*, »Vokaltabell».

[3] Norskans långa *a* identifiera de däremot (a. st. samt *Metodiska ljudöfningar*, s. 7) med vårt långa *a*, en uppfattning som bestrides både af Western, Lundell och mig m. fl., i det vi anse norskans långa a-ljud vara kvalitativt lika med dess korta.

[4] Sv. landsm. XIII, 1, s. 3, där typen *a* användes.

skans *a*-ljud i t. e. *pas, passer, gagner* och (frånsedt nasaleringen) *an*. Det är ett mycket allmänt och likaledes mycket ymnigt (i riksspråket omkring 46 gånger per sida [1]) förekommande ljud. Det uppträder i högsvenskt riksspråk (men icke i finländskt, se s. 521 ofvan) både udd-, mid- och slutljudande, men vanligen blott såsom långt och tryckstarkt, t. e. *aln, tak, bra*. Såsom kort och tryckstarkt förekommer det nämligen — frånsedt dialektfärgadt riksspråk (se nedan) — icke alls och såsom kort och trycksvagt nästan endast vid tillfällig förkortning af ett vanligen långvokaliskt ord (jfr motsvarande förhållande vid *o*, se s. 509 ofvan, och *u*, se s. 512 f. ofvan), ehuruväl i så fall vanligen ett vacklande mellan *a* och *a* råder, t. e. *ja: ja‿viss't: ja‿viss't‿ja, Karl: Karl Gus'taf: Karl Gös'ta;* dessutom i sådana afledda och sammansatta ord, som ovanligt starkt associera sig med sina grundord (med *a*), och särskildt om stafvelsen blott är halfsvag, t. e. *bageri' (: ba'gare), baku't (; bak),* men märkligt nog t. e. *telegrafe'ra,* aldrig *telegrafe'ra* (trots *telegra'f*).

I dialekterna däremot förekommer *a* ofta såsom kort och då både tryckstarkt och trycksvagt, liksom ljudet öfverhufvud i dialekterna är vida vanligare än i riksspråket, detta väsentligen beroende därpå, att det mångenstädes får i vissa bestämda ställningar representera riksspråkets *a* och *a*, t. e. i Värmland *hann* hand, *kamm* kam, *kall* kall, *laks* lax, *lagg* lång, *skagk* skånk, på Gottland, i Estland och Nyland m. m. *ga* gå o. d. Det är därför ej alldeles ovanligt att i dialektfärgadt riksspråk få höra kort tryckstarkt *a* i sådana fall som *lax, stampa, sand, kalk, tagg, lagt* o. a.

3. *œ*, halfvidt labialiserad, låg och spänd, är det engelska »mellanljudet mellan *a* och *å*» i t. e. *law, all, more* (enligt detta ords numera vanliga uttal; jfr A, 3 ofvan, s. 523), hvarifrån endast genom slappare artikulation afviker samma språks korta vokalljud i t. e. *not, god* o. d. Äfven i

---

[1] I de s. 408 not 1 nämnda styckena resp. 285, 37, 37 och 57 gånger.

danskan torde *ꞷ* förekomma, i det dess *o* i t. e. *plov, Povl*
o. d. ofta torde uttalas som *ꞷ* (eller *a* eller något midt emellan *ꞷ* och *a*). I svenskt riksspråk saknas detta, som det
tycks öfverhufvud sällsynta, ljud. Däremot är det mer eller
mindre säkert anträffadt i åtskilliga svenska dialekter å vidt
skilda orter [1]. Bäst konstateradt och mest vanligt är det dels
i Orsa-målet (Dalarna), dels inom Skåne, Halland och Blekinge, där det förekommer både kort och långt, representerande än riksspråkets *a*, än dess *a*, t. e. i Skåne *jꞷ* ja, *bꞷra*
bara, i Halland *sꞷnn* sand, *kꞷmma* kamma.

4. *a*, halftrångt (och med framskjutna läppar samt
tämligen betydlig rundning) labialiserad, hög och spänd, är
ett så godt som specifikt svenskt ljud, emellertid nästan identiskt med norskans långa *å*-ljud [2] i t. e. *gå, mål* o. d., som
dock är något vidare. Det är ett ganska allmänt och åtminstone i riksspråket ymnigt (omkring 32 gånger per sida [3])
förekommande ljud. Det uppträder i riksspråket både udd-,
mid- och slutljudande, men nästan blott såsom tryckstarkt
och då möjligen (se nedan) blott såsom långt, t. e. i *åra, båt,
på*. Trycksvagt, och då naturligtvis kort, förekommer det
nämligen (liksom *o, u* och *a*, se s. 509, 512 f. och 530 ofvan)
endast — dock alltid växlande med *o* (dvs. öppet *å*, se A, 3
ofvan) — vid tillfällig förkortning af ett vanligen långvokaliskt ord, t. e. *gå͜på'*, samt i sådana afledda ord, som ovanligt starkt associera sig med sina grundord (med *a*), och då
helst om stafvelsen är blott halfsvag, t. e. *målarin'na* (: *må'lare)*,
obois't (: *o'boe)*, men äfven då den är helsvag, t. e. *åsnin'na*
(: *å'sna), påfvin'na* (: *på'fve), teologi'* (: *teolo'g)*, de båda sistnämnda kanske lika ofta uttalade *povinna, teoloji* som *pavinna, teolaji*.

---

[1] Se Lundell, Sv. landsm. I, 111 f.; Noreen, ib. IV, 2, s. 6 och flerest.;
G. Billing, ib. X, 2, s. 99; Kallstenius, ib. XXI, 1, s. 46.

[2] Lyttkens-Wulffs, öfriga paralleller (*Uttals-ordbok*, »Vokaltabell», och
Metodiska ljudöfningar, s. 8 f.) äro alldeles oriktiga; jfr ofvan s. 525 not 2 och 3.

[3] I de s. 408 not 1 nämnda styckena resp. 203, 40, 28 och 13 gånger.

Om *a* finnes i svenskt riksspråk såsom på samma gång kort och trycksvagt, är omtvistadt. Det nekas mycket bestämdt af Lyttkens–Wulff [1], men har däremot antagits af Rydqvist [2], Noreen [3] och Lundell [4], hvilken sistnämnde har tryckstarkt kort *a* i omkring 150 ord, t. e. *lång, stock* och i synnerhet ord med af ursprungligen långt *a* förkortadt ljud såsom *grått, spådde, spått* o. d. De förra neka sålunda, under det att de sednare anta, att riksspråket äger en skillnad i uttal mellan t. e. *godt* och *gått, blott* och *blått, spott* och *spått, knodd* och *knådd, lock* och *låck* m. m. d., och att t. e. *Stockholm* har kvalitativt olika vokaler (resp. *a* och *o*) i första och andra stafvelsen. Den rätta uppfattningen i denna fråga är väl senare uttalad af Lundell [5], nämligen att tryckstarkt kort *a* visserligen ännu finnes i riksspråket, åtminstone såsom det talas i en mängd provinser, men att detta ljud, där det finns, röjer en stark tendens att i riksspråkstal utbytas mot *o* (öppet *å*, se A, 3 ofvan), hvilket sednare ljud väl har framtiden för sig.

I dialekterna däremot förekommer *a* lika väl kort som långt, och särskildt är där långt *a* vida sällsyntare än i riksspråket, eftersom dels vissa dialekter i stället för rsp:s långa *a* (fsv. långt *a*) ha långt *a*, t. e. på Fårön *bat* båt, eller diftonger af allehanda olika slag, t. e. i en mängd sydsvenska dialekter *gao, gao, gɵo* o. d. för *ga* gå, dels vissa — ja väl våra flesta — dialekter i stället för rsp:s långa *a* (fsv. kort *o*, dvs. *o*, se III, 80) ha *o, ɵ, ɞ* eller ännu andra ljud, t. e. *koł, kɵł, kɞł, kʋł* o. d. för *kal* kol.

---

[1] *Ljudlära*, s. 85 med not 1; *Om teckensystem*, s. 15; *Melodiska ljudöfningar*, s. 8.

[2] *Svenska språkets lagar* IV, 198 och 202.

[3] *Svensk språklära*, utg. af E. Schwartz och A. Noreen, s. 11.

[4] *Om rättstafningsfrågan*, s. 101.

[5] I Nordisk familjebok, *O*; jfr ock redan Schagerström i Pedagogisk tidskrift 1886, s. 63.

5. *o*, trångt (och med rundade, men icke såsom vid *u* »inrundade», utan snarare någon smula framskjutna, läppar [1]) labialiserad, hög och spänd, är ett ljud, som synes vara egendomligt för svenskan och norskan, i hvilket sednare språk *o* dock kanske låter litet mera likt »allmäneuropeiskt *u*» (se A, 5 ofvan), detta möjligen beroende på något högre grad af läppframskjutning än hos det svenska ljudet. Nästan identiskt med vårt *o* är emellertid franskans konsonantiska *o* i t. e. *roi, boite*, som dock har mera framskjutna läppar och möjligen något längre fram belägen tungartikulation, så att ljudet alltså tenderar åt det allmäneuropeiska *u*. Vidare — ehuru blott alternativt (se A, 5 ofvan) — tyskans *u* i t. e. *kuh, und*, hvilket ofta uttalas som ett svenskt *o* med starkt framskjutna läppar. Och ändtligen äro äfven det engelska *w* och det franska *ou* i *oui* nära besläktade ljud, ehuru icke vokaler, utan labio-labiala frikativor (se s. 412 ofvan), ett bildningssätt som kanske äfven alternativt kan tillkomma det nyssnämnda franska *o* i *roi*.

o är ett mycket allmänt — ehuru dock icke förekommande i t. e. finländskt svenskt riksspråk (se A, 4 ofvan), Dalarnas Älfdals-mål, sydspetsen af det sydsvenska dialektområdet och några öst-nordsvenska dialekter [2] — och i synnerhet i högsvenskt riksspråk samt medelsvenska dialekter rätt ymnigt (i riksspråket omkring 20 gånger per sida [3]) förekommande ljud. Det uppträder i högsvenskt riksspråk både udd-, mid- och slutljudande, både långt och kort samt både tryckstarkt och trycksvagt, t. e. *osa, bok, ko, orm, tom, oas,*

---

[1] Afvikande uppfattningar uttala å ena sidan Lyttkens-Wulff (*Ljudlära* s. 87), som anse, att »läpparna äro icke framskjutna», å andra sidan Lundell (Nordisk familjebok, *O*), enligt hvilken tvärtom läpparna »skjutas mycket framåt».

[2] Se Lundell i Sv. landsm. I, 121.

[3] I de s. 408 not 1 nämnda styckena resp. 96, 20, 35 och 30 gånger. Medräknas fallen med ǫ, som ju kan utbytas mot *o* (se s. 526 ofvan), så bli siffrorna resp. 102, 20, 38 och 30 samt medeltalet 21, Jfr s. 527 not 1.

Noreen, Vårt språk, Bd I. 35

profet, sannolik, kvitto, ånyo, gåfvo [1]. I många af våra dialekter saknas l å n g t *o*, i hvars ställe då någon diftong uppträder. I alla öst-nordsvenska saknas kort *o*. Å andra sidan ha många andra dialekter kort *o* i större utsträckning än riksspråket, nämligen såsom motsvarighet till dettas *u* i vissa ställningar (se s. 518 ofvan). Om *o* såsom beståndsdel i våra dialekters diftonger och om svårigheten att då säkert skilja det från *w* se s. 528 ofvan.

§ 70. Nasoorala vokaler.

Alla hittills (i §§ 65—69) behandlade vokaler äro rent orala (jfr s. 376 ofvan). Nasoorala eller »nasalerade» vokaler saknas nämligen — annat än individuellt och i vissa särskilda undantagsfall [2] — i nutida svenskt riksspråk liksom i nästan alla nutida svenska dialekter. Att emellertid dylika vokaler i någon utsträckning förekommit i 1600-talets (riksspråks)svenska, är en slutsats som Beckman [3] utan tvifvel med rätta dragit ur vissa uttalanden i fransmannen B. Pourel de Hatrizes franska grammatik af år 1650.

Hvad våra dialekter beträffar, så ha nasoorala vokaler uppgifvits [4] förekomma i Alfta socken (väster om Bollnäs) uti Hälsingland, åtminstone i slutljud, då en nasal bortfallit efter vokalen, t. e. *kärra* kärran. Med full säkerhet åter äro dylika vokaler anträffade i dalmål. Redan 1842 eller 1843 iakttog Rydqvist [5] deras tillvaro i Våmhus-varieteten af det

---

[1] Enligt Lundell med — *o*! Se härom s. 526 ofvan.

[2] Se t. e. III, 15 och 19. Om finländskt uttal af lånord från franskan se III, 15 not 2.

[3] Sv. landsm. XIII, 3. s. 53.

[4] Se Sv. landsm. I, 123 (1879).

[5] *Svenska språkets lagar* IV, 337; dock med den alltigenom oriktiga formuleringen, att »*i, o, å* och *ö*, framför *l, n, r*, stundom blifva af kringvandrande Våmhus-kullor uttalade i näsan och gomen». Enligt Rydqvists sammastädes lämnade meddelande ville däremot Carl Säve, »som utforskat Elfdalskan mera», »ej veta af något näsljud i Dalskan, om ej i *siå*» (dvs. *se*)!

dalska Älfdals-målet, och 1880 kunde jag själf på ort och ställe konstatera, att nämnda måls alla varieteter äga dem. Att Orsa-målet äger nasaleradt *a, å, ä, ö* omnämndes 1867 af C. E. Sernander [1], men enligt mina undersökningar (af 1880 och senare) förhåller det sig närmare bestämdt så, att målet sådant det talas i Skattunge kan ha alla sina vokaler nasalerade, i Holen däremot inga, under det att målet i Maggås och Stackmora blott kan nasalera *a*, som i Stackmora i sammanhang därmed öfvergår till *ω* (hvilket sålunda alltid är nasooralt). Inom Mora-målets stora område saknas däremot nasalering öfverallt [2] utom i Venjans socken, där jag själf konstaterat dess förut icke observerade tillvaro.

I sin största utsträckning uppträder företeelsen inom Älfdals-målet, som uppvisar nasalering hos alla sina vokaler (*ι, ι, y, ψ, e, a, æ, θ, θ, u, a, o, o, o* och *u*) och detta både då de äro korta och långa, både då de äro trycksvaga och tryckstarka, samt såväl då de förekomma såsom sonanter som då de utgöra konsonantiska beståndsdelar af diftonger eller triftonger (i hvilket sistnämnda fall samtliga i diftongen eller triftongen ingående vokaler nasaleras). Denna nasalering tillkommer målets vokaler under nästan alldeles samma förhållanden som i fornspråket [3], nämligen:

1. Efter bevarad nasal, t. e. *maƚa* mäta, *myæɵla* möta, *nɪuæg* (isl. *miok*) likväl.

2. Före bevarad nasal t. e. *bɪnda* binda, *drɵm* dröm, *gaugg* gång, *huæna* (isl. *þióna*) tjäna.

3. Före en i fornsvensk tid befintlig, men senare för-

---

[1] I Dalarnes fornminnesförenings årsskrift 1867, s. 49; dock så stiliseradt som om *å, â* och *ö* skulle alltid och *a* vanligen vara nasaleradt, och som om uppgiften gällde målets hela område.

[2] Att Bonäs by i Mora socken och den förr till Mora pastorat hörande Våmhus socken äga nasalerade vokaler, strider ej häremot, enär de nämnda orterna höra till Älfdals-målets område; se Sv. landsm. IV, 1, s. 7.

[3] Jfr min utförliga framställning af de ifrågavarande förhållandena Arkiv för nordisk filologi III, 1 ff.

svunnen nasal, t. e. *u*, *o* (fsv. *hun*, resp. forngutn. *han*) hon, *oka* Håkan.

4. Före en i urnordisk tid befintlig, men senare försvunnen nasal, t. e. *o* (ty. *an*) på, *uæ-* (ty. *un-*) o-, *gos* (ty. *gans*) gås, *uær* (ty. *unser*) vår.

5. Före en i urgermansk tid befintlig, men senare försvunnen nasal, t. e. *fo* (jfr *fingo*) få.

6. I följd af inflytande från lätt associerbara ord, t. e. *uır* vi efter *uær* (se 4 ofvan) vår.

Orsa-målet har på flera sätt inskränkt dessa vokalers förekomst, ja på vissa håll alldeles uppgifvit nasaleringen hos de flesta eller alla vokaler (se s. 535 ofvan). Venjans-målet åter äger visserligen alla sina vokaler såväl nasooralt som oralt bildade, men det förra endast då de äro långa och befinna sig i omedelbart grannskap till en ännu bevarad nasal.

Hvad graden af nasalitet beträffar, så stämma de dalska vokalerna därutinnan närmast öfverens med de jämförelsevis svagt nasalerade i t. e. portugisiskan och vissa sydtyska dialekter, sålunda skiljande sig från de starkt nasalerade vokalerna i franskan.

§ 71. Perspirerad vokalafslutning.

Om man under uttalandet af en pertonerad (eller persifflerad) vokal låter, utan att artikulationen för öfrigt ändras eller exspirationsströmmen afbrytes, ljudspringan i sin helhet återgå till sitt vid normal andning vanliga läge (se s. 370 ofvan), så erhåller vokalen en perspirerad afslutning — i landsmålsalfabetet betecknad med ɔ — som ehuruväl ofta rätt lång [1] dock icke kan betraktas såsom ett själfständigt språkljud, utan som ett öfvergångsljud (se s. 400 ofvan)

---

[1] Enligt WESTIN i Sv. landsm. XV, 3, s. 31 kan den uti härjedalskan vara ungefär lika lång som den föregående pertonerade delen.

mellan den pertonerade vokalen och det följande. Detta följande kan vara än en absolut paus (så att vokalen alltså står slutljudande), än någon perspirerad buckal, företrädesvis en tenuis. Det förra fallet torde väl individuellt förekomma litet hvarstädes inom vårt språkområde, men tycks vara regel i Nukkö-målet vid tryckstark kort vokal, t. e. *skaɔ* skall, *veɔ* vi [1]. Det förra fallet har påträffats i många nordsvenska dialekter såsom inom Särna och Idre (jfr dock strax här nedan) i Dalarna, i nästan hela Härjedalen (om Lillhärdal jfr strax här nedan), i Ålands skärgård (Kökar och Kumlinge) samt Egentliga Finland (Finnby, Hiittis och delvis Korpo) [2], t. e. Linsäll *lyɔke* lycka, *lyɔt* lydt, *meɔt* mitt, *gåɔt* gått, *vaɔf'ŋ* vatten, *slääɔpe* släppa, *loɔpe* loppa, Kökar *taɟdriɔk* tallrik, *ticɟşa* tycka, *ivriɔt* ifrigt. På åtskilliga håll torde ɔ ha utvecklats till ett själfständigt *h*-ljud (t. e. i Kökars-målet?), och på ännu andra håll har detta gifvit upphof till *x* eller *ɟ* (alltefter den föregående vokalens beskaffenhet); så säkert i Idre och Lillhärdal [3], åtminstone alternativt. I åtskilliga öst-nordsvenska dialekter, där enligt upptecknarnas meddelanden ursprungligt *kt* representeras af *ht*, kan man vara oviss om huruvida det angifna *h*-ljudet är att fatta som ɔ eller verkligt *h* eller — och detta väl snarast — *x*, resp. *ɟ* [3].

§ 72. Tabellarisk öfversikt öfver vokalerna.

I den här nedan (å s. 538) följande tabellen anges icke, huruvida vokalerna äro spända eller slappa, hafva neutrala eller framåt eller åt sidorna förskjutna läppar, liksom ej heller om de äro bildade med aflång eller rundad läppöppning (jfr s. 392 f. ofvan), enär dessa artikulationsfaktorer äro myc-

---

[1] Se Danell, *Nuckömålet* I, 43 f.

[2] Se Lundell i Sv. landsm. I, 86; A. Karsten, ib. XII, 3 s. 10 och 29 f.; Westin, ib. XV, 3, s. 32; Hultman i Finländska bidrag, s. 257 och 262.

[3] Se s. 485 ofvan.

ket växlande och jämförelsevis föga inverka på det akustiska
intrycket. Medelst ( ) har jag betecknat de ljud, som äro spe-
ciellt dialektala [1]. De vokaler som ligga inom de punkterade
linjerna äro låga, alla öfriga höga. Pilarna förbinda parvis
»sluten» och »öppen» vokal (se § 73 nedan) och ha sin spets
riktad mot den sednare.

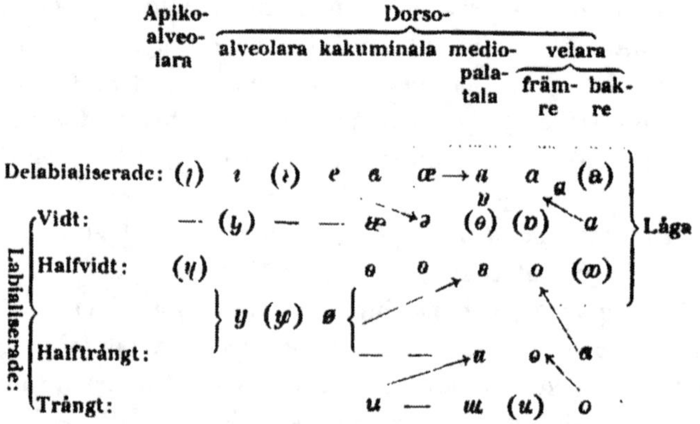

	Apiko-alveolara	Dorso-				
		alveolara	kakuminala	medio-palatala	velara främ-re	velara bak-re
Delabialiserade:	($\imath$)	ι	(ι)	e α $œ \rightarrow \alpha$		a $_a$ ($\mathfrak{a}$)	
Vidt:		— (y) —	— $\mathit{œ} \dashrightarrow \partial$	(θ)	(v)	a
Halfvidt:	(η)		θ ϑ	B	o	(∞)
		y (φ) θ				
Halfträngt:			— — $\rightarrow u$		o α	
Trängt:			u — $\mathfrak{m}$ (u)	o		

(Labialiserade: Vidt, Halfvidt, Halfträngt, Trängt. Höger: Låga.)

§ 73. Slutna och öppna vokaler.

Hittills har jag i allmänhet undvikit att använda de
annars så gängse termerna »sluten» och »öppen» vokal. En
undersökning af dessa termers hittillsvarande användning inom
svensk språkvetenskaplig litteratur visar nämligen, att detta
språkbruk lider af två olägenheter. Dels är det något vack-
lande, så att t. e. »slutet $\ddot{a}$» afser än α, än $œ$, »öppet $\ddot{a}$» än
α, än $\mathit{œ}$, »öppet ö» än B, än θ, »öppet e» än α, än $æ$ eller ∂,
osv. Dels åter använder det de nämnda uttrycken i en helt och
hållet relativ betydelse, så att t. e. α får heta »öppet e», när
det jämföres med e, men däremot »slutet $\ddot{a}$», när det jäm-
föres med $œ$, osv. Den omedvetna princip, som ligger till
grund för det i denna punkt ytterst och djupast sedt af den

---

[1] Dock icke u och B, se s. 539 noten.

faktiskt gängse ortografien beroende språkbruket, är tydligtvis den att af flera under en typ (i vår vanliga skrift) inrymda ljud beteckna det såsom (relativt) »öppet», hvars artikulation kommer närmare det s. k. indifferensläget (se s. 377 ofvan) eller, hvilket vill säga detsamma, vokalen *v* (se s. 515 ofvan); såsom »slutet» däremot det ljud, hvars artikulation mera aflägsnar sig därifrån. Alltså, om *ö̈* betecknas såsom slutet, så är *ə* öppnare, *ə* än mera öppet och *ə* ännu mycket öppnare. Likaså förhålla sig *u*-ljuden *u*, *u* och *u*, *e*-ljuden *e*, *a*, *æ* och *ə*, *å*-ljuden *a*, *o*, *ə*, osv. Reda vinnes hvad riksspråket beträffar, och en mycket praktisk och välbehöflig användning af termerna tillvägabringas alltså, om man blott klart och medvetet bestämmer sig för att låta de bokstäfver, som i vår vanliga skrift äga mer än ett vokaliskt ljudvärde (alltså *a, e, o, u, å, ä* [1] och *ö* [1]), sägas ha slutet uttal (eller representera slutet vokalljud), då de afse det under den för hvarje gång ifrågavarande bokstafven inrymda ljud, som till sin bildning är i förhållande till den indifferenta vokalen (*v*) mest periferiskt beläget. Dessa ljud äro de samma som de, hvilka tillkomma nämnda bokstäfver, när de uttalas för sig, t. e. vid en uppräkning af alfabetet, alltså resp. *a, e, o, u, a, æ, ø* (t. e. i *hat, het, hot, hut, hår, häl, hög*). Däremot sägas samma bokstäfver ha öppet uttal (eller representera öppet vokalljud), då de afse det under den för hvarje gång ifrågavarande bokstafven inrymda ljud, som till sin bildning är i förhållande till den indifferenta vokalen mest centralt beläget, alltså resp. *a, ə, ə, v, o, u* [1], *ə* [1] (t. e. i *hatt, sitter, flickor, ull, håll, järn* [1], *hörn* [1]). Emellertid finnas ju några bokstäfver som, åtminstone för en mera detaljerad fonetisk analys, äga tre eller till och med fyra vokaliska ljudvärden (af hvilka på grund af ofvan gjorda bestämmelser ett, resp. två måste vara belägna mellan det slutna

---

[1] Jag accepterar här för fullständighetens skull den omtvistade tillvaron i riksspråket af ljuden *u* och *ə*. Jfr s. 514 och 517 ofvan.

och det öppna). Det förra är fallet med typerna *a* och *u*, och mellanljuden *a* (t. e. i *klang*, se s. 522 ofvan) och *ɯ* (t. e. i *dukat*, se s. 519 ofvan) kunna då lämpligen benämnas halföppna (resp. bokstäfverna sägas ha halföppet uttal). Det sednare åter är förhållandet med typerna *e* och *ö*, och de ifrågakommande båda mellanljuden *a* (t. e. i *bevis*) och *æ* (t. e. i *miste*), resp. *ɵ* (t. e. i *lön*) och *ɵ* (t. e. i *kött*) kunna då lämpligen benämnas halfslutna, resp. halföppna, allteftersom de ligga närmare det slutna eller det öppna ljudet.

En schematisk uppställning af svenska riksspråkets ljud, ordnade efter nu utvecklade grunder, skulle alltså få följande utseende:

Bokstäfver:	*a*	*e*	*o*	*u*	*å*	*ä*	*ö*
slutet	*a*	*e*	*o*	*u*	*ɑ*	*œ*	*ɵ*
halfslutet	—	*ɐ*	—	—	—	—	*ɵ*
halföppet	*ɑ*	*æ*	—	*ɯ*	—	—	*ɵ*
öppet	*a*	*ə*	*ɵ*	*ɴ*	*o*	*ʌ*	*ʚ*

Uttal: {sluten / halfslutet / halföppet / öppet}

c. Afslutande anmärkningar.

§ 74. Mutor.

Det nysvenska riksspråket [1] äger fem olika mutor — i den mening, hvari man öfverhufvud kan tala om olika sådana (se s. 404 f. ofvan) — alltefter den plats, där den klaffbildning äger rum, på hvilken den ifrågavarande mutans tillkomst beror. Dessa äro:

1. Labio-labial, p_p [2], förekommande före *b* (alternativt *b*, se s. 410 f. ofvan), *p*, p_m, t. e. *hopbunden* (*uppbyggd* m. m.,

---

[1] Dialekternas hithörande företeelser lämnar jag här å sido, enär dessa, i den mån de afvika från riksspråkets, ännu äro alltför otillräckligt undersökta.

[2] Rörande denna och dylika beteckningars innebörd jfr s. 413 not 1 ofvan.

se s. 411), *papper (tapto, snaps, hopprässad, hamppapper)*, *lappman*. Den är i det hela sällsynt (omkring 4 gånger per sida [1]).

2. Dorso-gingival, t_t, förekommande före *d* (*d*), *t*, t_t, t_n, *j*, t. e. *utdela (nattduksbord), skratta (plats, salttunna), sprattla, vattna, utkörd (lättkörd)*. Den uppträder tämligen ymnigt (omkring 12 gånger per sida [2]) och är den vanligaste af alla mutorna.

3. Apiko-alveolar, t_t, förekommande före d (d), *t*, t_t, t_n, *j* (se s. 442 ofvan), stundom äfven *d* (*d*), *t* (se s. 432 f.), t. e. *hjortdödaren, borta (kvarts, korttänkt) mortlar, svartna, bortkörd*. Den är mycket sällsynt (omkr. 2 gånger per sida [3]).

4. Mediodorso-kakuminal, β_k, förekommande före *g*, *g*, *ɟ*, *k*, t. e. *blekgul, rökgubbe, bäck (lykta, köksa), lekkamrat (beckkrans, strejkkassa)*. Den är tämligen sällsynt (omkring 7 gånger per sida [4]).

5. Dorso-velopalatal, k_k, förekommande före *g*, *g*, *ɟ*, *k*, t. e. *takgirland, bakgård, bakkuse, tacka (frukta, vax, bokkatalog, rockkrage)*. Den är äfvenledes sällsynt (omkring 5 gånger per sida [5]).

Betraktas dessa fem mutor såsom varande en enda — såsom förhållandet ju ock akustiskt sedt är (se s. 404 ofvan) — så är denna ymnigt förekommande (omkring 29 gånger per sida [6]).

---

[1] I de s. 408 not 1 nämnda styckena resp. 23, 6, 6 och 4 gånger.

[2] I de s. 408 not 1 nämnda styckena resp. 72, 10, 17 och 8 gånger.

[3] I de s. 408 not 1 nämnda styckena resp. 8, 0, 5 och 3 gånger.

[4] I de s. 408 not 1 nämnda styckena resp. 28, 11, 12 och 9 gånger. För β_k och k_k betraktade som en och samma muta äro motsvarande siffror 48, 15, 23 och 15 (medeltal per sida 11).

[5] I de s. 408 not 1 nämnda styckena resp. 20, 4, 11 och 6 gånger. Jfr föreg. not.

[6] I de s. 408 not 1 nämnda styckena resp. 151, 31, 51 och 30 gånger.

§ 75. Öfversikt öfver de artikulerade ljudens och pausernas relativa frekvens i högsvenskt riksspråk.

Jag sammanför här de i det föregående på spridda ställen meddela uppgifterna, rörande hvilka jag dock än en gång betonar, att de torde basera sig på allt för litet material (tillsammans nio lika stora tättryckta oktavsidor i ordinärt format från fyra olika författare). Ordnandet sker efter aftagande frekvens, så att först anföres det ljud, som per trycksida träffats oftast, sist det som högst en gång per sida anträffats, hvaremot ännu sällsyntare ljud (såsom *m, w* o. a.) här alldeles lämnas ur räkningen. Ljud, som alternativt icke särhållas, eller hvilkas olikhet endast för en skarpare fonetisk analys framträder, äro här uppförda såväl hvart för sig som ock under ett.

a 130	$\mathfrak{h}, k$ 58	l_l 30	o 20	v_v 8	t_n 3
t 124	o 56	h 29	g 16	$\mathfrak{h}_k$ 7	f 3
r 104	m 54	muta 29	u 13	o 6	s 3
s 96	e 46	n, u 27	u 13	t 6	d_n 2
d 95	a 46	b 24	l_t 12	f 5	t_l 2
i 91	v 44	$\mathfrak{h}$ 23	y, g 12	s 5	t_t 2
$œ$ 89	g, g 39	g 23	u 11	u_g 5	d_d 2?
$æ, ə$ 89	k 35	o, o 21	m_m 9	k_k 5	o 1
n 82	f 34	p 20	y 8	d 4	l 1
$ə$ 68	j 32	$æ$ 20	n 8	g 4	d_l 1
l 63	a 32	o 20	y 8	p_p 4	b_b 1?
n_n 58					

Tillägg (och rättelser):

S. 13 r. 8 läs: i fråga om meningar,

» 16 » 13 » : de botanisk-zoologiska

» 17 » 27 tillägg: Jfr I. Baudouin de Courtenay, 'Vermenschlichung der Sprache', Hamburg 1893, s. 8 (i Virchow-Holtzendorffs 'Sammlung gemeinverständlicher wissenschaftlicher Vorträge' 173).

S. 19 not 1 läs: de interjektionella meningarna

» 28 r. 22 » : Den andra — som dock icke gäller för sydligaste Sverge (se Cederschiöld-Olander, 'Svensk språklära för folkskolor', 2 uppl., II, 20) — består

S. 28 r. 26. Hvad här kallas vårdad mellanstil motsvaras ungefärligen af hvad Siebs kallar »Repräsentationssprache», Luick åter »Vortragssprache». Hvad jag (s. 29 r. 3) kallar familjär mellanstil har däremot sin närmaste motsvarighet i den tyska termen »Umgangssprache».

S. 37 r. 8 tillägg: Några af dessa fall kunna dock med ungefär lika rätt betraktas som tillhörande begreppsskriften (se s. 16).

S. 53 not 4 tillägg: och särskildt Wiklund, *Finnisch-ugrisch und indogermanisch* (i Le Monde Oriental I, Uppsala 1906); jfr äfven H. Hirt, *Die Indogermanen* II, 577.

S. 54 r. 14 läs: (R. Much, Michelis)

» » » 18 tillägg: Nordtyskland och Skandinavien (Kossinna), Nordtyskland och västra Östersjöländerna (M. Much),

S. 54 r. 22 tillägg: Se nu framför allt J. Hoops, 'Waldbäume und Kulturpflanzen im germanischen Altertum', Strassburg 1905, som (s. 383) förlägger urhemmet till »Tyskland, särskildt Nordtyskland och kanske Danmark».

S. 59 r. 12 tillägg: eller kanske snarare från de i anm. 1 nämnda sarmatiska skyterna (se H. Hirt, 'Die Indogermanen' I, 113 ff.).

S. 59 r. 32 läs: trakiskan samt bityniskan och mysiskan (se Hirt, a. st. I, 132 ff.).

S. 62 r. 1 läs: slavernas

» » » 4 » : slaverna

» » » 32 f. strykes: med . . reformationstiden.

» 63 » 1 ff. läs: högsorbiskan, med källor från slutet af 1400-talet, i det saxiska och schlesiska samt lågsorbiskan, med källor redan från 1100-talet (se L. Hoffmann, 'Die Sprache und Litteratur der Wenden', Hamburg 1899, i Virchow-Holtzendorffs 'Sammlung gemeiny. wiss. Vorträge' 318), i det brandenburgska Lausitz, hvartill kommer en koloni i Texas (se Globus, B. 71 nr 8, s. 131).

S. 65 r. 6 tillägg: nu stadd i utdöende.

» 70 » 4 » : i så fall snarast till den västliga språkgrenen (se Hirt, 'Die Indogermanen' I, 159).

S. 70 r. 32 tillägg: i annat fall väl till den i anm. 3 nämnda »nordillyriska» familjen (se Hirt, a. st. I, 150).

S. 72 not 2 tillägg: KOSSINNA, *Die vorgeschichtliche Ausbreitung der Germanen in Deutschland* (i Zeitschrift des Vereins für Volkskunde VI) 1896.

S. 83 not 1 tillägg: H. Ross, *Norske bygdemaal* (i Christiania Videnskabs-selsk. skrifter II, 1905 nr 2), Kra. 1905.

S. 86 not 1 tillägg: Jfr Petermanns Geograph. Mitteilungen 1899.

S. 88 r. 6 läs: Nästan uteslutande finska eller, i mindre mån, lapska

S. 88 r. 9 läs: dock svenska jämte finska

S. 88 r. 14 f. strykes: utom i Haparanda

» » not 2 tillägg: och samme förf:s *Språken i Sverige* (med språkkarta) i Svenska kalendern 1907, där bl. a. närmare detaljer rörande språkgränserna meddelas.

S. 89 r. 1 läs: förekommer — utom i Haparanda (se ofvan) — sedan

S. 89 r. 29 tillägg: Jfr Wiklund, 'Språken i Finland 1880—1900' (i Ymer 1905), med språkkartor.

S. 91 r. 14 tillägg: På sistone har emellertid den svensktalande befolkningen ökats, så att den år 1905 officiellt utgjorde på Odensholm 107, i Egeland 1,523 samt på Nuckö 1,074, tillsammans alltså 2,704, en summa som dock lär böra höjas till omkring 2,900; se G. Danell, Nuckömålet I, 6.

S. 97 not 1 tillägg: E. A. Z[ETTERSTRAND], *Engelskans inflytande på det svenska språket i Amerika* (i Ungdomsvännen 1904, s. 179 f., 204 ff., 243 f.) och R. G:son BERG, *Svenskan i Amerika* (Språk och stil IV, 1 ff.), 1904, med tillägg (ib. V, 250 ff.), 1905, samt E. A. Z[ETTERSTRAND]s anmärkningar därtill (i Ungdomsvännen 1904, s. 348 ff.).

S. 99 r. 29 läs: göingemålet samt hos äldre personer inom Bjäre, Gärds (dock icke i Hufvaröds socken), Norra Asbo och Södra Åsbo härader

S. 99 not 3 tillägg: A. KOCK, *De senaste årens undersökningar af Skånska bygdemål* (i Historisk tidskrift för Skåneland 1904).

S. 100 r. 16 läs: diftong, dock icke i stora delar af södra Skåne

S. 100 r. 33 läs: (i södra Skåne *dj, j*), *b* (i södra Skåne *v*),

S. 103 ff. De **medelsvenska** dialekternas karakteristik och gruppering bör nu delvis modifieras enligt Hesselmans undersökningar i 'Sveamålen', Upps. 1905. Jfr tillägget till s. 108 ff. här nedan.

S. 108 r. 2 tillägg: och Halland söder om Viskan

S. 108 ff. Från Sveamålen böra enligt Hesselman a. st. dialekterna i nordöstra Södermanland (öster om en ungefärlig linje Trosa—Strängnäs), Uppland och östra Västmanland (speciellt nordöstra delen af Västerås län) afsöndras för att tillsammans med gästrikskan och sydöstra Dalarnas bergslagsmål bilda inom det nordsvenska -- icke det medelsvenska — dialektområdet en särskild grupp (till hvilken H. eventuellt vill föra äfven dalmålet och de öst-nordsvenska dialekterna, möjligen med undantag af österbottniskan), den s. k. uppsvenska. Om denna grupps kännetecken se a. st. s. 54 ff.

S. 109 r. 7 läs: vanligen öfvergånget till *ā*.

» » » 17 tillägg: eller kanske snarare apiko-kakuminalt (*s*); jfr nedan s. 472 f. not 4.

S. 110 r. 16 ff. Om dalbomålet jfr nu B. H[esselman] i Nordisk familjebok, Ny uppl., *Dal.* sp. 1137.

S. 110 r. 31 ff. Om bohuslänskan jfr nu B. H[esselman] i Nordisk familjebok, Ny uppl., *Bohus län*, sp. 917 f.

S. 111 r. 26 f. läs: Lateral frikativa utan röstton (se nedan s. 478 f.) finnes nästan öfverallt inom området såsom

S. 115 not 2 tillägg: Jfr nu också B. H[ESSELMAN] i Nordisk familjebok, Ny uppl., *Dalarna*, sp. 1152.

S. 118 r. 3 f. läs: mot lateral frikativa utan röstton (se nedan s. 478 f.), t. e. *ɉlita* slita, *beɉle* betslet.

S. 118 r. 16 tillägg: (dock förekommer äfven typen *hästane* jämte *hästan*

S. 121 not 1 tillägg: HESSELMAN, *Sveamålen*, s. 26 f.

S. 140 nr III. Af 'Konung Gustaf den förstes Registratur' äro numera delarna XXI—XXIII (åren 1550—55) utgifna, Stockh. 1903—5.

S. 146 r. 12 tillägg: ny uppl. Upps. 1903

» » nr XXVI. »Bref» osv. äro nu fullständigt utgifna genom delarna III och IV (åren 1681—85, resp. 1686—1702), Upps. 1905.

S. 147 r. 23 f. inskjut: XXXI b. Johan Celsius (häradshöfding, d. senast 1711), *Tragedien om Orpheus och Eurydice*, tryckt efter Löberöd-handskriften af P. Nodermann, Lund 1901.

S. 149 f. nr XXXIX. Nr 2 har nu fortskridit till år 1635 med del V, 2, h. 1, Stockh. 1905; nr 6 till år 1646 med del XI, h. 1, Stockh. 1905; af nr 7 ha delarna I—III (åren 1627—44) utkommit i ny upplaga, Stockh. 1904—6, och nya serien fortskridit till del XVII, h. 1 (år 1747); nr 9 har fortsatts med delarna V och VI, Upps. 1903, resp. 1904.

S. 150 r. 21 tillägg: 2 uppl. Upps. 1907.

» 151 » 20 inskjut: H. Bergroths och J. Hirns 'Katalog öfver den svenska literaturen i Finland' 1886—1900, Hfors 1892, 1897, 1902; L. Bygdéns 'Svenskt anonym- och pseudonym-lexikon' I A—L, Upps. 1898—1905, II M—, Upps. 1906 ff.

S. 151 r. 24 f. läs: C. Brobergs, A. Thelins och A. Victorins

S. 151 r. 28 tillägg: för 1902 fortsatt af A. Thelin, från och med 1903 af V. Gödel.

S. 152 r. 5 inskjut: Af Lundius bevaras i Riksarkivet ett handskrifvet betänkande af år 1713 med filologiska anmärkningar.

S. 155 r. 1 läs: 1841—1903

» » » 16 » : Bondeson (1854—1906),

» 156 » 32 inskjut: och de dithörande rikhaltiga manuskriptsamlingarna förtecknas af E. Lagerblad ib. 11, s. 206 f., Hfors 1898.

S. 158 f. Den anonyme författaren af *Kivikja-snack* m. m. är O. Cappelin; se Bygdén, Svenskt anonym- och pseudonym-lexikon I, 804.

S. 161 r. 17 inskjut: i Sv. landsm. IX, 1.

» 165 » 27 tillägg: Slutligen en mängd språkprof från Redvägs härad (Solberga socken) i O. W. Sundéns *Allmogelifvet i en västgötasocken under 1800-talet* (i Göteborgs K.

Vet. o. Vitt. samhälles handlingar IV följden, V-VI), Gtb. 1903.

S. 166 r. 11 läs: ett långt, af O. V. Wennersten (Visby 1905) utgifvet, poem

S. 166 r. 25 inskjut: 2 uppl. 1891,

» » » 27 läs: *Strandens sagor* (i Svensk tidskrift 1873, omtryckt) Visby

S. 166 not 2 utgår numera (jfr ofvan vid r. 11).

» 167 r. 28 inskjut: Från 1700-talet har man god Sorunda-dialekt i en bröllopsskrift till P. Liung och C. Grizelia af år 1723; se Hesselman, Sveamålen, s. 37 not 4.

S. 171 r. 6 inskjut: *Ett Lijtet Tijdfördrijf Då Abraham Lundholm Ingick Echta-Förbund Med Margareta Beata Kroger, Uti Stockholm . . 1695; Utaf Bönderna Ållä och Joha I Når Röra* (dvs. Norröra by i Blidö socken) med godt roslagsmål (se Hesselman, Sveamålen, s. 22 not 1).

S. 173 r. 18 tillägg: likaså den runinskrift på Orsblecksloftet af år 1635, som tolkats af J. Boëthius i Sv. fornminnesföreningens tidskr. XII, 223 ff. (jfr Noreen i Fornvännen I, 88 f.), och den å en runstaf befintliga inskrift från 1600-talet, som jag tolkat i Fornvännen I, 86.

S. 174 r. 13 läs: återigen helt eller delvis i de runinskrifter från Prästlogens bod 1706, Gessibodarna 1708, Baltzars fäbodar 1768 och Åsen 1795, hvilka tolkats af mig, L. Levander och J. Boëthius i Fornvännen I, 80 ff., resp. 78, 67 f. och 72 f.; vidare i

S. 176 r. 15 läs: anföra dels ett i manuskript uti Östersunds läroverks bibliotek befintligt kväde, författadt å (dålig) Offerdals-dialekt till »Christoffer Fonck»s och »Barbru Carel»s bröllop 1733, dels en *Brur-Skröft . . Når . . Anders Forsstedt Skul sta å spiäär i hop mä . . Catharina Drake . . lahn Wæhlmeiɴt Iamt*, Upps. 1748, 35 strofer lång och författad på högjämtska af, såsom det antas, studenten Æschɪ-ʟʟꞰs Nordholm (d. 1752), omtryckt och transskriberad till landsmålsalfabetet samt försedd med öfversättning och språklig kommentar af H. Westin i Jämtlands läns fornminnesförenings tidskrift IV, 20 ff.

S. 180 r. 15 tillägg: väsentligen å västgötadialekt.

» 182 » 32 » : För ortnamnsforskningens litteratur till och med 1903 redogör V. Gödel, *Svenska ortnamn. Bibliografi på uppdrag af Ortnamnskommittén utarbetad* (i Antiqvarisk tidskr. f. Sverige XVII), Stockh. 1904.

S. 186 r. 28 inskjut: samt Sv. Nic. Brodins ännu otryckta, i Västerås allmänna läroverks bibliotek förvarade *Phraseologia eller Orda-bok* med parallella ordförteckningar på svenska, tyska, latin, franska, engelska och italienska i 27 kapitel.

S. 210 r. 27 läs: 7 uppl. [utg. af J. Björkegren] 1792—94 och 8 uppl. [utg. af N. W. Forsslund] 1827—33;

S. 210 r. 31 inskjut: lagman C. Carlesons (d. 1761) *Hushåls-lexicon*, Stockh. 1756, 2 uppl. Nyköping 1769, som dock mindre är en ordbok än en lärobok i landthushållning;

S. 213 r. 11 f. läs: *Swensk Ord-Bok, Efter det nu för tiden i Tal och Skrifter brukliga sättet inrättad;*

S. 214 r. 29 läs: däremot vid en blott ansats, nämligen

» 215 » 18 ff. läs: samlingar tyckas ha gått förlorade.

» » not 1 strykes emedan, såsom bibliotekarien E. Ljunggren för mig påpekat och jag sedan äfven själf förvissat mig om, det i Vitterhetsakademiens bibliotek förvarade manuskript, hvarpå Rydqvists ord syfta, icke är Gagnerus' »Försök till . . Swenska Språkets . . Riktande med . . ord utur Fornspråket», utan det »Lexicon Gothicum» (dvs. fornnordiskt), som påbörjades af isländske translatorn Gudmund Olai och fortsattes af assessor C. Hagelberg samt afslutades 1774 af Gagnerus.

S. 224 not 6. Den anonyme författaren till *Hjälpreda* osv. är kyrkoherden Anders Hedrén (d. 1819); se Bygdén, Svenskt anonym- och pseudonym-lexikon I, 669.

S. 229 r. 26 läs: den där i sin andra upplaga (1834) bl. a.

S. 238 r. 20 läs: 1865, och hans numera väsentligen föråldrade fyra afhandlingar rörande svenska växtnamn i *Botaniska utflygter* I—III, Stockh. 1843 — 2 uppl. 1853 — resp. 1852 och 1864)

S. 239 r. 12 inskjut: M. Schücks (jfr s. 254) osjälfständiga *Ordbok öfver främmande och oegentligt begagnande ord i Svenska språket, vetenskapliga och konstuttryck samt Landskapsord,* Stockh. 1854;

S. 239 r. 32 inskjut: II (L—Ö) 1904

» 244 » 20   »   : (d. 1905)

» 248 »   1 läs: d. 1904

» 254 » 21 inskjut: omtryckt i författarens efterlämnade arbete Samlade skrifter II, Stockh. 1905.

S. 254 r. 25 inskjut: Af värde är A. Hazelius' (jfr s. 251) kritiska uppsats *Det svenska bibelöfversättningsarbetet* i Svensk Literatur-tidskrift 1868 (speciellt s. 289 ff. och 337 ff).

S. 255 r. 8 inskjut: 6 omarbetade uppl., Upps. 1904,

» 257 » 1 läs: med förord af Svenska Akademien, ny oförändrad uppl. 1848.

S. 262 r. 11 inskjut: 16 uppl. 1905

» 265 » 27 tillägg: Om C. J. L. Almqvists efterlämnade manuskript *Om svenska rim* se R. G:son Berg i Språk och stil V, 169 ff., där utdrag af de viktigare partierna meddelas.

S. 267 r. 6 tillägg: En ny, omarbetad och längre fortsatt, men fortfarande oafslutad, upplaga häraf ingår i förf:s Samlade skrifter I, II, Stockh. 1905, däri äfven de båda nedan nämnda afhandlingarna om en-, resp. trestafviga ord inarbetats, den sistnämnda dock endast i mycket stark förkortning.

S. 267 r. 17 tillägg: (omtryckt i Samlade skrifter II, 497 ff., Stockh. 1905).

S. 274 r. 4 inskjut: en i Carlstads Tidning för den 14 sept. 1805 införd *Alfabetisk förtekning på någre i Wermeland,*

— 551 —

särdeles i Fryxdalen, brukeliga Provincial-ord, på hvars tillvaro fil. kand. A. Blanck gjort mig uppmärksam. Den upptar 63 ord å bokstäfverna A—H och afslutas med »Forts. en annan gång», men synes den sålunda utlofvade fortsättningen ha uteblifvit;

S. 278 r. 11 tillägg: d. 1904.

» 288 » 5 inskjut: Några viktiga allmänna synpunkter, särskildt frågan om förhållandet mellan dåtidens riksspråk och dialekter, behandlar B. Hesselmans uppsats *Kritiskt bidrag till läran om nysvenska riksspråket* (i Nordiska studier, Upps. 1904).

S. 288 nederst tillägg: samt H. Vendells öfvervägande lexikaliska arbete *Språket i Peder Swarts krönika*, Hfors 1905.

S. 290 r. 8 tillägg: För personnamn intill 1600 se R. Hausen, *Mans- och kvinnonamn på Åland under äldre tider* (i Sv. literatursällskapets i Finland Förhandlingar och Uppsatser 8, s. 203 ff.), Hfors 1894; för ortnamn under hela perioden se det under utgifning varande stora verket *Sverges ortnamn: Ortnamnen i Älvsborgs län, på offentligt uppdrag utgivna av Kungl. Ortnamnskommittén*, hvaraf hittills utkommit delarna *III Bjärke härad, V Flundre härad* och *XII Väne härad*, Upps. 1906. (Om kommiténs arbetsplan och verksamhet se *Arbetsplan för undersökning af svenska ortnamn*, sep. ur Vitt. Hist. och Antiqvitets Akademiens Månadsblad 1903—05, Stockh. 1906 och A. Noreens uppsats *K. Ortnamnskommittén* i Svenska kalendern 1906, Upps. 1905).

S. 291 r. 18 inskjut: och H. Celanders *Språklig skandinavism* (i Språk och stil IV, 70 ff.), 1904, hvartill ansluter sig R. G:son Bergs *Några danismer* (ib. IV, 189 ff.).

S. 292 r. 2 inskjut: Jfr ock samme förf:s uppsats *Stilistiska sträfvanden hos Tranér och Adlerbeth* (i Språk och stil V, 205 ff.), 1906. En annan mycket rikhaltig och särskildt för ordbildningsläran intressant materialsamling utgör O.

ÖSTERGRENS *Brefstil och stridsstil från 1800-talets början* (i Språk och stil III, 156 ff., IV, 28 ff.), 1904.

S. 294 nederst inskjut: och E. BJÖRNSTRÖMS *Om några olika sätt att uttrycka passiv betydelse i nusvenskan* (i Språk och stil IV, 198 ff.), 1905.

S. 295 r. 8 tillägg: och C. COLLINS *Semasiologiska studier öfver abstrakter och konkreter* (i Från Filologiska föreningen i Lund III, Lund 1906).

S. 295 r. 18 inskjut: samt den grundliga undersökningen af H. LINDROTH, *Om adjektivering af particip*, Lund 1906

S. 295 r. 21 inskjut: — hvartill äro att jämföra Å. W:SON MUNTHES *Små randanmärkningar* (i Språk och stil IV, 113 ff.), 1904 —

S. 295 r. 23 inskjut: samt *Bibelgeografiska namn med sekundär användning*, Lund 1904; vidare M. LAGERHEIMS *Bibliska uttryck i profant språkbruk* (i Nordiska studier, Upps. 1904).

S. 298 r. 11 inskjut: mera då GUSTAFSSONS *Om ordställningen hos Runeberg* (i 'J. L. Runebergs hundraårsminne. Festskrift', Hfors 1904).

S. 298 r. 21 inskjut: och en annan dylik i artikeln *Vägar på hvilka talspråkets verbregel intränger i skriftspråket* uti Stockholms Dagblad för 16 och 23 febr. 1902, omtryckt i Samlade skrifter II, Stockh. 1905.

S. 298 nederst tillägg: samt samme förf:s *Några skolgrammatiska spörsmål* (Språk och stil VI, 149 ff.), 1906; vidare O. ÖSTERGRENS *Inkongruenser af typen »i sin helhet och sammanhang* (Språk och stil V, 1 ff.). 1905 och S. BELFRAGE, *Om attributiva bestämningars anslutning till förleden i sammansatta substantiv* (ib. VI, 101 ff.), 1906.

S. 299 r. 6 inskjut: och N. BECKMANS mycket nytt och godt innehållande *Svensk språklära*, Stockh. 1904 (jfr A. NOREENS utförliga recension däraf i Språk och stil V, 78 ff.)

S. 299 r. 31 läs: A—Beta och C—Dam

S. 300 r. 3 inskjut: O. E. WENSTRÖMS och W. E. HARLOCKS *Svensk-engelsk ordbok*, Stockh. 1904, samt A. KLINTS *Svensk-tysk ordbok*, Stockh. 1906.

S. 300 r. 26 läs: *Ordbok I* (A—Karsk), Upps. 1890—1905, och

S. 301 r. 11 tillägg: *Undersökning af svenska ord* (i Nordiska studier, Upps. 1904).

S. 301 r. 33 inskjut: (d. 1903)

» 302 » 17 » : *Några gamla ortnamn i Helsingland* (i Helsinglands fornminnessällskaps årsskrift 1, 1901), Stockh. 1902.

S. 302 r. 18 läs: JOHANSSONS (senare STENHAGENS) populära

S. 302 r. 26 inskjut: hans *Onomatologiska bidrag* (i Nordiska studier, Upps. 1904) samt framför allt hans stora arbete *Språkliga bidrag till den svenska bosättningens historia i Finland. I. Egentliga Finland, Satakunta och södra Österbotten* (i Bidrag till kännedom om Finlands natur och folk nr 63), Hfors 1905; T. E. KARSTENS viktiga skrift *Österbottniska ortnamn I* (innehållande »inledning» och »svenska naturnamn»), Hfors 1906.

S. 302 r. 30 inskjut: och densammes *Ur våra ortnamns historia* (i Julbok utg. af E. Stave, Upps. 1906)

S. 303 r. 5 ff. läs: och samme förf:s stora verk *Svenska sjönamn* (Sv. landsm. XX), Stockh. 1903—06, samt hans viktiga arbete *Om de svenska ortnamnen på -inge, -unge och -unga* (Göteborgs högskolas årsskrift 1905, I), Gtb. 1904

S. 303 r. 12 tillägg: ändtligen K. ORTNAMNSKOMMITTÉNS ofvan s. 551 nämnda stora verk *Ortnamnen i Älvsborgs län*, Upps. 1906 ff.

S. 304 not 1 tillägg: Ett *Svenskt rimlexikon* af L. J. Z. LEKSELL är för närvarande under tryckning.

S. 305 r. 26 tillägg: Praktiskt sedt fullständigt såväl i fråga om »territoriella namn» som »naturnamn» är K. ORT-

NAMNSKOMMITTÉNS ofvan s. 551 nämnda verk *Ortnamnen i Älvsborgs län*, Upps. 1906 ff.

S. 306 r. 5 tillägg: Under tryckning befinner sig *Svenska familjenamn vid början av 1900-talet* af ERIK och ADOLF NOREEN.

S. 306 r. 30 inskjut: Ett om storartad flit vittnande hufvudverk på detta område är numera A. LYTTKENS' *Svenska växtnamn*, Stockh. 1904 ff., som lämnar en mycket utförlig synonymisk och historisk utredning rörande våra växtnamn. En kortfattad öfversikt öfver den äldre botaniska litteraturen och dess namnförråd lämnar A. G. NATHORSTS *Svenska växtnamn* 5 (i Arkiv för botanik, band 2 nr 9), Stockh. 1904.

S. 307 r. 12 tillägg: och tryckt såsom *Svenska växtnamn* 3 (i Arkiv för botanik, band 2 nr 1), Stockh. 1904. Ännu andra förslag framställer N. C. KINDBERG i sin skrift *Svenska namn på våra inhemska kärlväxter*, Stockh. 1905.

S. 307 r. 17 läs: 1902, 1904 (

» 310 nederst inskjut: och O. ÖSTERGRENS *Språklig nyskapelse* (i Nordisk tidskrift 1905).

S. 311 r. 27 inskjut: *Strödda anteckningar om Runebergs stil* (i Finsk tidskrift LVI, 148 ff., Hfors 1904), *Epiteton ornans hos Vitalis* (i Språk och stil V, 121 ff.), *Gustaviansk fraseologi och Tegnérs Svea* (ib. VI, 129 ff.), 1906,

S. 312 r. 1 inskjut: Ett mycket förtjänstfullt och särskildt för betydelseläran gifvande bidrag till en stilistisk författaremonografi är O. ÖSTERGRENS *Stilistiska studier i Törneros' språk*, Upps. 1905.

S. 312 r. 28 tillägg: tryckt 1903 (jfr därtill E. LJUNGGREN, *Finlandismer i 1700-talets svenska*, därsammastädes 18, 1904, Hfors 1905. Särskild uppmärksamhet fästes vid finlandismer i R. SAXÉNS bearbetning af N. BECKMANS *Svensk språklära*, Stockh. 1905; se speciellt om ordförrådet s. 219 ff.

S. 313 r. 15 inskjut: vidare märkas: R. G:SON BERG, *Lexikaliska bidrag till finländskan i våra dar* (i Språk och

— 555 —

stil III, 123 ff., Upps. 1903—04), hvartill hör *Några anmärkningar* af E. Olson (i Språk och stil V, 138 ff.); R. Saxéns *Finländsk svenska* i Finsk tidskrift LVI, 299 ff., Hfors 1904), däri Freudenthals och Nordenstrengs ofvannämnda arbeten utförligt recenseras.

S. 313 r. 25 inskjut: J. Mandelstams och A. Igelströms *Svensk-rysk ordbok*, Hfors 1905.

S. 314 r. 6 inskjut: En sammanställning af alla de östnordsvenska dialekternas mera egendomliga ordförråd meddelar H. Vendells stora *Ordbok öfver de östsvenska dialekterna* (Skrifter utg. af Sv. litteratursällskapet i Finland LXIV), Hfors 1904 ff. (tills dato *A-snätt*), däri inledningsvis lämnas en 27 ss. lång »Översiktlig framställning av de östsvenska målens ljud- och böjningsförhållanden».

S. 314 30 r. inskjut: samt S. Landtmansons *Studier över Västgötamålets l- och r-ljud* (Svenska landsmål, Bil. 1), Stockh. 1905.

S. 315 nr 1 tillägg: Jfr nu äfven densammes viktiga afhandling *Sveamålen*, Upps. 1905.

S. 315 nr 3 tillägg: samt en 4 sidors ordlista från Östra Göinge i P. Johnssons *Kulturbilder samt sagor och sägner*, Hessleholm 1904.

S. 315 nr 5 tillägg: samt K. Nilssons rikhaltiga *Ord och talesätt från sydöstra Blekings strandbygd och skärgård*, Karlskrona 1900 (jfr densammes ofvan s. 159 omnämnda talrika och utförliga språkprof).

S. 317 nr 14 tillägg: och O. W. Sundéns monografiskt uppställda ordlistor (med landsmålsalfabet) i det ofvan s. 547 f. nämnda arbetet samt för ortnamnens vidkommande till den fullständiga förteckningen (med landsmålsalfabet) i K. Ortnamnskommitténs ofvan s. 551 nämnda arbete *Ortnamnen i Älvsborgs län*, Upps. 1906 ff.

S. 318 nr 16 tillägg: samt framför allt B. Hesselmans *Sveamålen*, Upps. 1905.

S. 318 r. 28 inskjut: en anonym författare i Carlstads Tidning (se s. 550 f. ofvan),

S. 323 nr 36 tillägg: utom hvad som numera ingår i H. VENDELLS ofvan s. 555 nämnda *Ordbok öfver de östsvenska dialekterna*, och som baserar sig på handskriftligt material från Hvittisbofjärd af fil. mag. I. E. SMEDS.

S. 324 nr 41 tillägg: utom hvad som numera ingår i H. VENDELLS nyssnämnda *Ordbok*, och som beror på Vendells egna anteckningar från år 1881.

S. 324 nr 43 tillägg: En utmärkt behandling af målet i Nuckö socken (dvs. på Odensholm och Nuckö samt i Egeland) lämnar numera G. DANELLS (ännu ej afslutade) afhandling *Nuckömålet. I. Inledning ock ljudlära* (Sv. landsmål, Bil.), Stockh. 1905.

S. 328 r. 1 inskjut: G. N. HATZIDAKIS, *Peri tou glōssikou zētēmatos en Helladi*. II (sep. ur Athene), Athen 1893, E. N. SETÄLÄ, *Ueber die sprachrichtigkeit* (i Finnisch-ugrische Forschungen IV), Hfors 1904,

S. 328 r. 3 inskjut: 3 uppl. 1904.

» 330 » 26   »   : 2 (utvidgade och omarbetade) uppl., Stockh. 1905

S. 331 r. 4 tillägg: En värdefull specialundersökning är äfven samme författares *Den tvåstafviga takten i svensk hexameter* (i Från filologiska föreningen i Lund III, Lund 1906).

S. 331 r. 6 tillägg: Originellt och baseradt på själfständiga undersökningar är B. RISBERGS ännu icke afslutade arbete *Den svenska versens teori* . . I. *Rytmik och prosodik*, Stockh. 1905.

S. 331 nederst inskjut: R. G:SON BERG, *Ur Almqvists 'Om svenska rim'* (i Språk och stil V, 169 ff.),

S. 332 r. 9 tillägg: Jfr ock A. MANKELLS ännu icke helt föråldrade skrift *Om sann och falsk deklamation*, Örebro 1862.

S. 334 r. 1 läs: 8 uppl. 1904.

» » » 2 » : 16 uppl. 1905.

» 335 nederst inskjut: i) För den genom kungl. cirkulär af den 7 april 1906 för skolorna påbjudna reformerade stafningen redogör utförligast M. LANDAHL, *Svensk rättskrivningslära*, 3 uppl., Stockh. 1906, samt C. W. KASTMAN och I. A. LYTTKENS, *Ordlista över svenska språket*, Stockh. 1906.

S. 382 r. 6 läs: Detta är ofta eller oftast (se dock H. Buergel Goodwin hos H. Celander, Om övergången av $đ > d$ i fornisländskan och fornnorskan, s. 75 not 3, enligt hvilken nyisländskt *đ* i regeln är gingivalt) fallet

S. 410 r. 10 läs: till (aspirationslöst) *p*

» 414 » 14 och 17 torde perspirerad böra utbytas mot aspirerad. Likaså s. 428 r. 1, 430 r. 11, 439 r. 25, 440 r. 18, 447 r. 8 och 17, 456 r. 24 och 457 r. 1.

S. 416 r. 21 läs: öfvergångsljudet; jfr det vulgära uttalet *metfurst* för *metvurst*).

S. 416 r. 28 läs: *hunds-fott* (jfr i äldre nysvenska *härsvängare* för *hirschfängare*).

S. 418 § 52 bör nu fullständigas (och särskildt r. 9—10 rättas) i enlighet med resultatet i J. Sahlgrens uppsats 'Om svenska apiko-gingivaler' (Sv. landsmål 1907).

S. 418 r. 17 läs: som ofta eller oftast (jfr dock s. 382 tillägg) är

S. 418 nederst inskjut: och Nuckömålet (se Danell I, 53)

» 419 r. 1 inskjut: samt flera andra jämtländska mål (se Westin i Sv. landsm. XV, 3, s. 24 ff.)

S. 420 not 2 tillägg: Jfr ock I. A. HEIKELS yttrande i Tidskrift utg. af Pedagogiska föreningen i Finland 1906, s. 326 f.: »uttalet af 'zoologi', 'Zacharias', 'Franzén' med 'ts' förefaller mig bra främmande».

S. 428 r. 11 inskjut: nordöstra Uppland (se Hesselman, Sveamålen s. 10),

S. 430 r. 16 inskjut: i Ale och Flundre härader af Västergötland, t. e. *nne* knä,, *nniv* knif (se S. Lampa, Ljudbeteckning för västgötamålen, s. 10),

S. 435 r. 4 tillägg: Enligt muntligt meddelande af fil. kand. J. Sahlgren skall det dock säkert förekomma i Aspö socken, Södermanland.

S. 436 r. 21 läs: Så kanske i Närke (jfr dock nedan s. 472 not 4) och

S. 443 r. 19 inskjut: Jfr dock I. A. Heikels yttrande i Tidskrift utg. af Pedagogiska föreningen i Finland 1906, s. 326: »enligt min erfarenhet uttalas 'djup' och 'djur' i hvardagligare språk ofta utan 'd'».

S. 446 r. 22 läs: och Pargas-målen (se Thurman i Sv. landsm. XI, 4, s. 10), där

S. 455 r. 21—24 stryk (på grund af hvad som anförts af H. Celander, Arkiv f. nord. fil. XXII, 31; jfr äfven S. Landtmansson, Studier över Västgötamålets *l*- och *r*-ljud, s. 7): *eld* ... skäl

S. 455 not 2 tillägg: Delvis annorlunda, men för mig icke fullt öfvertygande, S. LANDTMANSON, *Studier över Västgötamålets l- och r-ljud*, s. 61 f.

S. 462 r. 20 tillägg: Jfr emellertid nu ett annat förklaringsförsök hos Hesselman, Sveamålen, s. 65 not 2.

S. 464 r. 14 stryk: *afgan*

S. 466 not 2 tillägg: Se vidare nedan s. 484 not 1.

Tryckfel

(De särskildt förvillande äro utmärkta medelst **feta** siffror).

S.	3	r.	9	läs:	SILVERSTOLPE
»	17	»	14	» :	sjö- och
»	27	»	5	» :	afseenden
»	42	»	8	» :	Sturzen-Becker
»	**54**	»	**9**	» :	Hehn
»	**55**	»	**29** f.	» :	östligt
»	**56**	»	**1**	» :	västligt
»	62	»	27	» :	Tjeckiskan
»	»	»	28	» :	tjeckiskan
»	63	»	12	» :	Kasjubiskan
»	86	»	6	» :	Höjer
»	89	»	5	» :	personer [1]
»	»	»	11	» :	1700 [2]
»	**91**	»	**33**	» :	Staro-
»	**93**	»	**1**	» :	sjvedskaja
»	103	»	27	» :	se A nedan
»	»	»	28	» :	jfr dock A, a nedan
»	105	»	19	» :	velopalatalt
»	**118**	»	**14**	» :	*sola*
»	135	»	15	» :	bibliografi
»	»	»	16	» :	*sval^{h}t*
»	146	»	9,10	» :	av
»	148	»	4	» :	LAGERLÖÖF
»	149	»	2 f.	» :	Bihang II, resp. III
»	164	»	27	» :	äro ock

S. 168	r. 7	läs:	1886 [1])
» »	» 9	» :	*skämtlynne* [2]
» »	» 20	» :	*skämtlynne* [3]
» 171	» 22	» :	*Reftelia*
» 173	» 11	» :	22 och 23 nedan
» 174	» 23	» :	A. Grönwall
» 179	» 3	» :	L. W.
» 183	» 2	» :	*till svenska metrikens*
» 225	» 9	» :	nr 36, 38, 41, 45, 46)
» 258	» 7	» :	LANDTMANSONS
» 261	» 25	» :	d. 1866
» 268	» 16	» :	Tiällmann
» 291	» 26	» :	språkpedagogiskt
» 327	» 33	» :	JOHANNSON
» 334	» 14	» :	WULFFS
» 341	» 14	» :	330
» 408	» 26	» :	en likadan sida
» 444	» 18	» :	Då q och
» 446	not 2	» :	1904
» 462	r. 5	» :	ersättas
» 465	not 5	» :	s. 115 f., 125
» 502	r. 26	» :	äfven
» 529	» 9	» :	samt alternativt dess

Författare- och utgifvare-register

till kap. 4—6 (s. 132—336) [1]

---

[1] Tillägg utan namns nämnande citeras inom parentes.

Första bandets innehåll:

EFTERORD.

Afslutningsvis torde till undvikande af missförstånd böra påpekas, att den här använda fonetiska beteckningen (väsentligen medelst landsmålsalfabetets typer) i regeln icke afser att vara exakt annat än i fråga om det ljud, som för tillfället diskuteras, dvs. att t. e. ett *stjarna* eller *stjäŋa* icke meddelar någon upplysning om den fonetiska beskaffenheten af andra i ordet ingående ljud än den första vokalen, resp. det därnäst följande ljudet.

Då det för detta bands användbarhet tvifvelsutan är af särskildt stor vikt att redan nu äga ett författare- och utgifvareregister till kapitlen 4—6 utan att behöfva afvakta det fullständiga personregister, som bör afsluta hela verket, så har jag här bifogat ett sådant; en liten afvikelse från den ursprungliga planen, som jag förmodar komma att hälsas med bifall.

Eftersom tryckningen af detta band fortgått under hela fyra års tid, ha en mängd tillägg blifvit af nöden för att så vidt möjligt bringa dess allehanda områden berörande uppgifter, särskildt de bibliografiska, i jämnhöjd med forskningens ståndpunkt i den dag som nu är. Om ock dessa tillägg komma att vålla läsaren en smula besvär, så hoppas jag dock, att han finner mig ha höjt arbetets värde och brukbarhet genom deras införande.

Jag kan icke för denna gång nedlägga pennan utan att framföra ett varmt tack till dels prof. Hj. Öhrvall, som med sakkunnigt och välvilligt öga genomsett det naturvetenskapliga partiet af mitt arbete (s. 342—405), dels min gamle trofaste vän Otto Hoppe, som själfmant åtagit sig att läsa ett korrektur å det hela och därvid gifvit mig många goda vinkar, som helt visst ländt min framställning till fromma både i fråga om klarhet och exakthet. Äfven den hjälp, jag vid korrekturläsningen haft af min son Erik, må tacksamt erkännas.

Uppsala 1 februari 1907.

Adolf Noreen.